沖縄文教部／琉球政府文教局　発行　[復刻版]

文教時報　第14巻

第96号〜第101号／号外11
（1965年9月〜1966年7月）

編・解説者　藤澤健一・近藤健一郎

不二出版

『文教時報』第14巻（第96号～第101号／号外11）復刻にあたって

一、本復刻版では琉球政府文教局によって1952年６月30日に創刊され1972年４月20日刊行の127号まで継続的に刊行された『文教時報』を「通常版」として仮に総称します。復刻版各巻、および別冊収載の総目次などでは、「通常版」の表記を省略しています。

一、第14巻の復刻にあたっては下記の機関に原本提供のご協力をいただきました。記して感謝申し上げます。

　　沖縄県公文書館

一、原本サイズは、第96号から第101号までＡ５判です。号外11はＢ５判です。

一、復刻版本文には、表紙類を含めてすべて墨一色刷り・本文共紙で掲載し、各号に号数インデックスを付しました。なお、表紙の一部をカラー口絵として巻頭に収録しました。また、白頁は適宜割愛しました。

一、史料の中に、人権の視点からみて、不適切な語句、表現、論、あるいは現在からみて明らかな学問上の誤りがある場合でも、歴史的史料の復刻という性質上そのままとしました。

（不二出版）

◎全巻収録内容

復刻版巻数	原本号数	原本発行年月
第１巻	通牒版１～８	１９４６年２月～１９５０年２月
第２巻	１～９	１９５２年６月～１９５４年６月
第３巻	１０～１７	１９５４年９月～１９５５年９月
第４巻	１８～２６	１９５５年１０月～１９５６年９月
第５巻	２７～３５	１９５６年１２月～１９５７年１０月
第６巻	３６～４２	１９５７年１１月～１９５８年６月
第７巻	４３～５１	１９５８年７月～１９５９年２月
第８巻	５２～５５	１９５９年３月～１９５９年６月
第９巻	５６～６５	１９５９年６月～１９６０年３月
第１０巻	６６～７３／号外２	１９６０年４月～１９６１年２月
第１１巻	７４～７９／号外４	１９６１年３月～１９６２年６月
第１２巻	８０～８７／号外５～８	１９６２年９月～１９６４年６月
第１３巻	８８～９５／号外１０	１９６４年６月～１９６５年６月
第１４巻	９６～１０１／号外１１	１９６５年９月～１９６６年７月
第１５巻	１０２～１０７／号外１２、１３	１９６６年８月～１９６７年９月
第１６巻	１０８～１１５／号外１４～１６	１９６７年１０月～１９６９年３月
第１７巻	１１６～１２０／号外１７、１８	１９６９年１０月～１９７０年１１月
第１８巻	１２１～１２７／号外１９	１９７１年２月～１９７２年４月
付録	『琉球の教育』1957（推定）、1959／別冊＝『沖縄教育の概観』１～８	１９５７年（推定）～１９７２年
別冊	解説・総目次・索引	

〈第14巻収録内容〉

『文教時報』琉球政府文教局 発行

号数	表紙記載誌名（奥付誌名）	発行年月日
第96号	文教時報（文教時報）	1965年 9 月27日
第97号	文教時報（文教時報）	1965年10月 4 日
第98号	文教時報（文教時報）	1965年12月30日
第99号	文教時報（文教時報）	1966年 2 月20日
第100号	文教時報（文教時報）	1966年 4 月30日
第101号	文教時報（文教時報）	1966年 5 月30日
号外第11号		1966年 7 月10日

＊号外第11号は縦組みのため巻末より収録

（注）

一、号外第11号は原本サイズＢ５判を82％縮小して収録した。

（不二出版）

『文教時報』復刻刊行の辞

　わたしたちは、沖縄現代史のあゆみをどこまで知っているだろうか。この問いを掲げつつ、第二次大戦後、米軍によって占領されていた時期（1945－1972年）、沖縄・宮古・八重山（一時期、奄美をふくむ）において、文教担当部局が刊行した『文教時報』を復刻する。

　同誌は沖縄文教部、つづいて琉球政府文教局が刊行した。前者では示達事項を中心とした指導書であり、後者では教育行政にかかわる情報、教育についての調査・統計、教室での実践記録や公民館を中心とした社会教育関連記事など、盛り込まれた内容は幅広い。総じて教育広報誌といえる同誌は、発行期間の長さと継続性から、沖縄現代史を分析するうえで、もっとも基礎的な史料のひとつと目される。しかし、これまで同誌は全体像についての理解を欠いたまま、断片的に活用されるにとどまってきた。

　その背景にはなにがあるのか。まず、発行が群島ごとに分割統治されていた時期から琉球政府期にいたるまで四半世紀におよび、雑誌としての性格が変容していることがある。くわえて多くの機関に分蔵されるとともに、附録類、号外や別冊など書誌的な体系が複雑に入り組みつかみにくい。このために本格的な調査が進まなかった。今回、わたしたちは所蔵関係にかかわる基礎調査をふまえ、添付書類までもふくめた全体像の把握に体系的に取り組んだ。その成果をこうして全18巻、付録1に集約して復刻刊行する。解説のほか、総目次や執筆者索引などから構成される別冊をあわせて刊行する。今回の復刻により、教育行政側からみた沖縄現代史について、それを総覧できる史料的な環境がようやく整備されることになる。

　統治者として君臨した、米国側との関係、また、沖縄教職員会をはじめとした教員団体との関係、さらに「復帰」に向けた日本政府や文部省との関係、さらに離島や村落の教育環境など、同誌は変動する沖縄現代史のダイナミズムを体現するかのような史料群となっている。

　沖縄の「復帰」からすでに45年にいたるいま、沖縄研究者はもとより、教育史、占領史、政治史、行政史など複数の領域において、本復刻の成果が活用され、沖縄現代史にかかわる確かな理解が深まることを念じている。物事を判断するためには、うわついた言説に依るのではなく事実経過が知られなければならない。あらためて問いたい。沖縄現代史のあゆみははたしてどこまで知られているか。

　　　　　　　　　　　　　　　　　　　　（編集委員代表　藤澤健一）

98号　　　　　　　　　　　　　　　101号

文教時報

No. 96　65/9

特　集……1966年度文教局予算解説

琉球政府・文教局総務部調査計画課

も く じ

特集………1966年度文教局予算解説

はしがき……………………………………………………………… 1
第1章　1966年度教育予算の全容………………………………… 2
第2章　文教施設（校舎等）および設備備品の充実…………… 8
第3章　教職員定数の確保と資質の向上…………………………14
第4章　地方教育区の財政強化と指導援助の拡充………………17
第5章　教育の機会均等……………………………………………20
第6章　高等学校生徒の急増対策…………………………………24
第7章　産業科学技術教育の振興…………………………………26
第8章　学力向上と生活指導の強化………………………………28
第9章　育英事業の拡充……………………………………………31
第10章　保健体育の振興……………………………………………33
第11章　社会教育の振興と青少年の健全育成……………………36
第12章　文化財保護事業の振興……………………………………40
第13章　琉球歴史資料編集と県史編さん…………………………41
第14章　琉球大学の充実……………………………………………42
第15章　日米援助の拡大に伴う予算の執行について……………43

（附）

① 1966年度文教局予算中の地方教育区への各種
　　　　　補助金，直接支出金および政府立学校費………………45

② 教育関係日米援助…………………………………………………52

は　し　が　き

　明日の社会の繁栄と期待を担う教育は，社会の進展につれて，その重要性をますます加重してまいりました。

　教育行政は国家や地方における行政の単なる一分野としての考えから脱し，広く産業・経済・文化に作用する大きな役割を持つようになりました。

　この意味において，どのような文教施策の遂行にあたるかについては教育関係者はもとより，広く一般の方々の深い関心事となるところは理の当然と申さねばなりません。

　本年度は従来に比べて本土政府による教材・備品の援助が大幅に増加しましたので，特にその執行については，学校をはじめ地方教育委員会の方々のより一層の協力を期待するのである。

　本号は1966年度の文教関係予算の解説をこころみ，沖縄の教育行政について教育関係者をはじめ広く各位に理解していただくために編集しました。

第1章 1966年度文教予算の全容

1966年度琉球政府一般会計歳入歳出予算は諸般の事情もあって，1ヵ月の暫定予算によって発足したが，本予算はさる7月27日の立法院本会議で可決され，7月30日に主席の署名公布により正式に成立した。

1. 文教予算の総額

1966年度琉球政府一般会計歳出予算の総額は65,887,200弗で，このうち文教局予算総額は22,537,997弗である。

文教局予算総額の政府予算に占める比率は34.21％となっている。

今年度文教局予算を前年度と比較すると，当初予算額18,704,058弗に対して3,833,939弗の増，比率で約20.5％と大幅に増加している。また，前年度の補正組替え後の最終予算額18,704,239弗に対しては，3,833,758弗の増，比率で同じく約20.5％増となる。

文教局予算を事項別に分けて，その構成比を示すと次のとおりとなる。

事　　項	予算額	構成比
	弗	％
総　　　額	22,537,997	100.0
文　教　局	20,895,874	92.7
琉　球　大　学	1,604,924	7.1
文化財保護委員会	37,199	0.2

琉球大学補助，文化財保護関係を除いた文教局の歳出予算額20,895,874弗を支出項目別に前年度と比較して示すと次の表のとおりである。

支出項目別内訳

(単位:弗)

事　　項	1966年度予算額	前年度 当初	前年度 最終	比較増△減 当初	比較増△減 最終
総　　額	20,895,874	17,461,928	17,460,815	3,433,946	3,435,059
A 消費的支出	17,065,383	14,049,515	14,904,927	3,015,868	2,160,456
1. 教職員の給与	14,597,733	11,866,915	12,854,975	2,730,818	1,742,758
2. その他の消費的支出	2,467,650	2,182,600	2,049,952	285,050	417,698
B 資本的支出	3,830,491	3,412,413	2,555,888	418,078	1,274,603
1. 学校建設費	2,068,312	2,077,702	1,526,042	△ 9,390	542,270
2. その他の資本的支出	1,762,179	1,334,711	1,029,846	427,468	732,333

なお，本年度の予算についてこれを図示すれば右図のとおりである。

この図によりみれば，文化財・琉球大学関係予算を除く総予算額の70％は

教職員の給与費で学校建設費の10％を加え，80％が義務経費に支出されることになる。

つぎに，この額を教育分野別に示せば次の表のとおりとなる。

教育分野別予算および構成比

教育分野	予算額	構成比
総額 （除く琉大・文化財関係経費）	弗 20,895,874	% 100.0
学校教育費	19,616,242	93.9
幼稚園	68,790	0.3
小学校	8,264,604	39.6
中学校	6,146,642	29.4
特殊学校	327,448	1.6
高等学校	4,523,671	21.6
各種学校	285,087	1.4
社会教育費	243,266	1.1
教育行政費	812,009	3.9
育英事業費	224,357	1.1

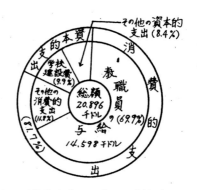

学校教育費は全体の94％を占めており，特に義務教育諸学校に要する経費が全体の71％となっている。

2. 文教局予算編成の方針
　　　および予算編成の経過

1966年度文教局予算の編成に当っては，さる11月9日中央教育委員会で協議決定された「1966年度文教局予算編成方針」に基づいて具体的作業がすすめられた。

中央教育委員会で定められた予算編成方針を示せば，つぎのとおりである。

1966年度文教局予算編成方針

重点方針	具体的方針
1. 文教施設（校舎等）および設備・備品の充実	◎ 普通教室の充足 ◎ 普通高校の新設 ◎ 特別教室の充足 ◎ 産業技術学校の充実 ◎ 老朽校舎の解消

	◎ 管理諸教室の充足
	◎ 特殊教育施設の充実
	◎ 青年の家の建設
	◎ 文教施設用地の確保
	◎ 設備・備品の充実
	学校備品充実
	学校図書館充実
2．教職員定数の確保と資質の向上	◎ 学級規模の改善と教職員の確保
	◎ 教職員の資質の向上
	◎ 各種研究団体の助成
3．地方教育区の財政強化と指導援助の拡充	◎ 教育税の市町村税への一本化と市町村交付税に教育費の分を含めるための法規の整備
	◎ 地方教育区行政職員などの資質の向上
4．教育の機会均等	◎ へき地教育の振興
	◎ 特殊教育の振興
	◎ 要保護および準要保護児童生徒の就学奨励
	◎ 学校統合の促進とこれに基づく就学奨励
	◎ 幼稚園教育の育成強化
5．高等学校および中学校生徒の急増対策	◎ 教職員の確保
	◎ 教員養成の拡充
	◎ 施設・備品の充実
	◎ 普通高校の新営
6．産業科学技術教育の振興	◎ 理科教育の振興
	◎ 産業教育の振興
	◎ 農業教育近代化の促進
	◎ 産業技術学校の新営
7．学力向上と生活指導の強化	◎ 教育指導者の養成と指導力の強化
	◎ 学力向上対策
	◎ 生活指導の強化

	◎ 教育測定調査の拡充
8．育英事業の拡充	◎ 国費・自費制度ならびに特別奨学制度の拡充
9．保健体育の振興	◎ 学校教育指導および学校保健の強化
	◎ 学校給食の拡充
	◎ 社会教育の振興
	◎ 指導者の資質向上と体育団体の育成
	◎ 奥武山陸上競技場の完成
	◎ 地方体育施設の拡充
10．社会教育の振興と青少年の健全育成	◎ 青少年の健全育成と家庭教育の振興
	◎ 青年学級の振興
	◎ 社会教育主事の活動促進
	◎ 社会教育における職業技術教育の振興
	◎ 社会教育指導者の養成
	◎ 青年・婦人指導者の国内研究活動の助成
	◎ 図書館，博物館　その他　社会教育施設の運営強化

　この予算編成方針（重点方針・具体的方針）に基づき，教育財政需要の算定を行ない，予算担当局と数回にわたる折衝を経て，政府案としての予算参考案が立法院に送付されたのであるが，予算編成方針の一端を紹介するという意味で，この参考案に書かれている教育財政需要についての説明をここに転記しよう。

教育財政の需要

　教育財政の規模を決定する主なものは，教育のうちで最も主要な部分を占める学校教育に要する経費である。したがって教育財政需要額は妥当な教育水準を保持する生徒1人当り教育費によって算定されると申しても過言ではありません。

　この教育財政需要額を決定する児童生徒数の現状と将来の推計ならびに過去における生徒1人当り公教育費の本土比較をみますと，次のとおりであります。

児童生徒数の現状と将来の推計（公立・政府立）

学年度		1965	1966	1967	1968	1969	1970
小・中学校	小学校	151,152人	148,045人	145,196人	143,656人	143,232人	144,821人
	中学校	83,233	81,180	79,462	77,063	74,876	71,836
	計	234,385	229,225	224,658	220,719	218,108	216,657
高等学校	全日制	32,234	34,414	36,945	38,072	38,130	38,184
	定時制	4,536	4,997	4,997	4,941	4,900	4,854
	計	36,770	39,411	41,942	43,013	43,030	43,038

児童生徒1人当り公教育費の年次別推移（日琉比較）

a 実額（単位弗）

校種別	小学校							中学校							高等学校（全日）						
年度	1957	'58	'59	'60	'61	'62	'63	1957	'58	'59	'60	'61	'62	'63	1957	'58	'59	'60	'61	'62	'63
本土	38.52	39.08	41.20	44.26	52.27	63.28	79.33	44.77	50.21	57.04	63.49	71.77	78.67	83.20	73.73	82.04	86.58	89.36	103.47	132.52	169.63
沖縄	20.97	26.66	23.06	27.11	27.12	32.94	38.57	27.58	37.60	35.46	44.03	48.44	54.04	60.45	50.03	68.77	67.11	76.88	76.79	95.27	102.66

b グラフ　本土 ------　沖縄 ――

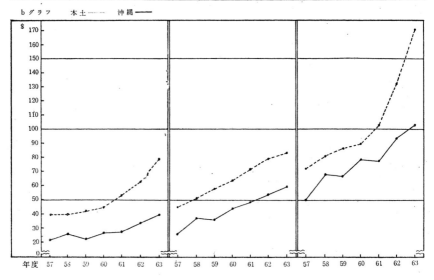

小学校の児童数は1961学年度を境として，その後漸次減少の傾向にありますが，中学校は今年度にピークを迎えておりますし，さらに高等学校においては当分生徒数の増加が続きます。このような中・高等学校生徒数の増加は当然の結果として教育費需要の増加を必要とします。

　さらに，近年における科学・文化の著しい進展に伴い，世界各国の教育水準も飛躍的発展を示しつつあり，したがって生徒1人当り公教育費は年々増加の一途をたどっていることは前の図の示すとおりであります。

　予算の編成に当っては，このような生徒数の増加や教育に対する時代の要請，住民の期待を政府財政の許すかぎりにおいて実現すべく努力したのであります。すなわち，教育の一般的な適正妥当な規模と内容を想定し，本土の教育水準と教育費を一応の参考とし，琉球における教育費の適正額の算定につとめ，教育委員会法第5章の手続きを経て，文教局関係予算を送付したのであります。

　この政府参考案は立法院の審議を経て，一部修正されて可決され，主席の署名により正式に成立した。

第2章 文教施設(校舎等)および設備・備品の充実

　教育の効果をあげ,完全な教育目的を達するためには,それにふさわしい施設なくしては,望めないことである。特に教育技術の改善進歩にともなって,教育施設,設備・備品の整備は大いに促進され,充実されなければならないことであるが,財政面の困難さのために不備な状態におかれている現状である。幸いにして,日米両政府の大幅な財政援助が今後期待されるので一段と充実されることと思う。本年度は特に公立小中学校の校舎面積の基準の引上げが実施され,今後資金の増額と併せて,その整備が大いに促進されることと思われる。

1　学校建設の推進

　校舎建築については,教育条件整備の一環として,最も重要な事項として取りあげられ,毎年多額な資金が投入され,推進されてきた。過去において校舎建築にかけられた経費は,1955年度から1966年度までに1,749万弗に達しているが,これによって建築された校舎の達成率は,小学校62%,中学校55%,高校57%の低い達成率であるので(去る7月に改訂した学級数に対応する新基準による)完全整備の域に達するまでには,今後なお多額な資金投入が必要である。本年度学校建設費の予算は,2,068,312弗で昨年度予算に比較して,47,270弗の増である。そのうち校舎建築に使われる資金として政府立学校の施設費 1,138,518弗(琉政負担500,718弗,日政援助72,800弗,米政援助565,000弗)公立小中学校の施設補助金914,048弗(琉政負担729,048弗,米政援助185,000弗)がとられている。小・中学校における本年度の建築計画は不足教室の充足を緊急かつ重要な事項としてとりあげ,小学校43教室の不足に対して27教室,中学校106教室の不足に対して,103教室の充足計画をたててあるが,不足教室の解消までに至らないので,残存校舎や自力校舎を使用することによって不足を補充せねばならない状態である。なお教室以外の建築計画として,給食準備室,便所,木造校舎の改築,教室内部の改装,へき地教員住宅,給水施設等の予算が計上されている。

　政府立高校においては,既設高校の不足教室の充足と普通高校の新設によって高校生徒の急増に対処する建築計画である。即ち,既設高校の不足教室91教室に対して普通教室87教室,理科教室5教室の建築によって充足する計画であり,新設校の建築は年次計画で進めることとし,本年度は初

年次計画として建築する計画である。その他の建築計画としては，産業教育に必要な施設として，13教室分の予算の計上があり，便所，寄宿舎，給食室図書館，職員住宅，改築等の予算も計上されている。

政府立の特殊学校については普通教室，職業関係諸室，屋内運動場兼講堂水治訓練室，寄宿舎等の建築によって施設の整備充実をはかる計画である。これによって，本年度予算終了後の校舎面積については，それぞれ小学校63％，中学校59％，高校61％，特殊学校44％の達成率となる予定である。

2 社会教育施設の充実強化

博物館は現在地から旧尚家跡に移転することになり，目下新館建設工事（鉄筋コンクリート建824坪）が着々と進められている。当初1965年度に竣工する予定であったが，諸種の都合でそれができず，1966年度に持越されることになった。建設の資金は，米国援助316,925弗，琉球政府55,913弗が充当されることになっている。

中央図書館は「資料センター」としての性格を備えるべきであるが，現在は資料が不じゅうぶんであるので，図書備品を整備充実したい。現在図書の総冊数は11,700冊，そのうち，郷土資料は約2,500冊，他は一般教養書，基本図書であるが，基本図書の収集が不じゅうぶんなので，この面に力を入れたい。さらに住民に対する奉仕活動を強化し，その読書欲を高揚させるために移動文庫を創設したい。

視聴覚教育は，視聴覚機材取扱，技術の養成を各連合区ごとに行ない，視聴覚教育の振興を図ると共に，備品の充実を図る計画で各連合区および区教育委員会を通じて貸出利用に供する。

公民館はその地域における社会教育センターとして，生活文化の向上をはかるため，問題解決学習に要する運営補助金9,000弗，設備を充実させるための施設補助金10,800弗，および研究指定と本土研修派遣に要する研究奨励費720弗支出する予定である。なお1964年度より実施されている南方同胞援護会よりの図書充実費として本年度は42,200弗の援助費で約30カ所の公民館に配本する予定である。

青年の家は青年の団体および青少年指導に関する研修を行なう成人の団体が共同宿泊生活をしながら講義，討議実習，体育，レクリェーションを行ない規律，協同，友愛，奉仕の精神を養ない創造的な活動力を高めて，健全な青年よい社会人となることを期待する社会教育施設で，本年度日本政府の援助により建設されることになっている。坪数（延）300坪，収容人員100人で予算は96,250弗，本土政府が74,600弗，琉

球政府21,650弗負担となっている。

3．文教施設用地の確保

政府立の学校その他の教育機関の建物敷地，運動場，実習地等については不足面積の充足，ならびに借地の解消に毎年努力してきたところであるが，政府立高校でなお建物敷地の不足66,381坪，運動場の不足面積4,278坪，実習地の不足面積14,321坪もあり，その他に22,259坪の借地をかかえている。本年度予算による借地料として21,054弗，土地購入費として222,711弗が計上されている。土地購入費はほとんど借地解消の計画であり，新規購入は約2,700坪程度である。この文教関係土地購入費は，行政府土地購入費の総額32,100弗の66％を占める予算額で昨年度土地購入費よりは6万弗の減である。

4．学校図書館の充実

学校図書館法（1965年立法第5号）の施行にともない，日政援助の実現によって，本年度の学校図書館充実費は昨年度の約14倍（別表参照）に増額した。

それによると図書が基準冊数のおよそ11％充足されることになる。予算内容からみると，モデル学校図書館育成と学校図書館法にもとずく全琉学校図書館の図書備品の経費にわけられる。

学校図書館法は，学校図書館を学校の基本施設として規定し，設置者に学校ごとに図書館を設置するよう義務づけてある。また，設置者に対し中央教育委員会の定める学校図書館の図書および設備基準に引きあげるために要する経費の一部を政府が補助するようにきめてある。

政府では，1971年度までに学校図書館の図書を基準冊数まで充足する計画である。なお，今年度の学校図書館充実費の予算は次のとおり。

	予算額（弗）			備考
	1965年度	1966年度	増減	
事業用備品費	100	17,300	17,200	政府立学校の図書館充実備品費
備品補助金	7,000	85,600	78,600	公立小中学校の図書充実備品費
計	7,100	102,900	95,800	日政 $82,319 琉政 $20,581

5．設備・備品の充実

一般備品の充実のために今年度は特に，日本政府援助，米国政府援助が大幅に増額している。日政援助は，小学校の音楽，体育関係備品に，米政援助は，前年度に引き続き児童生徒用机，腰掛および新設高等学校，商業実務専門学校，産業技術学校用机，腰掛購入

費となっている。これらの援助により小学校においては,全学校に基準数のピアノが設置されることになり,体育関係のジャングルジム,とび箱,踏切板,マット,移動式三角低鉄棒がほとんど充足されることになる。児童生徒用机,腰掛については1963年度,1965年度に引き続き第3回目の配布でその数は小学校56,043脚,中学校31,199脚計87,242脚で公立小中学校児童生徒数のおよそ1/3が充足されることになる。更に期待されることは,1968年度までに100パーセント充足するような計画がなされていることであろう。

予算内容は次のとおりである。

科目	予算額	内訳		説明
		負担区分	金額	
学校備品充実費	弗527,900	米政	弗300,000	小中学校机,腰掛 225,000弗 高等学校机,腰掛 75,000弗
		日政	182,320	小学校 音楽（ピアノ）108,000弗 体育 119,900
		琉政	45,580	
学校教育補助 （学校運営補助金）	弗33,000	琉政	33,000	音楽,保健体育,理科,視聴覚,職業の教科を除く他の教科備品

視聴覚備品の充実

1965会計年度を契機に,公費による視聴覚備品の充実が大幅になされるようになった。ラジオ・録音機・8〜16ミリ映写機・オーバーヘッド投影機等がUSCARの援助資金で支給されたほかに,視聴覚ライブラリーに必要な教材フイルム等が650点余整えられ,学校教育近代化の一環としての視聴覚教育の素地ができてきた。今後日米両政府の援助資金および琉政予算によって画期的な充実が図られるものと期待されるので,下表のような校種別規模別の視聴覚備品が充実計画によって年次的に支給・補助してその充実を図っていきたい。

年次計画で充実される視聴覚備品が効果的に管理されるためには,それに伴う映写教材・放送教材・録音教材・シート教材・レコード等の視聴覚教材を公費および学校独自の計画によってその充実をはかることが急務とされる。この二つの計画は車の両輪のようなもので有機的に関連し合うとともに校内における機材の取扱い訓練計画を平行的に実施することによって,その実をあげることが期待される。「だれにでも,どこでもできる視聴覚教育」を目標に,学習指導方法の改善に努め児童生徒の発達段階や経験に即応してより豊かな教育課程が達成されるようにのぞみたい。

政府による小学校視聴覚備品充実計画（案）

番号	品名	単価	学校当	学校規模				学級当
				1～12	13～24	25～36	37以上	
1	スライド映写機	$70		2	4	5	6	
2	16ミリトーキー映写機	550		1	2	2	2	
3	8ミリトーキー映写機	150		1	2	3	3	
4	8ミリ撮影機	250	1					
5	8ミリフィルム編集機	25	1					
6	8ミリフィルム接合機	5	1					
7	ラジオ	15						1
8	テレビ受像機	150						1
9	アープ式磁気録音機	70		2	3	6	6	
10	ステレオ電蓄	120		1	1	2	2	
11	オーバーヘッド投影機	150		1	1	2	2	
12	シート式磁気録音機	1,120	1組					
13	校内放送装置	2,200	1組					

中学校視聴覚備品充実計画

番号	品名	単価	学校当	学校規模				学級当
				1～12	13～24	25～36	37以上	
1	スライド映写機	$70		2	4	5	6	
2	16ミリトーキー映写機	550		1	2	2	2	
3	8ミリトーキー映写機	150		1	2	3	3	
4	8ミリ撮影機	250	1					
5	8ミリフィルム編集機	25	1					
6	8ミリフィルム接合機	5	1					
7	ラジオ	15						1
8	テレビ受像機	150						1
9	テープ式磁気録音機	70		3	5	7	8	
10	ステレオ電蓄	150		1	1	2	2	
11	オーバーヘッド投影機	150		1	1	2	2	
12	シート式磁気録音機	1,120	1組					
13	校内放送装置	2,200	1組					

高等学校視聴覚備品充実計画

番号	品名	単価	学校当り	学級規模 1～24	学級規模 25～36	学級規模 37以上	学級当
		$					
1	スライド映写機	70		3	4	5	
2	実物投影機	180	1				
3	16ミリトーキー映写機	550		1	2	2	
4	8ミリトーキー映写機	150		2	2	3	
5	8ミリ撮影機	250		1	1	2	
6	8ミリフィルム編集機	25	1				
7	8～16ミリフィルム接合機	5	1				
8	ラジオ	15					1
9	テレビ受像機	150					1
10	テープ式磁気録音機	100		3	4	5	
11	ステレオ電蓄	150		1	1	2	
12	オーバーヘッド投影機	200		1	2	3	
13	校内放送装置	2,200	1組				

1971年度までの視聴覚備品充実長期計画

品名	充実目標 小	充実目標 中	充実目標 高	計	保有数量（1965年度） 小	中	高	計
スライド映写機	787	400	141	1,328	220	65	34	319
16ミリ映写機	349	184	56	589	32	55	26	113
8ミリ映写機	410	207	85	702	149	24	12	185
8ミリ撮影機	235	127	50	412	50	15	3	60
8ミリフィルム編集機	235	127	35	397	0	0	0	0
〃 接合機	235	127	35	397	0	0	0	0
ラジオ	4,060	1,867	1,069	6,996	1,777	618	265	2,660
テレビ受像機	4,060	1,867	1,069	6,996	63	29	15	107
テープ式磁気録音機	767	550	141	1,458	277	143	60	
ステレオ電蓄	296	150	50	496				
オーバーヘッド投影機	296	150	71	517	4	19	39	62
シート式磁気録音機	235	127	—	362	12	0	0	12
校内放送装置	235	127	35	397				

第3章 教職員定数の確保と資質の向上

学校教育を向上進展させるためには諸種の条件があるが,最も根本的なものに,学級収容人員の適正化と教員の担当時数の適正化および日進月歩の進展を続ける社会現象に対応するための教師の資質の向上等が考えられよう。

政府としては,これらの諸条件を改善し,教育効果をより一層あげるために格段の努力をしているが,1966年度においては,次のようになっている。

1. 学級規模の改善と教職員の確保

教育の諸条件のうち学級規模と教職員定数は,この重要な要素を占めるものである。この要素が改善されることにより教員の負担は,より軽減され,教員の効果は一層向上することになる

1965学年における児童生徒数,学級数,教職員数を前学年度と比較すると,次のような改善のあとがうかがえる。

（公立学校のみ、学級数・教職員はそれぞれ6月21日現在）

区及	児童生徒数			学級数			教職員数		
	1964学年	1965学年	増△減	1964学年	1965学年	増△減	1964学年	1965学年	増△減
小学校	155,045	151,709	3,336	3,557	3,552	△5	3,978	3,993	15
中学校	81,620	83,403	1,783	1,781	1,810	29	2,713	2,771	58
計	236,665	235,112	1,553	5,338	5,362	24	6,691	6,764	73

前表で見るとおり、小学校においては、児童数3,336人の減となっておりおよそ60学級の減となるが、それを5学級の減にとどめ、教職員数は、逆に15人の増となっていることは、それだけ改善されことになる。

中学校においては、今年度が生徒数の最高で、1,783人の増となり、29学級の増で、58人の教職員の増となっている。

学級編制基準の改善は、現行基準（1962年中央教育委員会規則第29号）の範囲内でなされたもので,本土の基準と比較すると、なお低いのが現状である。

今後本土政府が、義務教育国庫負担法の趣旨に則り、義務教育諸学校の教職員給与の$\frac{1}{2}$を負担することになれば政府の計画のとおり1970学年度までに本土並み基準まで改善されよう。

なお、基準数外の教員（特殊学級担任教員,養護教員,技術科補助教員等

および補充教員）を含めると123人の増員となっており1966学年においては，さらに134人の増員が見込まれている。

優秀な教員を確保するためには，今後は，計画的教員養成をしなければならないが，そのためには現在のような中央教育委員会規則による学級編制，教職員定数の基準ではなく，より強力な立法によらなければならない。つまり，本土法に準じた立法をなし，計画的に学級編制，教職員定数の基準を改善し，将来の見とおしをたて，教員養成，校舎の建築等教育全般の向上をはかりたい。

2. 教職員の資質の向上

① 文教局が主催する研修

教職員の資質を向上させることは，沖縄の学力水準の引きあげに大きな影響を与えるものと考えられる。文教局としては次にあげる講習会，研修会のほかに学校現場を計画的にまた要請により訪問指導を行なっている。

各種研修会，講習会，理科センターにおける理科教員研修，英語センターを利用する英語教員訓練へき地教員研修会，教育相談研修会，中学校技術（男子，女子，）研修会，中高技家庭科研修会，特殊教育研修会，職業教育技術研修会，教育課程講習会等を計画している。

② 本土援助による研修，講習会毎年行なわれている本土講師による夏季認定講習会（13回）および今年度で6回目を迎える文部省派遣教育指導委員講習会等の外に数学教師の不足を解消するための数学講習会を計画している。研究教員は1952年より始められ，1965年3月までに630名が派遣されている。今年度はこの研究教員制ワクをひろげ，新しく学校長の本土実務研修，指導主事研修教員大学留学を本土政府の援助により実施することになっている。

これら教育関係職員等研修費としておよそ3万3千弗の予算が計上されている。

3. 各種教育団体の育成

教育団体育成のための経費としては学習指導，道徳教育の充実，生活指導の改善のための実験学校，研究校の研究奨励費をはじめ，農業クラブ，家庭クラブ，職業および科学技術研究奨励費，各種教育コンクール，各種研究団の体育成強化を図るための各種研究奨励費，また全琉一体となって行なわれる教育研究大会（中央教研），青少年の体位の向上とスポーツの生活化をめざす学校体育奨励費，社会教育団体の活

動および育成のための社会教育活動奨励費，教育長，校長の両協会に必要な経費，学校保健大会に必要な経費など計26,341弗が計上されている。その内訳は次のとおりである。

各種奨励費内訳

事業名	奨励金
実験学校研究校奨励費	$ 2,940
農業クラブ研究奨励費	650
家庭クラブ研究 〃	525
各種教育研究奨励費	2,408
職業及科学技術	450
各種教育競技会	718
教育研究大会	6,000
学校体育奨励費	8,007
社会教育 〃	2,688
教育長協会	600
学校長協会	1,200
学校保健大会	155
計	$26,341

第4章　地方教育区の財政強化と指導援助の拡充

　地方教育区の財政力を強化することは教育の進展はもとより，教育機会均等の確保の面からも極めて重要な要素である。しかしながら，現実においては地方教育区の財政力に著しい不均衡があり，このことが直接教育条件の開きさえ生ぜしめる結果になりつつあり教育上大きな問題としてこれが早急な解決をする必要に迫られた。

　全琉の教育行政の最高責任を負う中央教育委員会では，これらの教育財政大の諸問題を現時点において，すみやかに解決していくためには教育税を市町村税に一本化するより道がないという結論に達し，これに基づき教育委員会法の一部改正に関する立法案を立法院に送付し，立法院での慎重審議の末，これが可決をみたのである。この改正は1967会計年度から実施されるのであるが，今会計年度は過渡的措置として前年度同様に教育区財政調整補助金が増額計上されている。

1. 教育税の市町村税への一本化

　教育財政の均等化をはかる道は究極的には政府財源による教育区への財政制度の確立にかかっている。このような補塡制度のない現制度のもとでは，この問題の解決は不可能であることは論をまたない。

　文教局としては，じゅうぶんなる検討の末，この問題の解決のためには教育委員会法を改正し，教育税を市町村税に一本化し，市町村交付の中の教育需要をおり込むことが最良の策であるという結論のもとに教育委員会法はじめ関係立法改正について，去った会期の立法院に立法勧告に基づき審議を続けてきたが，「教育委員会法の一部を改正する立法案」は会期ぎれの7月27日立法院で原案どおり可決をみ，8月19日署名交付された。

　なお，市町村税法や市町村交付税法などの関連立法の一部改正も引続き可決され，ここに多年の懸案であった教育財政の建直しは立法院ではその解決をみることができた。

　これらの立法は1966年7月1日から施行されるので，実質的に来会計年度から教育税が廃止され，市町村税に一本化されることになる。なお，改正された教育委員会法による地方の財政制度や組織などについては引続き発刊されてる文教時報第97号に詳説する予定である。

2. 教育区財政調整補助

　教育委員会法の改正によって，教育の基準財政需要額に対する基準財政収入額の不足分については，来会計年度

から市町村交付税として積算され，市町村を通じて地方教育区へ交付されることになるが，今会計年度までは従来通り，暫定措置としての教育区財政調整補助によってその一部を補塡することになっている。

教育区財政調整補助の積算となる基準財政需要額については本土の地方交付税における基準財政需要の積算内容に準拠し，その単位費用を次のように定めた。

	小学校費	中学校費	その他の教育費
1 学校当り経費	$ 968.61	$ 965.56	―
1 学級当り経費	200.75	222.60	―
児童生徒1人当り経費	2.80	3.10	―
人口1人当り経費	―	―	$ 0.48

これによる全琉の教育区における教育基準財政需要総額は約261万8千弗となり，1966年度の教育税収入予定額188万2千弗の70％に当る131万7千弗の教育区基準財政収入額とみて（残りの30％は標準外教育費とする），差引き不足財源の130万1千弗が財政調整必要額と算定される（実際には不交付団体が生じた場合にはこの額を上廻る）が，政府財源の都合等によって，その額の23％に当る30万弗が教育区財政調整補助として予算に計上されている。この額は前年度の最終予算額の1倍半に当る額であり，この補助金が，じゅうぶんではないにしても地方教育区の教育水準の均衡化にかなりの役割りを果すことができ，特に財政力の弱い教育区においては財政面の運用が大いに好転することが期待される。

3. 教育補助金の財政平衡交付と地方教育区行政職員等の資質の向上

　教育補助金のうち，修繕費補助，旅費補助，社会教育関係補助などは教育区の財政能力や態容等の差異に応ずるよう測定単位に補正を加えて交付されるが，特に財政能力については，できるだけ教育区財政調整補金の交付基準と密接な関連をもたらすよう考慮していきたい。

　一方，これら財政平衡補助金のほかに特定項目については奨励補助の性格をもたし，教育内容の一層の充実促進をはかりたい。

　また，補助金の運用面をより円滑にしかも効率的にするためには，その運用に当る地方教育行政職員の資質の向

大にまつところが極めて大きい。これらの行政職員の研修も，教員の研修とともに重要な事項であるので，今年度も一層の指導援助の拡充をはかるようにしたい。

　また，教育行政を一層充実させ強力に推進するためには，地方連合区事務局職員の確保は重要な問題である。政府としては，優秀な職員を確保することができるよう，教育行政補助として職員の給与費を 163,205 弗 計上してある。

　この予算は，すべて職員の給与費にあてられる経費で，運営費等については各区教育委員会に補助される教育区財政調整補助金から分担金として支出されることによって，更にスムーズに運営され，強化されるものと思料する。

第5章　教育の機会均等

　住民がその能力に応じて，ひとしく教育を受ける権利を有することは教育基本法の明示するところである。

　この趣旨に基づいて文教局では，身体，精神などの障害のあるもののためには特殊教育の推進を図り，あるいは経済的理由によって就学困難なものに対しては就学を援助する措置を講じてきた。

　また，交通，文化的条件に恵まれないへき地に対しては，へき地教育振興法に基づく財政的援助を行ない，その他，働きながら学ぶ勤労青少年に対する定時制教育の振興，私学の育成など，教育の機会均等をめざして年々力をそそいできた。

1. へき地教育の振興

　へき地教育振興法の趣旨に基づき，へき地教育，文化の向上をめざして本年度は次の予算が計上されている。

へき地手当補助金	101,520弗
へき地住宅料補助金	14,220
へき地教育文化備品補助金	10,000
へき地教員養成費	3,960
複式手当補助金	4,452
開拓地学校運営補助	1,822

　これらの経費のほかに，教育補助金が教育区の財政能力や人口，交通，地理的条件などによって補正されるのでへき地教育区の負担軽減，財政援助ともなり，結果的にはへき地教育の振興に大いに寄与することになる。

　へき地教員の養成については教員志望奨学規程の定めるところにより，へき地学校に勤務する教員の養成のため，琉球大学生中より募集し，月額10ドルの奨学金を支給し，へき地学校教員の養成をしている。

2. 特殊教育の振興

　普通学級の中には，教師の指導力がいかにすぐれていても，ついていけない知恵遅れの子どもが1学級に2，3人はいて，これらの児童生徒は，いわゆる「お客様」としてそのまま社会に送り出されている現状である。

　これら特殊児童生徒は，義務教育の9年間をなんら学ぶことなく，無言の抵抗を示したり逆に攻げき的になったりして自己防御に身を固めて社会に出ていくのが普通である。このことは，教育基本法の精神にも反することであり，これでは，健全なる社会人として社会に貢献し得る人的育成はできない。特殊教育の重要性が叫ばれるゆえんがここにある。

　特殊教育の成果いかんでその国の教育の状況をおしはかれるといわれているが，沖縄の特殊教育も年々進展し，

これにともない予算も増加している。

特殊教育の学校として，盲学校，聾学校，大平養護学校，鏡ヶ丘養護学校，澄井小・中学校，稲沖小・中学校がある。特に1965年4月に2つの養護学校が同時に開校したこと，さらに特殊学級が29学級から87学級まで増加したことは特筆すべきことである。このことは，今後の沖縄の特殊教育進展に大きな足がかりを与えたものといえよう。

特殊学級の種類と学級数（1965年7月1日現在）

種別＼学年別	1959	1960	1961	1962	1963	1964	1965	1966	備考
精神薄弱者学級	1	1	7	17	17	29	87	127	1966年度は学級増予定教
促進学級			1	15	21	21	14	14	
肢体不自由者学級		5	5	6	8	10	9	0	
病弱者学級						1	1	2	
計	1	6	13	38	46	61	111	143	－

これらの特殊学級には，専用の備品が必要とされるので，学校教育補助金の中から特別に1学級あたり290弗の補助をしている。

特殊学級を担当する教師は，普通免許状さえあればよい。しかし，特殊学級を担当する以上，異常児教育，異常児心理，異常児の病理・保健等が要求されるようになってくる。そこで政府としても夏季認定講習会にもこれらの講座を1963年度から実施し，教員の再教育に努めている。

特殊学校の教師には，昔通免許状のほかに，盲学校教諭，聾学校教諭，養護学校教諭の免許状がそれぞれ要求される。

このように，昔通免許以外に特殊教育のための免許取得や，身心の障害の程度の異なった児童生徒を指導する教師の過重な負担に対して給料調整額を支給するために予算を計上してある。

3. 要保護・準要保護児童生徒の就学奨励

要保護および準要護児童生徒に対する就学奨励の1つとして，中学校の要保護および準要保護生徒の教科書費が計上されている。小学校では，全児童に対して，教科書が無償配布されるので中学校の要保護および準要保護生徒の分はこの中に合せ計上されている。

準要保護児童生産に対しては日本政府より南方同胞援護会を通じて学用品の現物が支給される予定である。その対象は，在籍の7％に相当する数で小

学校10,628人，中学校5,840人で金額に換算して84,013弗となっている。

このほか学校給食補助も昨年同様に予算に計上され，その金額は14,614弗となっている。

4．学校統合の促進とこれに基づく就学奨励

小規模学校の統合については，文教政策として打ち出して以来，着々とその実績と効果を上げつつあるが，通学バスのダイヤの問題，校地や住民感情等の問題で当初の計画どおり進歩しているとはいえない。

しかしながら，既に統合を行なった地区においては，その効果は相当に認識され，一歩一歩その成績を上げている。

これまで統合校は次のとおりである。

連合区	1964年4月までの統合校		連合区	1965年4月までの統合校	
	統合後の学校名	統合前の学校名		統合後の学校名	統合前の学校名
八重山	大原中学校	大原中学校 古見 〃 由布 〃 上地 〃	八重山	船浦中学校	船浦中学校 上原 〃
				上原小学校	上原小学校 船浦 〃
	伊原間中学校	伊原間中学校 平久保 〃 明石 〃 野底 〃 伊野田 〃	北部	伊平屋小学校	伊平屋小学校 田・名 〃 島尻 〃
	明石小学校	明石小学校 伊原間 〃		伊是名中学校	伊是名中学校 具志川島 〃
	大浜中学校	大浜中学校 川原 〃			
宮古	多良間中学校	多良間中学校 水納 〃			
北部	金武中学校	金武中学校 嘉芸 〃			

これら学校に対しては，スクールバスを必要とする学校（伊原間中（1台），上原小（1台））にはバス購入費，バス通学の学校（伊原間中，大浜中，金武中）にはバス通学費，寄宿舎を必要する学校（大原中）には寄宿舎建築費，食糧費および炊事婦給料，下宿を必要とする学校（多良間中，伊是名）には下宿料を補助している。

1966年度においては，それらの経費として30,363弗が計上されている。

5. 義務教育諸学校教科書の無償給与

義務教育無償の趣旨に沿って1963年度より小学校の全児童に対して教科書の無償給与を行なっているが今年も同様に実施できるよう予算に計上している。（現在本土では小学校5年まで給与されている）

また，1966学年からは中学校3年まで教科書無償給与ができるよう計画している。（本土では中学校1年まで給与される）

小・中学校の教科書費として総計517,944弗が計上され，そのうち $\frac{1}{2}$ は日本政府が負担することになっている。

6. 幼稚園教育の振興

幼稚園教育は人間形成の基盤を培うものであり学校教育の一環として重要な位置を占めている。

1965年8月現在の全琉幼稚園数は，公立49，私立12計61，園児数9,167人でその就園率は36.9％となっている。

文教局としては，幼児教育の重要性にかんがみ，より多くの幼児が，適切な環境のもとで，幼稚園教育が取けることができるようにするために，幼稚園教育振興計画を策定し，1965年度から年次的に諸条件の整備をすることになった。

1966年度は，公立幼稚園の教員給料補助金として53,824弗（給料月額の30％）と全幼稚園の備品補助として7,466弗（1園当り約106弗）計上されている。そのうち $\frac{1}{2}$ は日本政府が負担することになっている

7. 定時制教育の振興

政府立高等学校における備品費は従来学校単位に割当てていたが，定時制教育の特殊性に鑑み，1964年度から定時制給食用備品購入費として予算計上してきた。今会計年度前は年度の10倍に当る8,000弗を計上し，給食備品の充実をはかっていく計画である。

8. 私立学校の助成

私立高校の内容充実を促進させるため，逐年その振興策を講じていく考えであるが，とりあえず理科教育振興策として年次計画によって基準の50％を補助する予定で，今年度はこれに要する経費として1,500弗が計上されている。

第6章　高等学校生徒の急増対策

1663学年度から高等学校生徒が急増し、今会計年度は、その第4年目を迎えるわけであるが、過去3年間の急増対策としては高校生徒急増対策は関する文教審議会の答申、に基づいて実施してきたが、今会計年度は最も急増する年度でもあるので、生徒急増に伴う校舎建築の推進、教員数の確保、施設設備の充実、さらに高校の新設等大幅な予算指置を必要とする。施設の面では既に第2章でふれたので省略することにして、ここでは校舎建築以外の急増対策のための予算措置の概略について説明する。

1. 教員数の確保と教員養成

1966学年度は教員数が前年度より大幅増加が見込まれるため、それに要する予算を確保するとともに、その必要数の教員確保については、さきに立法された「高等学校生徒急増に伴う教職員の確保等に関する臨時措置法」による待遇改善（初任給調整手当）と教職員免許状取得条件の緩和等により、教員の確保が円滑に行われるようになった。

また、教職員数の確保の一環として、64会計年度から大幅な教員志望奨学生制度を新設してきたが、今会計年度は琉球大学60名、日本本土大学20名、工業科教員養成所10名計90名の奨学生を選定し、卒業後、高等学校の教員として勤務することを条件として奨学金を与え、もって理工系教員の養成とその数の確保をはかっていきたい。

2. 施設設備の充実

政府立学校の一般教科（理科・図書を除く）備品の整備に要する経費は、1965年度までに目標額に対して24.05％投入しているが、今年度はそれを27.7％にひきあげていくことができる。さらに、新設校を含む各高等学校における一般備品（教科備品以外）の充実をはかるための経費も急増対策の一環として予算化されている。そのおのおのの予算額は下表ののとおりである。

政府立高等学校備品費内訳（単位弗）

一般教科備品費	31.825
図書購入費	16.750
定時制給食備品費	8.000
一般備品費	85.575
計	142,150

3. 高校の新設と生徒収容計画

高校生の急増期にはいってから既に高等学校4校を新設してきたが、来学年度も既設校だけでは生徒増を収容す

ることが困難であるので，普通高校1校を新設する計画がある。

　来学年度の政府立高等学校の生徒数の増加は2,500人程度と見込まれる。これらの増加生徒数の収容方法としては，来学年度開校予算の普通高校に12学級600人，既設高校29校に47学級の学級増で1,900人計2,500人の収容増によって解決する計画である。そして，これれら30校の運営に要する経費（人件費物件費，施設費を除く）として91,123弗が計上されている。

第7章　産業科学技術教育の振興

　産業界の発展，科学技術の進展に即応するため，住民の科学技術に関する基礎教養を培い技術者を養成することは学校教育の一つの大きな使命である。

　このため科学教育の振興策としては小，中高校における理科教育の設備の充実，指導者養成，理科担当教員の資質の向上等をはかるために必要な予算が計上されている。

　産業教育の振興策としては，産業教育備品の充実，産業技術学校および商業実務専門学校の新設，産業教育関係教員の資質向上のための研修に必要な予算が計上されている。

1．理科教育の振興

　科学技術教育の進展をはかるためには，先ずその中核をなす理科教育を強化することが肝要である。文教局においては，理科教育振興法の趣旨に基づいて，小中高校の理科備品の充実，現場教師の資質の向上を図るために，科学教育振興費として133,121弗投入することになっている。その主なるものを挙げると備品補助金（公立小中校）が93,650弗政府立高校理科備品が24,992弗，理科教育センター8,144弗，政府立中校480弗政府立特殊学校が1,611弗で，私立学校補助金1,500弗である。

　現職教育は理科教育センターで行なう小学校理科指導者研修会（2週間），中学校理科指導者研修会（2週間）高校理科指導者研修会（2週間）の2教科，小学校女教師研修会（1週間），各連合区を単位の理科実験研修会等を計画している

2．産業教育の振興

　高等学校の産業教育備品の現況は65会計年度でその目標達成率は21.34%まで高めてきたが，今年度は97,500弗を投入して達成率を22.8%に高めていく計画である。この達成率は，教育課程の改訂による目標額の増加と高校生徒の急増対策のための学科の新設増設等があって，一進一退の状態であるが，新設の学科，学校については前年度にひき続き特に配慮して予算を計上してある。

　また中学校の技術，家庭科については，将来の沖縄を担って立つ青少年に科学技術についての素養をかん養する意味からその充実に努力してきたが，前年度までに72校に技術教室が完成していて，今年度はさらに2校を追加する計画である。その他男子用工具備品，女子用調理，被服

工作の備品を加えて38,500弗の備品補助金を計上してある。

さらに，産業教育担当教員の資質の向上をはかるため，長期の講習を琉大および各地区で催す計画がある。また，日本政府の援助による産業教育研究教員を年間10名を派遣することになっている。その外にAID や東西文化センター等の援助による台湾研修，ハワイ研修も計画している。

3．農業教育近代化の促進

近年，貿易の自由化，各種産業の発展に対応していく農業人養成という観点から農業教育の近代化をはかる必要に迫られてきた。今年度は49,789弗の日本政府援助を得て，59,289弗でパイロットファームを建設して農業自営者の養成をはかっていきたい。

4．産業技術学校，商業実務専門学校の新営

産業技術学校，商業実務専門学校はいずれも，校舎建築費は1965会計年度の米国援助によるもので，来年4月開校を目標に目下建築中である。1966会計年度では備品購入費として，産業技術学校に195,000弗，商業実務専門学校に40,000弗を計上してある。

産業技術は，高等学校に進学しないで，直に産業界に就職しようとする青少年男女に，機械工作，板金溶接，ラジオ，テレビ修理等の技能を習得させ，その就職を容易ならしめるとともに，沖縄の産業の発展に寄与することを意図するもので，本格的な技能教育を行なう教育機関として期待される。

また，商業実務専門学校は，沖縄における商業活動の国際化にかんがみ，高等学校の商業科を卒業して商業事務に従事しようとする者に，さらに専門的に商業知識および技能を得しめ，殊に英語に堪能な商業人を養成して，沖縄における企業の近代化，合理化に貢献することを意図したものである。

第8章　学力向上と生活指導の強化

　児童，生徒の学力は諸種の条件によって本土と比べて思わしくない状況であるが，その効果をあげる諸要因を整備しつつあるので最近の状況は明るい。生活指導についても社会の複雑な事情と相まって種々の問題点があるがその実態を把握して学校教育と社会教育どがタイアップして地域ぐるみの指導体制をつくりあげつつある。

1. 教育指導者の養成と指導力の強化

　学校教育を効率的に推進し，児童生徒の学力向上をはかるためには，いろいろの角度から対処しなければならないが，教育関係職員の指導的立場の職員を養成し，その指導力を強化することについても，じゅうぶん配慮されなければならない。それについてつぎのような事項が実施されている。

①　学校経営についての研修会

イ　全沖縄小・中学校長研究大会
300余名の全校長が参加，主として，学校経営上の諸問題について研究討議を行ない，本土から招へいする名士の講演会が行なわれる。3日間那覇で開催する。

ロ　学校経営中央講座　真喜屋野外センターを利用して，3泊4日にわたり30人の小中学校の校長，教頭が参加する。学校経営についての集中講義と研究討議を行なう。

ハ　校長実務研修本土の小中学校に2か月間派遣し，学校経営上の実情についての実務を研修する。

②　指導主事研修

イ　文部省の主催する校長，指導主事等講座（年5回）に毎回参加させて研修を行なう。

ロ　文部省主催の各種の指導者養成講座に対しては30人〜40人近くの参加を派遣し，実績をあげている。

ハ　沖縄指導主事研修会の経費
本局および各連合区の47人の全指導主事の共同研究のための経費であり，各担当の職務上の相互理解や指導行政上の対策について研究を深めている。

2. 学力向上対策

　学力を向上させる要因は種々あるが日々の教壇実践を充実させる教師の努力に俟つことが大きい。そのため本学年度の新しい試みとしては学習指導を改善する意味で，各連合区に2校ずつ個別学習指導研究学級を指定し視聴覚教具等を支給して研究をさせている。

　なお，例年の通り，本学年の教育指針にしたがって研究テーマを設定し，実験学校7校，研究学校31校と高校6

校を指定して研究させ，学年の終りに発表会をもち，その成果を普及させている。

3. 生活指導の強化

児童生徒の健全育成の推進はいつにその指導者である教師の教育費と指導力の育成強化にある。

特に学校，家庭，社会における児童生徒の実態を適確にとらえ科学的な建全育成指導，矯正指導，心理治療という面から専門的理論と技術は欠かすことのできない条件にある。

しかしながら生活指導の重要性を認めながらも生活指導に関する専門的な理論と技術に欠けるきらいがある。

局としてもこの点に留意し，現職教師の研修会（訪問教師，進路指導主事，道徳，特別教育活動主任，高校カウンセラー，生徒指導主任等の研修会）を開催し，また生活指導に関する手引（4部冊）を発刊することにより一層の生活指導の強化を現場教師と一体となり推進したい。なお1966年度青少年健全育成に関する予算額は1,593弗である。

4. 教育測定調査の拡充

教育の成果を期待するには，教育に関する測定や調査が必要である。

このことは，現状を診断し，また将来を予測するために最も大事な基礎資料を提供してくれるからである。

つまり，得られた資料は，教育施策に，あるいは，学習指導や生活指導等の問題についてきわめて重要な役割をになっているものである。文教局としては，教育測定調査の必要性にかんがみその拡充強化をはかるとともに科学的客観的な資料にもとづいて，施策の強化ならびに教育指導の改善充実をはかっていきたいと考えている。

教育測定調査費の総額は，15,834弗でその事業は次のとおりである。

1. 全国学力調査
2. 指導のための教育調査
3. 学習指導法の研究
4. 学力調査結果の追跡調査
5. 教育課程構成
6. 高校入学者選抜
7. 学校保健調査
8. 学校基本調査
9. 教育財政調査

5. 視聴覚教育の拡充

明治19年に小学校令が施行されたときの教科は，修身・読書・作文・習字・算数・体操等で，今日の学習内容はそれとくらべて質的にも量的にも著しく拡大され学習指導上の問題が増大している。一方，教育される対象が特定の選出された者からすべての者で中学へ，60％の生徒が高校へ進学するという現況から考えてみても，これまでの学習方法では今日の教育はやっていけ

なくなってきている事情が理解できよう。10年1日の如く教科書中心主義の講義式の授業では飛躍的なテンポで進んでいる社会の要請に応ずることはできない。

　学習指導の改善をはかることは等しく教師への課題であるが，最もよい方法の一つとして視聴覚教材の活用がある。視聴覚教材が指導方法の改善の上で果す役割は次のようにあげられる。

- イ　教科等の指導の能率化
- ロ　視聴覚教材によって豊かな人間性を育成する。
- ハ　マスコミによる教材で学習することをとおしてマスコミに対する正しい態度を育てる。

以上の観点にたって学校教育における視聴覚教材の意義をはあくし，視聴覚教材に対する教師の根本的態度を明確にしておく必要がある。

- イ　利用目的がそれぞれの教師にしっかりとはあくされ
- ロ　利用の方法についての根本的な知識と技術が身についていること
- ハ　その利用によってもたらされる教育効果までが予め見通されているようにする。

このような根本的態度をふまえて視聴覚教材の効果的な利用が期待できる。これまで多く使用されてきた視聴覚教材－地図・掛図・模型・標本・図表写真等－に加えて，近代的な視聴覚教材－映画・ラジオ・テレビ・シート教材等－が学校にとり入れられるようになった。近代的な教材は，従来の教材にくらべ，その表現形式や構成手法の上で，平面的な表現から多面的で立体的な表現手法がとられているために位置づけにくいという声がでてくる。

　多くとられている構成方法は，比較⇄分析⇄総合という学習過程をとおっているので教科の本質や教科の構造への理解に役立つ点が多いといわれる。

　新しい視聴覚教材に対処していくにはこれまでの教材観を再検討して広い視野から教育計画に積極的にくみ入れ，日進月歩の社会の進展にふさわしい学習指導をすすめ，豊かな人間育成に資するよう努めねばならない。

　このような観点にたって，放送教材，映画教材の利用や視聴覚備品の取扱いについて連合区単位の研修会や学校訪問等によって実施し全教師がいつでも利用できる態勢づくりに努めたい。

- イ　校長は対する視聴覚教材の管理についての研修
- ロ　視聴覚主任に対する基本的取扱い研修
- ハ　視聴覚主任を中核にした各学校の全教師に対する取扱い研修

第9章 育英事業の拡充

(1) 国費・自費学生

イ 国費学生

国費制度が始めて実施されたのが，1953年で，1965年までに本年度採用125人を含め総計800人が採用され現在409人が在籍している。卒業生は387人でそれらの人達が郷土の各界で活躍している。しかし，人材の育成は今なおじゅうぶくではなく，特に医療要員と工業科教員が極度に不足し，これらの養成が急を要しているため，今後とも重点的に増員採用する計画である。

ロ 自費学生　自費学生制度は1955年より実施され，年々増員採用して来たが本年度108名（中央大学10名，国際キリスト教大学2名を含む）を採用した。採用者総数1024名でその中現在523名在籍している。卒業生総数は483名でる。

(2) 国費学生給与の増加

イ 学部学生

国費学部学生の奨学金は文部省から直接学部学生に対して月額12,000円を支給され，インターン生にに13,500円が支給される。本学年度の在学生は401名で，これに対して，上記の奨学金のほか，当会より次のようは奨学費の支給を予算している。

生 活 費　300円～1,000円（月額）
教科書費　6,000円～11,000円
　　　　　　　　　　（年一回）
被 服 費　6,000円　　（〃）
煖 房 費　600円～6,000円（〃）
授 業 料　2,000～120,000（公私立大学在学生）
実験実習費―査定補助
医療費―実費査定補助
学生健康保険組合費―実費補助

ロ 大学院学生

国費大学院学生に文部省から，月額15,000円の奨学金が支給されているが，育英会は対応費として月額3弗を支給する。在学生総数43名の内訳は，琉大教授要員22名，医療要員17名，政府要員4名となっている。

(3) 特別奨学生

イ 高校特別奨学生

日本政府の援助金によるもので，本年度に279名を採用した。在学生総数639名を採用して，自宅通学者に8.33弗，下宿通学者に12.33弗を貸与する。

ロ 大学特別奨学生

イと同様に，日本政府援助金によるもので1963年度から実施され

た。自宅通学者にたいしては、月額13.88弗、下宿通学者に22.22弗を貸与する。本年度採用は105名で現在252名在学している。なお本土大学への入学者に対しては、日本育英会の特別奨学生として貸与される。

(4) 育英会貸費生

本土および沖縄内の大学生（国公私立）にたいして月額8.33弗を貸与しているもので本年度は30名に貸与することにし、金額と員数については漸次引き上げていきたい。

(5) 商社・団体依託学生

郷土の有名商社や団および志家が育英事業に協賛し、月額10〜30弗を本土大学の学生にたいして与えているもので、依託奨学生34名に支給する。

第10章　保健体育の振興

　保健体育関係では，学校給食法，学校給食会法，学校保健法，スポーツ振興法等は，すでに施行されており，本年度は，学校安全会法が，制定されたので，これで保健体育関係法規は，一応ととのったわけである。それで本年度は，従来行われてきた事業の充実強化を図ると共に，学校安全会法にもとずく学校安全会を設立し，学校安全の強化を図りたい。

1．保健体育指導の強化

　体育，保健，安全の指導は，その特質からして，実践をとおさなければ，効果はあがらない。それで，各領域，各種目等の実技研修をとおしての理解や，指導法の研究は最も必要なことである。したがって本年度は，体育実技は（イ）格技，（ロ）縄とび，保健は，児童，生徒の健康管理，安全は，水上安全等の実技研修会を連合区単位に実施する予定でそのための研修費516弗を計上してある。

2．学校保健の強化

　学校保健の強化を図るために，第1に，現場教師の資質を向上させ，学校保健に対する関心を高めたい。第2は養護教諭の資質を向上させるために諸研修会を開催すると共に，養護教諭を20名程度増員し，現在の54名を70名余にしていきたい。第3に，沖縄学校保健会が，昨年設立されたが，今年は，これを充実強化し，学校保健の向上を図りたい。第4は，保健管理に必要な保健衛生費（校医手当，検便ヒ，医療ヒ）を補助し，保健管理を強化したい。

　　学校保健衛生費補助額　12,013弗
　　学校保健大会補助　　　　155弗

3．学校給食の拡充

（1）学校給食の強化

　製パン委託工場および，学校給食パンの審議会を本年度も引続き開催し，工場の衛生管理，パン品質の向上を期して学校給食の効果を高めていきたい。

　昨年度から急速に完全給食実施校がふえ，本年度は準要保護児童，生徒の給食費の内，パン加工費補助，9.744人完全給食費補助，1.437人を対象とし，完全給食実施校の設備費補助を予定している。

　学校給食用物資を適正円滑に各学校に配布するための業務を行なわせる給食会にその経費を補助する。

　学校給食関係職員の研修も，本年度も各地区毎に実施する予定である。

　　給食審議に要する経費　　　104弗
　　準要保護者の給食費補助　14,613弗

給食設備費補助　　　7,667弗
　　給食会補助　　　　 60,754弗
　　給食関係職員研修費　　130弗

（2）琉球学校給食会

　学校給食用物資を適正円滑に供給し学校給食の普及充実を図る目的で、1962年学校給食会が設立されたが、その運営を円滑に行なわせるために、物資経理に、50,312ドルを計上してあるが、これは年間物資約8,890屯の輸送費、保管料、荷役料、燻蒸料、通関料、へき地のパン輸送費であり、給食会維持運営のための業務経理に10,442ドルを計上して学校給食事業の充実強化を図りたい。支出の内訳は次のとおりであります。

　　琉球学校給食会補助金　60,752弗
　　物資経理　　　　　　　50,312
　　輸送費　　　　　　　　21,508
　　保管料　　　　　　　　12,027
　　荷役料　　　　　　　　13,894
　　燻蒸料　　　　　　　　　664
　　通関手数料　　　　　　　175
　　へき地のパン輸送費　　 2,044
　　業務経理　　　　　　　10,442
　　人件費　　　　　　　　 9,735
　　旅費　　　　　　　　　　250
　　事務諸費　　　　　　　　457

4，学校安全の強化

　近年、児童、生徒の各種の事故が、著しく増加の傾向にあって、1964年度に於ける事故は、安全会に申請されている件数だけでも、821件（負傷815件　死3件、廃疾3件）で、安全会で支払った見舞金は、9,357弗となっている。かかる現状にかんがみ、政府では、特殊法人沖縄学校安全会を設立して、運営費を政府で補助し、災害共済給付業務を行なわせ、管理下に於ける児童、生徒の災害に対し、共済給付を行ない学校教育の円滑な実施に資するようにしている。

　　学校安全会補助　　　　　6,136弗
　　要保護，準要保護児童生徒掛金補助　947弗
　　運営費　　　　　　　　　5,136弗

5．学校体育諸団体の成育

　学校体育を振興するために、沖縄高等学校体育連盟、沖縄高等学校野球連盟、沖縄中学校体育連盟の自主的体育団体では、各種のスポーツ大会を開催し、また本土全国大会等にも多数の代表選手派遣して、青少年の心身の健全育成とスポーツの振興をはかっている。特に本年度はインターハイへの日本政府の援助もありその成果が、期待される。

　次にこれらの体育諸団体の本年度の事業は、次の通りである。

　　　1965学年度学校体育諸団
　　　　　体の主なる事業
　（高体連）　　　　　　（高野連）

各種選手権大会　　　本土大会派遣
陸上競技大会　　　　　　定時制
夏季体育大会　定時制陸上競技大会
インターハイ派遣
秋季体育大会
冬季体育大会
各種講習会ならびに強化訓練
　（中体連）
全国放送陸上競技大会　秋季体育大会
陸上競技選手権大会　　冬季体育大会
夏季体育大会　　　　　各種講習会
水泳大会
陸上競技教室派遣
九州並びに全国中校水泳大会派遣

6．社会体育の振興

　1966年度の社会体育振興費48,941弗で，前年度の100,833弗より51,892弗の減となっているが，別に総合競技場敷地造成費として，80,000弗建設局予算に計上されているので実質的には，27,658弗の増となっている。社会体育振興費の内訳は下記のとおりである。
（カッコ内は前年度予算）

社会体育研修費　　　229弗（259弗）
スポーツ大会運営費　1,011弗(1.526)
選手団派遣招へい費　13.306弗
　　　　　　　　　　　　（4.324弗）
スポーツトレーニングセンター費
　　　　　　　　　　300弗（840弗）
体育祭費　　　　　　220弗（392弗）
地方体育振興費　28,875弗(10,720弗)
総合競技場建設費　　0（81,428弗）
総合競技場管理委託費　5000弗（0）
オリンピック聖火リレー費
　　　　　　　　　　　0（1344弗）
　　計　　　48,941弗（100,833弗）
総合競技場地造成費　　80,000弗
　　　（建設局予算に計上）

第11章　社会教育の振興と青少年の健全育成

社会教育予算は(1)地方の社会教育を振興するための各種補助金の交付，(2)政府が行なう指導者の養成と資質向上のための各種指導者養成講習会と本土派遣研修，(3)社会教育施設の建設に大別することができる。(1)については先ず社会教育の推進者である社会教育主事設置補助を中心に，社会教育の主要領域である成人教育の振興を意図した社会学級講師手当補助金（219学級）および勤労青少年の教育の場である青年学級の充実を図る青年学級運営補助金（34学級）公民館の活動を促進するための運営，施設補助金（600館）等を交付して地方教育区における社会教育の自主的運営活動を促進する。

なお沖婦連，沖青協等社会教育関係団体10団体の各種事業に対しても補助金を交付してその育成強化を図る。

(2)については，青年，婦人，PTA社会学級，新生活運動，公民館，青年学級等社会教育各領域の指導者の養成と資質向上のために，各連合区ごと文教局主催で研修会を開催する。更に各機関，団体の幹部および指導者を本土研修に，派遣するための予算も計上されている。なお社会の要請と青少年の職業技術修得のために職業技術講習会を各高等学校の施設を利用して開設することになっている。

(3)については本年度は首里尚家跡に博物館を建設する。完成のあかつきは継続建設中の中央図書館と共に沖縄の文化向上のために大きな役割を果すことになろう。なお，公民館施設図書充実については本年度も昨年度を上廻る予算が計上されているので公民館の図書活動は一段と充実していくものと思われる。

それから今年度は日政援助により青少年の教育施設としての青年の家が名護町に建設することになっている。

1. 青少年の健全育成と家庭教育の振興

現在の沖縄のさまざまな社会問題中で青少年の問題は最も重要なものの一つであり，複雑な社会機構と結びついてその解決を困難なものにしているので，教育，労働，福祉，警察等と相協力した総合的な施策が必要である。その施策の一つとして，地域ぐるみで青少年を健全に育成するしっかりとした態勢をつくることが最も必要だと思い前年度に引続き青少年健全育成モデル地区を設定し，その成果を期したい。

事業の内容として　1. 青少年健全育成組織の確立，2. 青少年を指導，

3．環境を浄化，4．健全なレクリェーションを奨励，5．交通事故やその他の事故防止，6．学力向上に対する啓蒙と協力体制の確立，7．青少年団体の育成強化等があげられる。この事業を推進するため，4ヶ所にモデル地区を設定し，1ヶ所に180弗宛の補助金を交付する予定である。

青少年の人格形成の基礎を培い，心身共に健全な青少年を育成する基盤ともいうべき家庭教育の重要性は今も昔も変らぬことである。文教局では本年度の重点事業として青少年の健全育成と家庭教育の振興とを揚げたがこの2つは不離一体的な考え方で進めるべきものである。

本年度は社会学級講座を通して家庭教育の振興を図り，漸次「家庭教育学級」の設置にもっていく方針である。特に家庭教育指導者の養成に重点をおき，社会学級生の中に，その校区内教育隣組の組長と副組長とを入れるようにし，社会学級講座を通して家庭教育に関する内容を学習させ，教育隣組長と副組長は，社会学級で学習した家庭教育の学習内容を各隣組常会の際，適宜組員に伝達したり討議題にしたりしまた話し合いした結果，解決を要する問題点等があれば社会学級に持ち寄ってお互い研究したりするなど，社会学級と教育隣組との緊密な連携を図るようにするようにつとめさせたい。

社会教育，教育課程分科審議会を設置して，特に家庭教育の教育課程を編成してもらう予定であるが，各社会学級では学習者や地域社会の実態等を勘案し，さらに上記の案その他の資料等を参考にして家庭教育の教育課程を編成し，社会学級の学習内容中30％以上は家庭教育に関するものを入れるようにさせたい。こういう方法で家庭教育の振興を図るためには，なんといっても教育隣組がもとになるので，その未結成の地区は進んで結成するようにしまた各連合区毎に「家庭教育研究会」を開催して，全琉にあまねく家庭教育振興の気運が醸成されよう，切望してやまないものである。

2．青年学級の振興

青年学級は勤労青少年の一般教養を高めるとともに職業技能を習得させるために開設される教育委員会の社会教育事業である。本年度は中学校技術教室を利用した青年学級と職場青年学級を育成し，運営の強化をはかりたい。政府は20人以上の学級生を有し100時間以上学習する青年学級に対しては予算の範囲内で運営費の一部を補助する。なお，2学級を研究指定し運営上の問題点や学習内容についての研究を行ない青年学級を一層充実強化するとともに各連合毎で指導者の研修会を行

ない指導者の育成にも力を注ぎたい。

3．社会教育主事の活動促進

社会教育主事は地方における社会教育の推進者として，各教育区における社会教育の総合計画，各社会教育関係団体の育成強化，研修会，講座等教育委員会事業の企画運営にあたり，地域の社会教育振興に大きな成果をあげている。現在文教局長の指定する37教育区（38人）に対し主事の給与金額と研修会のための旅費補助金が交付されている。

4．社会教育における職業技術教育

本年度の職業技術講習は学校開放講座の一環として実業高等学校の施設を利用し，勤労青少年の職業技能を高めるために，次のような計画をしている。講習程目は自動車整備工養成講座熔接工養成講座，ボイラーマン養成講座，農業技術員養成講座，機械工（内燃機関）養成の5講座で10クラスを予定している。講習時間は約3ヵ月で土曜日の午後，日曜日普通曜日の5時以降に行なう。なお実施場所は北部農林中部農林，南部農林，宮古農林，八重山農林，中部工業，沖縄工業，沖縄水産，宮古水産の9高校を予定している。

5．社会教育指導者の養成

社会教育の振興を図るには指導者の養成の指導力の向上が極めて重要である。そのための事業として①講習②本土派遣研修会が計画されている。

①指導者講習会は中央で青年，婦人の指導者各約120人を1～2泊の宿泊研修を行ない連合区単位では青年，婦人は一泊研修ＰＴＡ，新生活，社会学級視聴覚，レクリェーションの1日研修を行なっている。

②本土研修には青年15名，婦人14名ＰＴＡ1名，新生活2名，社会学級2名を派遣し補助金を交付するが本土における全国的な研究集会に参加するとともに他県の教育，文化，産業，特に今年度は家庭教育のあり方等視察調査研究し指導者としての視野を広める。また各社会教育諸団体と交歓して親善をはかる。

なお日本政府の負担により青年1名を海外（中南米地域）に派遣し，その国の産業，経済，文化等の実情を視察研究せしめて視野を広めると共に各国の青年と直接交歓して国際親善をはかる。なお，那覇東京間の旅費は琉球政府が負担している。

特に今年度は女子1名を増員派遣することになった。

6．青年婦人指導者の養成

（1）青年教育

青年教育の振興をはかるため特に青年会指導者の養成に努力し，指導者養成講習会中央1ヵ所（130人）ブロッ

ク別6ヵ所（1ヵ所の参加人員約70人）で開催し、なお市町村別59ヵ所に対し講師手当補助金を交付している。（120弗）又本土に青年を15人派遣し本土各県の生活，教育，文化，産業や団体活動等を視察研究させ視野を広めると共に現地青年との交歓をして親善を深める。その現地青年会2団体に対し研究指定を行ない青年会運営面や問題点を研究調査し青年会活動の振興をはかる。また青少年団体の育成費として（沖青協，沖縄健青会ガールスカウト，ボーイスカウト）に対して補助金を交付する。

（2） 婦人教育

婦人団体の育成強化が必要であり、その施策は次のとおりである。①婦人指導者養成のため，中央婦人指婦者講習会を1泊2日の日程で約130人の幹部研修を開催し，また連合区毎に各60人の幹部研修会を行なって資質の向上をはかる。

なお，婦人代表14人を本土研修に参加させ本土各県の教育，文化，産業，団体活動なで視察研究させる。②沖縄，宮古，八重山各婦人連合会に育成費を補助し教育活動を盛んにする。また下部組織の強化のため講師手当補助金を交付する。今年度は3婦人団体を研究指定して，婦人団体の組織運営上の問題点の調査研究をさせ婦人団体の振興をはかる。

第12章　文化財保護事業の振興

　1966年度文化財保護行政関係の予算は，文化財保護委員会費（運営費）18,257弗文化財保護費（事業費）18,942弗.計371,199弗となっている。前年度にくらべて前者は3,731弗の増，後者は1,152弗の減となっている。

　1966年度においては，当初文化財保護法の改正に伴って，新たに芸能工芸技術等無形文化財の指定，映画音盤による記録作成，あるいは民俗資料調査の実施等予定したが，政府財政の都合により，前年度からの復旧修理等の継続事業の早期完成，無形文化財のうち特に染物，漆器等の伝統的工芸技術の保存に重点をおいて事業を進める方針である。

　事業費の主なるものは，次のとおりである。

施設費　5,932弗

　　委員会直営の下に1963年度から始められた特別史跡覚寺跡の復旧工事で今年度は，前年度から引続き同披門，総門，放生橋移設等を行なう予定（文化財保護法第96条に基く事業）である。

有形文化財補助金　6,630弗

　　特別史跡「中城城跡」「今帰仁城跡」の城壁修理工事に対する補助金。それぞれ管理者が施工する。

　前者は1961年度から，後者は1962年度から始められた継続事業である。（文化財保護第32条に基づく事業）

無形文化財補助金　1,122弗

　染物，織物，陶漆器等の伝統工技術を保存するために技術保持者に補助金を交付して純正な伝統工芸品を製作させる，そのほか古典芸能，民俗芸能の保存のため団体や個人に対する補助金である，（文化財保護法第61条に基づく事業）

文化財管理補助金550弗

　建造物や史跡名勝天然記念物の所有者あるいは管理者に補助金を交付して文化財の維持保存に当らせるものである。（文化財保護法第94条に基づく事業）

　以上のほか，今年度は文化財保護法の改正に伴う文化財保護強調週間の強化，工芸品特別展示会，民俗芸能公開等の諸事業を計画している。

第13章　琉球歴史資料編集と県史編さん

1　琉球史料（戦後資料）

前年度は，「琉球史料第9集文化編1「を編集し，戦後10年間（1945～55の政治，経済，社会，教育，文化を10冊に編集した。

今年度は，戦後新聞資料を編集する予定であったが，県史編集に全力を注ぐため，休刊して次年度から再刊する。

2．沖縄県史

（イ）前年度の経過

前年度は，県史編集5カ年計画の第1年目として「沖縄県史総次目と」沖縄県史資料編1，上杉県令関日誌」（720ページ）を3月に，「同資料編4雑さん1」（640ページ）を6月に刊行した。

上記の資料編2冊は，単に郷土の財産としての価値だけでなく，学界から待望されていたものだけに非常な好評である。

（ロ）今年度の出版計画今年度は，県史編集5カ年計画の第2年目として「教育編1冊（450）」ならびに「資料編3冊」を出版する予定である。資料編の内容は，本土各県で編集されたことのない総理府内閣総理大巨官房総務課公文係蔵の「沖縄県関係各省公文書1，2」（各1000ページ」と明治以降の沖縄関係「新聞集成資料1「（1000ページ）である。

公文関係は，前年度同様はじめて世に出る貴重な資料であり，学界に寄与することも大じであると信ずる。

（ハ）予　算

　　　1965年度　22.459弗
　　　1966年度　23.913弗

第14章 琉球大学の充実

1966年度琉球大学の予算総額は
　　　　　　　1,734,325弗
であって，前年度予算額
　　　　　　　1,334,375弗
に比べると　　　399,950弗
約30％の増加となっている。

本年度予算は特に政府の高校急増対策にタイアップして本学でも学生の増を図っているが，それに対応して，男子寮建設費として312,000弗計上したことと，本学における教育研究用備品については漸次整備されつつあるが，特に農学ビル完成と真俟って前年度から学生増がなされたために備品においても数量のるを考慮しなければならない状況であるので，本年度は，35,000弗の備品費を計上したこと，更に去る4月の新学年度から学生を受入れて発足した農業工業科の運営に必要な経費及び一般教育の充実強化を図るために教養部が設置されたが，これに伴って5,000弗の予算措置が講ぜられた。

人件費については，将来教官の後継者養成と教育研究の充実強化といった観点から新たに5人の助手を増員したこと，農学ビルの完成等，施設設備の拡充に伴い，管理維持面に必要な管理人等を増員したこと，更に人事委院勧告に基き，本学でも政府公務員並びに職員給与のベースアップを実施したがこれに伴って既定経費の増加を余儀なくされたことにより，他の経常的経費は前年度並びの額か若しくは減少を余儀なくされた圧縮予算となっている。

第15章　日米援助の拡大に伴う予算の執行について

　日米援助額は3,841,314弗で，前年度（2,779,283弗）より1,062,031弗の増加となっていて，その増加の主なものは設備・備品等の充実費である。

　援助資金については年々増加するものと思われるが，その執行能力が問題視されている現状から，本年度の諸事業を完全に執行することは，絶体的に要求される条件となるであろう。とくに学校備品充実のため，本年度から新規計上された日本政府援助金の執行については，会計年度に3ヵ月のずれがあり，早期執行を要する経費であって，年度内に諸事業を完結するためには，教育委員会，学校，文教局が一体となって，それぞれの分野において最善の努力をしなければならない事業である。

　援助計画の内，琉球政府予算に計上されて，琉球政府が直接執行するものと公共団体または各種団体に補助して執行するものがあるが，ここでは主に補助金等の執行について補助金等の申請からその事業の完結まで注意すべきことがらについて述べてみたい。

1　補助金等の交付申請

　補助金は適期に交付するため，または事業完結の期間等によって交付申請の期日を定めるものであるからその期日までに申請がない場合は，交付の決定ができないから，いろいろの支障をきたし，場合によっては年度内執行が危ぶまれることさえある。とにかく交付申請の期限を厳守することがまず大切である。

2　補助金等の支出負担行為（購入契約等）

　補助金の交付目的を達成するために付された，購入計画，完了の期限等の条件を厳守することは当然のことであるが，補助金の交付指令書に示された計画は日本政府の承認済の計画であるから，計画の変更も日本政府の承認を要することになっている。教育委員会において購入契約する場合，契約書または請求書等を徴し，品目，数量，価格，納品期日等の購入契約条件を明確にする必要がある。

3　予算の年度繰越し

　予算の執行については財政法の年度独立の原則に従って当該年度内に事業の完結を要求されているが，予算に示された特定の経費，または予測されない事故（天災地変等）によるもので年度内に支出が終わらない場合の特例として年度繰り越しがあ

るけれども，怠慢による未完結事業また救済策ではないことを十分承知して執行に当たってもらいたいものである。

4　補助金等の確定

補助金等の実績報告については従来軽視されている傾向にあるが「補助金適正化法」に基づく補助金を受けて事業を行なう者の義務であり，またこの報告書を審査して補助金額の確定をすることになっている大事な報告書である。

以上補助金等の取り扱いについて述べたのであるが，手続きの順序をか条書きにしてみると

補助金等の交付順序

（1）補助金交付申請（申請書，事業計画および必要な添付書類）

（2）補助金交付の決定（補助金交付の指令書）

（3）補助事業の執行（補助事業者）

（4）実績の報告（完成報告または年度末の報告）

（5）補助金の確定（補助事業の承認，補助金額の確定通知）

（6）補助金の政府支出（請求書および関係書類）

会計の検査

会計の検査は各部局の会計を検査するとともにその補助金を受けている者の会計を検査して政府の収入，支出を確認するために行なわれるもので，日米援助資金による事業についてもそれぞれの政府の検査機関の検査が実施される。

これまで実施された検査は現場における成果の確認が重点となっていて細部に亘る検査を行なっている。前に述べた補助金の実績報告書と学校現場に納品された物品とチックして確認するもので，実績報告書と相違がある場合，または未納品がある場合はその処置を要求されることになる。この場合は補助金の返還，また琉球政府も援助資金の返還をしなければならないので厳正な態度で執行に当たってもらいたいものである。

【一】 1966年度文教局予算中の地方教育区への各種補助金，直接支出金および政府立学校費

地方教育区

1. 学校教育費（公立幼稚園，公立小・中学校）

　　　　総　　額　弗　14,406,753

　　　　内訳 ｛ 補　助　金　弗　14,054,253
　　　　　　　　直接支出金　弗　　　352,500

　a. 公立小・中学校

　　　　総　　額　弗　14,339,983

　　　　内訳 ｛ 補　助　金　弗　13,987,483
　　　　　　　　直接支出金　弗　　　352,500

　　生徒1人当り支出金 ｛ 小学校　弗　54.71（推計）
　　　　　　　　　　　　中学校　弗　73.86（〃）

(1) 補助金の明細

予算項目	科目	1966年度予算額	1965年度(最終)予算額	比較増△減	備　考
		$	$	$	給食費補助 14,614
学校給食費	学校給食補助	22,281	15,102	7,179	給食設備〃 7,667
各種奨励費	研究奨励〃	2,940	2,940	0	実験・研究学校奨励
科学教育振興費	備品〃	93,650	58,974	34,676	
学校教育放送費	〃	82,764	―	82,764	
学校図書館充実費	〃	85,600	7,000	78,600	
学校備品充実費	〃	227,900	―	227,900	
教育測定調査費	委員手当	5,195	5,302	△ 107	学力調査委員 手当補助
〃	消耗品購入〃	―	2,004	△ 2,004	
教育関係職員等研修費	旅費〃	12,007	―	12,007	研究教員等の旅費補助
産業教育振興費	備品〃	38,500	―	38,500	
学校建設費	施設〃	914,048	958,748	△44,700	
学校教育補助	給料〃	8,823,637	8,115,970	707,667	

					備考
学校教育補助	期末手当補助	2,339,518	1,962,623	376,895	
〃	〃 単位給 〃	1,200	900	300	
〃	〃 退職給与 〃	238,000	143,466	94,534	
〃	〃 公務災害 〃	4,784	4,784	0	
〃	〃 複式手当 〃	4,452	2,532	1,920	
〃	開拓地学校運営補助	1,822	1,768	54	旅費補助42,705,教科書〃517,944修繕費71,200備品〃33,000,保健衛生費〃12,013学校統合〃30,363
〃	学校運営補助	707,225	520,649	186,576	
〃	へき地教育振興補助	125,740	113,870	11,870	へき地手当補助101,520 へき地教育文化備品10,000住宅料〃14,220
〃	実習生受入補助	120	120	0	
〃	特殊教育補助	5,000	—	5,000	
教育区財政調整〃	財政調整補助	251,100	167,400	83,700	総額300,000弗を基準財政需要額の比に按分（83.7%）
	計	13,987,483	12,084,152	1,903,331	

(2) 文教局直接支出金

予算項目	科目	1966年度予算額	1965年度（最終）予算額	比較増△減	備考
		$	$	$	
科学教育振興費	事業用備品費	—	60,000	△60,000	
学校教育放送費	〃	127,500	103,030	24,470	備品費150,000弗のうち公立小・中学校分
学校備品充実費	〃	225,000	135,245	89,755	備品費30,000弗のうち公立小・中学校分
産業教育振興費	〃	—	50,000	△50,000	
英語教育普及費	〃	—	30,090	△30,090	
	計	352,500	378,365	△25,865	

（注）公立小・中学校児童生徒数

	小学校	中学校	計
1965年5月	151,697人	82,765人	234,462人
1966年5月（推計）	149,179	80,713	29,892

b. 公立幼稚園

　　　　総額　弗　66,770

　　　　園児1人当たり政府支出金（推計）　弗8.37

補助金の明細

予算項目	科目	1966年度予算額	1965年度(最終)予算額	比較増△減	備考
		弗	弗	弗	教員給料補助 53,824
学校教育補助	幼稚園振興補助	59,270	6,834	52,436	備品〃5,446(52国分)
教育区財政調整〃	財政調整 〃	7,500	5,000	2,500	総額300,000弗を基準財政需要額の比に按分(2.5%)
	計	66,770	11,834	54,936	

（注）公立幼稚園園児数

　　　1965年5月　　　　　7,327人

　　　1966年5月（推計）　9,918人

2. 社 会 教 育 費

　　　　　総　額　弗　59,078

　　　　　人口1人当たり政府支出金6.7¢

補助金の明細

予算項目	科目	1966年度予算額	1965年度(最終)予算額	比較増△減	備考
		弗	弗	弗	
社会教育振興費	燃料補助	713	763	△ 50	青年指導者120，婦人指導者120，社会学級6,300
〃	講師手当補助	6,540	6,225	315	
〃	研究奨励費	5,201	5,469	△ 268	青年指導者488，婦人指導者488，PTA指導者198，レクリェーション120，社会学級412，新生活運動275，青年婦人国内研究活動2,500，青少年健全育成モデル地区720
公民館振興費	施設補助	10,800	10,800	0	
〃	運営 〃	9,000	9,000	0	
〃	研究奨励費	769	840	△ 71	
青年学級振興費	運営補助	3,130	3,124	6	
〃	研究奨励費	160	160	0	
社会体育振興費	体育指導員設置補助	1,440	920	520	
〃	体育施設補助	14,725	10,000	4,725	
教育区財政調整補助	財政調整 〃	6,600	4,400	2,200	総額300,000弗を基準財政需要額の比に按分(2.2%)
	計	59,078	51,701	7,377	

（注）人口　1960年12月現在　883,122人

3. 教育行政費

　　　　総　額　$ 270,017

　　　　人口1人当たり政府支出金（推計）　30.6¢

補助金の明細

予算項目	科目	1966年度予算額	1965年度（最終）予算額	比較増△減	備考
社会教育主事設置補助	給与補助	弗 70,242	弗 61,860	弗 8,382	
〃	〃旅費〃	600	476	124	
〃	〃退職手当〃	1,170	837	333	
教育行政	〃行政〃	163,205	166,348	△ 3,143	総額300,000弗を基準財政需要額の比に按分（11.6%）
教育区財政調整	財政調整〃	34,800	23,200	11,600	
計		270,017	252,721	17,296	

（注）人口　1960年12月現在　883,122人

4. 地方教育区への文教局支出金合計

区分	1966年度 $	1965年度 $	比較増△減 $
補助金	14,383,348	12,400,408	1,982,940
直接支出金	352,500	378,365	△ 25,865
合計	14,735,848	12,778,773	1,957,075

政府立学校

1. 高等学校

　　　　総　額　弗　4,523,671

　　　　生徒1人当り政府支出金（推計）　{ 全日制　弗　128.69
　　　　　　　　　　　　　　　　　　　　定前制　弗　75.83

予算項目	科目	1966年度予算額	1965年度（最終）予算額	比較増△減	備考
施設修繕費	施設費	弗 49,113	弗 37,948	弗 11,165	政府有建物面積の比に按分（94.5%）
実験学校指導費	事業用消耗品費	568	589	△ 21	

予算項目	科目	1965年度予算額	1966年度(最終)予算額	比較増△減	備考
科学教育振興費	事業用備品費	24,991	68,800	△43,809	事業用備品費 17,300弗を政府立 学校生徒数の比に按分 事業用備品費のうち、政府立高校の分
学校教育放送費	〃	3,000	17,000	△14,000	
学校図書館充実費	〃	17,000	―	17,000	
学校備品充実費	〃	30,000	14,755	15,245	
政府立高等学校費	職員俸給	2,169,623	1,853,265	316,358	
〃	非常勤職員給与	28,900	14,737	14,163	超過勤務手当 37,365 へき地勤務〃 1,728 特殊勤務〃 12,961 宿日直〃 20,121 初任給調整〃 2,403
〃	期末手当	570,611	441,285	129,326	
〃	その他の手当	74,578	68,405	6,173	
〃	管内旅費	16,962	17,855	△ 893	
〃	事業用備品費	95,400	85,419	9,981	
〃	その他の需要費	74,161	66,872	7,289	消耗品費ほか
産業教育振興費	管内旅費	18,431	19,416	△ 985	
〃	事業用備品費	157,089	126,501	30,588	
〃	その他の需要費	197,728	186,149	11,579	消耗品費ほか
英語教育普及費	事業用備品費	―	5,381	△ 5,381	
学校建設費	施設費	995,516	533,347	462,169	
計		4,523,671	3,557,724	965,947	

(注) 政府立高等学校生徒数

	全日制	定時制	計
1965年5月	31,996人	4,375人	36,371人
1966年5月(推計)	34,073	4,769	38,842

2. 中学校

　　総額　弗 71,263

　　生徒1人当り政府支出金(推計)　弗 114.39

予算項目	科目	1965年度予算額	1966年度(最終)予算額	比較増△減	備考
施設修繕費	施設費	弗$1,195	弗902	弗293	政府有建物面積の比に按分(2.3%)
科学教育振興費	事業用備品費	480	1,100	△ 620	
学校教育放送費	〃	―	295	△ 295	

学校図書館充実費	事業用備品費	300	100	200	
政府立中学校費	職員俸給	37,018	33,539	3,479	
〃	〃 非常勤職員給与	503	671	△ 168	
〃	〃 期末手当	9,736	8,097	1,639	⎰ 超過勤務手当 564
〃	〃 その他の手当	928	929	△ 1	⎱ 宿日直 〃 364
〃	〃 管内旅費	208	231	△ 23	
〃	〃 事業用備品費	8,000	6,854	1,146	
	その他の需要費	3,495	3,885	△ 390	
英語教育普及費	事業用備品費	―	199	△ 199	
学校建設費	施設費	9,400	13,500	△ 4,100	
	計	71,263	70,302	961	

(注) 政府立中学校(松島中校)生徒数 1965年5月 617人

1966年5月(推計) 641人

3. 特殊教育諸学校

総額　弗　327,448

生徒1人当り政府支出金(推計)　弗　529.00

予算項目	科目	1966年度予算額	1965年度(最終)予算額	比較増△減	備考
		$	$	$	
施設修繕費	施設費	1,195	1,598	△ 403	政府有建物面積の比に按分(2.3%)
科学教育振興費	事業用備品費	1,611	2,680	△ 1,069	
政府立特殊学校費	職員俸給	102,675	78,848	23,827	
〃	〃 非常勤職員給与	796	1,382	△ 586	⎰ 超過勤務手当 1,856
〃	〃 期末手当	27,004	17,886	9,118	⎱ 宿日直 〃 5,751
〃	〃 その他の手当	7,607	5,236	2,371	
〃	〃 管内旅費	749	788	△ 39	
〃	〃 事業用備品費	17,316	8,285	9,031	
〃	〃 重機及び車輌購入費	8,500	―	8,500	
〃	〃 その他の需要費	26,393	23,539	2,854	消耗品費ほか
英語教育普及費	事業用備品費	―	797	△ 797	

学校建設費	施 設 費	133,602	—	133,602	
	計	327,448	141,039	186,409	

(注) 政府立特殊学校（含，澄井，稲沖小・中学校）生徒数

　　1965年5月　　　　581人

　　1966年5月（推計）　734人

4. 各種学校

総　額　弗　285,087

予算項目	科目	1966年度予算額	1965年度（最終）予算額	比較増△減	備　考
学校備品充実費	事業用備品費	弗 45,000	—	弗 45,000	
政府立各種学校費	非常勤職員給与	212	—	212	超過勤務手当　343
〃	その他の手当	607	—	607	特殊勤務 〃　　64
〃	管内旅費	813	—	813	宿日直 〃　　200
〃	事業用備品費	2,000	—	2,000	消耗品費ほか
〃	その他の需要費	1,117	—	1,117	
産業教育振興費	管内旅費	17	—	17	
〃	事業用備品費	235,000	—	235,000	
〃	その他の需要費	321	—	321	消耗品費ほか
	計	285,087	—	285,087	

(注) 1965年度には政府立各種学校建設費として文教局予算より建設運輸局へ移替えになった額495,000弗がある。

【二】教育関係日米援助 昭和40年度（1966年度）

日本政府援助		米国政府援助	
	$		$
養護学校施設備品	85,028	学校放送備品	150,000
学校備品	345,117	学校備品（机・腰掛）	300,000
幼稚園備品	3,733	産業教育備品	245,000
教科書無償給与	258,972	学校建設費	750,000
学校図書館図書	82,319	英語教育普及費	20,000
琉球大学図書館図書	20,000	教員給料補助	1,000,000
育英奨学資金	123,700	琉球大学補助	325,000
体育関係全国大会参加	5,556	以上琉政予算に計上	2,790,000
農業教育近代化施設	49,789	米国留学生派遣費	584,000
青年の家建設	74,600	給食物資（現物）	
青年婦人内地教育研究活動	2,500	計	3,374,000
以上 琉政予算に計上	1,051,314		
農業近代化指導員派遣	6,856		
国費奨学計画	189,753		
教員内地派遣研修	35,469		
琉大教員内地派遣研修	8,975		
現職教員講習会講師派遣	25,200		
教育指導員派遣	36,100		
琉大への教授派遣	2,081		
文化財技術援助	1,500		
以上日本政府直接支出	305,934		
公民館図書	42,200		
準要保護児童学用品無償給与	70,000		
遺児育英資金	1,000		
以上 南援経由	113,200		
計	1,470,448		

文教時報（第九六号）

一九六五年　九月二五日　印刷
一九六五年　九月二七日　発行

非売品

発行所　琉球政府文教局調査広報課
印刷所　琉球新報社印刷部
　　　　電話　⑧一一三一番

文教時報

97

No. 97　65/9

特　集……第28議会において成立した
　　　　　文教関係立法の解説

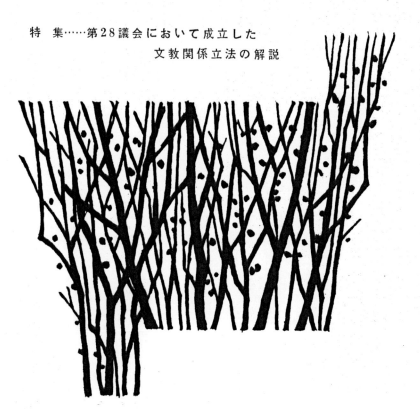

琉球政府・文教局総務部調査計画課

も　く　じ

特集………第28議会において成立した文教関係立法の解説

は　し　が　き……………………………………………………………1

教育委員会法の一部を改正する立法……………………………………2

市町村税法の一部を改正する立法………………………………………9

市町村交付税法の一部を改正する立法…………………………………9

学校図書館法……………………………………………………………11

沖縄学校安全会法………………………………………………………15

１９４５年４月１日以前に教育職員の経歴を有する
　　女子教育職員の給与の調整に関する特別措置法…………………30

琉球大学設置法および同管理法………………………………………33

中村文部大臣 上山中学校訪問

赤嶺校長の学校状況説明をうける文相

花束贈呈

全校生徒職員へあいさつ

記念植樹

はしがき

　第28回立法院定例議会において文教関係の法令がいろいろ立法されました。

　この広報資料はこれらの立法された法令が集録されています。ただし、「教育職員免許法及び同法施行法の一部を改正」についてはさきに出版した文教時報95号に掲載されており、私立学校法は紙面の都合で掲載されておりません。

　これらの法令のなかには、その実施について必要な施行規則が制定されていないのもありますが、新しく立法された法令の制定、改正の趣旨や内容について、できるだけ早くお知らせするために作成しました。

　執筆者は各法令に関係のある各課の担当者なので、広報資料として利用しやすいように平易に解説してあります。

　この資料によって、一人でも多くの文教関係者がこれらの法令について理解を深めていただければ幸いです。

教育委員会法の一部を改正する立法

1 立法改正の趣旨

　教育委員会法の一部を改正する立法について，その立法勧告理由から改正の趣旨を要約すれば次のとおりである。教育税の制度は，1952年4月教育委員会制度の発足と同時に法制化され今日まで十余年間，教育の民主化，地方分権化に寄与してきた事実は周知のとおりであるが，日進月歩の教育内容の進展に伴ない，教育費の需要が増加の一途をたどったため，比較的富裕の教育区は別として，ほとんどの教育区ではもはや財政負担能力の限度をこえ全琉的にみた場合，はなはだしく不均衡をきたしている現状にある。

　市町村の行政についてみた場合，市町村交付税法によって財政的にその運営が保障されている。ところが国民教育をつかさどる教育区に対しては，このような財政的保障がない。

　そこで教育委員会法およびその関連立法を改正して教育財政制度の再建をはかるということが今回の改正の第一の目的であり，他に若干の法的整備をあわせ行ない，教育行財政の適正な運営をはかることを目的とする。

　教育財政制度再建の策としては，教育税を市町村税に一本化するとともに市町村交付税に教育費を含めて算定することにし，市町村の収入を財源として，教育費の負担を議会において決定し，これを教育区に交付するということを制度化することである。

　以上が大体の改正の趣旨であるが，これを実現するためには，関連する市町村税法および市町村交付税法の改正もしなければならないのでそのために他局との調整あるいは市町村当局との意見の交換を必要とし，これが難渋を極めた。しかしながら，青少年の教育が国家百年の大計たるにかんがみ，教育財政制度の救済および再建という大義の前には，すべての困難は克服されさらに進んでは本土政府による教育費の大幅援助の受入れに資するためここに立法化の運びとなったことは，まことに時宜をえた措置であるといえる。

2 改正立法のおもな内容

　改正の主眼点は，市町村財政と教育財政の一体化，住民負担の均衡化をはかるとともに教育の機会均等および平等化をはかることで，改正点を要約すると次のとおりである。

　第45条から第49条までは，教育区の予算を編成するに当って区委員会と市町村議会との関係を規定し，第50条から第53条までは，市町村長が教育予算を調整する場合の手続を定めるもので

ある。

　第54条は，教育費負担金の交付の時期を規定し，第55条および第56条は，教育区の起債および一時借入金について市町村の議会との関係を規定する。

　第60条から第62条までは公聴会に関する規定であったが，教育区の予算が市町村の議会に付議されることになるので，これらの規定は削除された。

　第65条第2項および第3項の改正は区委員会の決算についても市町村の議会の認定を要することにしたものである。

　第65条の2は，市町村交付税に教育費を含めるたてまえから，単位費用の設定および測定単位の数値その他教育費の算定に必要な資料などについて，中教委から資料の提出および意見を求めることにしたものである。

　第65条の3は，教育負担金を市町村の予算に計上させるための規定で，この改正の中核をなす。市町村にこのような義務を課するので，第65条の4および第65条の5は，区委員会と市町村の議会または長との権限の調整を行なったものである。

　第65条の6は，区委員会および市町村の事務の適正化のための中教委および行政主席の監督権を規定する。

　第84条以下の改正は，教育行政の適正化のための法的整備に関するもので

ある。なおこの立法は，若干の法的整備に関する規定を除き，1966年4月1日から施行される。

　この立法と関連し，市町村交付税法第6条の交付税の総額は百分の十四から百分の十九に改められる。また市町村税法の市町村税に関する規定中税率の引き上げが行なわれる。

教育委員会法の一部を改正する立法
（1965年8月19日立法99号）

　教育委員会法（1958年立法第2号）の一部を次のように改正する。

第11条第4項を削る。

第32条中「制度」を「制限」に改める。

第2編第2章第4節中「第2款収入」を「第2款予算，出納及び決算」に改め，同節中「第3款支出」，「第4款予算」および「第5款出納および決算」を削る。

第45条から第59条までを次のように改める。

（予算の見積り及び議決等）

第45条　区委員会は，教育区の歳入歳出予算（以下「教育予算」という。）の見積りを調製し，これを年度開始前30日までに市町村長に送付しなければならない。

2　前項の教育予算の見積りを提出するときは，財産表，教育予算の説明その他財政状態の説明資料を提出しなければならない。

3　第1項の教育予算は，第52条第1

項の規定により，市町村の議会の議決を経なければならない。

（会計年度）

第46条 教育区の会計年度は，政府の会計年度による。

（予算の追加，更正及び暫定予算）

第47条 区委員会は，市町村の議会の議決を経て既定予算の追加又は更正をすることができる。

2 区委員会は，必要に応じ，市町村の議会の議決を経て一会計年度中の一定期間内にかかる暫定予算を編成することができる。

3 前項の暫定予算は，当該年度の予算が成立したときは，その効力を失うものとし，その暫定予算に基づく支出又は債務の負担があるときは，その支出又は債務の負担，これを当該会計年度の予算に基づく支出又は債務の負担とみなす。

（継続費）

第48条 教育区の経費をもって支弁する事件で，数年を期してその経費を支弁すべきものは，市町村の議会の議決を経て，その年期間各年度の支出額を定め，継続費とすることができる。

（予備費）

第49条 区委員会は，予算外の支出又は予算超過の支出にあてるため，予備費を設けなければならない。

2 特別会計には，予備費を設けないことができる。

（特別会計）

第50条 区委員会は，市町村の議会の議決を経て特別会計を設けることができる。

（教育予算の見積りの減額）

第51条 市町村長は，毎会計年度教育予算を調製するに当って，区委員会の送付に係る教育予算の見積りを減額しようとするときは，あらかじめ区委員会の意見を求めなければならない。

2 市町村長は，教育予算の見積りを減額した場合においては，区委員会の意見を教育予算に添付して議会に提出しなければならない。

（教育予算の議会への提出等）

第52条 市町村長は，調製した教育予算を，議会に提出しなければならない。

2 市町村長は，市町村の議会の議長から，教育予算の送付を受けたときは，その日から3日以内に，これを区委員会に送付しなければならない。

3 区委員会は，市町村長から教育予算の送付を受けたときは，直ちにこれを文教局長に報告し，かつ，その要領を告示しなければならない。

第53条 教育予算に係る既定予算を追

加し，更正し，又は暫定予算を作成する場合においては，前2条の例による。

（教育費負担金の交付）

第54条　市町村長は，市町村の議会において教育予算を議決したときは，教育費負担金の予算額に相当する金額を，7月，10月，1月，4月の4回に分けて教育委員会に交付しなければならない。

（教育区債）

第55条　教育区は，市町村の議会の議決を経て，教育区債を起すことができる。

2　教育区債を起すにつき，市町村の議会の議決を経るときは，併せて起債の方法，利息定率及び償還の方法について議決を経なければならない。

3　教育区が，教育区債を起し，又は起債の方法，利息定率及び償還の方法を変更しようとするときは，中央委員会の許可を受けなければならない。

4　教育区債は，次の各号に掲げる事業の財源としてのみこれを起債することができる。

一　教育区の行なう建築に要する経費の財源とする場合

二　学校設備に要する経費の財源とする場合

三　校地を買収するために要する経費の財源とする場合

（一時借入金）

第56条　区委員会は，予算内の支出をするため，市町村の議会の議決を経て，一時の借入をすることができる。

2　前項に規定する借入金は，その会計年度内の収入をもって償還しなければならない。

（経費の支弁）

第57条　教育区は，その必要な経費及び法令により教育区の負担に属する経費を支弁する義務を負う。

（経費の支出）

第58条　予算の議決があったときは，区委員会は，直ちにその写を教育長及び会計係に交付しなければならない。

2　会計係は，区委員会の命令がなければ支出することができない。命令を受けても支出の予算がなく，かつ財務に関する規定により支出することができない場合も，また，同様とする。

（支払金の時効）

第59条　教育区の支払金の時効については，政府の支払金の時効による。

第60条か第62条までを次のように改める。

第60条から第62条まで削除

第65条第2項及び第3項を次のように改める。
2　区委員会は，決算及び証書類を監査委員の審査に付し，その意見をつけて，次の通常予算を議する市町村の議会の認定に付さなければならない。
3　決算は，その認定に関する市町村の議会の議決とともに文教局長に報告し，かつ，その要領を告示しなければならない。
第2編第2章第4節第6款中第66条の前に次の5条を加える。
（市町村交付税法の運用）
第65条の2　行政主席は，市町村交付税法（1957年立法第38号）の運用に当って，教育区の教育費に係る測定単位及び単位費用を設定し又は変更しようとするときは，中央委員会に対し，資料及び意見を求めるものとする。
（教育費負担金の予算計上）
第65条の3　市町村長は，市町村交付税を含む市町村の収入を財源として教育予算に基づく教育費負担金の額を，市町村の予算計上しなければならない。
（市町村の負担を伴う規則等の制定の制限）
第65条の4　区委員会は，規則その他の規程の制定又は改正が市町村の負担を伴うことになるものであるときは，あらかじめ，市町村の議会の承認を得なければならない。
（議会に付議すべき事件及びその説明）
第65条の5　市町村長は，この立法の定めるところにより，市町村の議会に付議すべき事件がある場合には，区委員会の原案の送付をまって，これを市町村の議会に提出しなければならない。
2　教育長又はその委任を受けたものは，説明のため，市町村の議会の議長から出席を求められたときは，議場に出席しなければならない。
（行政主席及び中央委員会の措置要求）
第65条の6　中央委員会は，地方委員会（連合区委員会及び区委員会をいう。以下同じ。）の教育に関する事務の管理及び執行が法令の規定に違反していると認めるとき，又は著しく適正を欠き，かつ，教育本来の目的達成を阻害しているものがあると認めるときは，当該地方委員会に対し，その是正又は改善のための必要な措置を講ずべきことを求めることができる。
2　行政主席は，この立法の定めるところにより，市町村が行なうべき事務に関し，著しく適正を欠くものが

あると認めるときは，市町村長に対し，その是正又は改善のための必要な措置を講すべきことを求めることができる。
第2編第2章第4節中「第6款補則」を「第3款補則」に改める。
第71条を次のように改める。

第71条 削除

第84条を次のように改める。
（教育長及び教育次長の任期）

第84条 教育長及び教育次長の任期はそれぞれ4年とする。ただし，教育長は，同一地方教育区においては2年を限って再任することができる。

2 教育次長が同一地方教育区において教育長に選任された場合は，通算して8年まで当該教育区に在任することができる。

第111条各号列記以外の部分に次のただし書を加える。

ただし，琉球大学管理法（1965年立法第　号）により，琉球大学の権限又は事務と定められた事項を除く。

第122条に次のただし書を加える。

ただし，琉球大学管理法に定めるところによる。

第133条を次のように改める。
（事務の委任及び臨時代理）

第133条 教育委員会は，教育委員会規則の定めるところにより，その権限に属する事務の一部を文教局長又は教育長に委任し，又はこれをして臨時に代理させることができる。

2 文教局長又は教育長は，前項の規定により委任された事務の一部を学校その他の教育機関の長に委任し，又はこれをして臨時に代理させることができる。

3 行政主席は，教育のための割当資金の請求の権限を，文教局長に委任することができる。

第136条及び第136条の2を次のように改める。
（政府が金額を負担する経費）

第136条 次に掲げる経費は，全額政府の負担とする。

一 公立の義務教育諸学校の教育職員（補充職員を含む。以下「教育職員」という。）の給料

二 前号の教育職員の給料以外の給与で中央委員会規則で定めるもの

三 義務教育諸学校の校舎建築に要する経費

四 義務教育諸学校の教科用図書の無償供給に要する経費

五 中央委員会の委員の選挙に要する経費

2 前項の教育職員の定数は，予算の範囲内において中央委員会規則で定める。

3 第一項の教育職員の給与については，一般職の職員の給与に関する立

法（1954年立法第53号）及びこれに基づく人事委員会規則の規定を準用する。
（政府補助金の対象）
第136条の2 政府は，地方教育区に対し，次の各号に掲げる経費について，その全部又は一部を補助することができる。
一 校舎の維持及び修繕に要する経費
二 義務教育諸学校の設備，備品の充実に要する経費
三 連合区委員会の教育長，教育次長及び事務局職員並びに区委員会の社会教育主事の給与
四 その他地方教育区の教育に要する経費
2 前項の補助金の交付に関し必要な事項は，中央委員会規則で決める。
第百139条を次のように改める。
第139条 削除
第140条中「（市町村の長を除く。）」を削る。
附則第7項を次のように改める。
7 削除

附 則
（施行期日）
1 この立法は，1966年4月1日から施行する。ただし，第84条の改正規定は，公布の日から第111条第122条及び附則第項の改正規定は，琉球大学管理法の施行の日から施行する。
（予算等に関する経過措置）
2 1966年度の教育区の予算，出納及び決算については，なお従前の例による。
（教育税に関る経過措置）
3 この立法施行前に改正前に規定により課し，又は課すべきであった教育税の賦課，徴収，督促，滞納処分については，なお従前の例による。
4 教育税査定，賦課又は納入に関する市町村議員の賠償責任についてはなお従前の例による。
（教育区債に関する経過措置）
5 この立法施行前に改正前の規定によりなされた教育区の起債は，改正後の規定によってなされたものとみなす。
（教育委員の経過措置）
6 この立法施行の際，現教育委員である市町村長は，第140条の改正規定にかかわらず，その教育委員としての任期中在任することができる。
（琉球政府公務員の退職手当に関する立法の一部改正）
7 琉球政府公務員の退職手当に関する立法（1956年立法第3号）の一部を次のように改正する。
第7条中（教育委員会法（1958年立法第2号）第136条の規定により，教育補助金の対象になっている職員をいう。以下同じ。）」を「教育委員会法

（1958年立法第2号）第136条第1項第1号の規定により，給与の全額を政府が負担する職員及び同法第136条の2第1項第3号の規定により，政府補助金の対象になっている職員をいう以下同じ。）」に改める。

市町村税法の一部を改正する立法
（1965年8月19日立法第90号）

市町村税法（1954年立法第64号）の一部を次のように改正する。

第53条第1項中「25セント」を「45セント」に，「2ドル50セント」を「4ドル50セント」に改め，同条第2項中「50セント」を「90セント」に，「5ドル」を「9ドル」に改める。

第55条第1項中「100分の0.5」を「100分の0.9」に，「100分の1」を「100分の1.8」に改め，同条第3項中「100分の10」を「100分の18」に改める。

第73条中「100分の0.5」を「100分の0.8」に，「100分の1」を「100分の1.6」に改める。

第153条の2第1項中「100分の1」を「100分の1.5」に改める。

附　則

1　この立法は，公布の日から施行し1967年度分の市町村税から適用する。

2　この立法による改正前の市町村税法の規定に基づいて課し，又は課すべきであった市町村税については，なお従前の例による。

市町村交付税法の一部を改正する立法
（1965年8月19日立法91号）

市町村交付税法（1957年立法第38号）の一部を次のように改正する。

第6条中「100分の14」を「100分の19」に改める。

第14条第1項の表に次のように加える。

				弗	仙
六　教育費					
	1　小学校費	学校数	1学校につき	968	61
		児童数	1人につき	2	80
		学級数	1学級につき	200	75
	2　中学校費	学校数	1学校につき	965	56
		生徒数	1人につき	3	10
		学級数	1学級につき	222	60
	3　その他の教育費	人　口	1人につき		48

第14条第2項の表に次のように加える。

六　小学校の学校数	最近の学校基本調査の結果による当該教育区立の小学校の数	校
七　小学校の児童数	最近の学校基本調査の結果による当該教育区立の小学校に在学する学令児童の数	人
八　小学校の学級数	最近の学校基本調査の結果による当該教育区立の小学校の学級数	学級
九　中学校の学校数	最近の学校基本調査の結果による当該教育区立の中学校の数	校
十　中学校の生徒数	最近の学校基本調査の結果による当該教育区立の中学校に在学する学令生徒の数	人
十一　中学校の学級数	最近の学校基本調査の結果による当該教育区立の中学校の学級数	学級

附　則

1　この立法は，1966年7月1日から施行する。

2　市町村交付税特別会計法（1957年立法第39号）の一部を次のように改正する。

第4条中「100分の14」を「100分の19」に改める。

学校図書館法

1. 立法制定の趣旨

戦後20年，この間教育制度の改革等により教育の機会均等と教育の発達をみてきたが，さらに学校教育の内容を充実させ，その発達を促進するためには，学校図書館の設置がぜひとも必要である。

学校図書館は，それ自体一つの指導機関としての機能をもち，その豊富な資料を活用することによって，学習指導を高め，さらに児童生徒の学習を一そう拡大して，自発的学習態度を確立し，また学校図書館利用を通して社会的，民主的な生活態度を経験させるなど，その教育的価値はきわめて大きく学校教育上欠くことのできない基礎的な設備である。

かように学校図書館は，学校教育上きわめて重要な地位を占めておるにもかかわらず，今日まで法的措置が講ぜられていなかった。そのため学校図書館の設置や設備について，全琉的にははなはだ低調で蔵書ひとつを例にあげてみても，本土の学校の30パーセント程度しかない状態である。しかも地方財政の不如意のため，学校図書館の所要経費は，これまでそのほとんどが父兄の負担に任されていたので，設備，図書は言うにおよばず，図書館の円滑な運営は支障をきたし，学校図書館の本質的機能をじゅうぶんに発揮させるための専門的教職員さえも求めることが困難な現状である。

そこで学校図書館の義務設置をするとともに運営ならびに財政の制度を確立し，司書教諭の養成配置をして，学校教育を充実させるために，この立法の制定をみたわけである。

2. 制定立法の内容

学校図書館法の骨子は次のとおりである。

第1に本法は，学校教育において欠くことのできない基礎的な設備としての学校図書館の目的を明確に規定し，さらにこれが運営に関して必要な事項を規定してある。

第2に学校には，学校図書館を設置しなければならないと規定するとともに区教育委員会の任務を明らかにしてある。

第3に学校図書館に専門的職務つかさどらせるために必要な司書教諭制度を確立し，学校図書館の機能をじゅうぶんに発揮しうるような措置を規定してある。

ただし，現在司書教諭の資格の確保，養成計画ならびに財政事情等を考慮して，当分の間は，司書教諭を置か

ないでもよいような緩和規定を附則に設けてある。

第4に従来父兄の負担のみに任されていた公立学校の図書館に要する経費を区教育委員会が負担し，それに政府が補助する道を開いてその充実を図るよう考慮してある。

なお，そのほか本法の施行のための規定，すなわち学校図書館法施行規則，司書教諭講習規程ならびに補助金交付に関する規則等は別に定めることになっている。

（この立法の目的）

第1条　この立法は，学校図書館が，学校教育において欠くことのできない基礎的な設備であることにかんがみ，その健全な発達を図り，もつて学校教育を充実することを目的とする。

（定義）

第2条　この立法において「学校図書館」とは，小学校（盲学校，ろう学校および養護学校の小学部を含む。），中学校（盲学校，ろう学校および養護学校の中学校を含む。）および高等学校（盲学校，ろう学校および養護学校の高等部を含む。）（以下「学校」という。）とおいて，図書，視覚聴覚教育の資料その他学校教育に必要な資料（以下「図書館資料」という。）を収集し，整理し，および保存し，これを児童又は生徒および教員の利用に供することによつて，学校の教育課程の展開に寄与するとともに，児童又は生徒の健全な教養を育成することを目的として設けられる学校の設備をいう。

（設置義務）

第3条　学校には，学校図書館を設けなければならない。

（学校図書館の運営）

第4条　学校は，おおむね次の各号に掲げるような方法によって，学校図書館を児童又は生徒および教員の利用に供するものとする。

一　図書館資料を収集し，児童又は生徒および教員の利用に供すること。

二　図書館資料の分類排列を適切にし，およびその目録を整備すること。

三　読書会，研究会，鑑賞会，映写会，資料展示会等を行なうこと。

四　図書館資料の利用その他学校図書館の利用に関し，児童又は生徒に対し指導を行なうこと。

五　他の学校の学校図書館，図書館博物館，公民館等と緊密に連絡し，および協力すること。

2　学校図書館は，その目的を達成するのに支障のない限度において，一般公衆に利用させることができる。

（司書教諭）
第5条 学校には，学校図書館の専門的職務を掌らせるため，司書教諭を置かなければならない。
2 前項の司書教諭は，教諭をもって充てる。この場合において，当該教諭は，司書教諭の講習を修了した者でなければならない。
3 司書教諭の講習に関し，履修すべき科目および単位その他必要な事項は，中央教育委員会規則で定める。

（設置者の任務）
第6条 学校の設置者は，この立法の目的がじゅうぶんに達成されるようその設置する学校の学校図書館を整備し，および充実を図ることに努めなければならない。

（中央教育委員会の任務）
第7条 中央教育委員会は，学校図書館を整備し，およびその充実を図るため，次の各号に掲げる事項の実施に努めなければならない。
一 学校図書館の整備および充実ならびに司書教諭の養成に関する総合的計画を樹立すること。
二 学校図書館（政府立学校の学校図書館を除く。）の設置および運営に関し，専門的，技術的な指導および勧告を与えること。
三 前各号に掲げるもののほか，学校図書館の整備および充実のため必要と認められる措置を講ずること。

（政府の補助）
第8条 政府は，地方教育区が，その設置する公立学校の学校図書館の設備又は図書が中央教育委員会の定める基準に達していない場合において，これを当該基準にまで高めようとするときは，これに要する経費の一部を当該地方教育区に対し，予算の範囲内において補助しなければならない。

（補助金の返還等）
第9条 政府は，前条の規定より補助金の交付を受けた者が次の各号の1に該当するときは，当該年度におけるその後の補助金の交付をやめるとともに，すでに交付した当該年度の補助金を返還させるものとする。
一 この立法又はこの立法に基づく中央教育委員会規則の規定に違反したとき。
二 補助金を補助の目的以外の目的に使用したとき。
三 補助金の交付の条件に違反したとき。
四 虚偽の方法によって，補助金の交付を受けたことが明らかになったとき。

（委任規定）
第10条 補助金の交付その他補助金に

関し必要な事のは，中央教育委員会規則で定める。

（施行規定）

第11条 この立法の施行に関し必要な事のは，中央教育委員会規則で定める。

附　則

（施行期日）

1　この立法は，1965年7月1日から施行する。

（司書教諭の設置の特例）

2　学校には，当分の間，第5条第1の規定にかかわらず，司書教諭を置かないことができる。

沖縄学校安全会法

1. 法制定の趣旨

　この立法は，学校教育の円滑な実施に資するため，学校安全の普及充実に関する業務を行なわせるとともに義務教育諸学校等の管理下における児童生徒等の負傷その他の災害に関して必要な給付を行なわせるため，沖縄学校安全会を設立しようとするものである。

　義務教育諸学校等の管理下における災害事故の防止につきましては，かねてから配慮をいたしているところでありますが，なお学校の管理下において児童，生徒の不慮の災害は，年間800件にのぼっており，これに要した医療費等は9000弗という外額になっているのである。

　このような状況にかんがみ，学校安全を普及充実するとともに，義務教育諸学校等の管理下において発生した児童，生徒等の災害に関して適切な措置を講ずべきであるという要望が関係各方面からなされており，1960年7月には政府の立法措置を遅しとして，那覇教育区を中心にして，全琉にまたがる財団法人沖縄学校安全会が認可になり既に業務を開始しております。

　この財団法人沖縄学校安全会は，保護者と教育委員会からの寄附金によってまかなわれているものでありますが事業の公共的性格から相当の公費負担を必要としますので，立法による新らしい制度が確立されることを要望していたのであります。

　本立法により設立しようとする沖縄学校安全会は，学校安全の普及充実に関する業務として学校安全の普及啓発事業を行なうとともに，義務教育諸学校の管理下における児童，生徒の災害につき，災害共済給付を行なうものであります。この災害共済給付は，義務教育諸学校の設置者が児童または生徒の保護者の同意を得て安全会との間に締結する契約により行なうものとし，共済掛金は，安全会との間に災害共済給付契約を締結した学校の設置者が安全会に対して支払わなければならないものといたしている。

　そして学校の設置者は，当該契約に係る児童，生徒の保護者から，共済掛金の額のうち一部を徴収するたてまえとしております。一方政府は，安全会に対して，その事務費の一部を補助することになっている。

　このようにして義務教育諸学校の管理下における児童，生徒の災害について，教育的配慮の下に，公共的性格をもつ特殊法人たる沖縄学校安全会に

災害共済給付を行なわせるものであり他の一つの業務である学校安全の普及充実に関すを業務と相まって、学校教育の円滑な実施に資そうとするものである。

2. 本法の内容

この立法は、学校教育の円滑な実施に資するため、学校安全の普及充実に関する業務を行なわせるとともに、義務教育諸学校等の管理下における児童、生徒等の災害に関して必要な給付を行なわせるために、沖縄学校安全会（以下「安全会」と略称する。）を設立するものである。（法第一条）

(1) 安全会の業務

安全会の業務は、大別すると、(1)学校安全の普及充実に関する事業と、(2)災害共済給付に関する事業とに分けられる。

(1) 学校安全の普及充実に関する事業

安全会の行なう業務のその一つは、学校安全の普及充実に関することである。

学校安全とは、学校における安全教育および安全管理をいうが、生命の尊重を基本とする学校安全は、学校教育そのものにとって重要であるばかりでなく、ひいては産業安全、労働安全、交通安全などの基本ともなるものであり、学校、教育委員会、文教局がこれを推進するものであるが、安全会もその一端をになうことになるわけである。

学校安全の普及充実に関する業務の実施方法としては、学校安全に関する刊行物、映画、スライド、ポスター等の発行、刊行、作成および配布ならびに学校安全に関する研究協議会、講習会展示会などの開催といったものがあごられる。

(2) 災害共済給付に関する事業

安全会の行なう業務のその二は、学校の管理下における児童、生徒および幼児の災害について、災害共済給付を行なうことである。

すなわち、安全会は、義務教育諸学校（小学校、中学校または特殊教育諸学校（盲学校、聾学校または養護学校をいう。以下同じ。）はもとより高等学校（特殊教育諸学校の高等部を含む。以下同じ。）および幼稚園（特殊教育諸学校の幼稚部を含む。以下同じ。）の管理下における児童、生徒および幼児の災害につき、当該児童、生徒および幼児の保護者または保護者がない場合には準ずる者（高等学校の生徒で成年に達している場合には、本人または遺族）（以下「保護者等」という。）に対し、医療費、廃疾見舞金または死亡見舞金の支給（以下「災害共

済給付」という。）を行なう。
（法第19条第1項第2号。）

　安全会の行なう災害共済給付は，学校の設置者が保護者等の同意を得てする災害共済給付契約の申し込みに基づき，安全会との間に締結する災害共済給付契約の履行として行なわれるものである（法第20条第1項）

（イ）災害共済給付の対象となる災害
　安全会の行なう災害共済給付の対象となる災害は，負傷，疾病，廃疾および死亡の4種類であるが，その範囲は次のとおりである。

（A）児童，生徒および幼児の負傷でその原因である事故が学校の管理下において発生したもの。ただし，療養に要する費用が30仙以上のものに限る。

（B）学校給食に起因する中毒ならびに児童，生徒，幼児の疾病で，原因である行為が学校の管理下においてなされたもののうち中毒（家庭科もしくは技術・家庭科の調理実習における試食または修学旅行もしくは遠足における給食に起因する中毒に限る。）日射病，でき水およびこれによるえん下性肺炎，うるし等による皮膚炎など。

（C）（A）の負傷または（B）の疾病がなおった場合において存する廃疾のうち規則で定めた廃疾。

（D）児童，生徒および幼児の死亡でその原因である事故が学校の管理下において発生したもの。学校給食に起因することが明らかであると認められる死亡および に掲げた疾病のうち学校給食に起因する中毒以外の疾病に直接起因する死亡。この場合，（A），（B）および（C）でいう学校の管理下とは，次に掲げる場合である。

(a) 児童，生徒および幼児が，法令の規定により学校が編成した教育課程に基づく授業を受けているとき。
　すなわち，各教科，道徳，特別教育活動および学校行事等の時間中である。

(b) (a)のほか，児童，生徒および幼児が学校の教育計画に基づいて行なわれる課外指導を受けているとき。
　これは，主として夏休みその他の休業日などに行なわれる課外指導（林間学校，臨海学校など）の施設における指導または進路指導もしくは生活指導を受けているときなどである。

（C）(a)および(b)のほか，児童，生徒および幼児が休憩時間中に学校にあるときその他校長の指示または承認に基づいて学校にあるとき。
　これは，休憩時間中のほか主として始業前，放課後の特定時間中など

である。
(d) 児童，生徒および幼児が通常の経路および方法により通学するとき。

この通常の経路および方法による通学途上が安全会の行なう災害共済給付の給付事由となる学校の管理下の範囲に含まれるのは，小学校，中学校および幼稚園の児童，生徒の場合であって，高等学校の生徒の場合はこれを除外している。

(ロ) 災害共済給付に係る給付金
児童，生徒および幼児が(イ)に掲げる災害を受けたときは，安全会は次のような給付金を保護者等に対して支給する。

(A) 医療費は，「医療保険法の規定による療養に要する費用の額の算定方法により算定した額に2分の1を乗じて得た額。ただし現に療養に要した費用の額の2分の1に相当する額をこえることはできない。

これは，医療保険なみの半額の医療費を支給することで，通常の場合には，学校の管理下の災害については，社会保険による給付とあいまって一応全額の医療費が保障されることになる。なお，看護および移送に要した費用については，安全会が必要と認めた場合に支給する。

(B) 廃疾見舞金は，廃疾の程度に応じ361弗から13弗までの範囲内で，規則によって算定された額。

(C) 死亡見舞金は278弗

(ハ) 災害共済給付の制限
(イ)に掲げる災害に対しては，(ロ)のとおり災害共済給付を行なうのが原則であるが，例外として次のように，給付金の一部または全部の支給を行なわないことがある。

(A) 同一の負傷または疾病に関しては，医療費の支給は1年間で打ち切ることとし，その後の死亡に対しても死亡見舞金は支給しない。

(B) 災害が第三者の行為によって生じた場合に，当該災害について損害賠償を受けたときはその受けた限度で給付を行なわないことができる。

(C) 災害によって政府または地方公共団体の負担によって療養したり，療養費の支給を受けたり，あるいは政府または地方公共団体から補償を受けたときは，その受けた限度で給付は行なわない。

(D) 風水害，震災その他の非常災害による災害については給付を行なわない。

(E) 生活保護を受けている世帯に属する児童，生徒および幼児の災害については，医療費は支給しない。

(F) 高等学校の生徒の故意による災害については，給付を行なわず，重

過失による災害による災害については廃疾見舞金を支給しないことができる。

(ニ) 共済掛金の額および共済掛金の支払い。

共済掛金の額は，義務教育諸学校の児童，生徒については，年額6仙（生活保護を受けている世帯に属する児童，生徒は1仙）高等学校の生徒については年額10仙（水産高校の生徒で実習船による実習を行なうこととされている生徒については28仙。定時制課程7仙）幼稚園の幼児については年額4仙とする。

学校の設置者は，当核災害共済給付契約に係る児童，生徒および幼児の全員の共済掛金を毎年5月30日までに安全会に払い込まなければならない。

学校の設置者が共済掛金を上の支払い期限よりも遅れて支払ったときは，支払った日以前に発生した災害については給付しない。

これらの共済掛金は，高等学校および幼稚園の生徒および幼児については，金額を学校の設置者が保護者から徴収することになっており，義務教育諸学校の児童および生徒については，共済掛金の4割から6割の範囲で保護者から徴収することになっている。すなわち，義務教育諸学校の児童，生徒の共済掛金は，保護者と学校の設置者が共同して負担することになる。

(ホ) 災害共済給付に係る給付金の請求および支払い。

給付金の請求は，学校の設置者または保護者等が規則に定める様式による支払い請求書によって請求する。

給付金支払いの請求を受けたときは，安全会は請求の内容を審査し，給付額を決定し，政府立学校の児童，生徒および幼児については当該学校の長を経由し，公立学校の児童，生徒および幼児については当該学校を設置する教育委員会を経由し，私立学校の児童，生徒および幼児については当該学校を設置する学校法人の理事長を経由して郵便振替貯金または銀行送金により支払う。

(ニ) 安全会に対する政府の補助

政府は，安全会に対して事務費および公立の義務教育諸学校の児童，生徒の保護者で経済的に困窮している者の共済掛金の一部を補助することができる。

安全会はこのように公共的な性格をもった法人であるので，行政主席の監督のもとに置かれ，必要な業務命令をしたり立入検査をすることができるなどその運営の適正を期して

いる。
(三) 安全会の組織
　安全会は法人とし事務所を那覇市に置く。
　安全会に役員として，理事長1人（常勤）理事5人以内および監事2人を置く，これらの役員は行政主席が任命する。
　業務の運営を適正にするため，理事長の諮問機関として行政主席が任命する15人以内の委員で組織する運営審議会を置く，理事長は，定款の変更など重要事項について運営審議会の意見を聞かなければならない。

沖縄学校安全会法
（1965年6月1日立法第10号）
目次
第1章　総則（第1条－第7条）
第2章　役員及び職員（第8条－第16条）
第3章　運営審議会（第17条・第18条）
第4章　業務（第19条－第25条）
第5章　財務及び会計（第26条－第33条）
第6章　監督及び政府の補助（第34条－第36条）
第7章　雑則（第37条－第42条）
第8章　罰則（第43条－第47条）
附　則
　　第1章　総　則

（目　的）
第1条　沖縄学校安全会は，学校安全の普及充実を図るとともに，義務教育諸学校等の管理下における児童生徒等の負傷，疾病，廃疾又は死亡に関して必要な給付を行ない，もって学校教育の円滑な実施に資することを目的とする。
（法人格）
第2条　沖縄学校安全会（以下「安全会」という。）は，法人とする。
（事務所）
第3条　安全会は，主たる事務所を那覇市に置く。
2　安全会は，必要な地に従たる事務所を置くことができる。
（定款）
第4条　安全会は，定款をもって，次の事項を規定しなければならない。
1　目　的
2　名　称
3　事務所の所在地
4　資産の関する事項
5　役員に関する事項
6　運営審議会及び運営審議会の委員に関する事項
7　業務及びその執行に関する事項
8　学校の設置者との災害共済給付契約の締結に関する事項
9　共済掛金に関する事項
10　会計に関する事項

2　定款の変更は，行政主席の認可を受けなければ，その効力を生じない。

（登記）

第5条　安全会は，規則で定めるところにより，登記しなければならない。

2　前項の規定により登記しなければならない事項は，登記の後でなければ，これをもって第三者に対抗することができない。

（名称使用の制限）

第6条　安全会でない者は，沖縄学校安全会という名称を用いてはならない。

（民法の準用）

第7条　民法（明治29年法律第89号）第544条および第10条の規定は，安全会に準用する。

第2章　役員および職員

（役員）

第8条　安全会に，役員として，理事長1人，理事5人以内および監事2人を置く。

2　役員のうち理事長は常勤とし，他は非常勤とする。

（役員の職務）

第9条　理事長は，安全会を代表し，その業務を総理する。

2　理事は，理事長の定めるところにより，理事長を補佐して安全会の業務を掌理し，理事長に事故があるときはその職務を代理し，理事長が欠員のときはその職務を行なう。

3　監事は，安全会の業務を監督する。

（役員の任命および任期）

第10条　役員は，行政主席が任命する。

2　役員の任期は，2年とする。ただし，補欠の役員の任期は，前任者の残任期間とする。

3　役員は，再任されることができる。

（役員の欠格条項）

第11条　次の各号の1に該当する者は役員となることができない。

1　立法院議員，市町村議会の議員市町村の長または教育委員会の委員

2　政府，市町村または地方教育区の職員（非常勤の者を除く）

（役員の解任）

第12条　行政主席は，役員が前条号の1に該当すると至ったときは，その役員を解任しなければならない。

2　行政主席は，役員が次の各号の1に該当するとき，その他役員たる適しないと認めるときは，その役員を解任することができる。

1　心身の故障のため職務の執行に堪えないと認めたとき。

2 職務上の義務違反があるとき。

（代表権の制限）

第13条 安全会と理事長との利益が相反する事項については，理事長は，代表権を有しない。この場合には，監事が安全会を代表する。

（職　員）

第14条 安全会の職員は，理事長が任命する。

（給与および休暇）

第15条 安全会は，職員の給与および休暇に関する規定を定める場合には琉球政府公務員に準じて定めるものとする。

（業務禁止等）

第16条 理事長及び職員は，他の職業に従事してはならない。ただし，行政主席がその職務の執行に支障がないものと認めて許可して場合は，この限りでない。

2 前項ただし書の規定による許可を受けた者及び役員とする法人は，自己の営業に関し，安全会と取引してはならない。

第3章　運営審議会

（運営審議会）

第17条 安全会に，運営審議会を置く。

2 運営審議会は，15人以内の委員で組織する。

3 次に掲げる事項については，理事長において，あらかじめ，運営審議会の意見を聞かなければならない。
1 定款の変更
2 業務方法書の変更
3 毎事業年度予算および事業計画
4 その他安全会の業務に関する重要事項で，定款をもって定める事項

4 前項に規定する事項のほか，運営審議会は，理事長の諮問に応じ，又は必要と認める事項について，理事長に意見を述べることができる。

（運営審議会の委員）

第18条 運営審議会の委員は，安全会の業務の運営に関係を有する者および安全会の業務の運営に必要な学識経験を有する者のうちから，行政主席が任命する。

2 第10条　第2項および第3項並びに第12項の規定は，運営審議会の委員に準用する。

第4章　業　　務

（業　務）

第19条 安全会は，第1条の目的を達成するため，次の業務を行なう。
1 学校安全（学校における安全教育及び安全管理をいう。）の普及充実に関すること。
2 義務学育諸学校（小学校，中学

校または特殊教育諸同校（盲学校，聾（ろう）学校または養護学校をいう。以下同じ。）の小学部若しくは中学部をいう。以下同じ。）の管理下における児童および生徒の負傷，疾病，廃疾または死亡（以下「災害」という。）につき，当該児童および生徒の保護者（学校教育法（1958年立法第3号）第24条第1項第3号に規定する保護者をいう。以下同じ。）または規則で定める場合には里親（児童福祉法（1953年立法第61号）第26条第1項第2号に規定する里親をいう。以下同じ。）その他の規則で定めるものに対し，医療費，廃疾見舞金または死亡見舞金の支給（以下「災害共済給付」という。）を行なうこと。

3　前各号の事業に附帯する事業

2　安全会は，前項第2号の業務のほか，高等学校（特殊教育諸学校の高等部を含む。）及び幼稚園（特殊教育諸学校の幼稚部を含む。）の管理下における生徒及び幼児の災害につき，当該生徒および幼児の保護者又は規則で定める場合には里親その他の規則で定める者に対し，災害共済給付を行なうことができる。

（義務教育諸学校の災害共済給付）

第20条　前条第1項第2号に掲げる災害共済給付は，義務教育諸学校（「以下学校」という。）の管理下における児童および生徒の災害につき，学校の設置者が児童若しくは生徒の保護者または規則で定める場合には里親その他の規則で定める者の同意を得て当該児童または生徒について安全会との間に締結する契約により，規則で定める基準に従い定款で定めるところにより行なうもるとする。

2　前項の学校の管理下における児童および生徒の災害の範囲については規則で定める。

3　安全会は，規則で定める正当な理由がある場合を除いては，第1項の規定による災害共済給付契約の締結を拒んではならない。

（共済掛金）

第21条　第19条第1項第2号に掲げる災害給付に係る共済掛金の額は，規則で定める範囲内で定款で定める額とする。

2　安全会との間に災害共済給付契約を締結した学校の設置者は，規則で定めるところにより，前項の共済掛金の額に当該契約に係る児童および生徒の数を乗じて得た額を安全会に対して支払わなければならない。

3　前項の学校の設置者は，当該災害共済給付契約に係る児童若しくは生

徒の保護者又は規則で定める場合には里親その他の規則で定める者から第1項の共済掛金の額のうち規則で定める範囲内で当該学校の設置者の定める額を徴収する。ただし，当該徴収されるべき者が経済的理由によって納付することが困難であると認めるときは，これを徴収しないことができる。

（給付金の支払の請求及びその支払）

第22条 第19条第1項第2号に掲げる災害給付に係る給付金の支払の請求及びその支払は，規則で定めるところにより行なうものとする。

（共済掛金を支払わない場合）

第23条 安全会は，学校の設置者が第21条第2項の規定による共済掛金を支払わない場合においては，規則で定めるところにより，当該災害共済給付契約に係る災害共済給付を行なわないものとする。

（高等学校および幼稚園の災害共済給付）

第24条 第19条第2項の災害給付については，第20条から前条までの規定を準用する。この場合において，第21条第3項中「第1項の共済掛金の額のうち規則で定める範囲内で当該学校の設置者の定める額」とあるのは，「第1項の共済掛金」と読み替えるものとする。

（業務方法書）

第25条 安全会は，業務開始の際，業務方法書を作成し，行政主席の認可を受けなければならない。これを変更しょうとするときも，同様とする。

2　前項の業務方法書に記載すべき事項は，規則で定める。

第5章　財務および会計

（事業年度）

第26条 安全会の事業年度は，毎年7月1日に始まり，翌年6月30日に終る。

（予算等の認可）

第27条 安全会は，毎事業年度，収入および支出の予算ならびに事業計画を作成し，事業年度開始前に行政主席の認可を受けなければならない。これに重要な変更を加えようとするときも，同様とする。

（決　算）

第28条 安全会は，毎事業年度の決算を翌年度の8月31日までに完結しなければならない。

（財務諸表）

第29条 安全会は，毎事業年度，財政目録，貸借対照表および損益計算書（以下この条において「財務諸表」という。）を作成し，これに予算の区分に従って作成した当該事業年度の決算報告書を添付し，監事の意見

をつけて決算完結後2月以内に行政主席に提出し，その承認を受けなけけばならない。

2　理事長，財務諸表及び決算報告に監事の意見をつけ，決算完結後1月以内に，これを運営審議会に提出しなければならない。

3　安全会は，第1項の規定による行政主席の承認を受けた財務諸表を各事務所に備えておかなければならない。

（利益及び損失の処理）

第30条　安全会は，毎事業年度，損益計算において利益を生じたときは，前事業年度から繰り越した損失をうめ，なお残余があるときは，その残余の額は，積立金として整理しなければならない。

2　安全会は，毎事業年度，損益計算において損失を生じたときは，前項の規定による積立金を減額して整理し，なお不足があるときは，その不足額は，繰越欠損金としなければならない。

（一時借入金）

第31条　安全会は，行政主席の認可を受けて1時借入金をすることができる。

3　前項ただし書の規定により借り換えた1時借入金は，1年以内に償還しなければならない。

（余裕金の運用）

第32条　安全会は，次の方法によるほか，業務上の余裕金を運用してはならない。

1　政府債又は地方債の取得
2　銀行その他行政主席の指定する金融機関への預金又は郵便預金
3　信託会社又は信託業務を営む銀行に対する金銭信託（運用方法を特定する金銭信託を除く。）

（規則への委任）

第33条　この立法に規定するほか，安全会の財務及び会計に関し必要な事項は，規則で定める。

第3章　監督および政府の補助

（監　督）

第34条　安全会は，行政主席が監督する。

2　行政主席は，この立法を施行するため必要があると認めるときは，安全会に対してその業務に関し，監督上必要な命令をすることができる。

（報告及び検査）

第35条　行政主席は，必要があると認めるときは，安全会に対して業務および資産の状況に関して報告をさせ又はその職員に安全会の事務所に立入り，業務若しくは帳簿，書類その他の必要な物件を検査させることをできる。

2　前項の規定により職員が立入検査

をする場合においては，その身分を示す証明書を携帯し，あらかじめ，関係人にこれを提示しなければならない。
3　第1項の立入検査の権限は，犯罪捜査のために認められたものと解釈してはならない。

（政府の補助）

第36条　政府は，予算の範囲内において，安全会の事務に要する経費を補助する。

2　政府は，公立の学校の設置者が第21条第3項ただし書の規定により同項に規定する者で次の各号の1に該当するものから同項に定める額を徴収しない場合においては，予算の範囲内において，規則の定めるところにより，安全会に対して補助することができる。

1　生活保護法（1953年立法55号）第6条第2項に規定する要保護者

2　生活保護法第6条第2項に規定する要保護者に準ずる程度に困窮している者で規則で定めるもの

3　公立の学校の設置者は，安全会が前項の規定により補助金の交付を受けた場合において，第21条第2項の規定による支払をしていないときは同項の規定にかかわらず，規則で定めるところにより，規則で定める額を同項の額から控除して支払うことができる。

4　安全会は，第2項の規定により補助金の交付を受けた場合において，第21条第2項の規定により支払を受けているときは，規則の定めるところにより，規則で定める額を公立の学校の設置者に対して返還しなければならない。

第7章　雑　則

（損害賠償の請求権）

第37条　安全会は，災害共済給付の給付事由が第3者の行為によって生じた場合において給付を行なったときは，その給付の価額の限度において，当該災害に係る児童，生徒又は幼児が第3者に対して有する損害賠償の請求権を取得する。

（時　効）

第38条　災害共済給付を受ける権利はその給付事由が生じた日から2年間行なわないときは，時効によって消滅する。

（給付を受ける権利の保護）

第39条　災害共済給付を受ける権利は譲り渡し，担保に供し，又は差し押えることができない。

（公課の禁止）

第40条　租税その他の公課は，災害共済給付として支給を受ける給付金を

標準として，課することができない。

（解　散）

第41条　安全会の解散については，別に立法で定める。

（施行規則）

第42条　この立法の施行に関し必要な事項は，則規で定める。

第8章　罰　則

（収賄等）

第43条　安全会の役員又は職員は，その職務に関してわいろを収受し，又は要求し，若しくは約束したときは3年以下の懲役に処する。よって不正の行為をしまたは相当の行為をしないときは5年以下の懲役に処する

2　安全会の役員または職員であった者は，その在職中に請託を受けて職務上不正な行為をし，または相当の行為をしなかったことに関し，わいろを収受しまたは要求し，若しくは約束したときは，3年以下の懲役に処する。

3　安全会の役員または職員は，その職務に関し請託を受けて第3者にわいろを供与させ，またその供与を約束したときは，3年以下の懲役に処する。

4　犯人または情を知った第3者の収受したわいろは，没収する。その全部または1部を没収することができないときは，その価額を追徴する。

（贈　賄）

第44条　前条第1項から第3項までに掲げる者に対してわいろを供与し又はその申込若しくは約束した者は，3年以下の懲役または830弗以下の罰金に処する。

（報告義務違反等）

第45条　第35条第1項の規定により報告をせず，若しくは虚偽の報告をしまたは検査を拒み，妨げ，若しくは忌避した場合には，その違反行為をした安全会の役員おたは職員は，85弗以下の罰金に処する。

（過　料）

第46条　次の各号の1に該当する場合には，その違反行為をした安全会の役員または職員は，85弗以下の過料に処する。

1　この立法の規定により，行政主席の許可，認可または承認を受けなければならない場合において，その許可，認可または承認を受けなかったとき。

2　第5条第1項の規定による規則に違反し，登記することを怠ったとき。

3　この立法に規定する業務以外の業務を行なったとき。

4　第32条の規定に違反して業務上の余裕金を運用したとき。

5　第34条第2項の規定による行政主席の命令に違反したとき。

第47条　第6条の規定に違反した者は30弗以下の過料に処する

附　則

（施行期日）

第1条　この立法は，公布の日から起算して6月をこえない範囲内において規則で定める日から施行する。ただし，規則第2条から規則第4条までの規定は，公布の日から施行する。

（安全会の設立）

第2条　行政主席は，安全会の設立前に，第10条第1項の例により，理事長，理事または監事となるべきものを指名する。

2　前項の規定により指名された理事長，理事または監事となるべき者は安全会の成立の時において，この立法の規定により，それぞそ理事長，理事または監事に任命されたものとする。

第3条　行政主席は，設立委員を命じて，安全会の設立に関する事務を処理させる。

2　設立委員は定款を作成して，行政主席の認可を受けなければならない。

3　前項の規定による認可を受けたときは，設立委員は遅滞なくその事務を前条第1項の規定により指名された理事長となるべき者に引継がなければならない。

第4条　規則第2条第1項の規定により指名された理事長となるべき者は前条第3項の事務の引継を受けたときは，遅滞なく規則の定めるところにより設立の登記をしなければならない。

第5条　安全会は，設立の登記をすることによって成立する。

（経過規定）

第6条　第6条の規定は，この立法の施行の日から起算して3月間は，適用しない。

第7条　安全会の最初の事業年度は，第26条の規定にかかわらず，安全会の成立の日から1966年6月30日までとする。

第8第　安全会の最初の事業年度の収入および支出の予算ならびに事業計画については，第27条中「事業年度開始前に」とあるのは，「安全会の設立後遅滞なく」とする。

（登録税法の1部改正）

第9条　登録税法（1953年立法第88号）の1部を次のように改正する。第23条第6号中「琉球学校給食会」の下に「沖縄学校安全会」を「琉球学校給食会法（1962年立法第36号）」の下に「沖縄学校安全会法

（1965年立法第10号）」を加える。
（印紙税法の1部改正）
第10条 印紙税法（1952年立法第32号）の1部を次のように改正する。
第3条第8号の2の次に次の1号を加える。

　8の3 沖縄学校安全会の沖縄学校安全会法第19条第1項第2号，第2項および同法第20条第1項（同法第24条およびその準用規定において準用する場合を含む）に規定する災害共済給付契約に関する証書帳簿

（所得税法の1部改正）
第11条 所得税法（1952年立法第44号）の1部を次のように改正する。
第三条第三号中「琉球学校給食会」の下に「沖縄学校安全会」を加える。

（法人税法の1部改正）
第12条 法人税法（1953年立法第21号）の1部を次のように改正する。
　第5条第1項第4号の次に次の1号を加える。
　　5　沖縄学校安全会

（市町村税法の1部改正）
第13条 市町村税法（1954年立法第64号）の1部を次のように改正する。
第2条中「琉球育英会」の下に「沖縄学校安全会」を加える。

1945年4月1日以前に教育職員の経歴を有する女子教育職員の給与の調整に関する特別措置法

一 立法制定の趣旨

戦前（1945年4月1日以前）においては，教員は同一資格を有しながら男女の給与に格付の差があった。すなわち，師範学校卒業者で同一資格（小学校本科正教員免許状又は国民学校本科正教員免許状）を授与されながら初任給において5円，中等学校卒業者（代用教員）の初任給で2円ないし3円という格差がつけられていた。

この男女給与の格差の原因は，戦前における封建的思想の現われであろうが，これを現在の民主主義制度下で認めるということは，男女平等という基本的理念にもとることになり，現行琉球政府公務員第16条「平等取扱の原則」，労働基準法第4条「男女同一賃金の原則」という実定法の規定に照らしても明らかに不合理なことといえよう。

この不合理な給与格差を是正しようとするのが本法の趣旨である。

二 立法の内容

1 本法適用の対象

（1）1945年4月1日以前に女子教育職員であった者

イ 1945年4月1日をおさえた理由は，第2次世界大戦において米軍が沖縄島に上陸し，占領布告（ニミッツ布告）が出され，実質的に沖縄が本土政府と切り離された日であり，その日以後においては初任給における格差はなかった。

ロ 1945年4月1日以前に教員免許状の有無にかかわらず，教育職員としての経歴を有する女子教職員。

（2）この立法施行の日，現に教育職員として，政府公務員か又は教育委員会法第136条の適用を受け，政府補助金の対象となっている女子であること。

（3）1945年4月1日以前における給与の男女差によって，現にその者の給与に不均衡を生じていると認める者。すなわち，1945年4月1日以後この立法施行の日までに，すでに男女の給与の差が是正されたことがあると認められる者については，この立法の対象にはならない。

2 調整昇給の限度

二号給をこえない範囲内で給料月額を調整する。となっており，そ

の理由は，
（1）戦前に教育職としての経歴を持つ女子教育職員と云っても，出身学校種や卒業年度に違いがあるし，教育職経験年数に差があるように各人の現在給料月額に個人差がある。これらの個人差は，過去何十年という累積によって生じたもので，同種の学校，同年度の卒業，同勤務年数であるという理由で一率に査定することは却って不平等不合理になる恐れがある。

　しかし，殆んどすべての女子教育職員が初任給においては，同額であったということは資料の上からも明白である。（ただし，中等学校に採用された女子教員で，同修学年数の学校を卒業しながら初任給に格差が認められる例は2，3ある。）
（2）「日本の成長と教育費」（文部省編）（日本の経済の成長企画庁編）によると，昭和5年の1円は，昭和39年（1964年）には394円90銭（1ドル10セント）となり，昭和10年の1円は379円40銭（1ドル5セント）となっており，昭和5年をピークとして先或は後の年は下向線を辿り，大正10年は269円80銭（7

4セント）昭和19年は103円50銭（29セント）となっている。
（3）そこで最高を示した昭和5年をとってみると，男女初任給差の5円は，5ドル5セント，2円は，3ドル20セントとなる。この額は，昭和39年（1964年）における女子教育職員の平均給を標準とした場合，5円は2号給2円は1号給が直近となる。

1945年4月1日以前に教育職員の経歴を有する女子教育職員の給与の調整に関する特別措置法

　1945年4月1日以前に女子教育職員（準教育職員を含む。）であった者でこの立法施行の日において，現に琉球政府公務員（1般職員の給与に関する立法（1954年立法第53号。以下「給与法」という。）の教育職関係給料表の適用を受ける者に限る。）であり，かつ，1945年4月1日以前における給与の男女差により，現にその者の給与に不均衡を生じていると認められるものについては，人事委員会規則の定めるところにより，2号給をこえない範囲内で給料月額を調整することができる。

　　附　則
（施行期日）
1　この立法は，公布の日から施行し1964年7月1日から適用する。

（昇給期間の通算）
2 この立法適用の日の前日における給料月額を受けていた期間は，この立法適用の日における給料月額を受ける期間は通算する。

（この立法施行前の昇給）
3 この立法施行前，給与法の規定に基づいてされた昇給，この立法の規定の適用により，昇給期間に異動を生ずることとなる場合においても，給与法の相当規定に基づいてされたものとみなす。

（手当の算定の基礎）
4 1965年3月31日までに係る給与法の規定に基づく特殊勤務手当，期末手当およびへき地勤務手当の算定の基礎となる給料月額は，この立法の規定にかかわらず，給料月額調整前の額による。

琉球大学設置法及び同管理法

1 制定の趣旨

琉球大学の設置を定めた1951年1月10日付け民政府布令第30号は1952年2月28日付け布令66号「琉球教育法」によって廃止され，以後は同布令によって琉球大学の管理運営がなされた。琉球に初めての高等教育機関として設立された琉球大学が実は布令による設立であったため，住民の意志を必ずしも反映しない性格のあいまいな大学となっていた。布令の規定は，琉球大学は政府の一機関であるとしたり，琉大の運用予算及び補助金の承認を立法院に対し求めるとするなど，すっきりしないところが多く，琉球政府はこれまで琉大を一種の特殊法人として扱ってきた。

このことは，琉大がほとんど政府補助金によって運用され，実質的に政府立としての性格を強くあらわしている実情からそのまま放置できるものではなかった。他方，琉大の教授職員の身分を公務員とし，学生については政府立大学の卒業資格を獲得させることによって，その将来を保障すべきだということが大学側から強く要望され，住民も琉大を政府立にし，住民の意志を大幅に反映した名実ともに琉球の最高学府となることを望んだ。このように琉大の政府立移管は住民及び各界の多年の念願であり，当局も1962年に琉大側の最初の立法案の草案を受けてから本格的に検討をはじめた。そして同年には中教委の最終案承認にまでこぎつけ，各方面との調整をはじめた。この成案は，大学の自治の尊重と公正な民意を反映するという根本理念に基づき本土においても実現できなかった大学管理法を成文化するもので，画期的なものであった。琉球大学設置法，琉球大学管理法は，琉球大学を布令大学からすみやかに脱却せしめ，政府立に移管するということで立法院においても超党派的に支持され，第28議会の延長議会において可決された。

2 おもな内容

イ 琉球大学設置法について琉球大学設置法は，政府立として琉球大学を設置し（第1条），その組織の大綱を規定する。琉球大学に文理，教育及び農家政工学の3部を設け，各学部に共通する一般教養に関する教育を一括して行なうための組織として教養部をおく（第4条）。教育学部に附属の小学校及び中学校を設置し，大学及び学部に附置する研究施設についても規定しまた大学に附属図書館を設置する。そして琉大の組織の細部については，大

学委員会の規則で定めるよう委任規定を設けてある。

なお，この立法は1966年7月1日に施行され，同時に政府立に移行される。

ロ　琉球大学管理法について

この立法は，琉球大学を管理するため琉球大学委員会を設け，大学の自治を尊重するとともに公正な民意を反映させ，もって琉球大学の適正な管理をはかることを目的とする（第1条）琉球大学の管理機関たる大学委員会は7人の委員をもって組織，委員は，文教局長と中教委推薦による者のほか学識経験者のうちから主席が立法院の同意を得て任命する。大学委員会は，独立行政委員会として他から指揮監督を受けることなく，学長の助言と推薦を得て，琉大の管理運営に関する大幅の権限を行使する。大学委員会は，委員会規則制定の権限を有する，委員会の会議その他運営に関しては，法は多数の条文を設けている（以上第2章）

琉大の運用予算の編成については，法は，中教委の教育予算編成の方式と同様な手続きを設け，大学委員会の承認を得た予算見積りを主席に送付して政府予算に総合調整することにしてある（第3章）。

学内運営については，学長の諮問機関として教授，助教部及び部局長等からなる評議会を設け，学部には学部教授会を設けて当該学部の重要事項について審議するものとする（第4章）。

以上のほか，学校教育法の規定により従来中教委の権限に属していた若干の事項の大学委員会への移管その他大学委員会の設置に伴ない必要な措置を講ずる規定がある。

この立法は，設置法と同時に施行される。

3　立法全文

琉球大学設置法（1965年8月25日立法第102号）

（設置）

第1条　琉球政府は，この立法により学校教育法（1958年立法第3号）第1条に定める学校として，琉球大学を設置する。

（所管）

第2条　琉球大学は，教育委員会法（1958年立法第2号）第110条の規定にかかわらず，琉球大学委員会が所管する。

（位置）

第3条　琉球大学は，那覇市に本部を置く。

（学部等）

第4条　琉球大学の学部は，次のとおりとする。

文理学部
教育学部

農家政工学部
2 琉球大学に，各学部に共通する一般教養に関する教育を一括して行なうための組織として，教養部を置く。
（附属学校）
第5条 琉球大学の教育学部に附属して，小学校および中学校を設置する。
2 前項の附属学校については，他の法令に別段の定めのあるものを除くほか，琉球大学委員会規則（以下「大学委員会規則」という。）で定める。
（大学附置の研究施設）
第6条 琉球大学に，立法の定めるところにより研究所および研究施設を附置することができる。
（学部附属の教育研究施設及び普及施設）
第7条 琉球大学の学部に，大学委員会規則で定めるところにより，附属の教育施設，研究施設及び普及施設を置く。
（附属図書館）
第8条 琉球大学に，附属図書館を置く。
（事務部局）
第9条 琉球大学に校務を処理させるため，事務局及び学生部を置く。
2 前項の事務部局の組織及び所掌事務については，大学委員会規則で定める。
（学科等）
第10条 琉球大学の学部に置かれる学科又はこれに代わるべきものの種類その他必要な事項は，大学委員会規則で定める
（大学の職員の定員）
第11条 琉球大学に置かれる職員の定員は，行政機関職員法（1955年立法第53号）で定める。
2 行政主席は，前項の定員を定めるにあたっては，琉球大学委員会の意見を尊重しなければならない。
（大学の職）
第12条 琉球大学に置かれる職の種類は，琉球大学管理法（1965年立法第103号）に定めるもののほか，人事委員会の承認を得て大学委員会規則で定める。
2 附属学校には，学校教育法第29条の規定にかかわらず，副校長を置くことができる。
（大学に置かれる職員の任免等）
第13条 琉球大学に置かれる職員の任免，懲戒その他人事管理に関する事項については，琉球政府公務員法（1953年立法第4号）の定めるところによる。
（大学における授業料その他の費用の免除および猶予）

第14条 琉球大学の学長は，経済的理由によって納付が困難であると認められ，かつ，学業優秀と認めるとき，のそ他やむを得ない事情があると認めるときは，大学委員会規則で定めるところにより，授業料その他の費用の全部若しくは一部を免除し又はその徴収を猶予することができる。

（委任規定）

第15条 この立法又は他の法令に別段の定めのあるものを除くほか，琉球大学の組織および運営の細目については，大学委員会規則で定める。

附　則

1　この立法は，1966年7月1日から施行する。

2　この立法施行の際現にある琉球教育法（1952年米国民政府布令第66号）による琉球大学は，この立法施行の日において，この立法によって設置された琉球大学とみなす。

3　他の立法に別段の定めのあるものを除くほか，琉球教育法に基づく機関および職員は，この立法に基づく相当の機関および職員となり，同一性をもって存続するものとする。この場合において，職員の身分の取扱については，この立法および琉球大学管理法の定めるところによる。

4　琉球大学の学長，部局館長，教授助教授，講師および助手の任免，懲戒その他人事管理に関しては，第13条の規定にかかわらず，別に任免，懲戒その他人事管理に関して規定する立法が制定施行されるまでは，なお従前の例による。

5　所得税法（1952年立法第44号）の一部を次のように改正する。

第3条第3号中「財団法人琉球大学」を削る。

6　法人税法（1953年立法21号）の一部を次のように改正する。

第4条第3号を次のように改める。

3　削除

琉球大学管理法（1965年8月25日立法第103号）

目次

第1章　総則（第1条，第2条）

第2章　琉球大学委員会

　第1節　組織および委員（第3条－第11条）

　第2節　職務権限（第12条，第13（条

　第3節　会議（第14条－第21条）

　第4節　事務局（第22条）

第3章　財務（第23条－第26条）

第4章　運営（第27条－第36条）

第5章　雑則（第31条－第34条）

附　則

　　等1章　総　則

（この立法の目的）

第1条　この立法は，琉球大学を管理するため琉球大学委員会を設け，大学の自治を尊重するとともに公正な民意を反映させ，もって琉球大学の適正な管理をはかることを目的とする。

第2条　琉球大学の管理に関する機関の組織，権限および運営については，他の立法に別段の定めのある場合を除くほか，この立法の定めるところによる。

第2章　琉球大学委員会

第1節　組織及び委員

（設　置）

第3条　琉球政府に，琉球大学委員会（以下「大学委員会」という。）を置く。

（委　員）

第4条　大学委員会は，7人の委員をもって組織する。

2　大学委員会の委員は，次の掲げる者について行政主席が任命する

一　学識経験のある者について立法院の同意を得た者5人

二　中央教育委員会の委員1人

三　文教局長

3　前項第1号および第2号の委員に欠員を生じたときは，行政主席はその都度，それぞれ当該各号に掲げる者について補欠の委員を任命しなければならない。

4　第2項第1号の委員の任期が満了し，又は欠員を生じた場合において，立法院の閉会のためその同意を得ることができないときは，行政主席は同項第1号の規定にかかわらず，立法院の同意を得ないで学識経験のある者のうちから委員を任命することができる。

5　前項の場合においては，任命後最初の立法院議会で事後の承認を得なければならない。この場合において，立法院の承認を得ることができないときは，その委員は，当然その職を失う。

（欠格事由）

第5条　次の各号の1に該当する者は委員となることができない。

一　禁治産者若しくは準禁治産者又は破産者で復権を得ない者

二　禁錮以下の刑に処せられた者

三　受刑中の者又は執行猶予中の者

（委員の任期）

第6条　第4条第2項第1号の委員の任期は，4年とし，再任を妨げない。

2　補欠の委員の任期は，前任者の残任期間とする。

3　第4条第2項第2号及び第3号の委員の任期は，その職にある期間とする。

4　委員は，任期が満了した場合にお

いても，新たに委員が任命されるまでは，引き続き在任する。

（兼職の禁止）

第7条 委員は，立法院議員，市町村の長若しくは市町村の議会の議員，市町村の常勤の職員，文教局長を除く政府の常勤職員，地方教育区の職員及び政府，市町村又は教育区に執行機関として置かれる委員会の委員（中央教育委員会の委員を除く。）の職を兼ねることができない。

（失　職）

第8条 委員は，次の各号の一に該当する場合においては，その職を失う。

一　第5条各号の1に該当するに至った場合

二　兼職禁止の職を兼ねた場合

（罷　免）

第9条 行政主席は，委員が心身の故障のため職務の遂行に堪えないと認める場合又は職務上の義務違反その他委員たるに適しない非行があると認める場合においては，これを罷免することができる。

2　委員の任命については，そのうちの4人以上が同一の政党に属するものとなることとなってはならない。

3　委員のうち4人以上が同一の政党に属することとなった場合においては，これらの者のうち3人を除く他の者は，罷免するものとする。

4　前項の場合において，政党所属関係について異動のなかった者を罷免することはできない。

（服　務）

第10条 委員は，職務上知ることができた秘密を漏らしてはならない。その職務を退いた後も，また同様となる。

2　委員又は委員であった者が法令による証人，鑑定人等となり，職務上の秘密に属する事項を発表する場合においては，行政主席の許可を受けなければならない。

3　前項の許可は，法令に特別の定めのある場合を除き，これを拒むことができない。

4　委員は非常勤とする。

5　委員は，政党その他の政治的団体の役員となり，又は積極的に政治運動をしてはならない。

（委員の報酬および費用弁償）

条11条 委員は，報酬を支給される。ただし，給料は支給されない。

2　委員は，職務を行なうために要する費用の弁償を受けることができる。

3　前2項に規定する報酬および費用の弁償の額は，立法院議員のそれ

をこえてはならない。
4　報酬および費用弁償の額ならびにその支給方法は，別に大学委員会規則で定める。

第2節　職務権限
（大学委員会の事務）
第12条　大学委員会は，法令に別段の定めのある場合を除き，学長の助言と推せんを得て次に掲げる事務を行なう。
一　琉球大学の管理に関する一般方針を決定すること。
二　琉球大学の設置および管理に関する立法案を行政主席に提出すること。
三　琉球大学の職員の任免その他人事に関すること。
四　琉球大学に入学を許可すべき学生数を決定すること。
五　琉球大学予算見積りの承認をすること。
六　琉球大学の授業料，登録料，検定料等の額の決定をすること。
七　琉球大学の教育目的の用に供し，又は用に供するものと決定した財産の取得管理および処分に関すること。
八　琉球大学の教育に関連した目的のための寄附募集の認可および寄附金の受入れに関する事項
九　その他法令によりその権限に属させられた事項
2　大学委員会は，評議会の推せんに基づき学長を任命する。

（大学委員会の規則制定権）
第13条　大学委員会は，法令に違反しない限りにおいて，その権限に属する事務に関し琉球大学委員会規則（以下「大学委員会規則」という）を制定することができる。
2　大学委員会規則その他大学委員会の定める規程で公表を要するものは，一定の公告式により，政府の公報に登載して公布しなければならない。
3　前項の公告式は，大学委員会規則で，公布のための署名，公布の方法，施行期日その他必要な事項を規定しなければならない。

第3節　会　議
（会　議）
第14条　大学委員会の会議は，定例会および臨時会とする。
2　定例会は，1年に少なくとも，6回隔月毎に招集しなければならない。
3　臨時会は，委員長が必要と認めた場合において，その事件に限り招集する。
4　会議招集後に急施を要する事件があるときは，前項の規定にかかわらず，ただちにこれを会議に付議

することができる。

（委員長および副委員長）

第15条　大学委員会は，委員のうちから委員長および副委員長各1人を委員の互選により選出しなければならない。ただし，文教局長および中央教育委員会の委員たる委員は，委員長又は副委員長となることができない。

2　委員長および副委員長の任期は，1年とする。ただし，再選することができる。

3　委員長又は副委員長の任期は，前任者の残任期間とする。

4　委員長は，大学委員会の会議を主宰する。

5　副委員長は，委員長を補佐し，委員長に事故あるとき又は委員長が欠けたときは，その職務を行なう。

（会　議）

第16条　大学委員会の会議は，委員長が，招集する。ただし，委員長，副委員長がともに欠け又は選出されていない場合は，学長が招集しなければならない。

2　委員3人以上の者又は学長から書面で会議に付議すべき事件を示して臨時会の招集を請求したときは委員長は，これを招集しなければならない。

3　大学委員会の会議の招集は，開会の日前7日までに通知を発し，これを告示しなければならない。ただし，急施を要する場合は，この限りでない。

（会議の定足数）

第17条　大学委員会は，全委員の過半数が出席しなければ，会議を開くことができない。

（議　事）

第18条　大学委員会の議事は，出席委員の過半数で決する。

2　委員は，自己又は配偶者若しくは3親等以内の親族の一身上に関する事件又は自己若しくはこれらの者の従事する業務に直接の利害関係のある事件については，その議事に参与することができない。ただし，大学委員会の同意があるときは，会議に出席し，発言することができる。

3　大学委員会の議事は，議事録として記録して置かなければならない。

（委任の禁止）

第19条　大学委員会は，その委員の1人又は1部の委員に行政上の職務を行なうことを委任することはできない。

（会議の公開）

第20条　大学委員会の会議は，公開と

する。ただし，委員の発議により出席委員の3分の2以上で議決したときは，秘密会を開くことができる。
2 前項についての委員の発議は，討論を行なわないで，その可否を決しなければならない。

（会議規則）
第21条 この立法に定めるものを除くほか，大学委員会の議事手続その他運営に関し必要な事項は，大学委員会規則で定める。

第4節 事務局
（事務局）
第22条 大学委員会に，その庶務を処理させるため事務局を置く。
2 事務局の組織又びその事務分掌は大学委員会規則で定める。

　　第3章 財　務
（歳入歳出予算の見積り）
第23条 学長は，毎会計月度予算の見積りを作成し，大学委員会の承認を得て，これを政府における予算の統合調整に供するため，文教局長を通じ行政主席に送付しなければならない。

（歳出見積りの減額）
第24条 行政主席は，毎会計年度歳入歳出予算を作成するに当つて琉球大学予算の歳出見積りを減額しようとするときは，あらかじめ，大学委員会の意見を求めなければならない。

（同　前）
第25条 行政主席は，琉球大学予算の歳出見積りを減額した場合においては，琉球大学予算の歳出見積りについて，その詳細を歳入歳出予算に付記するとともに立法院が琉球大学予算の歳出額を修正する場合における必要な財源についても明記しなければならない。

（予算の追加又は更正，暫定予算の調製）
第26条 既定の予算を追加し，更正し，又は暫定予算を調製する場合においては，前3条の例による。

　　第4章 運　営
（学　長）
第27条 学長は，大学委員会によってきめられた一般方針に従って校務を掌り，所属職員を統督する。
2 学長の任期は3年とする。ただし，再任を妨げない。
3 学長に事故あるとき又は学長が欠けたときは，先任の学部長がその職務を代行する。

（評議会）
第28条 琉球大学に，大学運営に関する重要事項について学長の諮問に応じるため評議会を置く。
2 前項の評議会は，次の各号に掲げる評議員をもって組織する。
一　学長

二　学部長
　三　各学部において教授若しくは教授会員である助教授のうちから推せんされた者各3人。
3　前項のほか教養部長，事務局長，学生部長，附属図書館長及びその他重要な職にある者を評議員に加えることができる。
4　第2項第3号及び前項の評議員の任命，退職及び任期については，評議会の定める規程による。
5　前項の評議員は，その選任の条件となった地位を失った場合には，当然退職するものとす。
6　評議会が審議すべき重要事項は，次のとおりとする。
　一　学部学科その他重要な施設の設置又は改廃に関する事項
　二　人事の基準に関する事項
　三　職員の定員に関する事項
　四　入学を許可すべき学生数に関する事項
　五　予算見積りに関する事項
　六　学内運営方針に関する事項
　七　学内運営に必要な規則の制定に関する事項
　八　学生の補導，表彰，懲戒及びその身分に関する基準に関する事項
　九　学部その他の機関の連絡調整に関する事項
　十　その他法令によりその権限に属させられた事項
7　評議会は，学部長以外の部局長の任命について，大学委員会に推せんする。
8　評議会の会議は，学長が招集し，その議長となる。
9　前項に定めるもののほか，評議会の議事及び運営の方法については，評議会の議を経て，学長が定める。

（学部長等）

第29条　各学部に学部長を，教養部に教養部長を，事務部局に部局長を置く。
2　前項の学部長，教養部長及び部局長は，学長を補佐し，当該学部，当該部又は当該事務部局の運営に当たる。
3　前項の学部長，教養部長及び部局長の任期は，3年とする。ただし，再任を妨げない。

（学部教授会）

第30条　学部に，その運営及び教授に関する重要事項について審議するため，学部教授会を置く。
2　前項の教授会は，学部長及び教授をもって組織する。ただし，教授会の定めるところにより，助教授その他の職員を加えることができる。
3　学部教授会が審議すべき重要事項

は，次のとおりとする。
一　学部教員の人事に関すること。
二　学部長の推せんに関すること。
三　評議員の推せんに関すること。
四　学部予算の編成及び事業計画に関すること。
五　学科目の種類，編成及び履修方法に関すこと。
六　学生の入学及び卒業の認定に関すること。
七　学生の厚生補導に関すること。
八　その他学部の運営に関する重要事項
4　学部教授会の議事及び運営の方法については，当該学部教授会が定める。

第5章　雑　則

（授業料等の決定及び寄附金の募集）
第31条　琉球大学の授業料その他の費用に関する事項は，学校教育法（1958年立法第3号）第6条第2項の規定にかかわらず，大学委員会が，これを定める。
2　琉球大学は，大学委員会の認可を得た後でなければ，教育に関連した目的のため，寄附金の募集を行なうことはできない。

（学生の懲戒）
第32条　琉球大学は，教育上必要があると認めるときは，大学委員会の定めるところにより，学生に懲戒を加えることができる。ただし，**体罰**を加えることはできない。

（普及事業及び普及講座）
第33条　琉球大学の普及事業及び普及講座に関し必要な事項は，学校教育法第68条第2項の規定にかかわらず，大学委員会がこれを定める。

（施行規定）
第34条　この立法の施行に関し必要な事項は，大学委員会規則で定める。

附　則

1　この立法は，1966年7月1日から施行する。
2　この立法施行の際現にある琉球教育法（1952年米国民政府布令第66号）による琉球大学（以下「従前の琉球大学」という。）が有する権利義務は，この立法施行の日において琉球政府が承継するものとする。
3　この立法施行の際現に在籍する従前の琉球大学の学生は，この立法による琉球大学の学生とみなす。
4　前項の学生が履修した従前の琉球大学の課程については，この立法による琉球大学の課程を履修したものとみなす。
5　従前の琉球大学の職員は，この立法施行の日において琉球政府公務員の身分を取得する。この場合における経過措置は，別に立法で定

める。

6 第22条に規定する庶務は，同条の規定にかかわらず，当分の間，当該委員会の事務局を設置せずに，琉球大学の事務局において処理するものとする。

7 この立法施行後の琉球大学委員会の最初の任命にかかる第4条第2項第1号の委員のうち，3名の委員の任期は，2年とする。

8 前項の規定により任期を2年とする委員は，くじで定める。

9 学校教育法の一部を次のように改正する。
附則第5項を削る。

文 教 時 報 （第九七号）

一九六五年 十月二日 印刷
一九六五年 十月四日 発行

非売品

発行所 琉球政府文教局総務部調査計画課

印刷所 琉球新報社印刷部

電話 ⑧ 二一三一番

文教時報

No. 98　65/12

特集……生活指導と非行児問題

琉球政府・文教局総務部調査計画課

⟨1⟩

|重要文化財|

ヒジ川橋

（那覇市首里真地竹下泉）

琉球文化史上誇ってよいものにアーチ型の石造橋梁がある。元来アーチ型の橋梁は南支那ことに浙江地方で発達したものであるが、この地方と1千年も前から交渉のあった琉球がその影響を受けたのはけだし自然の成行であった。古来木材が豊富なために石造技術の発達しなかった日本本土にこの種の建造物の皆無に近いのは当然のことであろう。アーチ型橋梁には二種あって一つは単なるアーチ型橋で、今一つはアーチの上の通路面が段を有し、中央の段が一段上がっているものである。これが駝背橋である。前者に属するものには真玉橋・泊高橋・崇元寺橋などがあり、後者に属するものには泉崎橋・識名園の橋などがあった。今時大戦の戦禍をのがれ、かろうじて残った駝背橋に円鑑池弁財天堂に架せられた天女橋と首里御茶屋御殿（東えん）から識名園（南えん）へ通ずる坂道を東西に横ぎる金城川に架せられたヒジ川橋がある。ヒジ川橋は長さ13.8メートルの単秩（アーチが一つ）で、がっしり琉球石灰岩の基盤にのっている。その取りつけ道路が二つの孤をえがき、粗朴な駝背の石段や手すりとマッチして得もいわれぬ造形美を構成している。この橋の築造年代は碑文記にも明記されていないが、東恩納文庫所蔵の首里古地図から推定して、尚点王九年（1677年），首里御茶屋御殿・首里金城橋とともに出来たことが察知される。

（文化財保護委員会）

巻頭言…………………………安谷屋玄信……	
局長就任のことば……………………赤嶺義信…… 1	

特 集 生活指導と非行児問題

<論　文>　非行と家庭…………名城嗣明…… 2
<座談会>　生活指導をとおしてみた
　　　　　　　　　　　　今日の非行児問題…… 5
<資　料>　1. 非行少年統計資料
　　　　　　　　　　　警本防犯少年課……13
　　　　　2. 青少年保護育成法…………………14
　　　　　3. 生活指導のための図書紹介
　　　　　　　　　　　　　　上原敏夫……17
　　　　　青少年健全育成について…文教局…19

<高校教育課>
　産業技術学校について………伊是名甚徳……23
<調査計画課>
　学校基本調査の中間報告……………………44
　1965年度財政法規研修会における
　　　　　　　　おもなる質疑応答事項……27
<義務教育課>　教育懇談会実施要項…………29

<教育費講座> 1 ……………………………38
　開講のことば………………安谷屋玄信
　第1話　教育財政のしくみ1…前田　功

<各種研究団体> 1
　沖繩農業教育研究会活動について
　　　　　　　　…………友利恵盛…33
<指導主事ノート> 1
　雑　感…………………………花城有英…37
<教育資料> 1
　高等学校に関する実態調査・他…教育研究課22

　文教局新機構紹介…………調査計画課…30

　ご存じですか……………………………36

<沖繩文化財散歩> 1
　文化財保護委員会…………………表紙裏
<中教委だより>…………総務課………裏表紙裏
<統計図表>
　小学校児童数の推移（連会区別）………裏表紙

<表紙>〝泉崎橋〟垣花小学校…謝花寛焱……

文教時報

No.98 '65/12

大量消費社会と青少年問題

　最近の青少年非行の統計をみて，現代の大量消費時代の社会との関係を考えてみたくなった。

　統計に見る非行少年が，中流生活以上の家庭から，両親揃っている家庭から，家族揃って同居している者のうちからその大多数が出ているからである。もちろんこの社会には，このような健全な家庭が大多数であるからその母数に比例したまでのことだと片付けてしまえば何もいうことはないが，この統計は反対に貧困や家庭的事情よりも非行の因はもっと他に大きなものがあることを教えているからである。

　いま，青少年の非行は，未開発地域や貧困社会よりも，大量消費の豊かな社会に，資本主義，社会主義の国を問わず増加しているようである。未開発の地域にも反社会的な青少年はいるであろうが，彼らの非行はわれわれが対策に苦慮している現代の青少年の非行とは，質が違うようである。

　現代の非行が，まさに恵まれた豊富の中から生まれているとすれば，その豊富な社会の所得，経済，産業の中にその原因を探究しなければならないかもしれない。殊に資本主義，自由主義の社会経済の中に生きる私たちは，このような社会経済の生み出す有形無形の要素が，人間教育または青少年問題に及ぼす影響について分析研究のメスを入れるべきではないだろうか。

　「高度経済成長」の中に生きる「人間」を考えるとき，健全なる経済政策がいかに人間教育に偉大な影響を与えるかを考えざるをえないとともに，日米の教育財政援助が飛躍的に発展拡充されようとしているときに当たって，豊かな教育費の大量消費がそのまま広い意味の健全なる青少年の育成に結びつけられることを希望するからである。

安谷屋　玄信

局長就任のことば

文教局長 赤 嶺 義 信

　沖縄の文教行政は，戦後20年，ようやく曲り角に来たといわれる。事実，去る11月2日の日米協では，懸案の教職員給与の半額国庫負担が本土並に実現することになったし，小・中校の教科書無償給与については，本土に一歩先んじて次年度から全面的に実施することになった。琉球大学医学部設置の為の調査費が組まれたことも，今後に大きな期待を持たせる。米国側としても，プライス法従来の1,200万弗の援助額を次年度から2,500万弗に引上げる準備を進めているというから，それに応じて教育面の米国援助も増えるものと期待できる。さらに琉球政府としても，教育財政水準の本土並引上げを次年度予算編成方針の柱としているから，全体的にいって，今後の文教行政は明るい方向に向っているといえる。

　ここまで持ってくることができたのは，日米両政府の援助と住民自身の努力によることは勿論だが，何といってもその原動力は，戦後灰燼の中から不死鳥のように立上った教育関係者の教育再興の崇高な使命感にあるといえよう。しかしながら将来の道も決して坦々たる道ではない。施設備品の整備，教員の資質と待遇の向上，学級規模と教員定数の改善，へき地教育の振興等，重要困難な問題が前途に山積している。それに援助の拡大は，これを受ける側の責任の増大を意味する。学校現場は援助の拡大に応じて，それ相当の教育の成果，学力の向上を必然的に要求され，当局は予算の完全消化と効率的使用をきびしく追求されることになる。

　このような時期に文教局長に任ぜられ，責任の重大さと職務の困難さを痛感する。ここに教育界の諸先輩の指導と現場9,000職員の理解と協力を懇願する所以である。

非行と家庭

琉球大学教育学部助教授
名 城 嗣 明

　非行の原因についてはこれまで専門家たちによっていろいろ挙げられてきたが，ここでは「家庭的要因」にその焦点をしぼって考えてみたい。

　今でも一般社会の人々の間では「悪い子は悪い家庭から」というのが一つの常識として通用しているが，ではいったい「悪い家庭」とはどんな家庭かと改めてきかれたら，多くの人は充分に深い考えに立って答えることができない。

　例えば，よく挙げられる欠損家庭の問題をとりあげてみよう。一般に欠損家庭から非行児が出やすいと考えられている。しかしいろいろな調査によれば，非行児と普通児の欠損家庭のパーセンテージはほとんど差はないようである。つまり，一般に考えられているほど欠損家庭と非行の発生とは直接関係はないようである。しかし，一歩深めてどんな理由で欠損家庭になったかを調べると，そこに注目すべき事実がある。すなわち両親が別居ないし離婚という形において欠損家庭ができた場合に非行児の発生率が非常に高くなるということである。

　もちろん，いろいろな調査結果の間には欠損家庭のパーセンテージについて不一致も見られるが，単に両親または片親が欠けているかどうかということよりも，どのような理由によって欠けたかということが重要な意味を持つようである。別居ないし離婚するにいたった両親そのものに属する性格や行動の問題がどのような情緒的影響を子どもに与えたかが重要な見どころといえよう。

　なお，欠損家庭については，子どもの年齢が低くなるほどその影響は強いとされている。また女子においては男子よりも欠損家庭の影響は強いようである。

　私はある年琉球大学の受験生の面接にたずさわったが，戦争によって親，特に父親を失った者があまりにも多いことに改めて驚かされた。しかし，彼らは立派な若者に育って大学を目指してきたのであった。一方では「最近の傾向として，非行児は恵まれた中流家庭から多く出ている」という警告がきかれる。

　そこで，次に恵まれた家庭とか中流家庭ということばについて考えて見ると，これが実ははっきりしない。非行問題と関連して語るときには，非行児の主観に立って考える必要がある。外

見上恵まれた家庭でも非行児の側から見たら必ずしもそうではない。更に物質的、社会的に見て恵まれているように見える家庭でも内部の立ち入った人間関係は最悪の様相を呈している場合が少なくない。中流家庭ということについていえば、一般に物資的な尺度ではかってしまいがちであるが、家庭における生活態度や人間関係を中心的尺度にしなければ非行問題の真の理解はできない。特に戦後の社会では物質的な意味では社会階層の間に大混乱がまきおこった。それまでは、物質的裕福度の順に上流、中流、下層と別れていただけでなく、それぞれの階層には長い伝統によって形成されてきたそれぞれの「文化」というものが伴っていた。そして、実は社会階層を真の意味で分けていたものはそれぞれの階級に属する「文化」そのものであった。単に物質的裕福度が中程度だから中流だという機械的分類には問題があるのではなかろうか。

戦後になってドッと押し寄せた物質文明の波に流されて、これまで我々の家庭生活を支えていた価値体系がくずれ去り、家庭が伝統的機能を失ない、危機に立っている。貧困が非行の原因だというなら富める米国が同じく非行問題に悩んでいる事実の説明はできない。近代社会が次から次へと生み出す矛盾、障害、葛藤にどのような態度で臨み、どのような方法で処理するかについて根本的なことを正しく学ばす場所が家庭であり、これに失敗するものが非行を生み出す家庭といえる。

どの観点から見ても望ましい家庭から非行児が出たり、逆に非常に悪条件下にあって非行を犯さない者もある。この皮肉な現象についてヒーリーが調査した結果によれば、「よい家庭」から出た非行児のほとんどが精神病や異常人格の傾向を持ったものであった。本人に精神的欠陥がなく、望ましい姿の家庭に育てば、先ず非行児の発生はあり得ないという至極常識的な結論になるわけだが、悪条件下にあって、しかもきょうだいのうち少なくとも一人が非行化している状況下で非行を行なっていない少年たちについて同じくヒーリーが調べた結果、非行化しなかった理由としていくつか挙げたが、要するに彼らは非行に意味を見出さず、他の活動や目標に意味を見出し、正しい態度と方法で非行を拒否している。

結局非行に走るか、これを拒否するかはその中心が本人自身の価値観にあるといえるが、そのような価値観が育つのは家庭である。戦後になって家庭の機能が次々と失われる傾向にあり、その中でも特に家庭の教育的機能のそう失は重要視されなければいけない。その一つのあらわれは、子どもの教育について近頃の親たちはますます学校

や塾や家庭教師といった「他人」に依存しようとする傾向が強まってきたように思える。しかし，教育技術の急速な進歩にもかかわらず，非行児の数は年とともにふえる一方ではないか。学校教育を受け入れる根本的態度を家庭がつくりあげない限り，学校教育は無効である。この根本的態度の形成は学校教育以前の家庭の責任であるにもかかわらず，そのような家庭の責任に属することがらまでも学校教師に依存する親たちが多い。しかも，教師は教師でもともと自己の責任に属せず，またとうてい責任を果たすこともできない家庭の仕事を安易に引き受けてその重荷に苦しんでいるように見受けられる。非行児が警察に補導されるとき，真っ先に呼び出されるのが学校側であるという場合が非常に多いのがその一つの例である。いつの間にか教師は「親」の役割を背負わされ，また自らも背負い込んでいる。午後5時以後の校外補導にいたっては本来家庭に属すべき責任に教師が立ち入り過ぎてはいまいか。

最近の社会の注目すべき現象の一つは女性の職場進出である。そして，共稼ぎ家庭の数は急速にふえてきた。そのために，従来家庭教育に費された親子の接する時間がほとんど失われ，程度は弱いが欠損家庭的様相を呈している。ますます複雑化する近代社会に正しく対処して行くために，子どもたちはますます高度な生活の技術としっかりした態度を家庭で学ばなければいけないのに，共稼ぎによってその機会は逆に失われつつある。共稼ぎの影響については今後もっと研究の余地があるけれども，私が関係した一つの調査では，共稼ぎ家庭の子どもはそうでない子どもに比べて家庭における行動と学校における行動の間に見られる矛盾，不一致の度が大きい。また家庭における退行現象が目立つ。それから子どもについて問題行動を指摘する度合は共稼ぎの親の方が大きい。つまり共稼ぎの親の方が子どもに対する不安感情が高い。紙数が少なくなったので，共稼ぎの問題はこれくらいにして結語を急ぎたい。

私はこの小稿で，問題を家庭にしぼって見たが，紙数の関係と私の拙文のためにすべてを言いつくすことができなかった。最後に，非行を防止する家庭はどのような家庭かについて一言のべたい。多くの研究者たちがいろいろな条件を挙げているが，それらを総合して見ると結局，自主独立の精神に立って思考力，判断力をみがくという訓練を子どもに与え得る家庭ということになる。長い目で将来を見る，自制心をそなえた子どもを作る家庭であり，美しい，豊かな情緒を養い得る家庭である。貧富の差は直接関係はない。

<座談会>

生活指導をとおしてみた
今日の非行児問題

と　き　11月20日（土）　　ところ　政府第二庁舎A会議室

（出　席　者）　　　　　　（敬称略）

新屋敷文太郎（前原高校長）　　下門　竜栄（文教局指導課長）
比嘉　光三郎（水産高校教諭）　東江　清一（警本防犯少年課）
与座　富雄（首里高校教諭）　　津嘉山　清（与那原中校教諭）
島袋　勝夫（工業高校教諭）司会・大浜　安平（那覇連合区）

大浜先生

司会　きょうは日頃，生徒の生活指導について研究されまた，この道ではベテランの先生方にお集まりいただいたわけですが……最近の非行少年の問題は，関係諸機関の先生方のご努力にもかかわらず増加の一方です。ほんとに残念に思いますが，どういうところに問題があるのかお話していただきたいわけです。その対策とでも申しますか……まず最近の非行傾向なり問題点を東江先生にお願いします。

＝事後指導の充実
　が今後の問題点である＝

東江　そうですね，警察の集計した統計資料によりますと昨年中で警察に補導，検挙された少年は確か6,500余人だったと思います。そのうち犯罪少年，触法少年とか政府の機関，すなわち家庭裁判所とか児童相談所などの法的処置を受けている子どもは別としまして，それ以外の子どもがぐ犯少年，不良少年，学校での問題児とかでとらえられていますが，こういう少年が昨年だけで3,900人もいるんです。ところが，それでいてこれら3,900人の少年たちに対して事後指導がなされていないのです。

すなわち，これら問題をもった子どもにはいろいろぐ犯性があって犯罪を犯しているけれども現在の法律の性格からなんら法的指導を受けていない少年が多いということに少年非行対策の問題点があると思います。

東江先生

＝うちの子にかぎって……
親の過信は放任につながる＝

司会 私たちが取り扱っている子どもたちは多分に家庭の影響を受けているように思いますが，問題の家庭とはいったいどういうものですか。

東江 統計的には，実父母健在68％，母のみ16％と小わけできますが，結局両親がそろっていても非行少年が出てくるということです。ようするに欠損家庭の問題にしても家庭生活のあり方，親子のあり方に問題があるのではないでしょうか。

津嘉山 私の場合にも放任いわゆる自分の子どもをどうしてもしつけることができない，つまり親の権威がどこにいったかさっぱりわからないという例もでてきます。この場合，学校では先生方でどうにかできますが，いったん家に帰ってしまえば保護能力が全くないのでほんとに困ってしまうんですね。

新屋敷 教育展望という本の中で，①親と祖父母の結びつきが悪い場合 ②厳格すぎたりまたは放任しすぎたりする家庭のしつけの指導 ③貧乏 ④両親の不和 ⑤親兄弟の悪事の見本 ⑥両親あるいは片親の不在 ⑦欲求不満……こうした七つの要因は家庭における非行促進の要因と可能性をもっているというように書いてありますが，たしかに家庭の問題は大きな意義をもっていますね。

司会 高校の場合はある程度選択された子どもたちですので少しちがってくると思いますが……。

与座 これまでの取り扱いで感じたことは，特に家庭訪問などで親が青年期の特徴をいいだすことで，いわゆる青年期は反抗期ですから自分たち親としても注意したりすると逆に悪くなるからできるだけソットしておくという気持ちが親に強いということです。あと一つは，自分の子どもをあまりにも信用しすぎる……そういう点，例えば喫煙した生徒の親を呼び出してみると，案外インテリーで自分の子どもに限ってそういうことはない……夜間外出や子どもの交際もおお目にみている所から親の知らぬ間にいろいろ問題をおこしてしまうんですね。

そこらへんからもっと掘り下げて考えた場合いわゆる民主主義教育というものが父兄にとって十分に正確に受け

とめられていないようです。民主主義だからといって家庭においても子どもの自由を大びらに認める。ところがそこには当然親権者としていろいろな仕事があるはずでそれをやらないで子どもをかってにさせるのが新教育だと考えているんですね。

与座先生

新屋敷 ドイツでは逆境や欲求不満にたえていく子どもたちの育成を学校と家庭が結びついて力を入れているということが文教時報に書いてありましたが，たしかに困窮に耐えるという子ども自体の問

新屋敷先生

題ともう一つは，家の子にかぎってという親の思いすごし……子どもを信頼しすぎるというような陰にかくれて，実際は子どもをつきはなしていることを考えなおさねばならないと思います。

津嘉山 そういうこともありますが，それ以前の問題として，どうにもならないという親としての自信喪失もあると思います。

島袋 そうですね。基本的生活態度をきびしい愛情のこもった家庭教育でしつけることも忘れられているんじゃないんですか。家庭教育はなおざりにされ，すべて教育は学校まかせでやってもらえると考えている父母が多いようです。もう少し現代の子どもの教育のあり方を研究してもらわないと……。

下門 もう一つは非行化する以前の問題がありますね。非行化してしまった後で親がどうの学校がどうのという事にも問題がありますね。

津嘉山 学校で大切なことはそういうところで，現に非行化している子どもの場合に対する問題は消極的な対策，そういうことが起らない前の健全育成ということは積極的な対策といっていますが……日頃の生活指導はその積極的な面に向けられるべきだと思いますが……現に非行を起こしている問題の子どもが多いものですから先生方の力はそれに集中してしまうんですね。

津嘉山先生

下門 先程の親の子に対する自信喪失ということは知的な面における場合も大きいと思いますが，親の方はわれわれが指導できる段階ではないと考えすぎているのではないでしょうか。そういう考え方から実は親の義務から逃げるという結果になっているんですね。

与座 高校生になりますと理屈は大人

なみですが，よくみつめて見ると大人と子どもの要素が入りまじっているんです。親に対しては巧みな理屈で丸めこんでしまう。親はそれにびっくりしてしまってすでに自分の指導する段階を通り過ぎてしまったと考えるんです。ところが，いろいろ学校内でも問題になります基本的な行動様式とか対人関係ということに関しては，高校生になってもまだまだ子ども並みなんです。そういう点親としてはいくらでも指導すべき点があると思います。

新屋敷 そうです。そのほかに親が子どもを知的な面で指導するといっても，親がなすべきことは，代数とか幾何を解いて教えることではなく，学習できるふんい気をつくってやることだと思うんです。

下門 親に対しても人間というものは高度の学問を受けることのみが目的でなくこれまでの人生経験から割り出したところの人間としての生き方というものを示すことが大切だと感じてほしいものです。

島袋 そのよい例として高校の場合，非行をおこして停学を命じられた場合，試験中だとなんとか試験だけは受けさせてくれという父兄がいるんです。ところがお宅の息子さんは試験を受けてよい点をとることよりも人間としていま真剣に考えてもらわなければ困ることがあるんだとよくいうんです

が……そういう親の場合だと学校に出て知的な教育さえうければ，それで目的が達せられたと考えているようですね。

津嘉山 中学へ行くともうどうにもいうことを聞かないと弁解するんですが，小学校時代に果たして基本的な行動様式をしつけてあったのか……。

下門 そうです。子どもの躾けには躾けるべき時期があるんです。その時期にやらないでいて後でそれをしようとしてもだめなのですね。

下門先生

司会 そうすると，非行防止の対策として家庭のあるべき姿は ①幼児のうちに基本的行動様式を身につけさせる ②家庭のなごやかさで小学1年生頃までに社会性を身につけさせる ③親は子どもの躾け教育に自信をもって当る ④話しあえる明るい家庭 ⑤子どもを…過信するな，これは放任につながる…ということになるようですね。次に学校自体の方に話を向けたいと思いますが……東江先生どうですか。

東江 非行少年の62％は大体学生生徒だということで，少年の非行対策は学生生徒の非行対策に問題がしぼられると思います。そうなると学校生活とからんできますので学校の立ち場をはな

れた第三者として，失礼ではありますが……去った7月この問題で本土研修に行ってまいったのですが，この時，文部省中等教育課長の渋谷先生の「少年非行と学校教育のあり方」という講演の中で〝現代の中等教育（中・高）段階の教育レベルがあまりにも高く，これについていけない子どもが全体の25％もいる。この学習不適応児に対する対策がなされていない限り，学生生徒の非行防止は実のない話である〟ということでした。結局，こうした25％の子どもはいきおい勉強ぎらい，更に学校ぎらいから退学へと進むと非行と結びつくんですね。

こうした子どもたちの個々の段階において生活指導や補習学級，特殊学級などの処置がなされているかということに問題があると思いますが……もちろん，これをすべて学校側へ責任を負わす形にしてはいけないと思います。

島袋 たしかにそういうこともありますが，現在の在籍数では教師の負担過重によって生徒の個々の指導に時間的な余裕がないのが残念ですし，それに，教科内容がハイレベルに達しているため，それについていけない子どもが高校に入ってきているという面もあります。

司会 中学校の最近の非行の傾向はどうですか。

津嘉山 2～3年前までは暴力行為が多かったのですが，それが次第にへって，学校で現在多いのが喫煙，学校を出てはグループによる窃盗がめだちます。

比嘉 高校では喫煙，それに暴力がありますね。

東江 高校生についてみますと1965年1～5月の統計では，①喫煙39人

比嘉先生

②飲酒31人 ③不純異性行遊26人 ④不良行為19人 ⑤家出退学16人，となっていますが，一般的に見て昔とちがって最近の高校生の非行傾向は，性向化，性暴化がめだちます。

＝生活指導は……
教師の共通理解と愛情ある厳しさで＝

司会 そうした子どもたちに対してわれわれ教師はどうなければならないでしょうか。

下門 私の考えではそれ以前の問題，すなわち非行に進む前に善導してもらう，学習指導と生活指導の強化，それに加えて自分の教科指導を徹底する。またそれができれば生活指導もできるんですね。現状をみると学校生活にけじめが足りなかったり，指導面でのきびしさが足りなかったりする点が見られます。守るべきことは外からでも強制して守らす，自発性をまつだけでは

問題があると思います。それに教師自身も自分の内に向かうきびしさをもつことが大切で、それがなければ外に向かうきびしい指導はできないと思うんです。それから学校組織を通して生活指導に対し共通した理解をもつということですね。ある教師はきびしい指導をしていても他の教師はそれを見逃がすということがないように……。

新屋敷 問題をおこした生徒に対する指導なのですが、家庭訪問を多くしてなやみを聞いて指導してやること、そして生徒の性格のちがいによって内面にふれながら毎日愛情のあるきびしさをもって接してあげる、常に目をつけ気をくばってやる、孤立させない、校長もつとめて家庭訪問をやる、ホームルームに活躍の場を与えてやる……など。

司会 これはちょっとしたことですが、私どもが子どもにあたってみると特に女の先生の場合、先生はヒイキをしているというんです。たとえば、授業中に同じ子どもにだけあてている。こういうことが子どもには非常にいやなことに思えるんですね。

与座 高校の場合、少しちがってくるんですね。たまたま同じ先生に二、三回注意されると、その受けとり方が、どうして先生は自分だけに注意するのかというふうに非常に主観的になるんです。実際のところこの子どもは、そのクラスにおいて注意しなければならないような状況にあるのです。問題は同じクラスに行った他の教師が同じようにこの生徒に対して注意しているかどうか……。私どもの場合、週2時間授業ですので8～10クラス持つわけで結局約500人の生徒を相手にして、いちいち個人指導ができるかというと、その生徒の誤解をといてあげるくらいの時間的余裕がないのですね。

島袋 全職員が統一した線で厳しい教育を行なって行かなければならないと思いますが、それがなかなかで、いわゆる教師一人びとりの個性がちがい、指導の理念のちがいがありますので最低の基準というものをもって指導にあたらなければならないと思いますね。

島袋先生

司会 次に非行防止について非行の早期発見、早期治療ということが非常に大切だと思いますが、そういう点はどうでしょうか……。

津嘉山 私どもの場合（与那原町）東京都の江東区で組織している制度―校外生活指導委員……これはPTAとは別に教育委員会の世話で組織されたもので児童生徒30人位に1人の割で指導委員を置き非行の未然防止をも含めて非行の早期発見あるいは早期治療にあ

たっている制度ですが一をとり入れたため大変効果があらわれているのです。この場合，未然防止が主体ではありますが私どもは良い行ないをやった子どももどんどん学校の方へ知らせてもらうようにして校外における子どもたちの生活の様子をしっかりとらえるようにしています。

東江 警察の場合も本土の制度の一つをまねたわけですが，少年補導委員を全琉で200人置いています。その制定の理由は少年補導は学生指導にその主体をおくということで人選には地域の中学校から推せんしてもらうことにしています。

司会 そうなりますと学校においては
① 学力のおとる子どもに対する指導
② 自律心，規律を守る精神の弱い子どもたちが非行化しやすいので（イ）全職員の生徒指導に対する共通理解をもって（ロ）子どもたちだけに厳しさを要求するのではなく，教師自身きびしい生活をすること（ハ）子どもの言い分をよく聞いてやり，性格的に弱い子どもに対しては説教的にならないように注意すること，そして子どもの内面的なものに答えてやる（ニ）ホーム・ルームでの活躍の場を与えてやる（ホ）1日1回は声をかけてやる（ヘ）校外での他の機関あるいはＰＴＡの連けいを密にする……ということになると思います。

津嘉山 それに加えて，学校における生活指導には限界があり，むしろ他の機関によって行なわれるべきことがあるという面も考えあわせるべきですね。

司会 さて，それでは，社会環境の面に話をすすめたいと思いますが……非行少年と非行青年，そして暴力団とのつながりが多いということを最近よく聞きますが……。

＝青少年保護育成法の趣旨徹底と
　地域のムードづくりが大切＝

東江 それはありますね。暴力団の組織に学生生徒が直接つながっているということではなく，暴力団員がやはりどこかの中学の出身であるわけで，その学校出身別につくところの非行少年があるわけです。そのためことあるときはひきつけられる可能性が十分あるのです。

与座 高校の場合だとやはり類は類を呼んで特定な場所（喫茶店など）で横のつながりができて他校と結びつくんですね。

司会 そうすると，その対策としては，てっとり早くいうと，学校相互間の連絡を密にして……。

島袋 高校の場合だと，近いうちに発足する全沖縄生徒指導連絡協議会がありますがそれらを通して横の連けいをとって行く……もちろんこれは，生徒指導の積極的な面を取り扱う機関です

ので，補導問題を取り扱うわけではないのです。しかしこうした問題もおそらく出てくると思います。

司会 環境の浄化といいますと……。

津嘉山 喫茶店などで未成年者を平気で使っている場合があるのですが，なんとかして徹底的に取り締まってほしいものです。そういう働く場所があるから家出がふえるんですね。

東江 警察としても児童の福祉を阻害する犯罪として積極的に取り締まっているんですが……なかなか徹底しにくくて……。

島袋 この機会に是非申し上げたいのですが，警察の方からマスコミあらゆる団体を通してこういう不健全な娯楽，興業，書籍，場所などの取り締まりを厳重にしてほしいと思います。こういう意味で青少年保護育成法ができましたが，その趣旨をあらゆる階層の人にもわかるように徹底してほしいと思いますが……。

東江 そうです。この法の趣旨を徹底して地域のムードづくりが必要だと思います。

島袋 話によりますと，増加した非行少年を取り扱う警察の少年係も手がまわらないといったところで事後指導どころでないようですね。結局制度は変わっても陣容はあまり変わっていない……少年係の方でも予算獲得を大きな問題として取り上げるべきだと思います。たとえば少年院の脱走事件でも施設の無理があったと考えられるんです。担当している人は苦労はしているが結果的にああなったというふうに…

与座 私もそう考えます。われわれが夜間補導をしていつも考えるんですが……学生以外の一般少年はわれわれの手では処理できない……限界があるんですね……。

東江 警察としても，これまでの統計を分析して，非行少年の都市集中という結果から少年係の都市集中配置を考えています。それにしても当面の処理に追われて，こちらの方向づけは，こうすべきだとわかっているものの手がまわらないんですね。

新屋敷 いいかえますと，少年院の例の問題にしても定員以上につめこんで，そこで悪さをしこんで社会に送り出すというふうですね……

東江 しかし，一方いくら施設を増やしてもこの問題は解決されないと思います。非行少年の発生する社会要因をなくし，さらに治療を完全にしない限り……。

司会 非行する子どもたちは，ある特定の場所で自分の学校以外の少年たちとも連絡をとりながら広がって行くようですので，学校間の連絡を密にすると同時に，関係業者に対する自粛，あるいは不健全娯楽，不良マスコミの取り締まりなどを強化する。さらに青少

年保護育成法の趣旨徹底とその内容の充実，施設などの充実をはかるための予算処置などがあげられると思います。それからマスコミに対しての要望ですが，非行少年の問題をただ興味本位に取り上げ書きたててほしくないということです。ちょっとしたあやまちが新聞に出たため，その少年はもうだめだという気持ちから非行を深めて行くんですね。それでは，最後に今後の青少年健全育成の対策のために特に大切な点を一つずつお願いします。

東江 青少年保護育成法の趣旨徹底，文化センター，少年会館の建設，青少年関係の行事……それに子どもの健全な遊び場をつくる。

比嘉 それに伴う予算の裏づけ。

島袋 沖縄の産業構造をたてなおして青少年に夢や希望を与える。

与座 沖縄の消費生活が，非常に華美に走りすぎている。それに対する大人の自粛。

新屋敷 親は夜間外出を厳しく保護監督する。

下門 大人自身の厳しい反省と生活指導に対する自信をもつ。

津嘉山 マスコミ，業者の反省……。

司会 きょうはいろいろ貴重なお話をいただきまして心から感謝いたしますありがとうございました（文責・花城）

〈参考資料〉1．
最近の非行傾向
～警本防犯少年課より

（第1表）非行少年の年齢別推移をみると，触法少年では13歳犯罪少年，ぐ犯少年では14〜15歳の比率が高まって行く傾向になっている。いいかえれば，非行における13〜15歳の年齢は，その生活指導面で特に力を入れなければならない年齢といえよう。

（第2表）
ぐ犯行為では小学校が家出，怠学，盛場徘徊，中学校では家出，怠学，不純異性交遊，喫煙，不良交友，高校では不純異性交遊，飲酒，喫煙等で，一般に中，高校生の性向化，集団化の傾向が高まっている点は注意を要する。

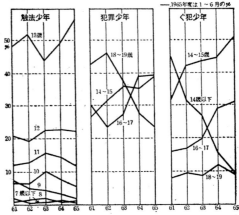

（第1表）
非行少年・年齢別調（各年度における当該年齢の%）

(第2表) 少年ぐ犯行為の年度別推移

学校別 年度別 行為別	小学校					中学校					高等学校				
	1961	1962	1963	1964	1～6 1965	1961	1962	1963	1964	1～6 1965	1961	1962	1963	1964	1～6 1965
凶器所持	2	1	1	3		4	12	20	19	7			2	1	2
乱暴・けんか	2	1				12	11	39	68	39		2	1		3
たかり	1		3			13		12	3	8	1				2
家出	76	69	74	60	30	138	114	134	272	150	2	1	6	13	13
怠学・怠業	20	27	55	63	22	58	83	166	304	257	2	3	4	17	3
物品持出 金銭濫費	9	6	10	9	4	17	6	10	6	5		1			
婦女いたずら						1		16	7	3	1		1	4	3
不純異性交遊		2		1	1	19	55	56	127	56	3	14	11	19	26
飲酒・喫煙	1	2	11	1	2	33	71	223	354	225	32	41	99	180	70
不良交友 不良団加盟	28	10	14	28	10	147	141	170	312	230	21	28	38	54	19
盛場徘徊 不健全娯楽	111	160	79	47	10	101	161	151	172	41	5	18		18	12
深夜外出	5	2	2	7	2	11	27	44	75	45		1	6	23	7
施設逃走	25	24	28	22	17	17	37	23	76	29				1	
その他	10	9	29	25	19	23	62	70	109	42	7	12	16	13	9
計	290	313	306	266	117	594	780	1134	1903	1137	74	122	184	343	196

(注.. 1965年は1月～6月の集計である)

＜参考資料＞2

青少年保護育成法

(1965年6月15日立法第21号)

(目的)
第1条 この立法は，青少年の福祉を阻害するおそれのある行為を防止し，青少年の保護と健全な育成を図ることを目的とする
(住民の責任)
第2条 すべて住民は，青少年が健全に育成されるように努め，これを阻害するおそれのある行為から青少年を保護しなければならない。
(運用の基本理念)
第3条 この立法は，住民の権利と自由を不当に制限することがないように運用しなければならない。
(定義)
第4条 この立法で青少年とは，小学校就学の始期から満18歳に達するまでの者(婚姻した者を除く。)をいう。
2 この立法で保護者とは，親権を行なう者，後見人その他の者で，青少年を現に監護するものをいう。
(深夜外出の制限)
第5条 保護者は，正当な理由がある場合

のほか、深夜（午後11時から翌日の午前4時までをいう。）に青少年のみで外出させないように努めなければならない。
（有害興行の観覧の禁止）
第6条 行政主席は、映画、演劇、演芸、見せ物、紙芝居等の興行（以下「興行」という。）の内容の全部又は一部が著しく性的感情を刺激し、又は著しく粗暴性、残虐性若しくは犯罪を誘発助長する性質を有するため、青少年の健全な育成を阻害するおそれがあると認めるときは、当該興行を有害興行として指定することができる。

2 興業を業とする者は、前項の規定による指定を受けた興行を行なうときは、これを青少年に観覧させてはならない。

3 何人も、青少年に対し、第1項の規定による指定を受けた興行を観覧させないようにしなければならない。

4 行政主席は、第1項の規定による指定をした興行の内容が同項に規定する指定の理由を有しなくなったと認めるときは当該指定を取り消さなければならない。

5 第1項の規定により指定された興行を行なう者は、その興行について、青少年が観覧できない旨を入口の見やすい場所に掲示しなければならない。

（有害図書の販売等の禁止）
第7条 行政主席は、図書（雑誌、絵画その他の刊行物、写真を含む。以下同じ。）の内容の全部又は一部が著しく性的感情を刺激し、又は著しく粗暴性、残虐性若しくは犯罪を誘発助長する性質を有するため、青少年の健全な育成を阻害するおそれがあると認めるときは、当該図書を有害図書として指定することができる。

2 図書の販売又は貸し付けを業とする者は、青少年に対し、前項の規定による指定を受けた図書の販売、頒布、贈与、交換若しくは貸し付け（以下「販売等」という。）をし、又は閲覧をさせてはならない。

3 何人も、青少年に対し、第一項の規定による指定を受けた図書の販売等をし、又は閲覧をさせないようにしなければならない。

（優良興行及び優良図書の推奨）
第8条 行政主席は、興行及び図書の内容が青少年の健全な育成に特に有益であると認めるときは、これを推奨することができる。

（有害広告物の提出の禁止）
第9条 行政主席は、興行又は物価品等の広告の内容が著しく性的感情を刺激し、又は著しく粗暴性、残虐性若しくは犯罪を誘発助長する性質を有するため、青少年の健全な育成を阻害するおそれがあると認めるときは、その広告の全部又は一部を有害広告物として指定することができる。

2 前項の規定による指定を受けた有害広告物の広告主若しくは管理者又は広告を業とする者は、すみやかに当該広告物を除去し、又はその内容を変更しなければならない。

（物品質受けの禁止）
第10条 質屋営業法（1953年立法第40号）第1条第2項に規定する質屋は、青少年から物品（有価証券を含む。）を質に取ってはならない。ただし、青少年が保護者の委託を受け、又は同意を得たと認められる相当な理由がある場合は、この限りでない。

（古物等買受け売却等の禁止）
第11条 古物営業法（1953年立法第39号）第1条第2項に規定する古物商又は業として廃品若しくはくずの取引をする者は、青少年から同法第1条第1項に規定する古物（古書籍を除く。）又は廃品若しくはくず（以下「古物等」という。）を買い受け、若しくはその販売の委託を受け、又は青少年と古物等の交換をしてはならない。この場合において、前条ただし書の規定を準用する。

（有害行為のための場所提供,周旋の禁止）

第12条 何人も，不純な性行為，わいせつ行為，とばく，飲酒，喫煙，暴行又は麻薬，覚せい剤若しくは催眠剤の使用が行なわれることを知って，青少年に場所を提供し，又はその周旋をしてはならない。
（有害器具類の販売等の禁止）
第13条 行政主席は，がん具，刃物その他の器具類（以下「器具類」という。）で，その構造又は機能が身体又は財産に危害を及ぼすおそれがあるため，これを青少年に所持させることがその健全な育成を阻害すると認めるときは，当該器具類を有害器具類として指定することができる。
2 器具類の販売を業とする者は，青少年に対し，前項の規定による指定を受けた器具類の販売等をしてはならない。
3 何人も，青少年が業務その他正当な理由により必要としている場合を除き，青少年に対し，第1項の規定による指定を受けた器具類の販売等をし，又は携帯をさせないようにしなければならない。
（指定等の公示）
第14条 行政主席は，第6条第1項，第7条第1項，第9条第1項若しくは第13条第1項の規定による指定，第6条第4項の規定による指定の取消し又は第8条の規定による推奨をした場合，すみやかにその旨を公示しなければならない。
（青少年保護育成審議会）
第15条 青少年の福祉を阻害する事項並びに優良興行及び優良図書に関する調査審議をするため，青少年保護育成審議会（以下「審議会」という。）を置く。
（審議会への諮問）
第16条 行府主席は，第6条第1項，第7条第1項，第9条第1項若しくは第13条第1項の規定による指定，第6条第4項の規定による指定の取消し又は第8条の規定による推奨をしようとする場合は，審議会にはかり，その意見を聞かなければならない。ただし，緊急の必要がある場合は，こ の限りでない。
2 行政主席は，前項ただし書の規定により審議会の意見を聞かないで指定，指定の取消し又は推奨をしたときは，次の審議会にその旨を報告しなければならない。
（委任規定）
第17条 この立法に定めるもののほか，審議会に関する必要な事項は，規定で定める。
（異議の申立て）
第18条 この立法に基づく行政主席の処分に不服のある者は，公示のあった日から起算して15日以内に行政主席に対し異議の申立てをすることができる。
2 前項による異議の申立ては，その理由を記載した文書をもってしなければならない。
3 行政主席は，前項の異議の申立てがあったときは，すみやかに審議会の意見を聞いて当該申立てに決定をなし，その旨を異議の申立てをした者に通知しなければならない。
（立入調査等）
第19条 行政主席の指定した者は，この立法実施のため必要があると認めるときは，興行場その他の営業所内に立ち入り，調査を行ない，関係人から資料の提供を求め，又は関係人に対して質問をすることができる。
2 前項の立入調査資料提供の要求又は質問は，必要な最小限度において行なうべきであって，関係人の正常な業務を妨げるようなことがあってはならない。
3 行政主席の指定した者が第1項の立入調査，資料提供の要求又は質問をする場合にはその身分を示す証明書を携帯し，関係人に提示しなければならない。
4 第1項の権限は，犯罪捜査のために認められたものと解してはならない。
（罰則）

第20条　第12条の規定に違反した者は，1年以下の懲役又は300ドル以下の罰金若しくは科料に処する。
第21条　第10条又は第11条の規定に違反した者は，250ドル以下の罰金又は科料に処する。
第22条　第6条第2項，第7条第2項，第9条第2項又は第13条第2項の規定に違反した者は，150ドル以下の罰金又は科料に処する。
第23条　次の各号の1に該当する者は，100ドル以下の罰金又は科料に処する。
1　第6条第5項の規定に違反した者
2　第19条の規定による立入調査を拒み，妨げ，又は忌避した者
3　第19条の規定による資料提供の要求若しくは質問に応ぜず又は虚偽の資料の提供若しくは虚偽の陳述をした者

（両罰規定）
第24条　法人の代表者又は法人若しくは人の代理人，使用人その他の従業者が，その法人又は人の業務に関して前4条の違反行為をしたとき，その行為者を罰するほか，その法人又は人に対しても，各本条の罰金刑又は科料刑を科する。
（免責規定）
第25条　この立法の違反行為をした者が青少年であるときは，この立法の罰則は，青少年に対しては適用しない。
（施行規則）
第26条　この立法の施行に関し必要な事項は，規則で定める。
　　　　附　　則
　この立法は，1966年1月1日から施行する。

<参考資料>3．新刊紹介

教育研究課　　上　原　敏　夫

学校カウンセリングの実際
ー教育相談による生徒指導ー

（鈴木　靖，沢田慶輔，宇留田敬一共編　文教書院　定価600円　昭和40年4月刊）

　生徒指導のすすめ方にはいろいろある。たとえば，教研大会での進路指導生徒指導部門におけるテーマの選択，討議の過程およびそのその他研修会の内容やそのすすめ方などを総合してみると現在の沖縄における生徒指導へのアプローチには二つの対照的な傾向がみられる。その一つは中学校における心理検査の取り扱い方に比較的重点をおいていこうとする方法である。他の一つは高校におけるカウンセリングの流れまたは過程に比較的比重をもたせてすすめていこうとする姿勢である。この両者の相異はカウンセリングを方法として考えるのか，あるいは内容としてとらえるかのいずれを強調するかによって異なってくると考えられる。本書はそのサブタイトルにもあるように，教育相談（カウンセリング）は生徒指導の中核をなすものだとして，それを中軸に生徒指導を展開している実践例を豊富にとり入れて編集されている。そしてカウンセリングの方法とか内容といった二律相反的な考え方を

実践を通して融合していこうとする点に本書の本質的な特徴がみられる。理論より実践に重点をおいてまとめられている関係もあって，生徒指導関係の図書では比較的読みやすいのも本書の特色だろう。

非行化の現象を立体的にとらえそれを系統的に組織化し，診断・指導・治療していく一連の連続的な過程を図式にして，視覚化することによって簡潔にまとめられてあるのも高く評価されてよい。また，相談面接過程の変容の評定方法や実際の面接事例の記録などを収録して力動的に生徒指導を推進しようとする態度は従来みられなかったことである。

なお，概要は次のとおり。

Ⅰ魂と魂のふれあい～教育相談とは～，Ⅱひとりびとりの自己実現をめざして～教育相談と生徒指導～，Ⅲすべての教師がカウンセラー，～教育相談における態度・技術・過程～，Ⅳひとりびとりの子どものしあわせのために，Ⅴだれもが問題をもつ子～生徒指導の方法～，Ⅵ教育相談の組織，Ⅶ学級担任教師と相談員，Ⅷ父母面接と家庭連絡，Ⅸ教育相談の計画，Ⅹ教育相談室の施設～3万円で作った相談室。

学校教育全書 ⑤ 児童・生徒の指導（海後宗臣・高坂正顕 監修 全国教育図書，¥2600 1964.11）

この図書は児童・生徒の指導について広い視野に立って総括的に整理されている。なかんずく，内容の構造化と視覚化を積極的にとり入れて理解が容易なようにくふうされている。さらに，従来生徒指導といえば中・高校で特に強調される傾向があったが，この図書は小学校においても同様に強調されることを意図し，特に児童の指導という用語を用いてある。

進路指導の基礎理論 （北脇雅男・田崎 仁 共著 教育図書 ¥530）

中学校・高等学校進路指導の実践的研究（日本職業指導協会 昭和39年3月刊 定価300円）

などの図書をあわせて読めば，これからの進路指導のすすめ方，生徒指導と進路指導の関係などについて考察をすすめていく場合参考になる点が多い。

青少年健全育成について
（児童生徒を中心として）

指導課

　青少年健全育成，即ち生徒指導の根本は教師の人間性であり，生徒指導を推進する基礎は教師と生徒の人間関係である。その根底をなすものは，ひとりびとりの生徒を「人間」として尊重しその人間性の回復，成長を助けるという人間愛の姿勢である。

　生徒指導の原理や方法については今日，いろいろの考え方や見解があって，じゅうぶん確立されていないのが実状のようである。生徒指導は生徒の全生活領域に関係し，生徒がその環境に正しく適応し，それを改良し，自己最大の発展をとげさせるよう意識的に努めさせることである。また，生徒指導のめざすものは一般には，民主的な人間を形成することにあるが，現実的，今日的には学校，家庭，地域社会のあらゆる生活をとおして，生徒のひとりびとりのもつ具体的悩みや問題を知って，適切な指導助言を与え，生徒の生活のあり方，生き方をより高い価値のあるものに引き上げて行くことにある。また生徒指導は教育課程の全領域はもちろんのこと校外，地域社会の密接なる協力のもとに，活動をじゅうぶんに働かせ，効果を高めるためのいわゆる潤滑油的な働きをするものであるともいえる。そこで生徒指導を具体的に進めていくには教育（学校教育，社会教育）のあらゆる機会をとおし，場をとらえて適切な指導がなされなければならないが，文教局は本年度は次の基本的な考えのもとに青少年健全育成を進めている。

青少年健全育成対策

－文教局－

一．学校教育における対策

①教科における学習管理及び生活指導の強化

②道徳教育の推進

　1．道徳についての現場教育の強化

　2．実験学校，研究校の指定及び指導

　3．道徳教育の総合計画の樹立

③特別教育活動の実践の強化

④進路指導主事・訪問教師，生徒指導主任，カウンセラー研修会の実施と資質向上

⑤学校行事などの精選と学校行事などの中の生活指導の強化

⑥特殊教育の充実

⑦教育相談（カウンセリング）の強化

二．校外における青少年対策

①訪問教師活動の促進

②補導センターの設置に関する研究

③校外指導の強化

④PTAの活動推進

三．社会教育における対策
①青年学級の育成強化
②青少年団体の育成
③成人教育の促進
④青少年健全育成モデル地区の設置
⑤公民館の施設の充実と運営指導
⑥社会教育施設の拡充
⑦健全娯楽の普及
⑧優良文化財の推薦とその活用の奨励

青少年健全育成モデル地区の活動

社会教育課　大城　徳次郎

　戦後の社会的、経済的混乱と虚脱の中にあって，青少年が自信と目標を失い，そのための犯罪を犯すものも次第に増加し，その形態，性格の面から見ましても，行為の悪質化，犯罪の集団化，累犯少年の増加，年少少年による犯罪の増加，都市への集中化等まことに深刻の度を加え，複雑かつ多様化の様相を呈している現状である。

　以上のような見地から青少年問題に対処するため，文教局としてその解決策に，家庭，社会，学校が一体となり，つまり地球ぐるみの運動として展開して行くにはモデル地区設定の必要を痛感し，1962年に初めて越来中学校区を指定し，その地域の関係機関はもとより，民間団体の強力な協力体制をつくりあげ，そのモデル地区をとおして他地区に及ぼし，もって青少年の健全育成をはかろうとしているのである

　ところが従来の他の研究指定団体に比しこのモデル地区は範囲が広くなお構成メンバーが多種多様にまたがり，その成果も一朝一夕であげられるものではないので2カ年間の研究期間を置き，その育成をはかっている。そこで今年度までに実施した所は，中部の越来中学校区を始め，那覇の小禄地区，南部の与那原地区が2ヶ年間の研究のまとめを発表し，また昨年度より指定を受け本年度は2年次として目下研究を進めている所が，那覇の古蔵中学校区，中部の普天間中学校区，北部の宜野座村青少年健全育成協議会があり，なお今年度より南部の豊見城村青少年健全育成協議会を指定して本島内各連合区においての活動を展開しているのであるが，次にその活動内容についての概略を述べると

1．健全生活の指導
　　野球大会，永泳大会，その他
2．団体活動の育成
　　地域子供会の育成.青年会等の育成
3．レクリェーション活動の普及
　　親子レクリェーション，教育隣組単位のレクリェーション等
4．家庭教育の充実

部落内集会，父母集会，親子集会等の話し合い，講演会，映写会
5．非行防止
街頭補導，夜間パトロール
6．環境の改善浄化
たまり場の整理，外灯増設，悪習追放
7．安全教育の充実
交通指導，水泳巡視，危険箇所の事故防止
8．広報活動
座談会，標語板の設置
9．その他

　以上のようなものが主として取り上げられるが，その活動による効果という面から考えて見ますと，この運動を組織の末端にまで浸透させるために教育隣組の結成が促進され，各地域においてその数が増加されて来た。また，その内容として，レクリェーション活動においては，親とともに遊ぶことを知らなかった子どもも，子どもと一緒に遊んでやれなかった親，この両者が一つになって楽しい1日を過ごすことは青少年を健全に育成して行くに大きな問題であるだけにその効果は充分に認められつつある。

　その他親と子が共通の理解をもつ場としての親子座談会の内容をパンフレットにし，各関係機関団体及び各家庭へ配布して問題解決の対策が取り上げられており，また問題青少年の早期発見と補導，長欠児対策活動，不良たまり場の一掃整理等と相俟ってその運動に住民の関心が次第に高まり，明るい地域づくり運動へと進展しつつあることはまことに喜ばしいことである。

　終わりにあと一つ一述べたいのは青少年を健全に育成することはおとな自身の問題であり，健全育成の活動はおとなの学習活動であるといっても過言ではない。ここにおいておとな自身が自分の計画によって，自らの力で，自ら教養を高めていく相互教育の場を小単位の学習集団に求めていくことは，青少年健全育成の基盤である。この意味におきましてＰＴＡの成人教育活動，社会学級における子どもの教育の問題を課題とした学習活動が今後なお一層活発に行なわれるよう指導者並びに父兄のかたがたにご協力を願います。

――――――◇◇――――――

青少年の非行対策について

　　　　教育研究課　我那覇　貞信

　青少年の非行防止のために，学校現場をはじめ，各関係機関や団体が努力し協力しているにもかかわらず，最近における青少年の非行は，その件数においてますます急増の一途をたどるばかりでなく，さらに内容的にも悪質化，集団化，年令低下や地域的なひろがりをしめしている。

　このことは，単に教育上の問題であ

るばかりでなく，もっとも大きな社会問題の一つとして早急に解決しなければならない社会全体の課題であり責務である。なぜならば，近い将来における社会形成の中核体となるべき青少年の不健全性を指導矯正し，非行防止の基本的対策を確立することは健全な明るい社会建設の土台を築くことになるからである。

しかしながら，非行の要因そのものが非常に複雑微妙で多くの要因がからみ合いかつ流動的であるから，その原因を究明して対策を樹立するためには，総合的実証的な調査研究に待たなければならない。

教育研究課においては，以上の観点から，沖縄における児童生徒（小中高校）の問題行動の実態をは握し，この実態を基礎として青少年の非行化の原因と過程を究明し，学校における児童生徒の問題行動の早期発見，非行の予防と診断，指導方法についての改善策を求めるとともに，学校外における非行防止，矯正の諸施策の改善に資するための実証的研究について次のように計画し，実施をすすめている。

1．調査研究の内容
　①第1年次（1966年度）～実態調査
　　○児童生徒の実態調査によって，問題行動の一般的傾向をとらえ，その早期発見と非行の要因を考究する基礎資料とする。
　②第2年次（1967年度）～事例研究
　　○非行化した事例，非行の解消した事例，非行阻止の事例の研究，各種診断テストの実施等によって，非行の要因と過程について考究し，非行対策の研究資料とする。
　③第3年次（1968年度）～まとめ
　　○第1，第2年次の研究の結果を分析整理して，非行の早期発見とその原因，過程を明らかにして児童，生徒の非行防止と指導についての具体的方法を示す。

| 教育資料 | 教育研究課 |

○高等学校に関する実態調査
　　{ 高校生の悩みの調査
　　　高校生の知能検査 }
　　　　　　1965年3月15日発行
○紀　　要
　　教育相談および技術研修録
　　　　　　1965年6月1日発行
○道徳性調査
　　（小学校四年生知能検査の実態）
　　　　　　1965年6月1日発行
○全国学力調査－中間報告－
　　{ 小学校～社会，理科
　　　中学校～国語，社会，数学
　　　　　　理科，英語 }
　　　　　　1965年10月15日発行

産業技術学校について

高校教育課長
伊 是 名 甚 徳

1. 設置の理由

産業技術学校の設置は1965年6月2日に設置権者である中央教育委員会の議決によって決められた。

文教局では1963年から急激に増加を示した中学校卒業生の高等学校への進学に対処するため、高校生急増対策をうち立てた。当時、中学校卒業生の増加推計を1963年から1970までの8ヶ年間算定し、それによって出来た対策によって急増に対処して来たのであるが、1965年現在まで殆んど計画どおりに対策が実施されてきた。

ちなみに、1962年の中学校卒業生徒数は12,948人であったが1963年には23,803人に急増し、その後毎年増加の傾向をたどり1965年3月の卒業者は25,826人となり1966年3月の卒業生数は戦後最高の28,057人となる予定であり、1967年は少し減少を示して27,024人となるが段々減少して1973年には22,599人で1963年の急増を始めた年の数に近くなり、急増の増加率に比して減少する率は緩慢である。

それに加えて卒業生の数が増加していくのに比例して高校への志願率も毎年増加を示す傾向にある。

中学校卒業者数に対し、政府立高校へ採用する所謂進学率は中学校卒業者数の最高である1966年におよそ50％であり、私立高校を含めて約59％であるが残りの生徒は更に進学を目ざす者と直ちに社会に出て行く者とに分れることになる。

この社会に出て行く者は10,000名を越すと推定されている。（進学率は政府立高校で1967年以降段々高められていく予定である。）

これらの直ちに社会へ出て行く者に対して少しでも多くその能力、適性に応じて必要な技能、知識をさずけ、もって産業界の発展に貢献できる心身ともに健全な人材を育成して社会に送り出そうとして設立されたのが産業技術

学校である。

2. 1966学年度採用する生徒

産業技術学校は1966年4月からスタートするが米政府の援助等もあって現在浦添村字勢理客の海辺に立派な校舎の建築が進められている。

来年の採用予定の科は下記のとおりである。

1966年4月

  2年コース　機　械　科　25人
       ラジオテレビ科　25人
       建 築 大 工 科　25人
         計　75人

1966年10月

  1年コース　電　気　科　25人
       配　管　科　25人
       測　量　科　25人
         計　75人
       合　　計　150人

尚施設・設備が整い次等、科を増やして採用していく方針であるが完成したら毎年およそ475人が採用される予定である。

3. 通学区域

通学区域は全琉区域であるので何処からでも受験できるようになっている。

4. 工業高校とはどう違うか

産業技術学校と工業高校との相違点はいろいろあるが一口にいって工業高校は将来の中堅技術者を養成するところである。

従って工業高校では理論面に、それ相応の重点が置かれているが、産業技術学校では反対に理論面よりも実技の面に重点がおかれている。

教育課程の例を見たらその相違がよく分るが、工業高校では普通教科の単位数が55に対し専門教科の単位数が53で大体1:1の割合であり、専門教科の53単位を更に分けると専門の座学に対する単位数が37で実験実習の単位が16で、およそ2.3:1であるのに反し、産業技術学校では2年コースを例にとると、普通教科16単位に対し、専門教科は54単位でその割合は、およそ1:3.4であり、更に専門教科を分けると専門の座学19単位に対し、実習単位が35になっている。その割合はおよそ1:1.8である。以上で分るように産業技術学校では工業高校と異なり、普通教科より専門教科に大きく比重がおかれており、更に専門教科でも、専門の座学よりも実習面に大きく比重がおかれていることが分る。

5．修業年限と科について

普通年限はその内容により所定の技能を修得するに必要な時間を勘案して，次の三種に分けられている。

① 修業年限2年の学科

　機械科，建築大工科，家具木工科，自動車車体科，ラジオテレビ科，冷暖房科，板金溶接科，の7科

② 修業年限1年の学科

　電気科，配管科，印刷科，測量科，ブロック建築科，洋裁科，の6科

③ 修業年限半年の学科

　内張科，塗装科，ホテルメイドサービス科，の3科

6．教育課程の大要

① 2年コース

　上記修業年限2年の各科とも普通教科は，国語，社会，英語，体育，数学，理科の6科で計16単位を修得して，社会人としての教養を高めると同時に専門教科54単位を修得し，54単位中35単位の実習時間で実技面を修得して，社会に出たら直ちに役立つ技能人を育成する。

② 1年コース

　修業年限1年の各科とも普通教科は国語，社会，英語，体育，数学，理科の6科で計8単位を修得して，社会人としての教養を高めると同時に専門教科27単位を修得し，27単位中19単位の実習時間で実技面を修得して，社会に出たら直ちに役立つ技能人を養成する。

③ 半年コース

　修業年限半年の各科とも普通教科は国語，社会，体育，数学の4科で4単位を修得して社会人としての教養を高めると同時に専門教科13単位を修得し，13単位中9単位の実習時間で実技面を修得して社会に出たら直ちに役立つ技能人を育成する。

7．各科の内容の概要

機　械　科

　機械に関する諸学科の学習を基礎として手仕上げ，旋盤，ボール盤，フライス盤，形削及び手削盤等の実技を修得して，主として工作機械工場や機械関係の工場等で働く。

建築大工科

　建築施工に関する諸学科の実習を基礎として工具，機械の使用法工作基本作業，墨出し遣形，木造建物の建方，仮設型枠工事，簡単な測量，モルタル・コンクリート練り方等の技能を修得し，主として木造建築大工として働く。

家具工芸科

　家具工芸に関する諸学科の学習を基礎として工具，機械の使用法や工作基本作業，デザイン等の技能を修得させ主として一般家具室内装備の木製品の製作工業に従事する。

自動車車体科

　自動車に関する諸学の学習を基礎

として金属加工法，溶接，塗装，自動整備等，自動車に関する技能を修得させ，主として自動車販売や，自動車整備に従事する。

冷暖房科

冷暖房装置に関する諸学科の学習を基礎として家庭用冷蔵庫の分解，組立作業，ルームクーラーの分解，組立作業，それらの運転操作，測定，試験などを通して技能を修得させ，主として，冷蔵庫関係の販売，据付け工事，修理等に従事する。

板金，溶接科

板金，溶接に関する諸学科の実習を基礎として，基礎機械工作法，板金，溶接実習や電気実習を通して技能を修得させ，主として，機械工場，自動車修理工場，その他板金，溶接関係の仕事に従事する。

電気科

電気に関する諸理論及び法規の学習を基礎として屋外，屋内電気工事，家庭電気機器の分解，組立，修理等を通して技能を修得させ主として，配電会社，電気工事社，電気機器修理関係の仕事に従事する。

配電科

配管に関する諸学科の学習を基礎として，管切断，ねじ切り，管まげ作業等の基本作業及び管合せ，管仕上げ，仕上げ管検査等の応用作業を通して技能を修得させ，主として，建築関係配管工事，上，下水道配管工事などに従事する。

印刷科

印刷に関する諸学科の学習を基礎として，印刷機の操作法，印刷法，多色印刷法，写真の特殊撮影法等の実習を通し，写真と製板，印刷の原理，技能を修得させ，主として，印刷関係業務に従事する。

測量科

測量に関する諸学科の学習を基礎として，基礎測量，応用測量及び測量製図を通して計算，図化作業の技能を修得させ，主として，木工，建築その他測量に関する業務に従事する。

ブロック建築科

ブロック建築に関する諸学科の学習を基礎としてブロック，貼り石，左官，鉄筋加工等の実習を通して建築施工に関する技能を修得させ，主として，建築業務に従事する。

洋裁科

洋裁に関する諸学科の学習を基礎として，スタイル，デザインの選び方，裁断，縫製等の実習を通して被服製作の技能を修得させ，主として縫製工業，その他縫製関係の仕事に従事する。

内張科

内張りに関する諸学科の学習を基礎として厚張り，薄張り，藤竹編

組，ひも編組等の実習を通して屋内装飾，内張り関係の仕事に従事する。

塗装科

塗装に関する諸学科の学習を基礎として，塗装用機械の操作法，材料配合，各種塗装等の実習を通して技能を修得させ，主として，建築物塗装，自動車塗装，その他塗装関係の仕事に従事する。

ホテルメイド科

ホテルメイドに必要な諸学科の学習を通して住居の衛生管理，調理，乳幼児の生活指導，衣生活の管理等の実習を通して技能を修得させ，主として，ホテルメイド，家庭メイドに従事する。

―◇◇―

1965年度財政，法規研修会における主なる質疑・応答事項

1965年10月，当局は1966会計年度における文教予算ならびに第28議会において成立した文教関係立法の理解を深めるために，学校長教育委員等を対象として研修会をもった。同研修会は三部長の説明，ついで質疑応答がもたれた。以下おもなる質疑応答を箇条書にして紹介する。

1．教育委員会法の一部改正によって区教育委員会の財政が安定されると思われるが具体的にはどうなっていくか（北部，中部，南部，宮古，八重山）

地方公共団体が教育行政を行なうための標準的な経費については，基準財政需要の中におり込まれており，その分については財源の保障がなされてゆくので安定してゆくといえよう。

2．教育委員会法第51条の市町村長が教育費予算を減額するときは委員会の意見を求めることになっているが，教育費予算に著しく適性を欠く場合は法第65条の6の中教委，主席による是正の方法はあるが，この様な事態を起すことなく，市町村予算枠に係る教育費の比率を規定する方法はないか

（中部、北部、南部）

教育費の比率を規定することは，地方公共団体の財政力が千差万別である沖縄の現状においては，教育費のだん力性をそこなうのでこのましくない。

（総務部）

3．財政調整補助の単位費用で小中の差額のある根拠は何か，（北部）

小学校，中学校の標準施設規模のとり方の差異によるものである。

（総務部）

4．教育委員会制度は教育税の廃止にともなって弱体化していくのではないか，（北部，中部，南部，那覇，宮古八重山）

委員会の一部改正によって教育財政制度が一部改正になるが，教育区の法人格は存置され，教育委員の公選制度も継続しており，財政面の運用いかんの問題で，教育委員会そのものの弱体化はあまり考えられない。（総務部）

5．日政援助増額に対して，文教局はどういう対策を持っているか，（北部，中部，南部，那覇，宮古，八重山）教育水準の向上のため，施設の充実，教職員定数の改善を年次計画でやってゆきたい。（総務部）

6．普通教室は大体割当られていると思うが特別教室の割当てはどうなてっいるか，年次計画はあるか（北部，中部，宮古，八重山）

年次計画はある。1967会計年度から特別教室の建築が大幅に期待される。
（管理部）

7．教室以外の便所，給食室，管理室等の年次計画はどうなっているか。（北部，中部，南部，那覇，宮古，八重山）

1971年度までに，小中校とも85％達成を目標に年次計画で推進する。
（管理部）

8．学校図書館の設置に対して建築補助金が予算化されるか，又いつから可能か。（那覇）

学校の図書室という名目で補助はあるが，図書館に対しては考えられない図書室とは閲覧室を持たない書籍の格納程度の建物である。（管理部）

9．〃当分司書教諭は置かないでもよい〃とあるが，当分とはどの位の期間か，（北部，中部，南部，那覇，宮古，八重山）

予算措置のできるまで（管理部）

10．学校図書館法によると設置者は，地方教育区になっている。（第3条）PTA等ですでに設置したものは将来どう取り扱われるか。（北部，中部，南部）

自力ですでに学校図書館を設置した場合には将来損をさせないようにし，基準に達しない場合には，充実させる。そして，その他の施設，備品の方に補助金をふりむけることもありうる
（管理部）

11．視聴覚備品充実計画が出来て喜んでいるが，年次計画と割当ての方法を知りたい。（北部，中部，南部，那覇宮古，八重山）

この件については，文教時報96号のP11〜P13を見ていただけばおおよその線はつかめよう。（指導部）

12．学校備品，施設の充実が期待されるが，自力購入による備品等の調整割当を考えているか，自力購入校にも，一律割当をするのか，あるいは割当ないで損することもありうるか。（北部，那覇）

現在保有量を調査の上，自力購入校にも損をさせないように考慮をはら

い，いろいろな角度からの施設，備品の充実をはかりたい。（指導部）

13．視聴覚備品について 現有備品と充実計画との関係はどうなっているか。（北部，南部）

1965年までの保有数量と1971年度までの充実長期計画については文数時報96号P13に掲載してあるので参照して下さい。（指導部）

14．教育公務員法並びに特別法を是非制定すべきであると思うが来議会に提出するか。（北部）

身分に関する立法は必要である。立法については時機をえらぶ必要があり来議会に提出するかどうかはいえない。（総務部）

15．幼稚園教員の補助額を増額してほしい。（北部，中部，南部，那覇，宮古，八重山）

1965会計年度には20％の補助1966会計年度には30％補助をしている。4月以降予算とにらみ合せて増額したい。（管理部）

16．文教時報97号P9の教育費の欄の単位費用は併置校の場合二校としてみなすか，又その基準はどうなっているか。（北部）

併置校の場合二校とみなす。この単位費用は日本々土の昭和40年度単位費用市町村分の55％相当分である。（総務部）

教育懇談会実施要項

1　趣　　旨
(1) 沖縄教育の現状を理解し，文教政策がどのように実施され，将来，どのような政策が計画されているかについて，指導管理，財政等にわたり説明を行い，文教政策の現場への浸透を図る。
(2) 教育現場の教職員が文教政策をどのように理解し，どのような政策的措置を望んでいるかを，この懇談会をとおして理解し，今後の文教政策に反映させていく。

2　日程及び会場校

月　　日	会　場　校　名	月　　日	会　場　校　名
1月7日（金）	奥小・中学校	2月9日（水）	高嶺小校・中校
1月11日（火）	喜如嘉小・中学校	2月10日（木）	喜瀬武原小・中校
1月18日（火）	伊江小校	2月11日（金）	古堅小校
1月12日（水）	久松小校・中校	2月15日（火）	浜小・中校
1月13日（木）	狩俣小・中校	2月17日（木）	伊計小・中校
1月20日（木）	久米島小校・中校	2月18日（金）	北美小校
1月21日（金）	比屋校小・中校	2月22日（火）	島袋小校
1月25日（火）	平久保小校	2月24日（木）	津覇小校
1月26日（水）	竹富小・中校	2月25日（金）	玉城小校
2月3日（木）	嘉陽小・中校	3月1日（火）	久高小・中校
2月4日（金）	松田小校	3月3日（木）	浦添小校
2月8日（火）	伊波小校	3月4日（金）	城北小校

文教局新機構紹介

かねてから，文教局組織の改制について，事務手続きがすすめられていたが去る7月6日の中央教育委員会定例会議で，中央教育委員会規則第19号によって，新機構が誕生した。新機構の特色は，これまでの次長制が廃止され，新たに部長制がおかれたという点である。これで文教局は，三部十課外局一，付属機関三という，より充実した内容で教育行政面を拡充していく準備がととのったわけである。次に新機構による組織の内容，所掌事務の概要を紹介します。

各部所掌事務

総務部	1.中央教育委員会に関すること 2.人事に関すること 3.文書に関すること 4.行政財産に関すること 5.予算，決算及び会計に関んること 6.調査,統計に関すること 7.財政に関すること 8.地方教育委員会の財政指導に関すること 9.その他，他の部に属しない事務に関すること
管理部	1.義務教育に関すること 2.高校教育及び大学教育に関すること 3.文教施設に関すること
指導部	1.教育課程に関すること 2.現職教育及び研修に関すること 3.教科用図書に関すること 4.保健体育及び安全教育に関すること 5.社会教育に関すること 6.教育研究所に関すること 7.沖縄県史の編集に関すること

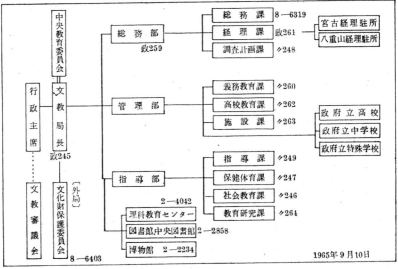

教育行政機構（中央）

1965年9月10日

各課所掌事務の概要

部	課	所　掌　事　務
総務部（小嶺憲達）	総務課（石垣孫可）15人	1.秘書　2.中央教育委員会　3.文教審議会　4.事務総合調整　5.職員人事一般　6.職員研修厚生　7.教育行政施策企画総括　8.公文書　9.法令案,許可,契約文書審査総括調整　10.公印　11.車輌運営　12.行政財産管理　13.他課所掌事務以外の事務
	経理課（富山正憲）14人	1.局内予算決算,会計　2.地方教育委員会,教育関係法人会計事務指導,財務監査　・宮古経理駐在所　・八重山経理駐在所
	調査計画課（安谷屋玄信）8人	1.教育行財政,学校教育と社会教育の調査統計　2.統計調査の連絡調整　3.指定統計　4.統計教育　5.長期教育財政計画及び企画立案　6.教育財政資料収集整備　7.教育行政資料収集整備　8.日米援助要請計画立案　9.市町村交付税法に基づく教育費の計画　10.地方委員会の予算決算指導　11.教育補助金基準,総括　12.広報
管理部（笠井善徳）	義務教育課（仲宗根繁）15人	1.義務教育関係法令運用指導助言　2.義務教育関係法令案作成　3.地方教育委員会行政上の連絡,助言　4.義務教育関係の許可.届出　5.政府立義務教育諸学校管理運営人事管理　6.義務教育関係職員の定数,給与,認定　7.教育職員の資格,免許　8.教育職員養成充足　9.義務教育関係法人　10.特殊教育,幼稚園　11.へき地教育振興計画　12.教育補助金交付（所掌事務）　13.義務教育関係職員福祉,関係団体　14.義務教育諸学校の教科書,学習用品需給　15.中学校卒業資格認定　16.教科用備品　17.義務教育学校職員公務災害
	高校教育課（伊是名甚徳）15人	1.政府立高等学校の管理,運営　2.政府立高等学校職員の人事,充足計画　3.政府立高等学校入学,転学,退学　4.所管事務法令案作成　5.大学教育　6.中,高校職業教育企画指導援助　7.育英　8.職業教育備品,高校一般備品　9.職業教育関係実験学校,研究学校等指定,指導助言　10.高校,大学関係許可,認可,届出　11.留学生,大学入学資格検定　12.通信教育　13.高校職員福祉,高校関係団体　14.高校,大学関係法人　15.高校関係職員研修　16.水産高校実習船運営
	施設課（浜比嘉宗正）14人	1.政府立文教施設企画,予算案準備　2.文教施設の立地計画環境整備確保　3.学校施設基準設定　4.公立学校施設建築計画,実施指導助言　5.政府立文教施設管理　6.文教施設防災,保全,指導助言　7.公立学校校地,校舎認可　8.公立学校施設補助金交付　9.文教施設資料収集,統計提供　10.政府立文教施設,公立学校施設,建設局と設計書類の照察,工事単価決定,設計変更入札立会い,工事検査立会　11.政府立文教施設基本設計作成,設計書類照察,管理　12.公立学校施設基本設計作成,設計書類照察,施工基準作成,工事検査指導

指導部（知念繁）	指　導　課 （下門竜栄） 13人	1.教育関係職員現職教育研修　2.学校経営指導助言　3.教育課程基準設定,管理,取扱い指導助言　4.教育職員免許法による認定講習　5.学習指導生徒指導助言　6.教科用図書目録作成　7.実験学校,研究学校指定,指導助言（所管事務）　8.地方教育区の指導主事連絡,協力　9.高校入学者選抜　10.教科書以外の教材使用承認,届出　11.学校教育放送
	保健体育課 （中村義永） 11人	1.学校保健,学校体育　2.社会体育普及,奨励　3.学校における保健,体育教育課程,その取扱い　4.教育職員結核性疾患療養認定　6.学校給食,学校給食会　7.学校.教育機関環境衛生　8.安全教育学校安全会　9.保健体育施設備品,保養施設　10.保健体育関係諸団体　11.実験学校研究学校指定,指導助言（所管事務）　12.保健体育関係職員研修　13.所管事務法令案作成
	社 会 教 育 課 （大宜見朝恒） 10人	1.政府立図書館,博物館,その他社会教育機関,施設の設備管理　2.政府立以外社会教育機関,施設,団体育成指導　3.社会教育関係法令案作成　4.社会教育関係法令運営上指導助言　5.社会教育委員　6.地方教育委員会連絡（所管事務）　7.実験,究研のための社会教育学級団体指定,指導助言（所管事務）8.青少年,成人社会教育（含職業技術教育）9.社会教育関係職員研修　10.新生活運動　11.視聴覚教育　12.レクリエーション　13.社会教育補助金割当　14.社会教育関係法人　15.各種学校　16.学術,文化,宗教　17.文化財保護委員会連絡
	教 育 研 究 課 （親泊輝昌） 11人	1.教育測定,教育評価,教育相談　2.教育測定,教育評価,教育相談に関して教育機関.教育職員に援助,普及指導　3.教育職員研修（所管事務）4.内外の教育事情調査研究,資料収集作成　5.研究資料編集発刊　6.琉球歴史,沖縄県史資料収集,編集　7.教育研究所・琉球歴史,沖縄県史資料収集,編集事務のため史料調査官三人をおく

人員は文教局職員定数規定による人員である（1965年9月13日）

各種研究団体紹介 ＜1＞

沖縄農業教育研究会の活動について

沖縄農業教育研究会長
友 利 恵 盛

　沖縄農業教育育研究会は琉大を含めて北部，中部，南部，宮古，八重山，久米島の各高校の農業教育従事者のみで結成されており現在164名の会員を擁して結成以来活発な研究活動をつづけてきた。以下農業教育研究会の状況について紹介することにしたい。

一　研究会の沿革について

　沖縄の農業教育の振興を目指して，沖縄農業教育研究会が誕生したのは1957年7月3日であるが当初の数年間は会則もなく，会員相互の親睦や研究の場としてその都度生起する教育問題をとり上げて研究したり又は適切な事業を行なってきた。然しその間に於て教育課程の改訂や農業教育の体策改善など諸情勢の変化に伴って，組織強化の機運が次第に高まり1961年4月1日に沖縄農業教育研究会会則が制定され，それ以来本格的な研究活動が始まり現在に至っている。

　本会の目的は「沖縄における農業教育の振興をはかる」ことでありその達成のため

1. 農業教育に関する調査研究
2. 教材教具教科書に関する研究
3. 講演会講習会研究会展示会の開催
4. 会誌及図書の刊行並に資料蒐集配布
5. 本土及地域の関係団体との連携協力
6. 観察並研究教員派遣
7. 農業教育振興に関する建議

などの事業を行なうことになっている。その後1962年4月会則改正が行なわれ，従来顧問であった学校長を会員に含め会長の任期1年を2年とし沖縄本島内の農林高校長が2年交代の輪番制で会長に当ることに改められ現在に至っている。

二　研究組織について

　本会の事業遂行のための研究組織として次の6分科の研究委員会がおかれ夫々専門的な分野から農業教育に関する一般的な問題について研究調査を行うことになっている。

1．農業教育研究委員会
2．教育課程研究委員会
3．農場運営研究委員会
4．農業技術指導研究委員会
5．農場施設研究委員会
6．生活科指導研究委員会

その外に真接教壇実践に結びつく教科指導の方法や指導技術の改善研究のため次のような研究会がおかれている

1．作物研究会
2．園芸研究会
3．畜産研究会
4．加工研究会
5．農業機械研究会
6．林業及び土木研究会
8．生活科研究会

三　活動状況について

A．1965年度の事業計画

1．本年度の努力目標

（イ）分科研究委員会としては自営者養成学科の近代化計画に則した改善研究をする

（ロ）科目別研究会は基準カリキュラムと科目毎の実験実習の研究をする。

（ハ）卒業生自営者の育成指導を強化する。（農友会連盟結成）

（ニ）農業教育近代化予算の拡大要請（琉球政府予算の増額と日政援助の拡大）

2．本年度事業計画

月	旬	事業内容	場所
4	下	支部研修会（研究委員会の編成役員選出）	各校
	下	役員会（事業計画予算決算審議）	北農
5	中	役員会（総会及研究発表会準備）	中農
	下	役員会（会誌発行並近代化計画資料準備）	南農
6	上	総会　研究発表会	中農
	中	研究集録　印刷配布	
	下	支部研修会	各校
7	上	農友会連盟結成準備委員会	北農
	中	支部研修会　分科別研修会	各校
	下	教科別研修会	中農
8	上	〃	〃
	中	技術講習会	
9	中	役員会（農友会連盟結成について）	北農
	下	農友会連盟結成総会	〃
10	下	支部研修会	各校
11	中	教科別研究会	中農
12	中	分科研究会	北農
	下	教科別研究会（まとめ）	〃
1	上	役員会	中農
2	上	支部研修会（反省及新年度計画）	各校
	中	分科研究委員会（まとめ）	中農
3	中	役員会（本年度反省と新年度の計画）	北農
	下	総会準備	

B．研究活動の成果

本研究会活動の成果についてはすでに御承知のように，発足以来沖縄における農業教育振興に関する多くの重要問題をとり上げ施設々備の充実や予算要請など活発な活動を展開して多くの業績を残してきたが1961年4月会則制定と共にいよいよ組織だった活動が本格化しここ数年来おさめた成果は輝かしいものがある。その事例を申上げると，(1) 1962年9月パインアップル副読本の発行，(2) 1963年11月研究集録第一集として沖縄における農業教育近代化計画完成 (3) 1965年6月20日研究

集録第二集として地域性に立脚し今後の改善方向を明示した学校別近代化計画作成（4）1965年11月20日卒業生自営者による農友会連盟結成（5）会誌の発行配布（6）会員による研究発表並に講演会実施（7）その他研究会の絶えざる強い要請による琉政予算の農業教育近代化促進費の新設，近代化施設々備費の日政援助実現などはその顕著なものである。

特にその中でも沖縄における農業教育近代化計画書は沖縄農業の現状分析と将来の展望に立って農業教育の体質改善を方向づけたもので前後12回の研究会と一年有余の歳月を費した大事業であった。これによって農業教育の近代化についての一般の認識は広まりその機運は次第に高まって文教局の重点施策として取上げられ文文教局においても農業教育近代化促進の調査研究委員を任命して農業自営者養成学科の近代化計画と農業教育近代化促進費の新設及び日政援助の実現となった。

四　今後の研究課題

以上のように農業教育の改善に必要ないくつかの問題が解決され明るい曙光が見え始めたが更にこれから努力しなければならない多くの課題が山積している。特に高等学校における農業自営者の養成およびその確保はもっとも重要問題としてクローズアップされ本土に於ては産業教育審議会の答申にもとずいてその策にのり出していることは御承知の通りである。

沖縄の農業も新しい時代に即応して必然的に近代化の方向へ進まざるを得なくなった今日，将来の沖縄農業のにない手としてこれを推し進めていくのにふさわしい後継者の養成確保こそ目下の急務である。然るに沖縄の現状を見つめるとき最近の経済の高度成長に伴う情勢の変化によって若い青年男女の離農が目立ち農村の基幹労働力の低下を招いているばかりでなく一方高等学校における自営者養成学科の卒業者の就農率も僅かに約20％に過ぎず今や農業後継者確保の問題は農村の深刻な悩みとなり大きな社会問題となりつつある。これをこのまま放置して自然の推移にねだねておくときこの傾向はますますひどくなることは明白でありその対策こそ政府の施策と相俟って農業教育に従事するものの第一の課題である。更に又もう一つの新しい問題として卒業生自営者の育成指導があげられよう。このことは社会教育又は普及事業の分野に属する仕事であるが各農林高校ではかねてから各学校単位に自校の卒業生自営者のみによる農友会を組織，卒業生自営者の営農指導をすると共に学校農業クラブ連盟の行事にも参加して自営者としての体験を通して後輩に希望と夢を与えている。このことは各学校のすばらしい構想であるので

これを全琉的に一体化しその育成をはかるため1965年11月20日に沖縄高農々友会連盟が結成された。

この農友会活動は学校における農業自営者養成教育の改善充実とともに自営者確保対策の一環をなすものであり今後これをどのように育成するか第二の重要課題である。

五　結　び

沖縄の農業教育にはこのようにいろいろな重要問題が山積しているが，これは誰かがやらなければならない仕事でありその一翼をになう沖縄農業教育研究会の使命の重大さを痛感するものである。政府当局においても農業が国民経済の発展と国民生活の向上の基幹をなす最も重要な産業であることに鑑み適切な対策を講ずるとともに農業教育振興に一層の御指導と御援助をお願いする次第である。

一番大きい学校と小さい学校

大規模学校

小学校では那覇市内の城岳小学校中学校では那覇中学校が，一番大きい。城岳小学校の児童数は2,588人（56学級・教員61人）で一番大きく，その数は南大東，北大東，渡嘉敷，座間味，粟国，渡名喜，多良間の7ヵ村の児童数2,400人より多い。なお本土に2,500人以上の学校が2校あるので，全国でもビッグ3（スリー）にはいる。那覇中学校の生徒数は，2,877人（50学級・教員82人）で平良市の生徒数2,953人（7校）に近い数である。本土では3,000人以上の学校が鹿児島に1校，2,500～2,999人の学校が大阪に3校あり那覇中学校と神原中学校（2,606人）がこのグループに属する。

小規模学校

小学校は宮古多良間小学校の水納（みんな）分校，中学校は八重山竹富町の船浮中学校が一番小さい。水納分校は児童3人（単級）に，教員が1人，船浮中学校が生徒7人（単級）で教員4人となっている。

（資料は本土，沖縄とも学校基本調査1965年5月1日現在による）

雑　感

指導主事　花城　有英

○　じみで，個性的な学級を発見したときは，その学級のこどもたちの親になったようにありがたく，うれしいものです。

　近ごろ，指導技術の改善をと，うるさく言われます。それは，小手先の技術だけに目を奪われて，かんじんの教育内容そのものには気がつかないようなかたもおられるほど，かなりのはやりようです。

　こどもたちといっしょになって考えたり，話しあったりしている学級では，そんなおしばいじみた技術などということは，ほとんど見られません。

○　教科書にある題材だけについての指導のしかたの研究をしただけではこのような，じみな学習指導はできないようです。こどもの立場になって，その理解の過程にあわせて，教科書外からも題材を見つけて，その学習活動を組織だててやるというような研究をしなければ，こどもの力もつかないようです。

○　理解という面だけを重視して，技能とか態度とかについての考慮がないような学級もよく見かけます。

　先日，盲学校の弱視学級といっしょに勉強する機会がありましたが，特にこの態度，習慣とか，意識（かまえ）について考えさせられました。あの子だちは，聞いてわかろうとする真剣な態度でやっています。だから，お話のあらすじなどでも驚くほど確かに，しかも早くわかってしまいます。

　このような面の指導が，普通学級でも，もっとあるべきではないでしょうか。

○　断片的な思考，せつな的な行動など，最近のこどもたちの悪い面として取りあげられています。思考したことをまとめて表現するような学習，継続的に計画的な学習をするような態度，習慣が欠けているのでしょうか。

　もちろん，テレビの影響だとかいって，すまされることではありません。

　先生の，断片的な発問が多かったり，○×式のテストやワークブックなどが，学校でのドリルや，宿題にまでのさばっているかもしれません。

　今こそ，計画的に本を読んで考えるという学習指導がほしい時期です。そして，人間としての思慮深い生活態度を育てたいものです。

教育費講座

開講のことば　　　　　　　　調査計画課長　安谷屋　玄信
第一話　教育財政のしくみ（1）　　〃　主事　前田　功

開講のことば

　教育委員，委員会の会計係，学校の校長，このようなかたがたが当課には頻繁に出入りされる。このかたがたはそれぞれの委員会，学校の予算，とりわけ自己財源が教育の需要額に追いつけないので何とか補助金で補って貰いたいというのが共通の主張のようである。三年前から創設された財政調整補助金は少額ながら，やりくり算段してどうやら最少限の資金で最大限の効果を上げるように，地方の自己財源を補ってきたが，今回の立法改正によって，財政調整補助金は発展的に解消して新年度から市町村交付税の中から教育費の自己財源を求めるようになった。即ち1967年度からは，このような資金は文教局補助金としては支出されなくなり，市町村交付税の中からこのような財源を求めざるを得なくなったのである。したがって地方の教育委員会と文教局といった従来の親しい間柄で，申請，交付されていた補てん財源が全然別の第三者たる市町村という公法人をとおして教育費の交付を受けることになると，地方の教育委員会や公立の諸学校の責任者としては，やはりいちまつの不安や苦心が伴なうであろう。市町村の長や議会というのは，現在の沖縄の社会では何といっても近より難いものだという意識が人々の心の中にあるからであろうし，一枚加えて予算接渉となると，普通の人では難しいという潜在意識も働くのであろうと思う。だからといって，もはや地方の教育委員会や学校当局は，今回の立法改正によってこれをさけて予算をいただこうとしても無理な話であって，こうなったら財政や予算や数学に強くなって，対等に交渉して予算をいただくという方法がむしろ教育を発展させる道である。10数年間，頼りにしてきた教育税はなくなるし，2，3年来教育税を助けてきた財政調整補助金もなくなるのだから，ここに重要なことは制度の生まれ変わりとともに教育行政者

の考え方も同時に生まり変らないと円滑な運営ができないのである。制度の変り目には、みなそれぞれ不安はつきないものであるが、不安からは何も生まれるものではない。意欲と勇気と努力が重要である。

このような重要な時期にわが課は課内のベテランを動員して皆様方のお力添えになることを考え出し、教育委員、学校長や教頭、管理職員や会計が財政や予算に強くるようなな請座を始めることにした。あと数カ月後には新会計年度を迎えようとしているし、政府の予算編成は、着々進んでいる。遅疑、しゅん巡は許されなくなった。

新制度発足当初における教育行政職員の努力は、末永く教育の繁栄をもたらし、沖縄の子供らの幸福を招来するものであることを祈念してこの講座をはじめる次第である。

なお、この講座に関連したもの、その他財政や予算に関する諸事項について御意見や疑問点でもありましたら、どしどし当課までお知らせ願えたらと思います。次にこの講座の次号以降の予定を紹介し、開講のことばと致します。

2．政府の教育予算
3．地方の教育予算
　　イ．教育委員会と財政
　　ロ．市町村交付税
4．学校予算について
5．父兄負担教育費の軽減
6．沖縄教育財政の現状と将来
7．財政資料とその活用について

第一話　教育財政のしくみ
1．教育財政とは何か

わたしたちの普通の家庭では、月々に一定の収入を得、それによって日常の生活を営んでいます。そして各家庭の収入の大小によって生活の程度や内容も極めて多様にわたっております。これを家計とよんでいますが、このことは公経済の場合にもあてはまります。国や地方公共団体ではある財源を得て、国民や住民の福祉のために公共の事業を営んでいます。その財源のおもなものは国民や住民から納収される租税であることは申すまでもありません。

国や地方公共団体が、その業務を遂行するために、どのような方法で、また、どれだけの財源を確保するかと確保するかということは、国や地方公共団体がその施策をどの程度実現できるかを左右する重要な要素であり、これを一般に財政ということばでよんでいます。実際上は国や地方公共団体の主財源である租税はその国民や住民の所得によって限度がつけられますので、収入のわくはおのずからきまり、きまった収入のもとで、どのような内容の事業を行なうかが問題とされる場合が

多いのです。

この点から見ますと財政は公経済における家計であるという見方がなりたつわけです。

このような財政の定義から出発しますと、国や団体（地方公共団体を単に団体とよぶことにする）が国民や住民の教育をほどこすために、その経費をいかにして見出すか、また、それによってどのような内容をもった教育を行なっていくかということが教育財政であるといえましょう。

ところで、本土や沖縄をはじめ、普通の行政制度の下では、教育も国または地方の行政の一分野であり、その財源も行政の他の一分野である産業、労働、厚生等と一本化されているのが普通であり、したがって特に教育そのもののために、どのように、また、どれだけの財源を他に独立して確保するかということは、このような国または地方の公経済の上では考えることができない問題であるということになります。

すなわち、教育に要する経費の問題は国家財政、政府財政、地方財政という大きな枠の中の操作であって、その枠からこれを取り出して教育財政として考えていくことは無意味な訳です。

では沖縄における地方教育の財政上のシステムについてはどうでしょうか。なるほど、地方における教育とい
う行政を行なうために他の一般行政から区かくされ独立した法人格を有する教育区が存在し、その経費も市町村行政を行なうための主財源である祖税すなわち市町村税と全く別個な祖税、教育税が賦課、徴収されています。（この教育税制度は去った7月の立法第99号、教育委員会法の一部改正により1966年7月1日をもって廃止されることになりますが、このことについては後節で精説したい。）これは形式の上からは全く独立した財政制度をとっていることを示しており、したがって沖縄の地方行政は財政面から見た場合においても、地方財政（市町村財政）と教育財政の純粋2本立てになっていることがいえそうです。

しかしながら、教育財政についてももっと深く堀り下げみた場合、はたして財政の独立ということが実質的な問題としていえるかどうか疑問が起ってまいります。課税権、予算の編成権、執行権もさることながら、そこに求められている経費の財源がどのような配分になっているかを検討する必要があるからです。端的にいえば、教育の施策の遂行に必要な経費の裏付けとして自己財源である教育税がその中のどれだけの比重を占めているでしょうか。第1図の1964会計年度教育財政調査による地方の公教育費の財源区分をみましょう。この図における自己財源とは

—40—

教育税その他の収入の合算額で，依存財源とは政府補助，市町村補助の合計額であります。

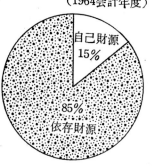

地方教育費の財源区分
（1964会計年度）
自己財源 15%
依存財源 85%

図の示すとおり，教育区における自己財源は全体のわずか15％にすぎず，残りの85％は全く他力本願の財源だということが判然としています。もちろん，教育区における自己財源の比重の低いことと教育税の存在価値（それの果している役割）そのものを決して低く評価すべきことではありませんが，少くとも地方において教育という業務をすすめるための財源の調達の上に教育区としての自主性，主体性を活かす余地が全経費の極めて小部分であることは事実であります。このことを逆に言えば，地方教育においても全財源の81％という圧倒的比重を占めている政府補助があるということは，教育の地方分権や自主性を尊重しながらも，財政のすべてを地方に委ねるには，教育という業務はあまり重大すぎることを如実に示しているといえるでしょう。

こうみてきた場合，わたしたちが考えてきた教育財政という概念は，純粋な意義をもつものとしては，中央にも地方にも存在しないことになってしまいます。

ところで，教育財政について，これを学問的，理論的に追求していくことは，もとより本講座のねらいとするところではありません。今後，講座をすすめていく際に「教育財政」なる用語がしばしば引用されるが，本講座におけるこの用語の概念に釈明を与えたいためである。

すなわち，本講座は沖縄の教育費について，いろいろの角度から稿を追うて解説されていくことになろうが，その過程において用いられる「教育財政」という用語は前に述べた純理論的なせんさくを抜きにして，ごく慣習的用法により「教育費について，その財源や使途について」取扱うことであると解釈していただきたい。

さて，沖縄の教育財政のしくみ，その内容の概略について考察していくためにこれを中央（政府）と地方（教育区）2つにわけて話をすすめていきましょう。

2．政府の教育財政

政府の教育財政は文教予算によって代表されます。しかしながら前節で説明したように文教予算は政府財政の枠中の一分野でありますので，政府財政を抜きにしてこれを論議することは意

味がありません。また，教育予算の歳出面については，第三話において精説されると思いますので，ここでは政府予算及び文教予算のアウトラインについて説明をすすめていくことにする。

まず，政府の一般会計予算の歳入は大きくわけて ①租税及び印紙収入 ②官業収入 ③財産収入 ④納付金 ⑤日米両政府援助金 ⑥その他 に分けることができます。1966会計年度の歳入総額は65,887,200ドルで，このうち租税及び印紙収入が 約4,524万弗で全収入の68.7％を占めていますが，これは財政のあり方として当然の姿でしよう。また，日米両政府援助金は約1,500万弗で，比率として22.8％となっています。この両者が政府歳入の91.5％を占め，政府財政の財源の大宗をなしています。

住民から徴収される祖税は政府税と地方税の2種に大別されますが，政府税はさらに，所得税，法人税，自動車税，通行税，酒税，娯楽税，遊興飲食税，物品税，し好飲食税，葉煙草輸入税，煙草消費税，酒類消費税，砂糖消費税，屯税の14種があり，66会計年度歳入予算では所得税が約1,644万弗で全祖税収入の38％で最も大きな比率となっています。（地方税には市町村税と教育税があり，市町村税は普通税として市町村民税，固定資産税，事業税，不動産取得税があります。）文教関係歳入では政府立高等学校の学校実習等収入，授業料及び入学金（前の歳入区分ではその他に入る）がそのおもなもので66会計年度は約51万弗が計上されています。

歳入区分の①～⑥までのうち⑤は特定財源と考えられます。特定財源とは収入の過程においてその使途が限定されているものをいいます。これを除いた残りの財源を一般財源といい，これは収入の過程においてその支出に対して何らの〃ひも〃のつかない財源，すなわち，政府の自主的な政策によってその支出方式を編成することができる財源ということになります。財政計画や運営に当っては，一般財源の比重の大きいことが望ましいことは申すまでもありません。

次に，政府財政の支出の面をみましょう。その区分の方法はいろいろあいましょうが，大別しますと ①教育文化費 ②社会保障関係費 ③国土保全及び開発費 ④産業経済費 ⑤地方財政費 ⑥政府機関運営費 ⑦その他 に分けることができます。この区分と実際の政府予算の編成区分とは必ずしも一致しませんが，66会計年度の政府歳出予算よりみますと，教育文化費に相当する文教局歳出予算額は約2.254万弗で，政府全予算の34％を占めています。これは残りのどの項目より大きく，政府の行なっている業務のうち，

教育が財政的にみても、いかに重要なものであるかが伺えると思います。

教育予算を直営事業と補助事業に区分した場合、どうなるでしょう。

直営事業とは政府が直接執行している教育業務で、内容としては、学校教育では政府立学校の管理運営、社会教育、教育行政があります。補助事業とは政府の管理下にない教育業務を行なっている法人、機関、団体等に、その業務の助成振興のため政府が行財政的に援助している事業をいいます。教育関係では地方教育区に対する補助事業を筆頭に琉球大学（67会計年度よりは政府立になるので、それ以降は直営事業となる）運営補助、各種教育関係機関への補助事業が数多く執行されています。

財政的にみますと、66会計年度教育予算のうち直営事業のための経費が約622万弗に対して、補助事業のための経費が約1,632万弗で、補助事業経費の全教育予算に占める比率は72％となっています。補助事業経費のうち1,440万弗は教育区の教育補助のために支出されることになっており、地方の教育財政も政府財政をぬきにしては考えられないことも、この事実からよくお分りになることと思います。

いままで、主として政府の教育財政についてその概略を述べてきましたが、政府財政は、すべて立法または規則によってはっきり打出された施策のもとに施行されなければなりません。すなわち、その収入にしても、支出にしても、その方法や内容については、住民の代表である立法院で議決された立法や、住民から委託をうけた行政主席、各種行政委員会の定めた規則に基づかなければならないことは、その財源が住民から求められたものである上に、これらの経費はすべて民主々義の基本原則である「最大多数の最大幸福」を達成するためのものでなければならないことを考えれば当然のことです。地方財政についても全く同じことです。

学校基本調査結果の中間報告

1965年5月1日現在

学校名	学校数	学級数	教員数 計	男	女	幼児・児童・生徒数 計	1学年	2学年	3学年	4学年	5学年	6学年	専攻科
小学校	(12)240	3,646	4,176	1,321	2,855	151,810	24,901	23,406	24,996	25,549	26,206	26,752	—
政府立	2	3	3	—	3	12	—	1	—	—	3	6	—
公立	(12)236	3,638	4,167	1,320	2,847	151,697	24,863	23,369	24,989	25,539	26,197	26,740	—
北部	(5)63	583	688	223	465	21,690	3,397	3,333	3,659	3,643	3,872	3,786	—
中部	(2)54	1,028	1,174	367	807	44,419	7,393	6,823	7,410	7,436	7,488	7,869	—
那覇	(2)34	944	1,064	301	763	42,176	6,996	6,463	6,848	6,772	7,466	7,631	—
南部	30	500	573	179	394	20,582	3,331	3,129	3,418	3,468	3,664	3,572	—
宮古	(2)21	319	360	127	233	13,220	2,195	2,113	2,102	2,514	2,124	2,172	—
八重山	(1)34	264	338	123	185	9,610	1,551	1,508	1,552	1,706	1,583	1,710	—
私立	2	5	6	1	5	101	38	36	7	—	6	6	—
中学校	(1)155	1,789	2,895	2,099	766	83,422	27,551	27,486	28,385	—	—	—	—
政府立	3	14	27	23	4	638	233	188	217	—	—	—	—
公立	151	1,773	2,836	2,075	761	82,765	27,314	27,292	28,159	—	—	—	—
北部	43	295	494	399	95	12,230	3,997	4,062	4,171	—	—	—	—
中部	29	491	753	569	184	23,682	7,903	7,866	7,913	—	—	—	—
那覇	19	459	724	472	252	23,758	7,758	7,879	8,121	—	—	—	—
南部	(1)21	245	394	275	119	11,123	3,638	3,674	3,811	—	—	—	—
宮古	17	154	245	197	48	6,725	2,254	2,139	2,332	—	—	—	—
八重山	22	129	226	163	63	5,247	1,764	1,672	1,811	—	—	—	—
私立	1	2	2	1	1	19	4	6	9	—	—	—	—

学校名	学校数	学級数	教員数 計	男	女	児童・生徒数 計	1学年	2学年	3学年	4学年	5学年	6学年	専攻科
高 等 学 校	32	933	1,798	1,560	238	42,294	15,286	13,320	12,947	705	—	—	36
政府立全日	29	707	1,419	1,227	192	31,996	11,723	10,223	10,014	—	—	—	36
〃　定時	16	108	168	160	8	4,375	1,418	1,246	1,069	642	—	—	—
私立全日	3	112	207	170	37	5,744	2,097	1,805	1,842	—	—	—	—
〃　定時	2	6	4	3	1	179	48	46	22	63	—	—	—
大　　学	3	—	234	219	15	4,167	1,241	1,047	955	924	—	—	—
政 府 立	1	—	193	178	15	2,832	802	756	616	658	—	—	—
私　　立	2	—	41	41	—	1,335	439	291	339	266	—	—	—
短期大学(私立)	3	—	5	3	2	787	431	356	—	—	—	—	—
幼　稚　園	53	218	224	1	223	8,573	3歳 94	4歳 713	5歳 7,766	—	—	—	—
公　　立	41	183	183	—	183	7,421	9	247	7,165	—	—	—	—
私　　立	12	35	41	1	40	1,152	85	466	601	—	—	—	—
特殊教育諸学校	4	53	66	27	39	549	—	—	—	—	—	—	—
沖縄盲学校	1	14	17	8	9	95	6	5	9	7	9	11	—
小 学 部	—	6	7	1	6	47	6	5	9	7	9	11	—
中 学 部	—	3	3	3	—	26	9	8	9	—	—	—	—
高 等 部	—	5	5	4	1	22	9	4	3	—	—	—	6
沖縄ろう学校	1	20	24	11	13	236	34	27	26	17	17	25	—
小 学 部	—	12	12	3	9	146	20	23	16	17	17	25	—
中 学 部	—	5	6	4	2	59	20	23	16	—	—	—	—

学校名	学校数	学級数	教員数 計	男	女	計	幼児・児童・生徒数 1学年	2学年	3学年	4学年	5学年	6学年	専攻科
高等部		3	6	4	2	31	9	12	10	—	—	—	—
大平養護学校	1	4	7	5	2	60	60	—	—	—	—	—	—
鏡ヶ丘養護学校 小学部	1	7	10	3	7	83	20	11	8	8	11	11	
中学部		6	7	1	6	69	8	6	—	—	—	—	
		1	3	2	1	14							
整肢療護園		8	8		8	75							
小学部		5	5		5	56	11	11	12	5	9	8	
中学部		3	3		3	19	7	7	5				

（注1）分校は1校とみなし、（　）内の数は分校で再掲である。
（注2）高等学校定時制課程は全日制課程に併置されている。
（注3）短期大学（2校）は私立大学（2校）に付属しており、教職員組織は同じである。
（注4）大平養護学校は精薄児を対象とする中学部のみを設置する学校である。
（注5）鏡ヶ丘養護学校は肢体不自由児を主とし、整肢療護園は分教場である。

—46—

中教委だより

第145回定例中央教育委員会

1．期日 1965年11月22～30日
2．会議録（抄）……可決

○1966年度公共学校備品補助金交付に関する規則について（議案第1号）
○公立学校単級手当並びに複式手当補助金交付に関する規則の一部を改正する規則について（議案第2号）
○教育職員免許法施行規則の一部を改正する規則について（議案第4号）
○教育職員免許法施行規則の一部を改正する規則について（議案第5号）
○教育職員免許に関する規則の一部を改正する規則について（議案第6号）
○内地派遣研究教員の旅費補助金交付に関する規則について（議案第12号）
○学校図書館法施行規則について（議案第16号）
○学校図書館設備及び図書補助金交付に関する規則について（議案第17号）
○特殊学級備品補助金交付に関する規則について（議案第18号）
○1966学年度政府立高等学校入学者定員について（議案第32号）
○高等学校教職員定勤に関する立法案について（協議題1）
○1967年度予算編成方針について（協議題4）

1965年12月25日印刷
1965年12月30日発行

文 教 時 報 （第98号）

非　売　品

発行所　琉球政府文教局総務部調査計画課
印刷所　琉球新報社印刷部　電話⑧1131番

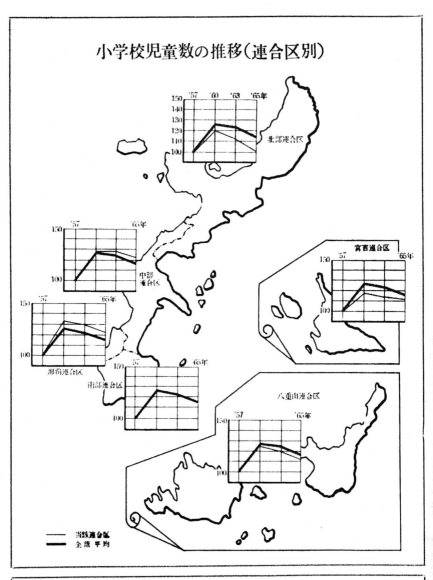

回覧

文教時報

No.99　'66/2

99

集—学校教育放送

琉球政府・文教局総務部調査計画課

|天然記念物|

タナガーグムイ
植物群叢

（国頭村字安波）

　安波川上流（二又して福地川，フーク一川になる）フーク一川の一つの淀みで御拝橋から1粁余北西にあたる。淀みは西を底辺とし東を頂点とする二等辺三角形をなし，上流から底辺へ低い二段型の小滝となって注ぎ，約四百坪（1320平方米）の広さで，水はあくまで澄み周囲は奇岩怪石でかこまれている。千枚岩質粘板岩からなっていると思われるが幾分岩質が軟かいと見え下流は水蝕によって典型的な浸蝕作用の跡が見られる。此処の植生は特殊なもので，普通に国頭で見る千枚岩と性質を異にしていること，絶えず立地の岩石並びに土壊が湿潤なること，水気が絶えず温熱をうばって温度が低い等の関係で特殊な植物生態をなしている。特にリュウキュウアセビは日本々土のアセビ（馬酔木）とも台湾のタイワンアセビとも異なる変種で此処以外には産しない珍種であるが，心ない人々の乱獲にあい絶滅に頻している。其他アオヤギソウ，コケタンポポ，等も沖縄では稀産種であるし，ヤクシマスミレはリュウキュウアセビに次ぐ珍種で，屋久島との共通種である。この種はヤエヤマスミレに極近似種であるが全体として小型であるのが異っている。

　タナガーグムイの指定条件は
1，植物生態的に見て特殊地帯をなすこと。
2，琉球に於ける珍稀で絶滅に頻する植物のあること等である。

（文化財保護委員会）

巻頭言…………………………下門竜栄

＜グラビア＞学校教育放送…………… 3
　　　〃若人の森〃建設沖縄大会……47

特集　学校教育放送
1. 学校教育放送の現状と
　　今後の指導計画………嘉数正一… 7
2. NHKラジオ・テレビ学校放送番組
　　と利用体制及び実践記録…普天間小学校…22
3. ＜参考資料＞…指導案実例……………29
　　⎛2　年　音楽（新城　孝子）⎞
　　｜2　年　国語（井上　道也）｜
　　｜4　年　国語（仲本　初子）｜
　　｜5　年　理科（中野　哲夫）｜
　　｜6　年　社会（下地　昭栄）｜
　　⎝中3年　道徳（真栄城朝幸）⎠
4. 1965学年度、ラジオ・テレビ学校
　　　　教育放送番組時刻表…………36

昭和41年度日本政府の沖縄教育援助額……37

島を豊かに……………島田喜知治…41

奥武山総合競技場における水泳競技場
　　建設の構想…………屋良朝晴…43
若人の森建設について………嶺井百合子…45
商業実務専門学校について………与世田兼弘…53
教育区予算様式解説……………賀数徳一郎…56
アメリカ・ペン・スナップ………城間正勝…66

＜教育費講座＞2………………前田　功…74

＜各種研究団体＞2
　沖縄算数、数学教育研究会活動について
　　　　　　　　　　………大城真太郎…70
＜指導主事ノート＞2
　ママはパパであった………島元　厳…73
＜教育資料＞　放送関係図書………………55
　ご存じですか………………………69
＜沖縄文化財散歩＞2
　文化財保護委員会……………表紙裏
＜中教委だより＞…………総務課…裏表紙裏
＜統計図表＞…中学校卒業者の進学率………
　　　　（教育区別）…………裏表紙

＜表紙＞〃泉崎橋〃……垣花小学校…謝花寛丞

文教時報

No.99 '66/2

教育放送の果す役割を正しくとらえよう

　本土における放送教育は，第一放送によって，全国向けの学校放送が開始されたのは昭和10年であり，NHKによるテレビ学校放送が開始されたのは昭和28年のことだから，ラジオが30年，テレビにして12年の歴史を有していることになる。近年ラジオやテレビのいちじるしい普及によって，本土における学校放送の視聴率は75％の高率を示しそれによって学校教育は，10年前までは予想だにしなかった豊かな内容を持つようになってきた。沖縄においても，64年の10月からラジオ学校教育放送を更に65年の12月からテレビ学校教育放送を開始することができた。そして積極的にその活用を推進し，学習指導の効果を挙げるよう努力すべき時点に立っている。

　学習指導要領に，指導を能率的効果にするために，視聴覚教材を精撰し活用すべきことが示されている。指導を能率的効果的にするためには，もはやこれまでの教材教具のみに頼ることでは間に合わない。教育が21世紀からの呼びかけに答え得るためには，学習内容を精撰してその現代化をはかるとともに，いろいろの視聴覚教材教具を活用して指導方法の現代化をはかることが絶対に必要である。

　ラジオテレビの発達によって，放送教材の普及はめざましいものがあり，視聴覚教材の中における放送教材の重要性について，無関心ではすまされないのが現況である。放送教育は各教科領域の目標を能率的効果的に達成するために，学校教育放送や校内放送を利用する点に一義的なねらいを持つものであるが，ラジオやテレビの普及は，現代生活の中に大きな影響力を持ちつつあることを考えるとき，子どもたちに，マスコミに対する正しい基本的な態度や受けとり方を指導することはたいせつなことであり，放送教育は，その態度を養ううえにもきわめて重要な役割を果すものであることも，見のがしてはならないのである。

下門　竜栄

学校教育放送

石垣市、大浜小学校（5年）ラジオ放送による国語の時間

ラジオ学校教育放送の聴取　那覇市久茂地小学校（5年生）

テレビ学校放送の視聴（一年生）久茂地小学校

職員が製作したテレビ受像機保管棚（小禄小学校）

共視聴用テレビアンテナ（垣花小中学）

校内放送スナップ（大浜小学校）

協力放送機関

NHK 沖縄総局

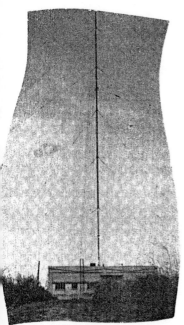
ラジオ沖縄送信所

琉球放送スタジオ

沖縄テレビスタジオ

極東放送スタジオ

スタジオ内部

鹿児島市 八幡小学校

4年
教師の位置子どもの位置も
工夫している

視聴した後に作業「たねのまき方」

学校教育放送の現状と今後の指導計画

指導主事　嘉数　正一

1. 学校教育放送

1964年6月に視聴覚教育担当主事が文教局に配置になり，文教施策の一つとして視聴覚教育の振興がはかられるようになった。それは，視聴覚教育が教育の近代化をはかる手段として重要であり，教育行政の中で積極的に取り組むべき時期にきていると考えられるからである。

沖縄教育における宿願であった学校教育放送が実現したのは1964年10月5日であった。30年の歴史に輝くNHKの学校放送が沖縄地域に提供され，地元放送事業者によって全琉の学校に向けて放送されたのである。

① ラジオ学校教育放送

1965年度の学校教育放送に関する予算規模や学校の受入れ能力等を考慮して，初年度としては，小学校低学年向け，中学年向け，高学年向け各1帯の計3帯，中学校向け番組1帯，高等学校向け番組1帯，合わせて5帯が日曜日を除く毎日の午前9時10分から11時15分までの間に，ラジオ沖縄，琉球放送及び極東放送から全沖縄の小学校の154校へ，中学校18校（独立校），分校13，小中併置校70，高等学校29校の計347校の児童生徒267,039人に対して放送されている。（別表1965学年度ラジオ学校教育放送番組時刻表参照のこと）

1964年9月に開設されたマイクロ回線の下りラジオ収録用回線が10KC規格であるため，学校教育としての番組利用には充分でない所から止むなくNHK東京事務所で移録した録音テープ（5吋テープで19cm／秒 スピード）を空輸して，本土での放送日より1週間内外おくらせて地元放送事業者によって放送されている。

このためにおこる問題としては一つには，ラジオ学校放送教師用テキスト利用の混乱である。テキストに述べている各番組の放送日時と異なった日時で放送されているということを念頭に入れておかねばならない。すなわち，今放送されているのは先週に本土で放送されたものだということである。次の問題点は，内容上のずれである。例

えば，放送番組の中で実際おこったことであるが，「いよいよオリンピックは後1週間に迫りました。」とでてくると，すでに始まっていたということや—テレビではマイクロ回線による同時中継放送であったので—或は，「今日は文化の日です。」といえば数日前にすんでいたというような事例がおこる。その他，1週間のずれからおこることとしては公休日の欠番処理としての再放送，学期末の番組が夏休み，冬休み等にくいこむというような事例が度々おこることである。もう1つ重要なことは，本土の児童生徒等と同時点で聴取してないという意識がたえず働くということである。換言すれば，本土の児童生徒との一体感はラジオ学校教育放送の場合は，テレビ学校教育放送にくらべて少し弱いということになる。

ラジオ学校教育放送が本土と同時点で実施されるためには，マイクロ回線のラジオ回線規格も引上げてもっと良質の音声で収録できるようにする必要がある。このことについては，民放と共に要望し続けているが，莫大な予算が要るので短時日にはできないとNHKは述べている。

② テレビ学校教育放送

NHKのテレビ学校放送が沖縄地域に提供され放送開始されたのは，1965年12月6日である。現行小学校低学年及び高学年向けの2帯・週12番組で午前11～12時までの間に放送されている。（別表学校教育放送番組時刻表参照）

NHKのテレビ学校放送は，マイクロ回線を利用して，番組収録所（クリアリングハウス）を経て民放2社にそれぞれケーブル線が延ばされているので，同時中継放送として提供されている。実施されている小学校低・高学年向け番組は，本土と同一の帯でしかも同時刻に放送されているのでラジオの場合のような「学校放送教師用テキスト」利用上の混乱はおこらない。1964年末の東京オリンピックで，沖縄本島及びその周辺の人々が味わったような一体感が日々のテレビ学校放送の視聴によって培われてくるし，且つ，音声・映像を伴うので児童生徒が積極的に学習に参加するようになる。

小学校中学年向けのテレビ番組が放送できない理由は，沖縄におけるNHK番組の提供は，民放2社のいわゆる民放路線でなされているので，民放の放送時間帯を無視しては実施できない事情にある。テレビ学校教育放送開始の頃の民放テレビの放送開始は11時40分台で，全面的な早朝放送は実施されておらず，11時からの低学年向け放送のために30分前後からテストパターンを行なっているのである。中学年向けの放送時間帯は午前10時から10時20分

までで，民放のテレビ電波がでていない時刻で，学校教育放送のために特別に会社の職員を出勤させねばならなくなる。このために放送単価が高くつくので現状としては，予算規模の上からみても困難である。他の方法は「番組収録所」でビデオテープに収めて異なる時刻で放送することであるが，この場合録音ヘッドの消耗費が高いので放送単価が高くなってここ当分実施が難かしい。

このように，学校教育放送の実施については，NHKの協力は勿論，地元放送事業者の放送教育に対する理解と協力に負うところが多い。特に1965年4月8日以降12月初旬にわたり，NHKと独自で契約してテレビ学校放送低学年向け番組を放送しつづけた沖縄テレビの業績は，沖縄における放送教育史上特筆すべきことであろう。

③ 学校教育放送の利用

NHKの学校放送は，1935年4月第1放送で全国向けの学校放送が開始されてから30年の歴史を有し，テレビ学校放送は，1959年の教育テレビジョンの発足以来7年の実績に輝くものである。1964年4月に，東京で開催された「第2回世界ラジオ・テレビジョン学校放送会議」で世界第1級のものとして認められ，その番組の広さ・安定性・制作過程の緻密さなどの面で世界各国から高く評価されているものであり文部省の学習指導要領に準拠して，学者，文部省の担当官・現場の教師が一体となって制作されている。

NHKの学校向け放送番組は，毎週ラジオ番組が84本（沖縄では30本），テレビ番組が100本（沖縄では12本）放送され，殆どの教科領域にわたり，その対象は普通の児童生徒は勿論，精神障害児・聾啞児・幼稚園及び保育所の予ども・勤労青少年対象として，質量共にすぐれたものである。

沖縄地域に提供されている番組の教科領域別の内訳は，ラジオ番組では，国語9，音楽8，道徳6，学級活動ホームルーム関係3，英語2，社会1，その他1（高校向け・人間とは何か）の合計30番組で放送時間は週7時間30分となっている。（1966年2月現在）

テレビ学校教育放送の週当り放送時間は4時間で，番組本数12，教科領域別内訳は，理科12，社会3，音楽2，道徳2，国語関連番組1（おとぎのへや）となっている。

これらの放送教材の利用率について本土との対比で述べると下表のようになっている。

	テレビ		ラジオ	
	本土	沖縄	本土	沖縄
幼稚園	73.5%	—	42.0%	—
保育所	88.2〃	—	39.6〃	—
小学校	77.7〃	19%	54.4〃	72

| 中学校 | 25.0％ | －34.8％ | 60 |
| 高校（全） | 7.9％ | －30.7％ | 51 |

【註】1，沖縄のテレビの利用率は，1965年6月現在，小学校低学年向け番組の利用率で，文教局のテレビ学校放送開始以前のものである。

2，ラジオの利用率は，1964年12月現在のもので，ラジオ学校教育放送実施2月後の利用率で，随意利用と継続利用を併せたものである。併置校の利用率は52％

3，本土の利用率は昭和39年10月のNHKの調査によった。

学校教育の近代化をはかる有力な手段としての放送教材の効果的な利用を普及するために，各学校の放送主任・校長・教頭に対する放送教育の研修会を度々すすめてきたが，他方，指導計画に位置づけられて利用することについての実験校・研究校指定による研究委嘱，学校の訪問指導，視聴覚教育研究会との協力等に努めてきた。今後の課題としては，「だれにも，どこにも放送教育の理解を」を目標として，1つには，全教師への啓蒙及び児童生徒父兄への理解を図ることと，2つには，本土の研究団体との提携や地元研究団体の育成が必要と考えられる。

2 学校経営と放送教育
① 学校経営の近代化

ここ10数年，社会の変革はまことに目ざましいものがある。どのように将来発展するかその予測が難しいほど加速度的に変容する社会にあって，産業教育の近代化の声がもりあがりつつある。教育過程の改訂・教育期間の延長・就学率の増加・教育の普及化等の2～3をとりあげてみても学校経営について，「これでよいのだろうか。」と疑問をいだかずにはおれない。

このような時代に生きて，あやまりの少い人間を育てるためには，未知の世界に上手に適応していく態度や能力や習慣を身につけさせることが肝要である。そして，このような教育は，これまで10年1日の如く行なわれてきた教育－教科書中心主義の教育－では展開できない数多くの問題をもっている。そこで，教室にテレビ・ラジオをもちこみ，児童生徒と共に視聴しながら，考え，判断し，批判し，評価するような教育－すなわち放送教材もとり入れた学校経営の必要がでてくる。

科学の進歩と新しい文化の発達に伴い，言葉と文字だけでは，充分その内容を伝えることのできないものも多く現われ，また，従来言葉や文字で伝えてきたものでも，他の視聴覚的方法を用いることによって，いっそう教育の効果をあげることができるようになってきた。視聴覚的学習指導方法の中で，近代文明の最先端をいくテレビ・ラジオもとり入れた学校経営こそ，次

代をになうにふさわしい子ども等を育成しうるものといわなければならない。

2 放送教材利用の必要性

これまでの教科書中心主義の学習指導は，どちらかといえば，多少抽象的な味気のない言語コミュニケイションに偏した，解説的な授業～講義式の授業に陥りやすい。このことは，小学校の高学年より中学校と，中学校より高校へいく従って多くなっていく傾向がある。このような灰色になりがちの学習に生彩を与え，楽しく興味深く学習させるためには放送利用も加味することがもっともよい。しかし，その教材性によって，児童生徒の知識が豊かになり，より一層，考えさせる授業にもっていくことができよう。今日では，番組制作の研究も進んでいるので，ラジオ・テレビを併せると，ほとんどの教科領域にわたって放送されているし，その問題の取り上げ方が日常生活の身近かなしかも各面にわたってなされている。

放送教材利用によってもたらされる効果は，後で詳述するように，全般に楽しい授業がなされるとともに，どの授業にも要求される，聞く力，見る力，注意力をたかめることが可能である。学校経営そのものから考えれば，学習指導が極めて流動的になり，教師の研修活動が活発になっていくことが期待される。このことは，放送教材の性格に基因することであるが，放送に出てくるテレビティーチャーやラジオティーチャーが行なう直接授業によって，教師の指導法の改善に多くの示唆が得られるからである。言葉をかえていえば，教師が教壇の上から提示することのできないすぐれた教育資料をラジオやテレビがもち込んでくる。これらの資料に対して，子どもたちにどのように立ちむかわせるか，これとどのようにしてとりくませるかというところに今後の教師の新しい役割がでてくる。

それでは，新しい教師像はどうあるべきだろうか。

今日では，自然科学のめざましい進歩によって，学問や文化の領域が著しく広くなってきていてその内容が高度に専門化してきている。他方，印刷技術の発達によって，図書が大量に出版され，資料図書館が整えられるようになってきた。このような社会における教師は，教師の権威の座から下りて，児童生徒の相談相手となり，よき案内役としてのいわゆる助言指導者の役をになう者でなければならない。すなわち，視聴覚的立ち場からみた教師像は，(ア)よき資料（教材）提供者であるとともに(イ)よき資料解説者でなければならない

3 マスコミ教育

学校の子どもたちは，家庭に帰れば，ラジオを聞き，テレビの視聴で楽しくすごすことができ，雑誌・新聞・映画とさまざまなマスコミに接している。今の子どもは平均3時間をラジオ・テレビの視聴に費しているといわれるので1年間では，1,095時間がそれにあてられることになる。これに対して，学校における授業時間は1,100時間内外で，このことからも，幼稚園から高等学校段階にいたる青少年が，毎日相当時間テレビ等を視聴し，これによってかれらの生活習慣をはじめ知識や態度などにまでさまざまな影響を受けているという事実である。この事実からも，今日の青少年にとって，テレビ・ラジオ等を生活に役立て生活を豊かにしていく手段として，主体的に利用する能力と態度を身につけさせることが，きわめて重要な教育の一分野となってくる。すなわち，テレビ・ラジオの正しい視聴の仕方や番組選択の仕方の指導を学校でなすことによって，家庭でののぞましい視聴についてよい影響を与えることができよう。このことについて，波多野完治氏の「テレビ時代の教育」と題する中で次のことを述べている。

ア．放送教育を熱心にやっている学校の子どもは，テレビの番組選択で大へんよいということが調査の結果わかった。

イ．学校放送を聞かせ，テレビ番組で学校のものをみせる～これが放送教育の主たる活動である。しかしこの仕事が子どもの家庭視聴に大へんよい影響を与え，半年，1年後には，つまらぬ番組を見たがらなくなり，よい番組をえらんで見るようになり，親に対しては「こんないい番組があるよ」といって親の知らぬよい教養番組をおしえるようになる。

ウ．テレビで，わるい番組が多くでていればいるほど，学校でしっかりした放送教育をやることが必要である。

エ．マス・コミの利用できる子どもをつくっていくこと。

少なくとも，学校内だけでも教育的に考慮された番組を視聴する機会を数多く与え，そのことによって習慣化された番組視聴の習慣を，積極的に家庭生活にも持ち込むように学校は努めねばならない。一歩校門を出れば俗悪の退廃的なマスコミの多いいま社会を健全なものにしていくためにも，学校で放送教育を推進していくことによって，悪いマスコミは次第に影をひそめていくにちがいない。

でわ，放送教育を推進すれば，具体的にはどのような効果が学校経営をとおしてあがってくるのであろうか。

④　放送教育の効果

鹿児島市にある八幡小学校は，1965年，第7回の放送教育賞受賞に輝く学校である。
　八幡小学校が15ヶ年放送教育にとっくんできた結果あがった効果として次のように述べている。
ア．はなしことばや聞きとり方に抵抗がなくなった。
イ．はなしことばがきれいになり，語いが増大した。
ウ．話の要領がうまくなり発表力が増大した。
エ．要点をききのがさないでじょうずに聞けるようになった。
オ．学習意欲が高まりスムーズに学習にとりくめるようになった。
カ．社会的視野が広くなり常識が豊かになった。
キ．ものごとに対する判断や思考の切りこみや深まりがするどくなった。
ク．子どもたちの情操が高まり，生活態度がよくなり問題児が少くなった。
ケ．音楽的な感覚もするどくなり，コンクール入選があいついでいる。
　八幡小学校は，テレビ・ラジオの放送教材は勿論，スライド・8ミリ等の写映教材や写真教材を，日々の学習指導に活用して効果をあげている。特筆すべきことの1つとは，この学校の出身者の殆どが中学校で指導的な役割を

はたしているという報告である。このことからも放送教育が人間形成に及ぼす影響が多々あることがいえよう。
　中学校や高等学校ではどのような効果があがるだろうか。その手がかりを茨城県牛久第一中学校の「英語番組利用の教育効果」の中に得たい。
ア．生徒が，発音や口形に注意するようになった。すなわち，日本語的発音から英語らしい発音になってきた。
イ．話し言葉としての英語に興味をもってきた。すなわち，その場におけることば（英文）になめらかなイントネーションが生れてきた。
ウ．家庭における放送利用者が増えてきた。すなわち，家庭学習をやる生徒が多くなってきた。
エ．英語教師自身の発音や口形が美しくなり，日常の教育に自信と張りがでてきた。
　おしまいの（エ）について説明を加えたい。
　放送番組にでてくる，テレビティチャーやラジオティチャーのいわゆるマスターティチャー（専門教師）が放送教材を利用する教師（学校教師）に与える影響として考えられる点は，
ア．マスターティチャーをおそれて敬遠する教師
イ．ラジオ・テレビにふりまわされてたまるものか，自分のやっている

授業が最もよいと意気込む自信たっぷりの教師
ウ．マスターティチャーに親しみ接近しょうとする教師，指導助言者としての，よき資料提供者及び解説者としての教師。

以上のような3つのタイプの教師にわかれていく傾向が予見されるのであるが，放送教材も学習効果をあげるための有効な教材の1つであることの認識にたって(ウ)のような教師像の確立に努めることが肝要であろう。

⑤ 放送のもつ特性

放送教材利用の目的は，指導目標達成のためのものであるから，放送の本質，特性も充分検討して，それらの特性をふまえた効果的な利用をはかるべきである。

ア．放送は時間と空間を縮小，拡大してくれる。放送は歴史的事実を現代にほうふつとさせてくれると同時に，地理的に遠い地域の様子も，自分が，あたかも行ったかのような気持ちにさせてくれるという特性をもっている。

イ．放送は気安い便利さをもっている。すばらしいシンホニーの演奏とか，海外の様子などを，教室の中にもってくることができる。スイッチ1つで気軽にできる。

ウ．多くの人々に接することができる。自分たちの周囲にいない，いろいろな専門家に接することができるので，そのような人々の人格のなまなましい魅力にふれることができる

エ．電波は，どこにでもとどく・テレビの場合は，完全とはいえないが－沖縄本島の大部分とその周辺の島－教育のへき地性を解消し機会均等をめざす。

オ．学級の全員に同じ経験を与えられる。児童生徒の既有経験は，個々まちまちであるから，学習指導の能率化という点から考えても，共通の経験を簡単に与えてくれる放送は便利である。

カ．一方向的である。放送内容のあらましについては，教師用テキストなどで解説されているが，細部にわたっては，放送が終了するまでわからない。利用者側からの不満や要望にはこの点についてのものが多い。現状では，利用のし方のくふうによって克服するよりほかに方法はなかろう。

キ．一定の時刻，時間でなされる。放送は送り手も受け手も時間的制約があり，教材として利用する場合の短所であり，限界であるといえよう。これを解決する方法として録音利用が中高校では相当行なわれる傾向がある。しかし，これらの方法は，経済的，技術的，労力的な負担を増すばかりでなく，放

送教材の長所を殺すおそれもあるので利用については充分検討すべきである。
ク．独特の効果性について。放送教材の大部分はドラマ化されいるので，そのために，児童生徒は興味をもち，よくわかるのである。子どもの心に直接ふれて，感情をゆり動かし，あたかもその中に自分がいるかのように思わせたりする。図書等（教科書も含めて）の文字コミュニケイションによる教材は，表層的理解にとどまるが，放送及び映写教材は感情をともなった理解をさせることができる。

子どもは，ものを理解する場合に，理解の度合いが深ければ深いほど，次の学習に対する興味は強まる。すなわち，学習能率が上がっていく。理解が深くなると，それと同じようによい行ないをしようとする行動化を図ることが可能である。このような，放送のもつ情緒性は，先に述べた(カ),(キ)の欠点を充分補って余りあるもので教育効果をたかめるものである。

3　指導計画への位置づけ

① 学習指導要領と放送教材

放送教材の利用について，学習指導要領の中で特に明記してある個所は，総則の第2章，第3章の中で，

第2「指導計画作成および指導の一般方針」の一つとして，各教科，道徳，特別教育活動および学校行事等の指導を能率的，効果的にするために(6)教科書その他の教材，教具などについて常に研究し，その活用につとめること。また学校図書館の資料や視聴覚教材等についてはこれを精選して活用すること～と述べられている。

その他，国語においては，学習の内容として「聞く話す」ことが指導事項となっている。小学校では，各学年とも放送を聞くこと，「第6学年では校内放送をすること」がのぞましいとされている。中学校の各学年では，劇，校内放送，放送，録音機または電話などを適宜利用した学習をさせることを考慮するようになっている。

中学校社会においては，「地図のほか，地球儀，スライドなどや，統計，新聞，その他の資料を有効に使用して，地理的事象を具体的に理解させることが必要である。また放送，映画や有名な探検家，旅行者，開拓者の伝記などを利用することがのぞましい。」と述べている。

高等学校の学習指導の総則に，視聴覚教材の精選と活用をあげているのはいうまでもない。

高等学校における放送教材の活用は
(1) 地域や学校の実態を考え，その学校の課程や学科の特色を生かした教育創造のために，

(2) 生徒の能力，適性，進路に応じて適切な教育を行なうために，
(3) 調和のとれた指導計画を，発展的，系統的に効率高く指導するために，必須の条件として考えられるようになってきている。

というような立場にたって最近本土の高等学校で急速に利用意欲がたかまりつつあるといわれているが，一方では，放送教材が，従来から使いなれてきた教科書教材とは，いちじるしく異なるため，これを認める制度上の根拠があるのかとか，使いたいときに使えないとか，何が出てくるかわからないとか，思考力を育てないとか，内容が十分ねらいを満していないなどの理由をあげて，利用をためらう声もある。

しかし，学習指導要領の第2章の各教科，科目のそれぞれについて示されている目標，内容，指導計画作成および指導上の留意事項の中に，特に放送を利用することが有効であると考えられるものについては，その活用が明確に示唆されている。

さらに，放送教材の機能と役割の正しい把握と，放送教材の特色と限界の十分な理解についての努力がなければ正しい利用もありえないのである。

② 利用番組の精選のしかた

放送教材の精選というのは，番組それ自体の価値をのみ評価して，選択することではない。精選とは，

ア，教科の目標，さらには個々の単元のねらいを，能率的，効果的に達成するのにふさわしいものであるか

イ，学校の地域性，児童生徒の実態および教師の主体的条件を考慮した上で適切な内容をもっているかどうか。

ウ，教科書その他の資料や，学習手段との関連で，独自性とともに調和性をもっているかどうか。

エ，学校の時間表，日課表，施設設備および学校行事等，指導計画や学級経営計画との関連で調和するものかどうか。

などの諸点から考慮されなければならない。

③ 番組精選の手順と方法

ア，放送番組の調査と検討，精選のために，まずしなければならないことは，学年，教科に関連する放送番組には，どのようなものがあるかを調査し，その内容を検討することである。

このためには，学校放送番組の予告をみて，年間を通しての番組のあらましを知るようにし，さらに，教師用テキストを利用して，学校種別・ラジオテレビ別の学期ごとの番組のねらいと内容のあらましを知ることができる。

放送教材と教科書とのくいちがいがあるために利用されないむきもあるが，くいちがいのおもなる理由は，

ア，指導計画に示すねらいと内容が

放送番組のそれとくいちがう。

イ，題材や事例が，指導計画と番組とでは，ちがうものをとりあげている。

以上の点にあるように考えられる。これについては，現行の教科書制度（検定制）のもとでは，各種の教科書が採用されているので，そのすべてが放送番組に合致するとは考えられない。

教科書も放送教材も，そのねらいと内容は，同じ学習指導要領に根拠しているので，基本においてはくいちがいはないはずであって，あるといえば，単元の構成と配列においてであろう。

その調整をはかるには，次の方法が考えられる

ア，放送教材を利用する教科の配当時間を，教科書を中心とした指導計画にもとづく学習指導と，放送教材を中心とした，指導計画の学習時間と，この2つに配分し，併行的に学習を行なう利用形態。すなわち，双方の学習内容を直接的に結びつけようとするのでなく，年間を通して実施し，結果的には両者相まって，その教科の目標を達成しようとするものである。この場合，両者の学習は併列の形はとっても，常に関連させる配慮が必要なことはいうまでもない。（併行形の利用形態）

イ，教科書による指導計画を全面的に改編し，教科書と放送教材および他の教材とを組み合わせた指導計画に作成し直す。この場合，放送番組は勝手に動かせないので，教科書教材を移動させて放送に合わせることになる。（融合型の利用形態）

ウ，従来の教科書を中心とした指導計画にもとづく学習指導の中に，放送教材の1部分を利用したり，内容やねらいの上で合致する場合だけ放送教材を利用する。（関連型の利用形態）

上記のアとイの利用形態を図に示すと次のようになる。

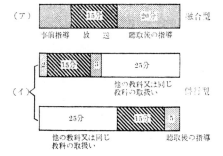

4．視聴指導についての二つの提案

ア．西本三十二氏の提案　放送教材は，教科書とは異なり，進行形にこそ教育がある。みながら考え記憶するところに特性がある。だから視聴指導による放送のくり返しよりも，時々刻々流れている放送のつかみ方の教育が大切である。つめこむよりも，放送からつかみとる力を教育しなければならない。教師は指導意識過剰になってはならない。

イ．山下静雄氏の提案　放送教材の視聴では，進行中の教育が大事であるからこそ，問題を焦点化し，効果的な指導をする必要がある。そのために
（1）焦点化～聴取前に，どこを見てどう聞きとるかという点を明確にし問題意識を持たせて視聴させる。
（2）同時化～放送中，進行中に，視聴内容の何を捨て，何をつかみ出すかの指導がなされなければならない。そうすることによって，視覚後は，大部分の児童が番組のねらいに到達するようにしむける。
（3）系統化～放送で学習したことがまだ経験しない領域や未学習の領域に転移するように，放送の個々の経験を高次の概念にたかめてやる。
（4）拡大化～放送で学んだことを，家庭学習，読書などに結びつけて発展させる。というような指導をへて，おのずから，放送からつかみとる力が養われているのである。

この両者の提案は，相反するようにあるが，放送の特性にたって視聴指導法を工夫創造すべきであるという点では共通している。いいかえると，放送教材を利用した学習指導法の研究の一つの側面を強調していると考えられる。

要するに，教科の指導という立ち場から放送教材の利用を実践的に研究し，視聴指導のあり方を工夫し，放送教材を利用した学習指導法の確立をはかるべきである。

5．教科担任制からくる全学級利用の困難性に対する解決策

主として，中学校・高等学校の教科担任制が同学年の全学級利用への困難点をひきおこす。いきおい，中学校や高校では，教科への利用については，個々の教師が特定の学級に利用する型になりがちであるので，設備～例えば，全学級の3分の1相当数のラジオや全校式受信機（校内放送装置）～を利用して解決できる面は，その面で努力するとともに，特定の時間帯を設けての学年・全校一斉視聴の方法の研究と共通理解，さらに正規の時間に正規の教科学習として，ラジオ・テレビ教材をとりあげることができるような日課表・人員の配置等にも十分考慮してほしい。

そのためには指導計画の中に位置づけされた綿密な視聴指導と，学年を単位とした各学級均等な利用計画と，教科の指導計画，放送の視聴計画のじゅうぶんな関連づけとか，各学校の実情に即して考慮され研究されなければならない。

特に中・高校での放送教材利用の方策としては
ア．全校（または全学年）一斉視聴による方法　事後指導はウの方法で

イ．録音教材としての利用
ウ．放送ノートを利用して事後指導については，関係教科の教師で普通の授業の中で指導する。
エ．支給されたラジオを対象学年で調整して利用しやすいような全体的な計画をたてる。放送教材としての利用で。

【備考】放送教材を利用した指導事例については，付録の学習指導案を参照のこと。

4 施設・設備

1965会計年度末における校種別のラジオの設備状況は次の表のとおりである。

	校種別	支給数	保有数	計	1校当数台
ラジオ	小学校(分校も含む併置校)	970 210	597	1,777	7.53
	中学校	486	132	618	7.63
	高等学校	214	51	265	9.14
	政府立学校	14	―	14	2.33
	計	1,894	780	2,674	7.59
	備考	USCAR援助資金			

1966会計年度におけるテレビの設備状況は次の表のとおりである。

	校種別	支給数	保有数	計	1校当数
テレビ	小学校	USCAR資金 836 日政資金 217	63	1,116	4.73
	中学校	―	29	29	―
	高等学校	―	15	15	―
	政府立学校	USCAR資金 14	0	14	―
	計	1,067	107	1,174	

視聴覚備品充実長期計画案（文教時報第96号12〜13頁参照のこと）によるラジオ・テレビ・録音機の充実計画（案）について次に示すと，

小学校 目標 ラジオ テレビ 各4060台 録音機767

年度 品目	1965	1966	1967	1968	1969	1970	1971
ラジオ	1,177	―	1,142	1,141	600	―	―
テレビ	63	1,053	1,067	1,000	863	―	―
録音機	277	163	―	327	―	―	―

中学校 目標 ラジオ テレビ 各1,867 録音機550

年度 品目	1965	1966	1967	1968	1969	1970	1971
ラジオ	618	―	600	649	―	―	―
テレビ	29	―	600	―	600	638	
録音機	143	57	150	100	100	―	―

高校 目標 ラジオ テレビ 各1,069 録音機141

年度 品目	1965	1966	1967	1968	1969	1970	1971
ラジオ	265	―	402	―	402	―	―
テレビ	15	―	―	356	356	342	
録音機	60	32	―	49	―	―	―

上記の数量は，ラジオ・テレビは学級1台とし，テープ式磁気録音機は，学校規模によって，小学校の場合は，12学級以下2台，24学級までは3台，25学級以上は6台として目やすをおい

ている。
① 教材の整備と保管

　ア，管理の一般的留意点　学校教育放送は，一定時刻に放送され，ききなおしができないので，放送教材を効果的に利用するためには，受信機材についての日ごろの管理がたいせつである。

　管理の第1としては，長期にわたる視聴計画をたてることである。これは，教師が指導計画を作成するためばかりでなく，一定数の機材をもっとも有効に利用し，機材を使用する際の混乱をさけるためにも必要である。利用計画がきまったら，関係教師に明示して周知徹底を図るようにしなければならない。

② 次に，教師用テキストなど番組についての資料を早期に正確に入手して利用者に提供することである。

③ 機材の整備である。機材は常に所定の場所に保管され，スイッチを入れればいつでも動作するようになっていなければならない。保管については，盗難防止や使用上の便宜等を考えて，次の点に留意する必要がある。

○各個式のラジオ受信機は，使用のつど保管場所から取り出し，使用後もとのところへ確実に返却する。また，盗難の被害を最少限にとどめるためにも，保管場所はなるべく監視員の目のとどくところがよい。保管場所についてはそれぞれ保管責任者をきめておくと，盗難防止や故障発見が容易である。

○利用者が機材の取り扱いに熟練していなければならない。そのための研修会を適時開く。

○電気機材の性質として，故障の早期発見と早期修理が特にたいせつである。故障のまま使用していると，故障範囲を更に大きくしてしまう。

○附属品やコード類が多いから，散逸しないように注意する。

○電源は，専用のコンセントを設けるようにし，電灯からキイソケットでとるようなことは避ける。

○普通教室においても電源が得られるように，電源コンセントを施設する必要がある。ただし使用しない場合の危険防止のために，埋め込み式で覆いのつくものとするのがよい。さらに，校舎全体の配電盤を整備し，危険防止と故障発見に便利なようにしておく必要がある。

　イ，放送教材利用を考慮した日課時限の一例

　ウ，テレビ学校教育放送利用の留意事項

（1）受像機の電源取口は，教室壁面に設備されているコンセントを使用し，延長する場合は必ず規定の電源用コードを用い，漏電，短絡等による火災の予防に充分留意すること。

（2）全児童が良好にみられるよ

う，受像機の位置,高さ（低学年90cm 高学年110cm），ガラス窓等からの光線に留意すること。

（3） アンテナ装置は，できるだけ室内アンテナを避け，半恒久的で，良好な映像がえられる共視聴用アンテナ装置を設備するように努めること。

（4） 学校として，ラジオによる放送利用も考慮に入れ，全体として調和のとれる視聴計画をたてるようにし，放送時刻が休憩時間中にはみださない

よう日課時限を調整しておくこと。

（5） テストパターン番組および広告番組等はできるだけ視聴させないようにする。

（6） 利用目的以外の番組の視聴に受像機を利用してはならない。

（7） 放送教材が指導計画の中に正しく位置づけられ効果的に利用されるよう適宜検討を加え，その利用のし方についての校内研修をもち，どの教師にもとり扱えるように努めること。こ

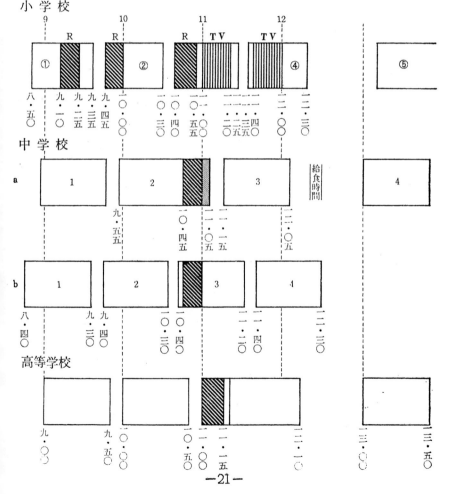

れに必要な資料として，1964年の夏季講習後配布された「放送教育指導のてびき第2集」を十分参考にすること。
（8）特にテレビ・ラジオの学校教育放送番組については，児童の父兄にも積極的に視聴するようによびかけ，家庭でのこどもとの話し合いの場をつくるよう適時啓発すること。
（9）各受像機については，管理責任者を明確にし，その保管について充分配慮しておくこと。

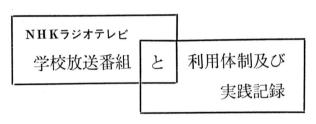

（宜野湾教育区立普天間小学校）

1．放送教育に対する考え方

学校教育においては，各教科道徳特別教育活動および学校行事等の4領域の学習が本すじとなっており，放送教育は，これらの領域に密着して教育効果をあげるための教育方法と考えることができる。つまり，放送教育という特別な領域を考えるのでなく，4領域をすすめていく過程の中で，効果的な方法として放送を利用するのである。

放送教育 < 学校放送 < ラジオ／テレビ
　　　　　　校内放送

上記のように放送教育を考えたとき，一面には校外放送があり，他の一面には校内放送があり，そのおのおのが独自の教育的役割を果たし，その二つが集ってはじめて，ほんとうの放送教育のもつ効果をあげることができると考えたい。

従って学校教育放送は，指導計画の内容を効果的に学習させるために利用しようという考え方にたたねばならない。すなわち，一つは放送学習であり，一つには放送利用学習にある。

2　学校放送をとり入れる基本的態度

○児童の学習指導に放送教材という特殊な教材も利用し，他の教材では得られない効果をあげる。
○マスコミに対しておぼれない子どもを育てあげていく
○学校の教科カリキュラムに関連させて視聴する
○単に教科書の内容を補足するというのでなく放送から学ぶことも必要である
○聞く話す態度を養い考える力を育て

ること
- 継続的に聴取することが効果的である

3 NHKラジオテレビ学校放送番組を利用する校時日課表

時間	内容	ラジオ	テレビ
8:15～8:35	登校・清掃		
8:35～8:50	児童朝礼話しあい		
8:45～9:30	一校時	9:10～9:25低	
9:40～10:25	二校時	9:45～10:00中	
10:40～11:25	三校時	10:40～10:55高	11:00～11:20低
11:35～12:20	四校時		11:40～12:00高
12:20～1:05	給食		
1:05～1:25	清掃		
1:30～2:15	五校時		
2:25～3:10	六校時		
3:10～3:25	反省・清掃		
4:30～	下校		
3:30～5:00	整理準備研究		

4 学校放送聴取用のトランジスターラジオの割当表

番号	学級	番号	学級	番号	学級
1	1の1	6	1の6	11	2の2
2	1の2	7	1の7	12	2の3
3	1の3	8	1の8	13	2の4
4	1の4	9	1の9	14	2の5
5	1の5	10	2の1	15	2の6
16	2の7	26	4の1		6の1
17	2の8	27	4の2		6の2
18	3の1	5の1	28	4の3	6の3
19	3の2	5の2	29	4の4	6の4
20	3の3	5の3	30	4の5	6の5
21	3の4	5の4	31	4の6	6の6
22	3の5	5の5	32	4の7	6の7
23	3の6	5の6	33	4の8	6の8
24	3の7	5の7	34	4の9	
25	3の8	5の8	35		特殊学級

- 聴取用ラジオには全部番号と学級名を書いて1年,2年は独専用で3年と5年,4年と6年は共同で使用している。
- 3年と4年は使用後かならず5年と6年へ届ける。
- 使用後は必らずラジオ保管棚におさめること。

5 学校放送聴取用テレビの割当表

番号	1	2	3	4	5	6	7
学級	1の1	1の2	1の3	1の4	1の5	1の6	1の7
番号	8	9	10	11	12	13	14
学級	1の8	1の9	6の1	6の2	6の3	4の6	4の5
番号	15	16	17	18	19		
学級	6の6	6の7	6の8	理科室	5の1		

- 1年と6年の教室にテレビをおき2年と5年は教室を交換して視聴する
- 全放連型19インチ(17台)全放連型14インチ(2台)

6. ラジオ・テレビ学校放送番組と対象学年と教科

学年		低学年	
		1年	2年
国	ラジオ	国語教室	国語教室
	テレビ		おとぎのへや
音	ラジオ	音楽教室	音楽教室
	テレビ	うたいましょ ききましょう	
理	ラジオ		
	テレビ	理科教室	理科教室
道	ラジオ	こいぬのろくちゃん	げんきな子ども
	テレビ	大きくなる子	
社	ラジオ		
	テレビ		はたらくおじさん

学年		中学年	
		3年	4年
国	ラジオ	国語教室	国語教室
	テレビ	（ラジオ図書室）	
音	ラジオ	音楽教室	音楽教室
	テレビ		
理	ラジオ		
	テレビ		
道	ラジオ	なかよしグループ	なかよしグループ
	テレビ		
社	ラジオ		
	テレビ		

学年		高学年	
		5年	6年
国	ラジオ	国語教室	国語教室
	テレビ		
音	ラジオ	音楽教室	音楽教室
	テレビ		音楽教室
理	ラジオ		
	テレビ	理科教室	理科教室

道	ラジオ	明るい学校	明るい学校
	テレビ	明るいなかま	
社	ラジオ		日本のあゆみ
	テレビ	テレビの旅	くらしの歴史

・ラジオ（18本）　テレビ（12本）

7. 一週間に聴取する回数と時間数

Radio						
	国	音	社	道	合計回数	時間数
1年	1	1		1	3	45分
2〃	1	1		1	3	45
3〃	2	1		1	4	60
4〃	2	1		1	4	60
5〃	1	1		1	3	45
6〃	1	1	1	1	4	60

TV						
	理	社	音	道	国	回数	時間
1年	1		1	1		3	60分
2〃	1	1			1	3	60
3〃							
4〃							
5〃	1	1	1			3	60
6〃	1	1	1			3	60

8. ラジオ・テレビ学校放送視聴時間割表（教室にはるもの）……1例

（1年生）

時\曜	月	火	水	木	金	土
1 ラジオ	音楽教室		こいぬのろ くちゃん		国語教室	

時\曜	月	火	水	木	金	土
3 テレビ			理科教室	ききましょう うたいましょう	大きくなる子	

(6年生)

時\曜	月	火	水	木	金	土
3 ラジオ	明るい学校		国語教室	日本のあゆみ		音楽教室
4 テレビ		くらしの歴史			理科教室	音楽教室

9．放送を利用した視聴指導の体系

　ラジオ・テレビの特質として，わずか15分か20分の間にどんどん流れ消えてしまう。だから，その内容をつかむには，静かに集中して熱心に視聴する態度を養うことがいちばん大切である。しかし，その前に教師は放送内容をよく理解し研究して何のために視聴するのかというはっきりした目標を持っていること。又受信機（拡声機）そのものの音質をちょうどよい音程にして，外界の雑音に妨害されないようにする。いわゆる音の環境を整えてやることが必要である。しかしながら，ただ音の環境を整えて静かに視聴するのでなく，そこには，視聴指導の体系を考えなければならない。

　すなわち，視聴している子どもの対象学年に応じた「聞かせ方」「見せ方」」の段階を教師が明確にもって指導していくことである。

　△　視聴直前

一年生

○ラジオ・テレビを集団でたのしく視聴する心がまえを持って待つことができる。

○シリーズものなどのテーマを知り興味をもって待つことができる。

二年生

○何曜日にはどのような番組が視聴できるか……ということがわかる。

○前回の放送のことなどを想像しながら静かに待っている。

三年生

○放送予定表などを読みとっていてある程度の期待をもつことができる。

○どんな放送内容であるか想像がつく。

四年生

○どのような放送内容であるか見当がつけられる。

○今まで視聴した他の番組との違いや，前回の放送との関係などがわかる。

五年生

○放送内容の見当をつけて，それに関する下しらべなどもできる。

○現在学習していることがらとの関連づけなどができる。

六年生

○予想される内容などについて，自分の疑問や問題などが考えられる。
○現在学習していることがらとの関連づけができる。
○自分のもつ問題点や疑問を整理して視聴しようとする態度がとれる。

△　視　聴　中
一年生
○おちついて視聴することができる
○場面の見分けがついて拍手をしたり，笑ったり心配したりすることができる。
○登場者のいったこと，したことが断片的にでもわかる。

二年生
○登場人物や提示される事物を判断しながら視聴できる。
○あらすじをつかみおもしろいところがわかる。

三年生
○あらすじをくみとり，そのうつりかわりに興味がもてる。
○あらすじをつかみ，放送の順序を整理できるくらいにわかる。

四年生
○あらすじをくみとり，そのうつりかわりに興味がもてる。
○新しいことがらに気がつき過去の学習とのつながりが考えられる。
○他の学習との関連を考えながら後でノートに整理できるくらいわかる。

五年生
○新しい事物を知りさらに進んだ研究や実験，観察の意欲をもつことができる。
○要点をつかと同時に新しい知識やことがらを，役だたせるくらいに理解できる。

六年生
○放送内容と経験を比較したり，もっている問題と焦点を合せながら視聴することができる。
○要点をつかみ，さまざまな場面を思いおこしながら今後の学習に役だたせるほどに理解できる。

△視聴後の発展
一年生
○たのしかったことが友だちと話しあえる。
○話しあいのときや図画のときなどに動作や絵で表現できる。

二年生
○感じたことをことばで表現できる
○学習のときに視聴したことを思い出すことができる。

三年生
○感じたことをノートなどに書ける
○日常の生活経験と視聴したことを思い合わせることができる。

四年生
○わからなかったことを質問したり話しあうことができる。
○日常の生活に応用することができる。

五年生
○他の学習とむすびつけて図書などを利用し地名や事物を調べようとする意欲がでる。
○日常生活に応用したり研究心が高まり学習が活発になってくる。

六年生
○要点を整理して今後の学習の発表に役だたせようとする意欲が高まる。
○新しい経験をもったほこりを感じ学習の諸活動が活発になる。
○放送番組内容を批判したり要求をすることができる。

10，事前，事後指導をどうするか

（A）　事前指導のめざすもの
　子どもたちが興味をもって視聴できる態度をつくること
　（子どもの期待感を学習効果面へ）

（B）　事後指導のめざすもの
　放送教材をどのように学習面に生かすかということ
　（視聴と放送を土台にしての発展）

（C）　事前，事後の指導時間

事前指導	放　送	事後指導
5分	15分	5〜10分

※事前事後指導は取扱う教師の目標と利用する態度によって決まるので形態や時間配当などはいろいろあってよいと思う

11，放送ノートはどうしたらいいか

　月日，番組名など形式的な項目のほかは，むしろ自由に書かでるほうがよい，ノートには色々と形式があったりまた，自由にかかしている場合もあるが，一例をあげよう。

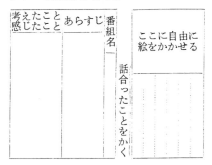

12　教師用テキストをどのように利用したらいいだろう。

　まず，知っておかねばならないことは……
「シリーズのねらい」
「シリーズの表現形式」
「放送内容」
「指導上の参考」…である
　必ず放送を聞く前にテキストを「よく読む」ことです。

13　視聴指導における教師の役割

○視聴前の教師の役割
　直前指導ー子どもたちにこれから視聴する放送に対する心構えをもたせることがねらいである。
　（イ）　どういう目的で視聴するのかをはっきりさせる。
　（ロ）　視聴しようとする気持をよび起こすこと。
○教師の準備や心構え
　内容，計画の面

（イ）　番組のねらいや内容をテキストにより確認する。
　（ロ）　学習内容とは関連を再確認する。
　（ハ）　視聴後の一応の学習予定を準備する（こだわってはいけない）
　（ニ）　内容の理解や視聴後の学習に必要な諸資料があったら用意する。
　環境の面
　（イ）　座席，室内外の騒音対策
　（ロ）　受信（像）機の高さ（目耳の高さ）
　（ハ）　距離（テレビは画面対象線の4～5倍に最前列をもってくる）
　（ニ）　角度（音はスピーカーの中心から30°映像は90°の角度の中が最良条件）
　（ホ）　音量，音質，映像の調整といった視聴条件の整備は大事である。
○視聴中の教師の役割
　（イ）　視聴中は子どもたちがすべての注意をラジオやテレビに集中するように導くこと。
　（ロ）　放送内容は教師もはじめて視聴するものなので子どもとともに視聴するという真剣な態度が必要である。
　・子どもの視聴をさまたげない程度で時には子どもへの視聴の助けをしてやらねばならない。
　・あとの学習の必要な資料なども子どもに代わってメモしておくのもよい。
　・たえず視聴中の子どもたちの反応を確かめながら視聴後の学習への構想をねることもだいじである。
○視聴後の教師の役割
　（イ）　視聴後の指導で大切なことは子どもたちが放送から，なにを，どのように受けとめたかどの程度の理解をもったかの反応を手がかりとして，放送利用の目的にそった学習を展開することである。
　（ロ）　子どもたちの印象のなまなましいうちに，学習目的の達成を確かめたり新しい次の学習への路線をひいてやること。
　（ハ）　放送から受けた影響を機会あるごとにとらえて育てていくという心構えも必要である。（必ずその直後に視聴指導をおこなわなくてはならないものでもない）

【参考資料】

第2学年音楽科学習指導案

指導者　新城　孝子
（普天間小学校）

1　題材名　　　ゆき
2　目　標　　　○リズム譜を見て歌い，リズムを正確に表現させる。
　　　　　　　　○やさしいゆうぎやリズム合奏になれさせる。
3　指導計画　　第1次　のびのびと歌わせる（学校放送）1時間（本時）
　　　　　　　　第2次　リズム伴奏で，ゆうぎをする　　1時間
　　　　　　　　第3次　創造的なリズム表現（学校放送）1時間
4　本時の目標　リズミカルにのびのびと，しかもやわらかい声で歌うことができるようにする。
5　本時の利用の立場
　　　　　　　　児童が楽しみながら学習できるように歌詞の内容をつかませリズムや旋律を，正しくうたわせるために放送を利用する。
6　本時の展間

時間	学　習　活　動	指導上の留意点	資　料
25分	1 既習曲「もちつき」と「おおゆきこゆき」をみんなでうたう。 2 音階図を見て階名でうたう。 3 リズム譜を見てリズム読みやリズム打ちをする。 4 ゆきの歌詞を正しく読む 5 音楽教室2年生をきく。	・歌いながら身体反応をする。 ・音の高低に注意させる。 ・リズムを正しくうたせて正確にいわせる。 ・ことばをはっきりといわせる。 ・姿勢を正して楽しくきかせる。	・音階図 リズムカード ハンドカスタ
15分	・はぎれよくのびのびとうたわせる。 ・リズム唱と歌詞唱の交互唱をさせリズミカルな感じを味わせる。 ・2拍子の拍子打ちやリズム打ちをさせる。 ・「ゆき」に関連して「おおさむこさむ」を聞かせる。	・〔ゆきやこんこ〕が〔ゆきやこん〕にならぬようにうたわせる。 ・♫のリズムを♩♩のリズムにうたわないようにする。	リズム譜
5分	6 まとめ		

第2学年国語科学習指導案

指導者　井上　道世

1　単元名　　うけこたえ
2　指導計画　　第1次　おちついてはきはきと…1時
　　　　　　　　第2次　話をよくきいて…1時（本時）
3　本時の目標　終わりまでよくきいて，うけたこたえができるようにする。
4　本時の利用の立場

　　　本学級児童には，話すことを遠慮したり，また反対に他人の話を終わりまで聞かずに話しだすような児童がかなり多いので，本放送を聴取することによって，おちついて人の話を聞いたり，じょうずなうけこたえをすることができるようにしたい。

5　本時の展開

時間	学習活動	指導上の留意点	準備
	1 前時の話し合いをする	・うけこたえをするときどんな注意をしたらよいか思い出させる。	・発音練習カード
	2 本時の目標を聞く	・そのほかに、じょうずなうけこたえをするためには，どうしたらよいか考えさせる。	
	3 放送を聞く	・静かに注意して聞かせる。	
	4 聴取したことについて話し合う	・じょうずなうけこたえについて要点をまとめさせる。 ・途中で口出しをしない ・対応した返事をする。 ・話しかけられた人に答える。	
	5 うけこたえの練習をする。	・語尾に注意して対応した返事をするように留意させる。 ・注意して聞いた返事を正しく書かせる。	・カード
	6 本時のまとめをする。	・練習したことについて話し合い，本時の要点をおさえる。	・用紙

第4学年国語科学習指導案

指導者　仲　本　初　子
（普天間小学校）

1. 単　元　名　　シンドバッドのぼうけん
2. 指　導　計　画　　シンドバッドのぼうけん①
　　　　　　　　　　シンドバッドのぼうけん②………本時（30分）
3. 本時の目標　　幻想，空想の豊かな奔放さを楽しませるとともに，さらに原作への興味をよびおこし，読書意欲を高めたい。
4. 本時の利用の立場
　　　　　　　一度きりの放送を聞かすことによって，よく聞く態度を形成し読書量の少ないこどもたちに読書への興味を喚起したい。
5. 本時の展開

学　習　活　動	指　導　上　の　留　意　点	資　料
1. 前時の話し合いをする。 　　観点をはっきりさせる	・前時のおもしろかったことやこわかった話を思い出させて，本時もしっかりきいてみようという気をおこさせる。 ・威圧的にならないように。	児童のかいた絵
2. 放送をきく。	・他人の聴取をさまたげないように ・聴取中はメモをさせない	
3. 放送をきいて感じたことをまとめる。	・発表しようとすることを整理する意味で簡単にメモさせる。	
4. メモをもとに発表しあう。 5. まとめ	・スリルや**おもしろさ**を味わいながら聞けたか。	

6. 評　価
　興味をもってきけたか。
　読書意欲が高まったか。

第5学年理科学習指導案

指導者　中野　哲夫

1. 単 元 名　　酸性とアルカリ性
2. 指導計画　　第1次　酸性とアルカリ性‥‥‥‥‥2時
　　　　　　　第2次　中和‥‥‥‥‥‥‥‥‥‥‥4時
　　　　　　　　　　　中和の実験‥‥‥‥‥‥‥‥‥2時
　　　　　　　　　　　いろいろな実験方法‥‥‥‥‥1時（本時）
　　　　　　　　　　　中和の理解を認める‥‥‥‥‥1時
3. 本時の目標　　前時の実験とテレビの実験とを比較させ，中和を調べるにはいろいろな調べ方があることに気づかせる。
4. 本時の利用の立場

　　直前には前時の復習をして，テレビ視聴に入り視聴後はテレビの内容について前時の学習と比較しながら話し合い中和を調べるにはいろいろな調べ方があることに気づかせ，ひいてはいろいろな角度から実験方法を考える態度を養う基礎としたい。

5. 本時の展開

学 習 活 動	指 導 上 の 留 意 点	準　備
1．前時の中和の復習をする。	・中和の実験の方法 ・中和とはどのような化学変化をいうのか　などについて復習する。 ・視聴のねらい 　塩酸と水酸化ナトリウムの似ているところ 　塩酸と水酸化ナトリウムの違っているところ 　水酸化ナトリウムに塩酸を加える実験の過程を注意して見させる。	・まとめの表
2．テレビを見る。	・水酸化ナトリウムに塩酸を加える実験の過程を注意して見させる。	
3．テレビの内容について考える。	・水酸化ナトリウムに塩酸を加える実験の思考の過程をたどらせることによってこの実験が中和の実験であることに気づかせる。 ・前時の中和の実験の方法と比較させる 　前　時 　リトマス紙―リトマス紙の色の変化 　テレビ 　アルミニウム―あわのでかた	
4．まとめをする。	・中和を調べるにはいろいろな調べ方があることに気づかせる。	

第6学年社会科学習指導案

指導者　下　地　昭　栄

TV	くらしの歴史
	ソ連と東欧諸国

1．単 元 名　　ソ連と東欧諸国
2．指 導 計 画　（4時間取り扱い）
　・第 1 次　　ソビエト連邦の発展……ソ連の国土・面積・人口
　・第 2 次　　ソビエト連邦の産業と文化
　　　　　　　・テレビ
　　　　　　　計画的な大開発　　　（本時）
　　　　　　　コルホーズ
　　　　　　　・農業地域・工業地域を調べる（白地図）
　・第 3 次　　東欧諸国
3．本時の目標　ソビエト連邦を中心とした社会主義諸国の生産や国民生活について理解させる。
4．テレビ利用の観点
　　　　　　　ソビエト連邦の生産のようすや国民生活のようすを身近かなものとして理解させたい。
5．本時の展開

学　習　活　動	指　導　上　の　留　意　点	資　料
1．本時のねらいを聞く	・要点をメモする。	
2．テレビを見る		
3．話し合い		
自然と産業	・生産手段は国家が管理し，計画的に	
・広大な土地や資源	進められていることをわからせる。	
・生産手段の国有化		
・計画的な大開発		
コンビナートのしくみ		
国民生活		
・コルホーズの生活について	・ソ連の農業の特色について理解させる。	
・都市の生活		
（ソフォーズ）		
4．まとめ		

視聴覚教材使用による
道 徳 指 導 案

授業者　真栄城　朝幸
真和志中学校教諭

1. 主題　　目標達成と反省
2. 主題設定の理由

　　中学三年になると生徒達は，受験や就職等を目前にして各自でいろいろな目標をたて，その目標に向って努力するようになる。しかし，いったん失敗してしまうと自信を失い，その目標も失ってしまう。このような計画倒れになる例が最近の生徒達には非常に多いように思う。高校入試を約40日後にひかえた生徒達に今一度，物事に取り組むにあたって大切なことは，目標を明確にすることと，目標を達成するためにしっかりした計画をたてること，継続的に実行すること，どれだけ目標に近づいたかを評価して，どこを改善すればよいかたえずくふうすることである。という事を理解させ，目標達成のために常に反省することの意義，そのあり方について考えさせたいと思い，このテーマを設定してみた。

3. 指導目標

　　常に自分のすすみ方やあり方を反省し，自己を向上させるためにたゆまぬ努力をする意欲を養いたい。

4. 指導計画（一時間取扱い）

　　同じようなテーマで二学期にもやったが受験や就職を目前にひかえた生徒に今一度考えさせたいと思い，一時間取扱いでやってみた。

5. 資料・準備

　　ＮＨＫ学校放送「わたしたちは考える」の中の「忘れられた初心」（1965年12月6日の放送）の録音教材

6. 学級観

　　○授業学級・真和志中学校3年16組（男26　女27…長欠1）
　　○学級のふんいき

　　普段の授業あるいは学級活動等においては非常に消極的で意見も少ない。長欠児が1人おり，学業不振児も4人いるが概して学級のふんいきは明るく，質問等でも指名すれば殆んどの生徒が答える。

7．本時の指導過程

区分	指 導 内 容 と 活 動	留　　意　　点	時間
導入	生徒各自が今迄にいろいろな目標をたて，その目標が達成されなかった経験を発表させ，なぜ達成されなかったか？について話し合いをさせる。	前もつて生徒に考えさせておく。	10分
展開	◎NHK学校放送「わたしたちは考える」中の「忘れられた初心」を聞かせ，その後次の問題について考えさせる。 ・つね子の最初の目標は何だったか。 ・その目標は達成されたか。 ・なぜ途中でくじけたか。 ・つね子は母のピアノの練習姿に接して，どんな反省をしたと思うか。 ・大事な事とは何か。 ・目標を達成するのに最も重要な事はなにか。	◎録音を聞きながらポイントをノートにまとめさせる。 ◎自分達のまわりにも「忘れられた初心」………がある事に気付かせたい。	35分
終末	学校図書KKの「中学生の道徳」(1)の中から「くじけない心」（マリー＝キューリー）の文を録音して聞かせる。	「マリーキューリー」の録音を聞かせつばなしで本時を終る。	5分

1965学年度ラジオ学校教育放送番組時刻表

局	ROK	ROK	RBC	ROK	FEBC
対象	小・低	小・中	小・高	中　校	高　校
時	9:10～9:25	9:45～10:00	10:45～10:55	10:45～11:00	11:00～11:15
月	音楽教室　1年生	国語教室　4年生	明るい学校（道徳）5年生	わたしたちは考える 3年道徳	青年期の探究
火	〃　　　　2年生	みんなの図書室	国語教室　6年生	英語教室　1年生 菅空班ノート	人間とはなにか
水	こいぬのろくちゃん 1年道徳	音楽教室　3年生	〃	〃　　　　1・2年道徳	Listen to me!
木	国語教室　1年生	〃　　　　4年生	日本のあゆみ 6年社会	名作をたずねて	名曲ライブラリー
金	〃　　　　2年道徳	なかよしグループ（道徳）	音楽教室　5年生	学級の話題（学話）	国語研究
土	げんきなこども	国語教室　3年生	〃　　　　6年生	世界名曲めぐり	ホームルームの話題

1965学年度テレビ学校教育放送番組時刻表

局	OTV	RBC―TV
対象	小・低	小・高
時	11:00～11:20	11:40～12:00
月	理科教室　1年生	テレビの旅 5年生社会
火	うたいましょう 2年生	くらしの歴史 6年社会
水	おきたらくおじさん	理科教室　5年生
木	〃	明るいなかま（道徳）6年生
金	大きくなる子（道徳）1・2年社会	理科教室　6年生
土	おとぎのへや	音楽教室

【備考】

1. ラジオ番組は15分準位、テレビ番組は20準位となっています。
2. 春、夏、冬休み中の番組はテレビ（ラジオ）クラブ番組として別に計画されます。
3. 難視聴地域にある学校は、文教局指導部指導課に連絡してください。

昭和四一年度 日本政府の沖縄教育援助の内容
総額にして昭和四〇年度の約六倍に

昭和41年度日本政府の沖縄教育援助の予算額および予算内容が決まったが、予算額は約7.972.326ドルで、これは前年度に比較して約6倍の額となっている。その他南方同胞援護会関係が約111.731ドルであり、次にその内容を紹介する。

単位・ドル

事項	前年度予算額	昭和四一年度援助内定額	比較増△減	備考
(四三) 琉球大学への教員派遣に必要な経費	二、〇八一	七、七二八	五、六四七	・派遣人員 一一人の三〇日 ・新規……滞在費の計上
(四二) 現職教員再教育講習会講師派遣に必要な経費	二五、二〇〇	二五、二〇〇	〇	派遣人員 三三人の四〇日
(四一) 教育指導委員派遣に必要な経費	三六、一〇〇	三六、一〇〇	〇	派遣人員 二四人の一二〇日
(四〇) 国費沖縄学生の招致に必要な経費	一八九、七五三	二三一、一九二	四一、四三九	学部 四九二人 (新規一五〇人) 大学院 五四人 (新規 一二人) インターン 一〇人 計 五五六人 給与費 二二八、三〇〇ドル 事務費 五四、八九二ドル 学部学生新規採用の増員 一二五人→一五〇人
(三九) 青年及び婦人内地教育研究活動促進の援助に必要な経費	二、五〇〇	二、八五二	三五二	青年 (引卒者を含む) 一一人 一三日 婦人 (〃) 一一人 一二日 ・単価増
(三八) 琉球大学教員の内地研修に必要な経費	八、九七五	一一、六〇〇	二、六二五	教官 一二人 一二カ月 ・新規…教官研究費 実験系 六人 非実験系 六人
(三七) 教員等内地派遣研究制度の実施に必要な経費	三五、四六九	三五、四六九	〇	学校長 三五人 二回の二カ月 指導主事 八人 二回の二カ月 教員留学 一〇五人 二回の六カ月

事項	前年度予算額	昭和四一年度援助内定額	比較増△減	備考
(五一) 特殊学校施設等整備の援助に必要な経費	八五、〇二八	一二〇、七〇三	三五、六七五	盲ろう学校・肢体不自由児・精薄児養護学校 施設費 八六、七九七ドル 盲学校→図書室、点字印刷室 ろう学校→屋内体操場 肢体不自由児養護学校→訓
(五〇) 学校備品購入の援助に必要な経費	三四五、一一七	二九一、二二五	△五三、八九二	保健体育（中学校） 九三、五六一ドル 音楽（小、中、高） 一四八、四八八ドル 視聴覚（小、中） 一一六、四八一ドル ・援助率 小、中 八〇％
(四九) 義務教育諸学校教科書無償給与に必要な経費	二五八、九七二	五〇八、一三七	二四九、一六五	小学校（一～六年） 一四八、五〇四人 中学校（一～三年） 七九、六八二人 盲学校（小一～中三年） 一九六、〃九六七人 ・援助率を10/10
(四八) 育英奨学事業の援助に必要な経費	一二三、七〇〇	一五二、一〇〇	二八、四〇〇	特奨 大学 六五五人 高校 三六六人 ・大学の人員増 二四六人→三六六人（一二〇人増）
(四七) 農業教育近代化施設備の援助に必要な経費	四九、七八九	〇	△四九、七八九	
(四六) 農業教育近代化指導員の派遣及び本土研修に必要な経費	六、八五六	六、五六七	△二八九	派遣人員 三人 受入人員の減 四人→二人 一二〇日（講師）三六五日（研修生）
(四五) 体育関係全国大会参加の援助に必要な経費	五、五五六	五、五五六	〇	国高校体青年大会の定額補助
(四四) 文化財に対する技術指導に必要な経費	一、五〇〇	一、七六一	二六一	派遣人員 二人 （三〇日） 受入人員 二人 （六〇日）

事　項	前年度予算額	昭和四一年度援助内定額	比較△減増	備　考
(五七) 義務教育諸学校教職員給与の援助に必要な経費	〇	五、二六八、一五七	五、二六八、一五七	義務教育諸学校教職員　七、三一八人　小学校　　　　　　二、四三〇人　中学校　　　　　　一、九二〇人　盲ろう学校　　　　　　二六人　養護学校　　　　　　　二七人　給料・その他の手当（期末、へき地、退職公務災害、複式宿日直手当、旅費）の一〇ヵ月分相当額
(五六) 琉球大学医学部設置のための調査に必要な経費	〇	二三、三一七	二三、三一七	琉球大学医学部設置準備委員会事務費
(五五) 公立小中学校の普通教室等建設の援助に必要な経費	〇	一、〇六八、八八一	一、〇六八、八八一	普通教室　　　　　　　八〇小校　特別教科教室　　　　五四室　家庭科教室　　　　　三〇中校　へき地教員住宅　　一七室　職員室　　　　　　一三室　援助率　八〇%
(五四) 公立小中学校屋内運動場建設の援助に必要な経費	〇	七五、三二八	七五、三二八	小学校　一棟　　　三六室　中学校　一棟　　　一三室　援助率　八〇%
(五三) 琉球大学附属図書館の図書整備の援助に必要な経費	二〇、〇〇〇	〇	△二〇、〇〇〇	小学校　　　　　　六、五三一冊　中学校　　　　　　二、九四七冊　高校　　　　　　　　　五七〇冊　特殊学校　　　　　　　四〇〇冊　援助率　八〇%
(五二) 学校図書館の図書整備の援助に必要な経費	八二、三一九	六五、七二八	△一六、五九一	設備費　　三三、九〇六ドル　援助率　八〇%　精神薄弱児養護学校（三教室）　練室・寄宿舎・普通教室→普通教室

事項	前年度予算額	昭和四一年度援助内定額	比較増△減	備考
合計	一、四七〇、四四八	八、〇八四、〇五七	六、六一三、六〇九	
小計	一二三、二〇〇	一二一、七三一	△一、四六九	
還児育英事業費	七〇、〇〇〇	六八、五三一	△一、四六九	高校生、大学生 一人一〇ドル 一〇〇人
学用品贈与費	一、〇〇〇	一、〇〇〇	〇	小中学校、準要保護児童生徒学用品（対象全児童生徒の七％）
小計	一、三五七、二四八	七、九六二、三二六	六、六一五、〇七八	
図書贈与費（南方同胞援護会関係）	四二、二〇〇	四二、二〇〇	〇	公民館図書
青年の家整備の援助に必要な経費	七四、六〇〇	―	△七四、六〇〇	
幼稚園設備整備の援助に必要な経費	三、七三三	―	△三、七三三	
（五七の二）沖縄における日本文化財展開催に要する経費	〇	一四、七二五	一四、七二五	日本文化財（一〇〇点）展示会を琉球政府立博物館で行なう。・出品給与金、旅費、展示会開催費等

島を豊かに

昭和40年度文部省派遣教育指導委員団長
島　田　喜　知　治

　昨年の秋から暮にかけての3ヶ月余り，沖縄の島を隅なく見せてもらって痛感したことは，小中学校や高等学校の教育や進路指導にも，またもちろん社会教育や農業改良普及事業にも，島を豊かにしょうという「島づくり」の強い筋金が一本欲しいということであった。これは既にいわれていることであったり，左右をわきまえざる管見であったりするかも知れないが，他山の石としてわたくしは提唱したい。

　かって沖縄をそのままにしておいて台湾の開発が行なわれ，有名な蓬莱米の育成などが進められたのは，明治の初，東北地方を飛び越えて北海道の開拓が行なわれたのと酷似している。明治2年には北海道開拓使が置かれ，農学校を設けたり，米国農務局長ケプロンや「ボーイズビーアンビシヤス」で知られている米国の農科大学学長クラーク等を招いたりして，泰西的近代的な開拓が進められていたが，東北地方はいつまでも，西南暖地の農業を積雪寒冷という不利な条件の下で模倣しているに過ぎなかった。たまたま昭和9年の大冷害凶作に見舞われて東北地方の貧困とひへいが大映しになり，その振興は国を挙げての大問題となった。内閣には東北局が置かれ，各省はそれぞれの立場から東北振興に寄与する計画を立てることになった。文部省は東北振興の精神的な拠りどころを得させるため，「東北読本」という上下二巻の国定教科書をつくり，東北地方の高等科の児童に無償で配布し，必修の時間に指導することになった。

　わたくしはその編集のために文部省へ呼び寄せられたのであるが，今の沖縄は，まさに当時の東北地方を思わせるものがある。東北経済の骨格をなす稲作について見ると，その後，東北地方に適する耐冷性の品種が次々に育成され，きのうの新品種となるほど目まぐるしく改良され，保温折衷苗代を初めとする新しい稲作法も工夫された寒地稲作の体系はようやく確立し，東北地方は文字通り日本の穀倉となった。その上この寒地稲作は，ともすれば停滞しがちであった西南暖地に取り入れ

られて早期栽培となり，その地方の稲作をも躍進させたのである。

当時，東北地方を見てまわったり，調べたりした記憶をたどりながら，今日の沖縄振興の問題と比べてみると，今日の沖縄は，経済的にも技術的にも，比較にならないほど大きな可能性をもっていることに気づくのである。台風とか水不足とか，いろいろな悪条件もあるが，何といっても最大の資源である太陽エネルギーは東北地方の2倍といわれている。技術次第でいくらでも増産できる。

沖縄では，昭和初めの蓬萊米の品種，台中65号がいまだに中心になっている。それで，今でも1期作240キロ，2期作150キロしか取れていない。恩納村で，琉球模範農場が農家を指導して展開した稲作では，1期作600キロ，2期作450キロ取り入れている。また，パインアップルは，65～6年度の収穫予想は今までの最大であるが，植付後3・4・5年目の合計6.8トンに過ぎず，台湾の8トン，ハワイの15トンには遠く及ばない。しかるに石垣島真栄里山の一青年は，昨夏，値付後2年目の収穫を強行し，しかも8トンは取れただろうといわれている。この分で行けばハワイをしのぐ成績となるであろう。

このように10アール当たりの収量が2倍，3倍にもなる技術が手のとどくところに来ている上に，経営面積を拡大する可能性も高まっている。
沖縄では5万ヘクタールの耕地を77,000戸が耕しているので，1戸平均はわずかに0.6ヘクタールであるが，新規学卒者の就農は，ここ5年間に半減し，人口圧力が徐々に取り除かれていることを示している。また，転業する者も多く，農村は著しい労力不足を来たしている。これは農業斜陽の結果ではなく，心ある者が，機械を取り入れたり，経営規模を拡大したりして生産性を高める構造改善の好機である。それを可能にする資金の調達も，今日の情況ではそれほどむずかしいことではあるまいし，用排水量の基盤整備もいよいよ具体化しょうとしている。

米の自給率はついに10％に落ちたし，果物はもちろん野菜や花まで輸入されているが，こんなものに外貨を使っていては，島は貧しくなるばかりである。たいていのものは島できる。ただ技術の開発や普及が遅れているだけなのである。ここに目をつけて島に止まり，島から出る人に優るとも劣らぬ生活を島内に打ち立てようとする動きが出て来た。島のひとりびとりが豊かになることが，島が豊かになることである。本島内の農林高校を出た有志

若い農業者が，昨年11月結成した高農農友会などもその一つで，こういうところから，輝かしい島づくりのビジョンが生まれることを期待してやまない。

（文部省初等中等教育局第三調査官室
主任教科書調査官）

奥武山総合競技場における

水泳競技場建設の構想

保健体育課　屋　良　朝　晴

奥武山総合競技場は，陸上競技場，野球場，水泳競技場，体育館，庭球場，バレーボール競技場，弓道場，それにハンドボール，サッカー，ラグビー等の競技ができる球技場等が建設される計画になっている。

この競技場は1959年7月14日に起こされてから1965年度までに野球場，庭球競技場，陸上競技場が完成されております。これらの施設は将来本土の国民体育大会を沖縄に開催するという計画に備えて建設されるものでこれは他地方のスポーツ施設にくらべても見劣りのしない立派なものであります。

また，1966年度には，80,000ドルの予算で陸上競技場の補助競技場用地にあてるために陸上競技場の北側公有水面10,018坪を埋立てることになっています。

その建設費は68万余ドルの多額にのぼっておりますが建設工事の方も順調に進んでいると思われます。それら建設される施設の内容をみますと，おおよそ次のとおりであります。

野　球　場	257,134ドル
庭　球　場	19,600ドル
陸上競技場	324,254ドル
敷地造成費	80,000ドル
計	680,988ドル

今後はつぎつぎに各施設が建設されるよう計画を立て，1967年度に水泳競技場が建設される準備が進められております。この競技場は図に示す通り陸上競技場の南隣りに128,500ドルの予算で建設される予定であります。またこの施設にスポーツ振興資金財団から69,444ドル（2,500万円）の配分が内定しているので近いうちに着工されるものと思われます。この競技場は日本水泳連盟の公認水泳プールとしての条件を具えるように建設されるので，これが完成したら沖縄の水泳競技

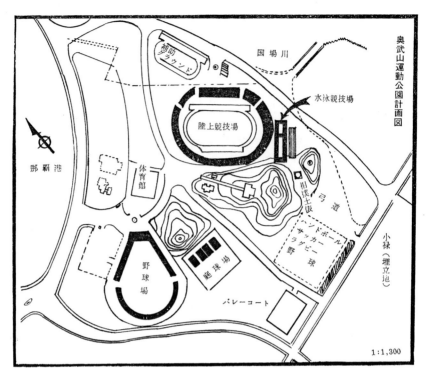

奥武山運動公園計画図

力も一段と向上して近い将来に九州水泳大会や全国的水泳大会も開催されるものと期待が寄せられております。

規　模

競泳プール
　　長50M×巾23M　水深1.5M
　　9コース

飛込プール
　　20M×20M　水深4.5M
　　飛込台（1M, 3M, 5M, 10M）

循環装置
　　循環消毒機　A'フイルター2
　　濾過能力　200トン／時
　　モートル　20馬力

コンクリートスタンド　616平方米
　　収容人員　1,200人

芝スタンド　　　　　　1,000平方米
　　収容人員　2,000人

付属施設（コンクリートスタンド）
　　　　　　　　　　　　　495㎡

付属施設内容
　　　　男女更衣室
　　　　〃　シヤワー
　　　　〃　便　　所
　　　　〃　洗面洗眼所
　　　　医務室，報道室
　　　　器具倉庫
　　　　管理事務所
　　　　ホール　其の他

若人の森建設について

社会教育課　嶺井百合子

　本土では昨年の3月1日，第18回オリンピック記念「若人の森」建設委員会がつくられ，全国の青少年団体が多数これに参加して，3月26日中央における第1回の事業として，常陸宮同妃両殿下をお迎えし，同運動推進大会を挙行したのち，東京代々木の青少年センター（旧オリンピック選手村跡）の植樹場までパレードを行ない，両殿下の記念植樹ののち参加の青少年3000人が2000本の苗木を一斉に植え期待以上の成果を収めることができたのであります。この運動はひとり東京ばかりでなく，現在全国各地に盛り上りつつあります。

　ところで，去る5月18日の委員会で，沖縄が東京オリンピックの聖火を日本国土で最初に迎えた記念すべき地点であり，そのかがり火が奥武山陸上競技場に点火されたときの感激を末永く記念するために沖縄にオリンピック記念「若人の森」を建設するなりました。このことは，本土と沖縄の青少年の交流をはるかばかりでなく，民族の絆を結びつけるためにも意義深いという観点から，本年度事業として沖縄と本土の委員会の共同主催によるオリンピック記念「若人の森」建設沖縄大会を開催することになりました。

　〝沖縄にみどりを〟というスローガンをかかげて，本土の青少年534人（10団体の代表）は83歳の後藤文夫先生を団長に，3泊4日の日程で1月5日ひめゆり丸で大挙して来沖しました。

　那覇ふ頭では拍手とマーチで歓迎，歓迎式ののち港から琉球政府まで約1キロをパレード，このあと午後6時30分から琉球新報ホールで歓迎の夕が催されました。にぎやかな花火打ち上げに始まった歓迎の夕で後藤団長は「東京オリンピックをきっかけに，全国の若人たちの手で国土を緑で包もうと若人の森建設委員会が結成されたが，オリンピック聖火が日本国土で沖縄にその第一歩を記したこと，またわれわれがつねにわすれることのできない今次大戦で犠牲となった沖縄から仕事の手始めをすることは当然のことで，沖縄と本土の若人たちが手をとりあって植樹をするだけにとどまらず，友愛交歓を深めこの大会を有意義なものにしたい」と温情あふれるお声で力強いあいさつを述べられました。出席者は本土と沖縄の代表団，中高生をふくめて

約1000人，空手，琉舞，コーラス，バンド演奏，本土側のクリーム色のブラウスにショートスカートとおそろいの真白い帽子の鼓笛隊の鼓笛バンド演奏等，次から次へとくりひろげられる交歓芸能はその熱演に相方共盛んな拍手をおくり，会場の感激は最高潮に達し友情の絆はいよいよかたく終始なごやかな雰囲気で時のたつのも忘れる位でありました。

翌6日の沖縄大会は，日本晴の天気に恵まれすみきった青空の下で奥武山陸上競技場には本土の青少年をはじめ沖縄の各地から青少年が約2000人参加し，午後1時から全日本鼓笛バンド隊を先頭に笛と大鼓の音を響かせて各団体がはなやかに堂々と入場パレード，沖縄青年代表による開会宣言ののち国旗，大会旗の掲揚，アテネの古式をそのままにオリンピック大会に使用したブルーの衣をまとつた巫子による採火，あのオリンピックの日の感激をいま一度思い出す若人の火の点火式，若人の森の詩の朗読，ひきつづいて本土の若い男女から沖縄の若い男女に苗木と目録の贈呈があり，大会宣言文朗読，友情の歌の大合唱のあと那覇中校女生徒による「若い力」のマスゲームと本土鼓笛隊によるマーチングドリル等の披露演技が行なわれました。

第2部の植樹は3時から陸上競技場裏の森で行なわれ，植樹に先だち若人の森」記念碑の除幕式がとり行なわれ，大空にはなされた色とりどりの風船に参加者の顔もほころび，みどり行進曲の奏でる中でまず後藤団長の植樹と若い人たちによる植樹が和気あいあいのうちになされました。

第3部の市内行進は4時30分から始まり各種青少年団からなる総勢のパレードは全く荘観で，老軀をひつさげて若人と共に行進された後藤団長の姿は特に印象的でありました。街道の人々からさかんな拍手がおくられ，盛会のうちに5時30分壺屋小学校校庭で解散したのであります。

このような大がかりな若人の大会は戦前戦後を通じて初めてのことであり，あらゆる面にその益するところが大きかったと思います。共に1本の苗木の根本をたたきあって植えたこの木が，若い人たちの理想と共にすくすくと伸びやがては小鳥を宿し，人々の憩の場になることを思いますとき荒れた沖縄社会に心あたたまるものを感ずるのであります。せっかく植えたこの苗木が雨にもまけず，風にもまけず天をつくほどの大木になるよう，みんなの愛情によって育てたいものであります。

終りにのぞんでこの大会のために物心両面からご協力して下さった方々に深い感謝をささげます。

若人の森 沖縄大会 写真だより

(第一部 式典)

大会々長（本土側，沖縄側）会場へ

入場 パレード

各団体旗団堂々入場

大会旗—国旗—大会旗とつづく

本土側 かわいらしい 鼓笛隊の行進

ここにも全県民の願いは静かに強くにあふれた

日本サイクリング協会の皆さんごくろうさん

国 旗 掲 揚

採 火 式

ギリシヤにおける採
火式の儀式にそって
おごそかに

採火の瞬間

聖火台点火の一瞬

式典全景

後藤(本土側)大会会長挨拶

苗木贈呈式

松岡主席挨拶

（第二部・植樹）

後藤大会長記念植樹

記念碑除幕

なかよく植樹

商業実務専門学校について

高校教育課　与世田　兼弘

① 今日の経済社会は貿易の自由化が進み、経済面における国際競争の波は日々激化の一路をたどり、産業界もその波にのる必要から設備投資や経営の合理化、企業の近代化が進められ、生産や経営にたずさわる若い有為な経営者の養成が急務となっております。そこで、これらの分野にたづさわる新しい専門的知識と技能をもつ実務家の養成を目的に設置されたのが政府立商業実務専門学校である。この商業実務専門学校は従来、沖縄の商業は本土〜沖縄間あるいは島内だけであったのが次第に国際的な面が強くなって来たという性格的な変化から商業教育をより一歩前進させその企業がどの産業分野に属するかは別として、すべての企業形態、経営組織、業務管理、労務管理、販売管理、原価計算、経営分析など高度の専門的知識と技能を習得させ、同時に英語に堪能な、近代的ビジネスマンの育成をはかるため、実務を主とした教育を行なうところに特色があり、その教育課程の内容は、まだ本土にもないものを構想としているところから注目されている。

② 1966学年度採用する生徒と所在地
1966年4月から開校するが米国援助等もあって鉄筋コンクリート（延べ面積2,374平方メートル）のモダンな校舎の建築が進められ、すでに80％（1月25日現在）完成しており、浦添村字伊祖部落（1号線から東へ入った静かな地

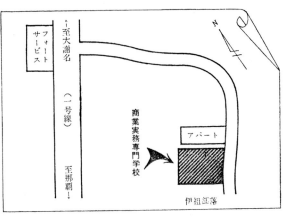

域で徒歩約5分,前図参照)の東隣に所在する。この地域は商業実務専門学校の性格にてらしあわせて全く申し分のない地域であると考えられる。

1966年4月採用する科は秘書科,経営管理科,販売科の3学科で,いずれの学科も2学級編成となっている。

秘　書　科　　50人（2学級）
経営管理科　　50人（2学級）
販　売　科　　50人（2学級）
　　　計　　　150人（6学級）

修業年限は1年であるが将来は産業界の要望があれば2カ年制を検討することにしている。

③　募集区域　全琉各地域から応募できる。

④　入学資格

商業実務専門学校は商業実務に従事しようとする者に高度な専門的知識と技能を習得させるため,次のような資格を条件としている。

（イ）商業高等学校または高等学校商業科卒業者
（ロ）商業高等学校または高等学校商業科卒業見込みの者。
（ハ）上記の者と同等以上の学力があると認められた者。
1966学年度は高等学校普通科A類型を履修した卒業見込みの者は（ハ）に該当して受験資格が認められた。

⑤　教育課程の特色
（イ）商業実務に従事する専門的知識と技能を習得する必要な各科共通科目－国際経済事情,英語,英会話,商業英語,保健体育－の5科目17単位を履修すると同時に,それぞれの科の専門的科目17単位計34単位を習得すること。
（ロ）次に英語に堪能を商業実務家を目標に英語による商業実務科目を各科とも13単位から25単位も履修すること。

⑥　各科の目標と科目内容
秘　書　科

目標,秘書としての円満な人格を養うとともに,専門的知識,技能を身につけさせ秘書に関する業務に従事する者を養成する。

科目,秘書実務,英文速記,英文タイプライテング,事務機械,英語に重点をおき,電話の応待,事務機械の操作のしかたから,社長のスケジュール,計画やアイデアを的確にまとめる能力を身につけ多くの内外の対人関係,言葉使い礼儀作法等を習得して実際社会における組織の分析,人事管理,労務管理,資金管理など秘書として必要な内容を重点的に習得する。

経営管理科

<u>目標</u> 経営の組織と管理についての知識を習得させ，管理活動を合理的，能率的に行なう態度を養い，経営管理の分野に従事する者を養成する

<u>専門科目</u> 経営管理，会計演習，商業関係法，英文タイプライテング，英語に堪能で事務機械を自由に操作し，会社，商店の経営内容を分析し，財務管理，利益管理，人事管理，その他経営の実態を把握するに必要な内容を重点に習得する。

販 売 科

<u>目標</u> 商業をはじめ広く産業の販売活動について専門的知識，技能を習得させ，合理的能率的に行なう態度を養い販売業務に従事する者を養成する。

<u>専門科目</u> 販売管理，利益計画，商品，英文タイプライテング，英語に堪能で国際貿易に対処でき，売り込みだけでなく店舗の構造，コマーシャル，顧客の心理，商品の分析など販売実務に必要な内容を重点的に習得する。

⑦ 施設の内容

商業実務専門学校は商業実務実習を主とするので特別教室として次のような施設が完備されている。

英会話訓練（ランゲジ，ラボラトリー）
秘書実務実習室
簿記会計演習室
統計実務資料室
事務機械実習室
貿易販売実務実習室
英文タイプ実習室
図書室

以上のように沖縄にマッチした実務的な商業専門家を養成するわけであるが，これに要する経費及び維持の方法については琉球政府予算によって運営することになっている。

教育資料

学校放送関係図書

放送教育の実践
　　　　　鹿児島市立八幡小学校
テレビ教育論　　　西本三十二
小・中学校視聴覚教材の利用
　　　　　　　　　　文　部　省
学校教育における視聴覚教材の利用
　　　　　　　　日本映画教育協会
放送制度論のために
　　　　　　　　　荘　　　宏
視聴覚教材の利用　　文　部　省
（指導助言の手引）
放送教育（月刊誌）
　　　　　　　　日本放送教育協会
視聴覚教育（月刊誌）
　　　　　　　　日本映画教育協会
昭和41年度NHK学校放送
（番組と利用のてびき）
　　　　　　　　日本放送教育協会
放送教育の探究第2集　〃　　〃

教育区予算の様式の解説

調査計画課主事　賀　数　徳　一　郎

はじめに　今日まで教育区の予算調製の様式に関しては特別な規程がなく、したがって予算書の様式や予算編成手続きについては、市町村の予算編成方法に準じて行なってきた。予算科目は布令教育法当時の分類法を踏襲しているが、その後予算科目の統一がなされないで、現在教育区によって相違があり財政統計上も不便を生じている。

そこで、今回の教育委員会法の一部改正に伴ない、教育税が廃止されて市町村税へ一本化され、市町村交付税に教育費を組入れる等の地方教育財政の改革を機会に、教育区の歳入歳出予算（以下予算という）の様式を統一することになった。以下第145回定例中央教育委員会で助言された予算様式について解説を試みることにする。

様式統一の方向　まず第一に、一般の人々が見て「わかりやすい予算」にするよう心がけた。従来の教育区の予算科目を例にとると、歳出予算の科目はその経費を消費的支出と資本的支出に大別し、消費的支出を教授費、維持修繕費、補助活動費、所定支払金に分類している。これは学校の教育活動を中心にしたいわゆる機能的な分類法を採用したものであり、地方の一般行政で支出科目をその経費の性質別又は目的別に分類しているとは趣を異にしており、予算担当者でもとまどいを感じ、一般の人には理解の困難な予算科目を使用してきた。このような予算科目を目的別分類に改め、予算書の様式をわかりやすく簡潔なものにした。

次に、市町村の予算様式にできるだけあわせて、地方教育行政の円滑な運営に配慮しつつ、漸次本土の新しい財務会計制度に近づけることを目標にした。本土においては昭和39年度予算から、地方公共団体の財務制度が大幅に改正され、予算の内容は条文形式で文言と表によって示すようになり、予算の範囲が広くなっている。一方沖縄の市町村自治法による予算制度は、改正前の予算様式に基づいており、近い将来に改正が予想される。そこで教育区の予算様式を統一するにあたっては、これまでのやり方から本土の新しい方法へいきなりもって行くことは困難であり、しばらく研究を必要とするので、本土の新しい予算制度を目標に、現行市町村の予算制度との調和を図かった。

予算の様式 現在の教育区の予算書は一表に款項目について当該年度の予算額を前年度と比較し,おもな費目に関して説明し簡単な積算を示す方法がとられている。市町村の場合には,説明欄が「節」に区分されて積算説明されている。本土における今回の改正による予算書では款項までを記載し,金額は千円単位で記入し簡潔化され,目節は歳入歳出予算事項別明細書に移され款項が議決科目であり,執行科目としての目節と制度上はっきり区別している。

今回助言の様式においては,従来の予算書を本土と同様に予算と予算説明書に二分し,予算は市町村予算との関係を考慮して款項目まで記載することにした。

予算書の様式は第1表のとおりである。

第1表　〇〇年度〇〇区教育委員会歳入歳出予算

歳　入

款	項	目	本年度予算額	前年度予算額	比較 増	比較 減	備　考
			ドル	ドル	ドル	ドル	
1.何々							
	1.何々						
		1.何々					
		2.何々					
2.何々							
	1.何々						
		1.何々					
		2.何々					
歳　入　合　計							

歳　出

款	項	目	本年度予算額	前年度予算額	比較 増	比較 減	備　考
			ドル	ドル	ドル	ドル	
1.何々							
	1.何々						
		1.何々					
		2.何々					
1.何々							
1.何々							
		1.何々					
		2.何々					
歳　出　合　計							

(注)　歳入歳出予算の款項及び目の区分は別表第1によること。前年度の欄には,前年度当初予算に係る金額を掲げること。用紙の規格はB5で上とじとすること。

予算科目 予算の内容を明らかにするための区分が予算科目である。
助言の予算科目の区分は別表第1のとおり。（60～61頁参照）
【歳入】 歳入予算の科目はその性質に従って款に大別し，さらに項及び目に区分する。
1．市（町村）負担金
　教育委員会法第54条により市町村から受け入れる市町村税・市町村交付税・その他の収入を財源とするものと，1966年度までに賦課した教育税収入とからなる。第1項の市（町村）教育費負担金と市町村歳出予算の第12款教育費負担金（項目も同じ）とは一致すべきである。
2．分担金及び負担金
　分担金と負担金の性格については市町村歳入予算の第4款と同様であるが，現在のところ分担金に該当する収入はない。負担金には沖縄学校安全会法第21条により児童生徒の保護者負担の共済掛金を徴収した場合，学校給食法第6条3項による保護者負担額を徴収した場合に該当する。
分担金と負担金の用語の意味は必ずしも明確ではないが，一般的には同様な意味で用いられている。分担金は，地方団体が特定の事業に要する経費に充てるため当該事業によって利益を受ける者に対して，受益の限度において条例に基づいて徴収し，負担金は関係立法及び規則によって徴収される。
委託金は，他の教育区の児童生徒の教育を委託された場合に生ずる。

3．政府支出金
　教育区が支出する特定の経費に対して，その財源の全部又は一部を負担補助するための政府支出である。
政府支出金はその目的ないし性格により負担金，補助金及び委託金の3つに分かれる。負担金の性格を有しているもので補助金と呼ばれているものもあり，その性格によっていずれかに分類すべきである。
　負担金の性格を定義づけることは簡単ではないが，教育委員会法第136条に規定されている経費であるかどうかで判断する。政府が地方教育区へ支出する場合には予算上「補助金」として交付しているが，第136条に規定される経費は負担金として取扱う。教職員給与負担金（目）には，給料補助金・期末手当補助金・公務災害補助金・退職手当補助金，へき地手当補助金・宿日直手当補助金等があり，教育職員定数分の旅費補助金もここに含める。
　政府補助金は教育委員会法第136条の2の規定により交付され，上記の負担金を除いた部分であり，教育行政補助金・学校教育補助金・社会教育補助金に分かれる。学校教育補助金には学校備品補助金・研究奨励補助金・学校

給食補助金・開拓地学校運営補助金等があり，社会教育補助金には社会教育主事関係の補助金や体育指導員設置補助・体育施設補助金等がある。

委託金は本来政府がその経費を直接支出して実施すべき事務を執行の便宜上教育区に委託して行なわせる場合で，本土では学校基本調査委託金等があるが，沖縄では現在これに該当する支出金はない。

4．使用料及び手数料

教育区が特定人のために便益を与えることにより特定人の受益に対して，その事務のため教育区が支弁する経費の一部を特定人に負担させることによる歳入である。公立幼稚園の授業料と入園料は使用料に含めて考える。教育区は委員会規則に基づいて使用料及び手数料を徴収する。

5．諸収入

繰越金と教育区債のほか，前記の1〜4に区分されなかったものを，財産収入，寄附金，繰入金，預金利子，雑入のいずれかの項に分類計上する。

6．繰越金

教育区の決算上の剰余金を翌年度の歳入に編入する場合には，繰越金で受入れる。教育委員会法第44条2項により基金に編入した部分は除かれる。

7．教育区債

教育区の歳出は教育区債以外の歳入をもってその財源とすべきであるが，教委法第55条4項により起債した場合に生ずる。一時借入金は含まない。

【歳出】　歳出予算の科目はその目的に従ってこれを款項に区分し，更に目に区分する。

1．教育総務費

現行の教育行政費（款）に相当し，教育行政の基本的な組織および管理に要する経費である。教育委員会費は，委員報酬・旅費・交際費その他会議に要する経費であり，事務局費には教育行政職員の給与および旅費，管理費等が含まれる。統計調査費には文教局の実施する統計調査，教育長の企画に基づくもの，区委員会で独自に行なう調査および資料作成に要する経費を包括する。

2．学校教育費

公立の小学校・中学校・幼稚園の学校教育費である。教職員費は本土の市町村予算にはなく県の予算に設けられているが，本土政府による教職員給与の半額国庫負担との関係で，教職員定数分の学校教職員の給与費・研修費等を計上する。委員会負担の学校職員の人件費は，学校管理費と学校給食費にそれぞれ計上する。教育振興費は，教育の目的をより効果的に実現するために一般の学校管理費以外に，教育の機会均等・適性教育のための経費である。それには教育助成費，準要保護児

別表第1　歳入歳出予算の款項目の区分

【歳　入】

款	項	目
1．市（町村）負担金	1．市（町村）教育費負担金 2．教育税収入	1．市（町村）教育費負担金 2．教育税収入
2．分担金及び負担金	1．分担金 2．負担金 3．委託金	1．何費分担金 1．学校安全会負担金 2．学校給食負担金 1．何委託金
3．政府支出金	1．政府負担金 2．政府補助金 3．委託金	1．教職員給与負担金 2．教科書費負担金 3．校舎建築費負担金 4．何費負担金 1．教育行政補助金 2．学校教育補助金 3．社会教育補助金 1．何委託金
4．使用料及び手数料	1．使用料 2．手数料	1．幼稚園授業料 2．幼稚園入園料 3．何使用料 1．何手数料
5．諸収入	1．財産収入 2．寄付金 3．繰入金 4．預金利子 5．雑入	1．財産運用収入 2．財産売却収入 1．何寄付金 1．特別会計繰入金 2．何積立金繰入金 1．何預金利子 1．物品売却収入 2．学校実習等収入 3．雑入
6．繰越金	1．繰越金	1．繰越金
7．教育区債	1．教育区債	1．何教育区債

【歳　出】

款	項	目
1．教育総務費	1．教育総務費	1．教育委員会費 2．事務局費 3．統計調査費 4．育英事業費 5．教育研究所費 6．私立学校助成費 7．諸費
2．学校教育費	1．小学校費	1．教職員費 2．学校管理費 3．学校給食費 4．教育振興費 5．学校建設費
	2．中学校費	1．教職員費 2．学校管理費 3．学校給食費 4．教育振興費 5．学校建設費
	3．幼稚園費	1．幼稚園管理費 2．幼稚園建設費
3．社会教育費	1．社会教育費	1．社会教育総務費 2．公民館費 3．社会体育費
4．諸支出金	1．分担金及び負担金 2．委託金 3．公債費	1．連合区負担金 2．何負担金 1．何委託金 1．元金 2．利子 3．公債諸費
5．予備費	1．予備費	1．予備費

童生徒費，理科教育費，へき地教育費，特殊学級費等が考えられる。小中併置校の経費，給食センターの経費はそれぞれ学校種別に区分する。

幼稚園費は認可を受けた公立幼稚園に関する項目で，未だ認可を受けてない幼稚園に対する教育区の補助は教育総務費で扱う。

3．社会教育費

社会教育費は社会教育法に基づき教育委員会の事務（第5条）に要する経費である。

社会教育総務費は，公民館の施設による事務（公民館費）以外の青年学級，社会教育講座，研修会の開催等の経費で，社会教育主事の給与・旅費等も含まれる。社会体育費には体育指導委員報酬，レクレーション助成費，体育施設の管理及び整備費，体育振興費が該当する。

4．諸支出金

連合区教育委員会への負担金，他の教育区へ児童生徒の教育を委託した場合の教育委託金，公債費からなる。

予算説明の称式

予算の説明書の称式は第2表のとおりで，(1)総括，(2)歳入，(3)歳出，より成りたっている。総括では歳入及び歳出予算を款ごとに対照表示して，前年度予算との比較を行ない著しい増減や本年度予算の特徴を説明欄に記入する。市町村において予算の冒頭で示しているのに準じたものである。

歳入の説明は，説明を必要とする款ごとに作成する。政府支出金を例にとると，学校教育補助金を交付される補助金の種類ごとに説明する。

歳出説明書は各款ごとに作成し，予算額を目について財源内訳を示す。目は節に区分して表示し，節は必要あれば，備考欄に細節又は主な事業（事務）ごとに分けて説明し，その積算を説明欄に記入する。教委法第45条の2項に規定する「教育予算の説明その他財政状態の説明資料」とは，この予算説明書（明細書）を意味し，その他教育区で必要と認める財政状態の資料（例教育区債の状況）を添付する。

歳出予算の節

節は歳出予算の執行上の手続的な区分であり，28節の範囲内で計上する。節の頭初の番号は変更できない。節の区分は別表第2を参照されたい。

学校及び教育委員会関係者にとっては，「節」の理解が予算事務の第一歩である。次の参考図書を紹介する。

「新しい予算の見方・つくり方」
　　　　　　　　　～学陽書房～
「学校の予算」
「予算の事務」
　　　　　～帝国地方行政学会～

第2表　歳入歳出予算説明書

1.総括

歳		入		歳		出	
款	本年度予算額	前年度予算額	比較	款	本年度予算額	前年度予算額	比較
	ドル	ドル	ドル		ドル	ドル	ドル
1.何々				1.何々			
2.何々				2.何々			
合　計				合　計			

（説　明）

2.歳入（款）何々

項	目	予算額	説　　　明
		ドル	
1.何々			
	1.何々		
	2.何々		
2.何々			
	1.何々		
	2.何々		
合　計			

3.歳出（款）何々

項	目	予算額	予算額の財源内訳				節			説　明
			特定財源			一般財源				
			政府支出金	教育区債	その他		区分	金額	備考	
		ドル	ドル	ドル	ドル	ドル		ドル		
1.何々										
	1.何々						何々			
							何々			
							何々			
	2.何々						何々			
2.何々										
	1.何々						何々			
合　計										

別表第2　歳出予算に係る節の区分

節	説　　　　明
1．報　酬	委員報酬………教育委員及びその他の委員（常勤の者を除く）に係る報酬 非常勤職員報酬…その他の非常勤職員の報酬
2．給　料	一般職給
3．職員手当	期末手当 へき地手当 宿日直手当　　立法又はこれに基づく規則に基づく手当 退職手当 超過勤務手当
4．共済費	地方公務員共済組合に対する負担金 報酬，給料及び賃金に係る社会保険料
5．災害補償費	療養補償費 休業補償費 何補償費 葬祭料
6．退職年金	退職年金及び退職一時金
7．賃　金	
8．報償金	報償金……報酬に掲げるもの以外のもの（謝礼金を含む） 賞賜金 買上金
9．旅　費	費用弁償…委員その他の非常勤職員の費用弁償及び関係人等に対する実費弁償 普通旅費 特別旅費
10．交際費	
11．需用費	教科書費…義務教育諸学校の児童生徒用教科書購入に要する経費 消耗品費…文具，印紙の類で一度の使用でその効力を失うもの及び数会計年度にわたり使用される物品で備品の程度に至らない消耗器材 燃料費…暖房，炉事等の庁用燃料及び自動車用燃料 食糧費 印刷製本費 光熱水費…電気，ガス，水道及び冷暖房使用料 修繕料…備品の修繕若しくは備品の取り替えの費用及び家屋の小修繕で工事請負に至らないもの 賄材料費 飼料費 医薬材料費

節	説　　　　　明
12．役務費	通信運搬費………郵便，電信電話料及び運搬料 保管料 広告料 手数料 筆耕翻訳料………筆耕，翻訳及び速記料 火災保険料 自動車損害保険料 パン加工賃
13．委託料	試験，研究及び調査等の委託料
14．使用料及び 　　　賃借料	
15．工事請負費	何工事請負費……工地，工作物等の造成又は製造及び改造の工事並びに工作物等の移転及び除去の工事等に要する経費で契約するもの。
16．原材料費	工事材料費 加工用原料費
17．公有財産購入費	権利購入費 土地購入費 家屋購入費
18．備品購入費	庁用器具費 機械器具費 動物購入費
19．負担金，補助金 　　及び交付金	負担金……連合区負担金 補助金 交付金
20．扶助費	扶助費……要保護及び準要保護児童生徒医療費補助．学校給食費補助 何扶助費
21．貸付金	
22．補償，補填及び 　　賠償金	補償金 補填金……欠損補填金及び繰上充用金 賠償金
23．償還金利子及び 　　割引料	償還金……教育区債の元金償還金 小切手支払未済償還金利子及び割引料…教育区債及び一時借入金の利子並びに割引発行する教育区債の割引料 還付加算金
24．投資及び出資金	
25．積立金	
26．寄附金	
27．公課費	
28．繰出金	他会計への繰出し

アメリカ ペン スナップ

高校教育課主事
城 間 正 勝

コンティニューイング エデュケーション

　アメリカを廻って感心したことの一つに，アメリカの成人たちの勉強意欲がある。学校を卒業して何年もたったような人でも，よく大学の夜間講座をうけているのが多いことだ。大学でもそういう講座を提供しているところが多い。これをコンティニューイングエデューション（継続教室）という。ワシントンで，もと米国民政府の教育局にいたダルグレン氏に会ったが，氏も今，週2晩大学に通っているというし，奥さんも週に1晩，美術の講座をうけているということだった。奥さんは趣味で絵をかいているのでそのための勉強らしい。男の場合は理由はいろいろあろうが，例えば技術部門などの場合は，自分の専門の分野の進歩にたえず追いついてゆかねば忽ち飯の食いあげになるということもあるらしい。また資格を取るということもあろうが，ただ単に自分の仕事上の知識を増やして今の仕事をより立派にやるということもあろう。自由競争を基盤とするアメリカの非情の社会では，劣者は容赦なくふり落されて敗残の憂き目をみなければならないので，それに堪えるためのせいいっぱいの努力かも知れぬ。この馬鹿でかい資本主義社会は坂をかけ下りる雪だるまみたいに，もう人間の制御を離れてとどまるところを知らぬのではないか。たとえ行きつくところは何処であるにしても……。このコンティニューイングエデュケーションに私はアメリカの巨大なエネルギーのほとばしりを見る思いがするのである。我々はあまりにノホホンとし過ぎるのかも知れぬ。

博　物　館

　アメリカの博物館はすばらしい。ワシントンのスミソーニアン，シカゴの科学と産業博物館，自然歴史博物館，みなみな目をみはるものだった。時間がなくては十分に見ることはできなかったが，よくもかくも立派にしつらえたものだと感心させられた。
　ライト兄弟の飛行機の原物や，リンドバーグの大西洋横断のスピリット・オブ・セントルイス号などが大切に保管されている。小さい頃，飛行機に夢

中になって模型を作ったり，本を読みあさったりしたものだが，ああいう時代にこんなものを見せられたら動てんする程感動したにちがいない。古世代の生物，恐龍などの骨格も復元されて部屋中を威圧している。写真や絵で見るだけでは人間の想像上の生物ではないかという気もするのだが，こういう風にどこそこの地層から掘り出したものだという説明づきで見せつけられるといやでも信じないわけにはいかない

科学と産業博物館では，現在の産業界で用いられている機械などが実物，模型などで展示されており，又，例えば電話の部屋では，電話の原理や，ダイヤルによって通話先とつながる方法などが分りやすいように装置されていて，直接の科学教育や社会教育にも役立つ。修学旅行で見にくる生徒も多いようだった。

ニューヨーク

ニューヨークでは30階建のホテルの11階の部屋にほうりこまれた。通路といえば巾半間くらいの廊下だけである。窓をあけてみたら隣の建物のうす汚れた壁がつい鼻の先。部屋の中は新しいじゅうたんなども敷かれていて清潔ではある。同行の人たちも近くの部屋のようだが番号をきいてないのでどこだか分らぬ。まるで穴ぐらだ。

こんなところで火事にでもあったら大変だと思って一応階段のありかを確めておく。これまた半間くらいの狭苦しいもので，こんなもので一階までかけ下りられるかどうか自信がない。

エレベーターの前に立ってボタンを押すと，まるで忠実な御用聞きみたいにすうと上ってきてドアが開く。中に入ってボタンを押すと，ドアがしまってすうと下りてゆく。便利はいいが気持ちのいいものではない。下降の速度が自由落下の速度と一致すると無重力状態が現出するそうだが，アメリカ人は毎日人工衛星の乗員たる訓練をうけているわけでないか，と一寸皮肉な気持になる。

エンパイヤ・ステート・ビルデングに登った。80階あたりまでやや大きなエレベーターですうと上って，そこで乗りかえて展望台にゆく。もっと上の展望台に上るには小型のエレベーターにもう一ぺん乗りかえねばならぬ。ニューヨーク市が一望の下に見わたせるが今に倒れはせぬかと心配である。

全高440米，総工費4千94万8千弗をかけて1931年に完成，アメリカの文明を代表する一つの偉観ではある。

ジエミニー6号・7号

アメリカにいたおかげで，人工衛星の発射と回収の実況放送を生で見ることができた。ミシガン大学の宿所のロビーで，ジエミニー6号の打上げの状

況を大勢の学生たちの肩ごしに見た。又，シカゴのホテルの一室で6号の回収と，続いて7号の回収を見た。

僅か一日の旅から戻った6号のパイロットたちは，ヘリでカプセルごと航空母艦に運ばれ，その艦上ではじめてカプセルのハッチをあけた。2週間という史上最長期の宇宙旅行から戻った7号の両飛行士は，さすがに海上のカプセルから直ちにヘリに移行，母艦にうつった。2人とも人手を借りずに甲板を歩いていったが，心なしか膝が伸びない。観迎のバンド，拍手の嵐。

今度のランデヴー実験の成功は，6号を操縦したシラー中佐の沈着さに負うところが多いという。第1回目の発射失敗の折，もし彼がパニックにおそわれて脱出装置の引金を引いていたなら，彼とコーパイロットのスタフォードは空中にはじき出され，3日後の発射に差し支えを来したであろうし，7号とランデヴーの際の細かい操縦技術も地上の管制室の技術者たちを感嘆させたという。タイム誌によると，彼の父は第一次大戦の戦闘機乗りであり，母は飛行サーカスの〝翼わたり〟であったというから血筋は争われない。

今度の実験の成功はソ連に先んずるものであるだけに，口にこそ出さぬが米国民や当事者のよろこびも大きかったことであろう。地上180哩の宇宙で両衛星が出会ったときの，パイロットたちの会話にもその誇らしさがうかがわれる気がする。

「ここいらどうも車が多するな」
「ポリを呼べよ」

留　学　生

あちこちで沖縄からの留学生に会った。ワシントンで7名，シカゴで1人，ニューヨークで5，ミシガンでは琉大との関係があるせいかさすがに多く，私たちのためにコーヒーパーテーも開いてくれて拾何名も沖縄の顔があった。ハワイでは東西文化センターの研修生も合わせて34名が私たちとの懇談会に出席した。

戦前，外国に留学するといえば日本全国からでも数えるほどしかいなかった筈だが，こんなにも沢山，沖縄の若い人たちがアメリカで学んでいるとはまさに隔世の感がある。中には結婚もして夫婦そろって勉強しているというのもあった。ミシガン大学には既婚学生のための寮まであるのだから，これも別に変わったことでもないかも知れぬ。

しかし勉強は厳しいようだ。どっさり宿題を与えられて，留学生だといって手加減をすることもないというから大変だ。語学のハンデイを克服するためには，最初の1年ほどはアメリカ人学生の2倍も3倍も勉強せねばならぬ。アフリカ人学生も又よく勉強すると

いうのだから尚更大変である。「今までこんなに机のまえに坐ったことはない」と或る留学生が述懐していた。

多くはまだ1年目というのだったが、中には3年目、4年目という人たちがいて博士号を目ざして勉強していた。学問に対する情熱をこういう異国の土地にまで持ちこんで、生活の不自由さにも負けることなくがむしゃらに勉学を続ける人たちの意気はまさに壮とすべきではないか。

或いはすでに博士号を取り、アメリカの大学で教鞭をとっている沖縄人のいるのを見ては、今までアメリカ文明の巨大さに圧倒され続けてきた私たちも、何か「仇を討った」ような小気味よい安ど感を覚えるのだった。

こんな学校ご存じ？

政府立および私立の小中学校

政府立および私立の学校といえば、すぐ高校を思いうかべるが、政府立ではご存じの松島中学校のほかに、澄井小中学校、稲沖小中学校がある。私立では、海星学園小学校（八重山）、佐敷教会小学校、沖縄ミッション中学校（佐敷）がある。

ある学年に在籍者のいない学校

小学校では伊是名村の具志川島小学校に5学年の児童、多良間小学校水納分校に1学年の児童が在籍していない。中学校では新設分離によって那覇の石田中学校および石垣第二中学校に3学年の生徒が在籍していない。

男子教員だけの学校、女子教員だけの学校

男子教員だけの学校は、小学校で分校1校、中学校では本校7校となっている女子教員だけの学校は小学校に本校5、分校6校で、中学校では女子教員だけで構成されている学校はない。

各種研究団体紹介 ＜2＞

沖縄算数・数学教育研究会活動について

沖縄算数・数学教育研究会長
大 城 真 太 郎

　沖縄算数数学教育研究会は，1964年11月25日，全琉各地区の算数数学同好会を母体として発足した。

　発足と同時に，日本の算数数学教育界の大黒柱である塩野直道先生をお招きして第1回の研究大会を1964年11月23日に開催した。また，今年度は東京教育大学教授和田義信先生を特別講師としてお招きして第2回研究大会をさる12月27日にもち，地道な研究活動を続けている。

1．会員数　588名
2．研究会の目的と事業
　本会は，特殊事情下にある沖縄の算数数学教育界に内在する諸問題の解決，会員相互の研修を通して算数数学教育の発展をはかることを目的とし，下記のような事業を行なっている。
①会員の研修会
②講習会および講演会
③毎年一回の研究大会
④研究物および，算数数学教育界の動向やすぐれた論文の紹介のための会誌の発行。

3．組　織
　本会は代議制をとり，各支部から2人宛代議員を出し，予算，決算を審議し，会のいろいろな事業を決定する。また，運営委員会を組織して，会の運営にあたっている。
①支　部
　本会には現在，沖縄本島，宮古，八重山を含めて，17の支部がある。支部は原則として各教職員会地区を

第1回大会で講演する塩野先生

単位としているが，地区の実情に即して2つ以上の支部をおくこともできることにしている。

○本会の支部と支部長

辺土名支部　木下　義一（佐手小）
名護　〃　　新垣　正栄（兼次中）
宜野座〃　　具志堅　均（久辺中）
石川　〃　　石川　繁正（伊波小）
前原（小）〃平良　真全（あげな小）
前原（中）〃比嘉　栄吉（与勝中）
読谷　〃　　松田　盛康（読谷中）
コザ（小）〃糸嶺　一雄（中の町小）
コザ（中）〃宮城　嘉守（越来中）
普天間〃　　城間　富蔵（西原小）
那覇（小）〃真栄城朝康（若狭小）
那覇（中）〃宮里　栄一（首里中）
知念　〃　　宮城　春雄（与那原中）
糸満（小）〃吉村　昌之（座安小）
糸満（中）〃大城　藤六（豊見城中）
宮古　〃　　大川　恵良（砂川小）
八重山〃　　国吉　長庸（大浜中）

②事　動　局
　　那覇市　神原小学校内

4. 研究活動

本会の研究活動は各支部の自主的活動を主体としているが，年一度は研究大会を開き，日頃のまとめをしている。

①第1回大会

第1回大会は，1964年11月23日に発会式を兼ねて，那覇市神原小学校と母子福祉センターホールを会場として行

討　議　風　景

なわれた。大会には特別講師として塩野直道先生をお招きして「算数数学教育発展の過程」について先生のご造詣深い講演をいただいた。分科会は小学校低学年分科，小学校中学年分科，小学校高学年分科，中学校分科の4分科に分かれ，それぞれの公開授業，研究発表がなされた。

②第2回大会

第2回大会も，1965年12月27日に前回と同じく神原小学校，母子福祉センターホールを会場として行なわれた。

本大会には，東京教育大学教授和田義信先生，千葉市教育指導委員会指導主事川島茂先生のお2人をお招きした。和田先生の「思考の本質と科学的数学的思考について」の講演は，子どもに考えさせるということ，数学的に処理するということはどういうことかという点についてわかりやすく説明をしていただき会員に深い感銘を与え，今後の算数，数学教育にある方向づけをしていただいた。

③会誌の発行

会誌「算数,数学教育」は会員の研究の紹介,算数,数学教育界の動向やすぐれた論文などの紹介を通して会員の研究に役立てることを目的として発行されている。1965年11月に第1集を発行し,和田義信先生の「式とその指導」の論文を掲載し,式とその指導についての方向づけになったものと思う。

④1965年度の研究テーマ

量と測定の概念を把握させ,量感を養うため系統的指導をどのようにすればよいか。

○第1分科（小学校低学年）
1. 具体的な事物について,大きさの比較などを通して,長さなどの量や,その測定の意味を理解するのに基礎となる経験を与えるにはどうすればよいか。
2. 長さなどの量の概念と測定の意味について理解させるには,どのように指導したらよいか。

○第2分科（小学校中学年）
1. はかりの目もり読みの効果的な指導はどうあるべきか。

○第3分科（小学校高学年）
1. 計器の取り扱いに慣れさせるとともに,実際の場における測定の能力をいっそう伸ばすにはどのように指導したほうがよいか。
2. メートル法の単位のしくみについて理解を深め,それを実際の場おける数量の取り扱いに有効に用いることができるようにするにはどのように指導すればよいか。

○第4分科（中学校）
基本的図形の性質を理解させ,論理的思考を伸ばすための指導をどのようにすればよいか。
1. 定義と性質を区別する指導
2. 仮定と結論についての指導
3. 推論の種類と記述表現についての指導

む す び

以上が本会の活動のあらましであるが本会は数学教育現代化の動きや,科学技術の基礎としての数学教育のあり方など,今後に大きな課題を背負っている。これらと真剣に取り組んで問題の解決をはからなければならない。そのことが,児童生徒の学力向上という懸案解決にもなると思っている。そういう意味でみなさま方の一層のご指導とご援助をお願いいたします。

指導主事ノート <2>

ママはパパであった　　　指導課主事　島　元　厳

　ことばのしゃれではない。まじめな話である。後奈良天皇の編と伝えられる「何曽」の中に、「母にはふたたびあひたれど、父には一たびもあはず」というなぞがあって、その答えは「くちびる」となっている。母の発音が両唇と二回合わせたものであることを意味するのである。

　ところで、今日においては、上古のP音は七世紀以前においてしだいにF音に移り、F音は十五、六世紀に至ってH音に移る傾向を示し、そして、十六、七世紀に至ってF音はおおかたH音に変ったとするのが定説である。とすると、現在のハハはその音はファファであり、さらにさかのぼればパパということになる。つまり「母はパパ」であり、それを今様に言えば、「ママはパパであった。」ということになるしだい。

　ことばというものは、おもしろいものだと、とりとめもないことを考えながら、ふと、いつかの学校訪問のことを思い出すのである。研究授業をみせていただいた後、小用をもよおしたので、そのありかをたずねたら、親切にも、なんと水道まで案内してくださったのである。「あ、お手洗いですか？」とびっくりされたところをみると、「手洗いはどこですか？」とたずねた、わたしの方に落ち度があったらしい。

　「お」という接頭語はなかなかのくせものである。使い過ぎておかしい場合があれば、使わなければ間違われることもある。それに先に出た後奈良天皇なんかオナラテンノウなどと読もうものなら不敬罪もはなはだしいことにあいなる。それは「ご」でなければいけない。「三時とお三時」、「しゃれとおしゃれ」、「かげとおかげ」、「勝手とお勝手」等は、「お」があるかないかで、まったく意味が違ってくる。そうかといって、どなたかがおっしゃったように、お上品にかまえて漬物の「奈良漬」などに「お」をつけようものなら、上品どころか、くさみが残ってしまっにおえなくなる。

　とにかく、くさい話が三度も出た。不本意とは言え、ことばに対する無感覚さ、わたしとしたことが、はしたない限りである。「母が父」になったり、「緑の黒髪」が存在したり、さては「赤い白墨」で黒くもない「黒板」にかくも無感覚に立ち向かうことはやめて、この不思議なもの〜すばらしき言の葉を愛することから真の日本人教育は出発したいもの、と言いたかったのであるのだが。

1966年1月25日

教育費講座 (第二回)

第一話　教育財政のしくみ（2）

調査計画課主事　前　田　　功

3．地方の教育財政

　地方の教育財政制度は，その大綱については教育委員会法の中に示されています。この教育委員会法はいわゆる教育4法といわれる他の立法，教育基本法，学校教育法，社会教育法とともに，いくたの曲折を経て，1958年1月に待望の民立法化されたものであります。同法はその後，数回にわたってその一部改正が行なわれておりますが，1965年8月には地方教育財政制度の根本的な改革ともなっている改正がなされました。すなわち，教育税の廃止による地方教育財政の市町村財政への一本化がそれであります。この改正立法は1966年4月1日から施行されることになりますが，実質的には1966年7月1日からはじまる1967会計年度から実施にうつされます。したがって，現時点は地方の教育財政のしくみについての大きな変換期に立っているということになります。この意味で，本稿では「いままでの地方教育財政のしくみ」においては，従来の財政制度についてその経過とともに解説していき，さらに，「これからの地方教育財政のしくみ」においては，財政のしくみが改正されねばならなかった主な理由などを加えて新らし教育財政制度について解説をすすめていきたいと思います。

① いままでの地方教育財政のしくみ

　教育委員会制度の窮極の目標は教育の一般行政よりの独立により，教育の中立性，教育の民主化，教育の地方分権化をはかることにあります。

　戦後の混乱期を経て，行政制度がようやく軌道に乗り出したのは1952年以後であります。すなわち，1952年4月に，いままでの4群島政府が廃止され全琉を一円とする琉球政府が創設され，行政・立法・司法の3権分立のもとに国家（政府）としての機能が一おう形の上では整ってまいりました。もちろん，この間にも教育は戦争の終了とともに直ちにはじめられ，各種の布

令・布告や群島条例等の定めのもとで，教育行政がすすめられてはおりました。教育だけでなく他の行政についても同様でありました。しかしながら地域的，組織的な統一で再出発したという点でこの琉球政府の創立は戦後の沖縄のすべての行政のうえで一つの大きな区かくとなっていることは事実であります。教育財政についても，現行の制度の大半がこの時点を基礎として発展してきたことは，これからの説明でもじゅうぶん了解できることと思います。

琉球政府発足の直前1952年2月に公布された布令第66号「琉球教育法」によって地方教育財政制度のあらましをみましょう。この布令は立法院において再三，民立法による教育4法におきかえるべく努力がつづけられたといういわくづきのものであり，民政府（USCAR）との調整がつかないままに1957年の布令165号「教育法」とともに，58年の民立法による4法の承認公布まで，教育の基本法として運用されたこととともに，現行の教育4法の基礎となっている点で，歴史的に極めて重要な意義をもつものであります。

まず，この布令の「第1章 教育基本法」の「第7節 財政上の責任」のところで，「琉球列島における学校教育の維持は，教育区及び琉球政府の連帯責任とする」として，地方教育区の財政上の責任は当該教育区と琉球政府が共同で負わねばならないことが規定されています。さらに，「第5章 教育区」というところでは教育区の区域を市町村と同一とすることが最初の条文に明記されており，後ろの条文でこの教育区が法人格をもつことも示されています。財政制度については同じ章の第2条に「各教育区の教育委員会は毎年4月に翌会計年度の予定教育計画の費用に対する交付金の請求を含む予算を作り交付金を請求し，6月1日以前にその予算に関し意見を聴取するため公開の討論会を開催しなければならない。区教育委員会は討論会において適正予算額の勧告を受けた後，文教局よりの交付予定の収入金額を差引いた予算額をその年の7月1日現在で全教育区にわたり租税として賦課徴収することを市町村長に指令しなければならない。市町村長は前記の金額を徴収すること及び当該会計年度内において区教育委員会の指示する時期にその金額を教育区に納入することを監督する責任を負う。各市町村議会は，当該教育区内における教育税の賦課及び徴収規程を定めて公平にこれを賦課し，普通の市町村税と同様な方法で徴収しなければならない。」と示されています。この条文の内容のとおり，教育区の予算の内容，公聴会の制度，教育税の賦課・徴収の方法，教育税賦課・徴収の市町村

長への委任，市町村議会の任務等は現行の教育委員会法における地方教育財政制度の骨子として受けつがれていることが判然としています。この観点から，この布令のこの条項は沖縄においてはじめて教育税制度の法的根拠を与えたものであり，かつ，沖縄における地方教育財政のしくみについて一つの指向を与えたものと考えることができます。

なお，この条文の中にある文教局交付金については「第3章 中央教育委員会」の第14条以降に，地方に対する教育補助金の立法院への請求義務を中央教育委員会に負わしてあり，その具体的内容については，区教育委員会で採用された教員・指導職員・校長の適正最低額の俸給を保障する経費及び恒久校舎の建築費，戦災校舎の大修理費等がかかげられています。また，これらの補助金は教育区の生徒数，教員数，その他の合理的基準，中央教育委員会の定める基礎計画に対する維持能力（教育区の財政力を意味するものと思われる）を考慮に入れ公平な分配規則を定めなければならないように明記されています。これらの地方教育への中央（政府）の財政援助についても現行の内容とあまりかわりありません。

52年2月に公布された布令にかわって公布された布令が1957年3月公布の布令165号「教育法」で，この布令は教員の契約制度や一学級最高定員の定め，学校長の同一学校・同一教育区長期勤務の禁止，中高校教員の最低授業時間数の規定等で教育現場にかなりの動揺をもたらしたものであります。

しかしながら，この布令による地方教育財政の制度も布令66号と本質的には何らの変化もありません。教育区は法人として認められ，地方教育区の予算制度も前の布令をより精しく述べた程度であります。

特に，地方教育区の自己財源である教育税については，布令66号と同じように，はっきりした課税客体（課税の対象物件）や課税標準を示さず，「教育税は，当該市町村のその他の税と同時に，また同じ方法で徴収しなればならない」とあり，また「市町村議会は，その市町村の一般租税全体の一部として教育税の賦課，徴収に関する必要な規定を定めなければならない」として，教育税は明らかに市町村税全体の付加税的性格のもとに教育区が編成した予算の中の自己財源充当分について市町村長が賦課，徴収する義務を負うということになっており，市町村長がこの義務の履行を怠った場合の罰則までつけられています。

地方教育区に対する政府の財政援助の規定については，義務経費としては公立小・中学校の校舎建築費のみで教員の給料については明確な表示がなさ

てありません。ただ，同布令の「第1章 総則，第4節 教育の方法」の二に「教員，校長及び教育長の職は，信頼と尊厳に値する職であり，したがってこれらの職員には適正な待遇と補償がなされなけらばならない」とあり，教員の給与費補償が暗々のうちに示されているにすぎません。

この布令は1年足らずで，その大部分が実施をみないままに現行の民立法に引きつがれましたが，民立法では布令「琉球教育法」「教育法」の内容を4つの立法に分け，教育財政制度については，教育委員会法に規定されるようになりました。現行の教育委員会法における地方の教育財政制度も，前に述べたように，布令66号や165号と実質的には大きな変動はなく，条文を整理した程度に止っています。

すなわち，教育区の予算は区教育委員会が，これを公聴会にはかって決定し，決定された予算のうち特定財源（政府補助金,財産収入,手数料,使用料等）を除く一般財源を教育税として教育区の住民（市町村における市町村税の納税義務者）に賦課徴収することができるようになっています。また，教育区はこの教育税の賦課徴収を市町村に委任し，市町村は当該教育委員会よりその委任がある場合は，教育税を徴収し，教育委員会の指定する期日までに，その会計係に納入しなければなら

ないように規定されています。

この教育税の課税基準は法の中に明確な指示はなく，その年度の市町村税額を課税標準として課すことになっており，具体的には市町村条例で賦課，徴収，納期等が定められるようになっていますが，税率については「教育区の歳入予算のうち教育税による予算額を教育区に納入できるように定めなければならない」といういたって不明確なものとなっており，この条文よりすると教育予算は明らかに歳出中心主義をとり，必要な経費だけを公課として住民から徴収することができることになります。しかもその賦課徴収は市町村にまかすというのですから，地方における教育財政の現行の制度は，住民の負担力や市町村の立場を考えに入れないとすれば，財源の確保は可能であり，しかも市町村の一般財政からも全く独立しており，まことに理想的な財政制度であるといえるでしょう。しかしながら，現実の問題としては地方の教育財政が窮乏の極に達し，教育委員会制度そのものの存立をもゆるがすようになってきたことがかくせない事実であり，その根源も，もとをただせば一見理想的とみられる教育委員会法に規定されている教育財政制度の欠陥によるものであることは誠に皮肉な話であります。なお，現行の教育委員会法によれば原則的には教育区の経費はすべ

て設置者負担となっていますが，この規定にかかわらず，政府は義務教育に要する経費のうち，校舎の建築費及び教職員の給料，その他中央教育委員会で定める給与に要する経費を全額補助することになっており，そのほかに維持修繕費，その他地方教育区の教育に要する経費を補助することができるように規定されています。なお，政府がこれらの補助金を交付する場合には中教委は児童生徒数，教員数，各教育区の財政能力等を考慮に入れてその基準を作成せねばならないようにうたわれています。

では，この教育委員会法のどこに問題が潜んでおり，それがどのような形で表面化したか，また，その改善のために，地方の教育財政制度がどうように改革されたかについて解説をつづけてまいりましょう。

② これからの地方教育財政のしくみ

現行の教育税制度の最大の長所はそのまま最大の欠陥となっていることを前に述べましたが，これは教育税制度が租税として体形的に極めて不整備であるという一言につきます。そもそも教育税は半ば目的税的な性格をもつものであり，その考え方は先進国であるアメリカから戦後移入されたものであることは申し上げるまでもありません。教育財政の一般地方財政からの独立によって教育の中立性を保持することは誠に理想的なことであり，この点で市町村税と別個な財源を教育区がもつということは全く画期的な構想といえましょう。問題はその課税対象である住民がその歴史の中にその意義を見出し生活の中にこれを受け入れる態勢が整っているかどうかということであります。戦後輸入された民主々義の思潮が真にわれわれのものとして生活の中に深く根をおろすには，本土や沖縄ではまだ相当の日時を要するといわれておりますが，この地方教育財政制度については，それが発足してから10有余年の歳月を経た今日において，いろいろの条件からついに沖縄では立派に成長し得ないという結論が下されたのであります。よい種子がまかれ，それが大きな木に成長するためには，日光・水・土壌などの生物学的諸条件がその種子や木に適合するものでなければなりません。その一部については人工でその条件をそれらに適応するように変えることもできましょうが，大部分は結果的にみて環境に大きく作用されることになるとは明らかであります。本土でも戦後教育の民主化をすすめるためにこのような教育税制度の実施をアメリカの教育調査団から勧告を受けたことがありますが，究極的にはこの制度が本土の従来の地方財政制度の中にとけこんで成長していくという見通

しがつかないものとして日の目をみなかったといういきさつがあります。

では、具体的にどのような欠陥がこの制度の致命的なものとなっているのでしょうか。

まず、アメリカなどで実施されている教育税は、ある特定な課税客体－例えば固定資産に対する課税－をもっているのが多いようです。そもそも政府や地方公共団体が住民から租税を徴収するためには、まず、何に対して課税するか（課税客体の設定），また，どの程度の税をそれから得たらよいか（課税標準の設定）が先決であります。

現行の教育委員会法によれば，市町村税の附加税として課税標準を定めるという方法がとられていますが，市町村税にも普通税が4種類もあり，どれをどのように標準として定めるかが問題であり，事実同じ附加税といっても教育税の市町村4税への課税比重は教育区によって千差万別の状態であります。さらに，例えば市町村民税と固定資産税に対して附加税的に教育税を課税するにしても教育税の率をこの2つの税に一定比率で課税している教育区もあるかとおもえば，市町村税の比率に按分比例して課税している教育区もあります。同一の組織や行政体型内における住民の公課負担方法は当然均一でなければならないにもかかわらず，このような不均一な地方税の課税方法がとられていることが，教育税制度の法的欠陥の一つであります。さらに大きな問題は課税額が住民の負担力に相応しているかどうかという点にあります。教育委員会法に示す地方教育財政制度の内容は前にも精しく述べたように教育区の必要とする経費を賄うことができるように税率を定めるとあり，近年のように教育に対する需要が年々飛躍的増加をみている現実においては教育税の課税が大部分の教育区において住民の負担力とのバランスがくずれてしまっていることは見逃せない事実となっています。1964会計年度の資料によりますと市町村税の課税総額は全琉で約265万弗，教育税のそれは163万弗となっており，教育税の課税額は全琉平均でみた場合市町村税の約62％の比率となっていますが，これを教育区別にみた場合，市町村税を上回って教育税が課税されている教育区が全琉の60教育区のうち33教育区とその過半数を占めており，その開きにおいても最高市町村税の180％から最低25％までと大きく拡っています。もちろん，市町村税についてもその税額が必ずしも正確に住民の負担力に相応しているとはいえないでしょうが，市町村税については税法としての体系が整っており不当に高率の課税がなされないように制限税率まで定められています。このことを考えると教育税の課税は全く住

民の負担税力に相応していないといえると思います。しかもこのような重税を課さねばならない教育区が需要の半分も満たし得ない悩みをもっている反面富裕な教育区では市町村税の25％を課税しても、標準以上の教育財政水準を確保することができるという事実は全く奇怪というほかはありません。政府としてもこれらのことがらに対してはでき得る限りの施策をとっております。すなわち、教育税を全く野ばなしにしていたのではなく、それぞれの教育区の財政需要と負担力とを調整して各教育区に対して、これだけの教育税を賦課した方が望ましいという適正的教育税額の助言を55年以降続けて行なってきておりますし、一方、政府からの補助金（一部補助の分）には強化な財政能力補正をなして財政力の弱い教育区の救さいにあたっております。にもかかわらず、教育財政制度が根本的な変革を見なければならなかったことは第三の欠陥が決定的要素となっております。すなわち、このような需要と供給（財政力）とのバランスを保持する何らの措置も現制度ではとり得ないということです。教育税には、これ以上住民に負担を負わすことはできないという法的限界がなく、従って教育区の財政を住民の負担力に相応させる何らの法的根拠が見出せないのが現制度の最も大きい欠陥となっております。

市町村の一般行政には、ご承知のように、住民の負担力に応ずる租税収入を得て、必要最低限の行政水準を保持するための不足財源については、中央税（政府税）によって地均しをする、いわゆる交付税制度が実施されています。教育行政も住民の福祉をはかる一つの大きな道であるからには、このような制度の思典は当然あずかるべきであるにもかかわらず、それが実現できないのは、制度の欠陥という言葉だけで処理するには余りにも大きな問題であるといわねばなりません。

では、教育税に対して、租税としての体形を整えるべく、法的整備をなし、教育需要に対して地方の一般行政と同様に教育交付税制度を適用する方法が見出せるのではないかと思いつくのは当然のことであります。政府としてもこの制度の改革には、まず、このような方法について、慎重な検討がすすめられたことは申すまでもありません。そのためには教育税の課税客体を明確に持つことでありますが、現在の地方財政のわく中では新らしい財源を開拓するとは、ほとんど不可能な状態にあり、一方、市町村税の附加税として税率を定めるのも教育財政の市町村財政からの独立という大原則には矛盾する要素を含んでおります。もちろん、歳月を重ね、研究を積めば、現制度の特色を殺すことなく、欠陥をうめ

これからの教育予算編成の手続き

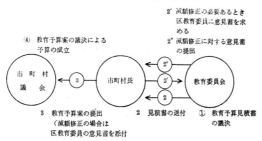

(注) ①～④は手続きの順序を示す

あわす何らかの道は開けてくるかも知れません。がしかし、地方の教育財政はそのようにゆうちょうな状態にあるのではなく、誠に焦びの急に達している現実をみたとき、次善、三善の策をとることこそ、行政の正しい歩みと申すことができましょう。

以上が今回の教委法改正のいきさつでありますが、では、これからの地方教育財政はどのようなしくみになってくるでしょうか。端的に申し上げますと教育財政の市町村財政への一本化であります。すなわち、教育税を廃止して、これを市町村税に一本化し、教育の需要に応ずる財源についても、住民の負担力の範囲内で市町村税として賦課徴収し、不足財源については、これを交付税に求めるというのが、新らしい教育財政のしくみの根本的な考え方であります。そのための方策として、教者委員会の予算制度は大幅な変革をみなければならなくなってまいりました。すなわち、教育費の一般財源を市町村財政に求めるからには、教育予算の最終的決定の権利を市町村議会にまかすような結果になってきました。具体的には、教育委員会は教育に要する経費を見積り、これを市町村長に提出し、市町村長は市町村財政の全般にこれを位置づけ、調整を行ない、議会の決議を得て予算の成立がなされるというしくみに変えられることになりました。わかりやすくするため、これからの教育予算の編成手続きを図解しますと上の図のようになってきます。

次に、教育予算の財源構成をみましょう。教育税が廃止されますので、その収入はもちろんありませんが、それにかわるものとして市町村の教育費負担金が一般財源として教育予算に組まれてまいります。すなわち、教育予算の財源は従来の文教局補助金と教育区の自己財源（使用料、手数料、給食負担金、財産収入等）および、教育区の基準財政需要に見合う市町村負担金によって構成されます。教育区の基準財

政需要とは何かという点については「第3話 地方の教育予算の ロ 市町村交付税」のところで精しく解説されることと思いますので，ここではごく大まかに申し述べますと，教育区における教育の標準的行政を行ない得るために必要な経費とでも申しておきましよう

このような制度に変った大きい目的は実に各教育区におけるこの基準財政需要額に応ずる財源の確保にあるのです。ちなみに1966年度からこれが適用されるとすれば教育税にかわる市町村負担金は教育税の実に2倍近くにもなり，しかもこれが各教育区の需要に応じて配分されることになります。そのためには，もちろん，政府よりの市町村への交付金も大幅に増加します。

なお，議会によって議決された教育予算の執行については当然教育委員会の業務であります。また，予算の議決権と関連して，市町村負担を伴う教育区債・予算の更正・規則・規程等も議会の議決または承認を得なければならなくなっています。

教育予算編成の手続きはなるほど従来と比較にならないぐらい繁雑になってきます。しかもこの制度には多くの矛盾をもっています。教育区という独立した法人の財政を市町村という別個の法人が決定するということは法体形上からも条理にかなっているとはいえません。市町村側としても，いままで教育税を賦課・徴収し，これを教育委員会へ渡せば，一さいの面倒はみなくてよかったはずです。それが今回の改正で他の法人である教育区の予算までも編成しなければならない義務を負わされることは，本当に迷惑千万のことと思います。一方，教育委員会にいわしむれば，財政権を委譲した教育委員会制度は本質的には骨抜きな制度であり，あきらかに教育委員会制度の後退にほかならないという不満もきかれることは当然であります。しかしながら理論はさておき，現実に戻って教育の発展向上を考えるとき教育財政の実質的進展の前には，多少の不合理や不満は大極的な立場から目をつぶっていただき，ひたすらに市町村側も，教育委員会側も一体となり，お互いの郷土の将来をになう青少年の教育に力をあわせていくことが，目下の急務ではないかと考えるところであります。法は人のためにあるとよく云われますが，法を活かすも殺すも，要はそれを運用する人にあります。法の趣旨を体し，その足らざるところは，運用の妙を得ることにより，お互いの教育は限りなく進展するものであることを，この改正教育委員会法の実施にあたり，これを運用する市町村議会のみなさん，市町村当局，区教育委員会の各位に大いに期待するところであります。

受　領　証

「文教時報」　No 99

確かに受領いたしました。

１９６６年　　　月　　　日

　　　　　　　住　　所

　　　　　　　氏　　名

文 教 局 調 査 計 画 課 殿

「文教時報」は常に読みやすく，充実した内容をという方針で編集してきましたが，今後この小誌をよりよいものとするため皆様方のご意見をうけたまわりたいと思います。あなたか，またはどなたでもよいのですが NO 98 をを読まれた方に次ページの「文教時報 NO 98」についてのアンケートを記入して戴きましてお送りいただければと思います。

「文教時報 No 98」についてのアンケート

（さしつかえなければ，ご記入ください。）

①ご氏名　　　　　　　②性別（男・女）　③年令（満　　歳）

1. 「文教時報」をいつからお読みですか（該当番号に〇をつけてください）

　(イ) この号（NO 98）がはじめて　　(ロ) 96号（65年7月刊）から

　(ハ) 1年〜2年から　　(ニ) 3年以上前から　　(ホ) その他（　　）

2. NO98の記事で興味を感じられたものはどれですか。

　（該当する空欄に〇印をつけてください）

記　　事		記　　事	
1．非行と家庭		7．指導主事ノート	
2．座談会		8．ご存じですか	
3．資　料		9．文化財散歩	
4．産業技術学校		10．中教委だより	
5．教育費講座		11．統計図表	
6．各種研究団体		12　文教局機構紹介	

3. 新しい記事を載せるとしたら，どういう内容のものがよいとお思いですか。

　　1．
　　2．
　　3．

4. その他のご意見

中教委だより

第146回臨時中央教育委員会
1．期日　1965年12月15～20日
2．会議録（抄）……可決
○政府立高等学校入学料，授業料及び入学検定料徴収規則の一部を改正する規則について（議案第2号）
○豊見城高等学校設置要項の一部改正について（議案第3号）
○学校給食補助金の交付に関する規則の一部を改正する規則について（議案第6号）
○1966年度公立学校校舎建築割当について（議案第14号）

第147回定例中央教育委員会
1．期日　1966年1月25～31日
2．会議録（抄）……可決
○就学困難な児童及び生徒に係る就学奨励についての政府の補助に関する立法案（議案第2号）
○義務教育学校の学級編制の基準及び教育職員定数の算定に関する立法（議案第4号）
○1966年度，公立学校，給食準備室割当について（議案第6号）
○政府立高等学校の通学区域に関する規則の一部を改正する規則（議案第20号）
○1966学年度政府立高等学校入学者定員の一部改正について（議案第23号）
○超過勤務手当及び休日，日給等支給に関する規則について（議案第24号）
○地方教育区公務員法及び教育公務員特例法の立法について（協議題）

1966年2月10日印刷
1966年2月20日発行

文　教　時　報　（第99号）
非　売　品

発行所　琉球政府文教局総務部調査計画課
印刷所　琉球新報社印刷部　電話③1131番

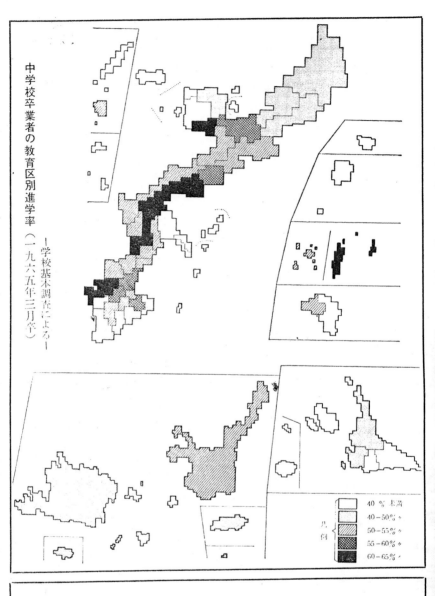

中学校卒業者の教育区別進学率（一九六五年三月卒）
―学校基本調査による―

凡例:
- 40％未満
- 40—50％〃
- 50—55％〃
- 55—60％〃
- 60—65％〃

回覧

文教時報

100

NO. 100　'66／4

〈100号記念特集〉

琉球政府・文教局総務部調査計画課

 ◁3▷

重要文化財

自了筆「白沢之図」

沖縄歴史の教えるところによれば，察度王の寿影が末吉の万寿寺にあったといわれているから，その頃にはすでに絵の上手な人がいたということになる。

尚円王以来，国王の画像は，歴代の画伯によって描かれたことは確かであるが，それ等の名は全く伝っていない。

史上に現われた最初の画伯は，自了である。自了は，尚豊王代の画家で城間清豊が通称で，自了は，その号である。

慶長19年10月18日生れ（首里）だから薩摩入後の人物である。従って彼の画風が如何なる雰囲気に育ったかということも大体察しがつく。

彼は，啞で天才だった。7歳の時，天日を指して泣いたとも伝えられている。彼は，31歳の男盛りに死んだが，彼の芸術的生命の短かかったのにくらべ，彼の作品は非常に高く評価されている。自了の作品は，今次大戦でほとんどなくなり，この「白沢之図」は，かけがえのない貴重な存在である。

1．自了筆「白沢之図」の指定条件は琉球最高の画家ののこした絵画で，唯一のものであること。

2．指定

重要文化財　美術（絵画）で，1958年1月17日に指定されている。

巻頭言…………………前田 功……
<グラビア>ハワイの産業教育施設…………29

特 集
<座談会>文教局の歩みとともに………………1
<思い出の記>
 1 ハークネス氏を思う……真栄田義見…9
 2 大任を終えて…………阿波根朝次…12
<特別寄稿>
指導主事ひとむかし……………大城真太郎…18

<講演要旨>
学校給食の役割、運営、指導について
　　　　　　　………河村 寛…20
<報告>産業技術研修報告………大庭 正一…23
<随想>教育生活を顧みて………田港 朝明…31

<各種研究団体>3
 沖縄教育音楽協会活動について
　　　　　　　　仲本 朝教…35
<指導主事ノート>3
人物と器物…………………松田 州弘…41

<教育財政>
1967年度 単位費用の積算基礎…………42
<沖縄文化財散歩>3
 文化財保護委員会………………
<ご存じですか>…………………19
<中教委だより>……………総 務 課…

<統計図表>
勤務年数別、性別教員比率
　　　　（連合区別、小学校）………

<総目次>1号～100号…………52

文教時報

NO.100 '66/4

広報活動に思う

　琉球政府発足と同時に発刊された教育広報誌文教時報も今号で第100号を数える。初号からざっと目を通してみると，そこに10余年の文教行政の歴史がうかがえるような気がして感慨に堪えない。
　100号までに盛られているその内容面については，年代によりねらいどころに若干の変遷があり興味深い。特に，1962年の文教局機構改革以降は，いままでの教育プロパーの研究紹介の編集方針から，がらりと変わり，もっぱら文教行政そのものの広報に主眼がおかれるようになっている。本土都道府県の教育広報誌は，両者の中間的性格をもったものが多いが，琉球政府は小なりとはいえ，現段階では最上級の行政機関であるので，国家業務の一つとして政策の普及徹底を図るという意味での，このような編集方針は一応理解されてよいだろう。
　さて，行政の正しい認識と理解を深め，その周知を期すための広報活動には機敏性が強く要求される。すなわち，行政者側が知らせたいときに，しかもそれを受けとる側（教育広報の場合は主として教育管理者や先生方）が最も知りたいことをタイムリーに広報してはじめてその成果を期することができるのであるが，とかく，広報活動はどちらかといえば，〻知らしたはずだ〻の一方通行になりがちである。薬や食料品のような日常生活につながっているものの宣伝ならばいざ知らず，少なくとも専門的分野に関する広報活動は極端にいえば受ける側が意識的な反応，いいかえれば知りたいという意欲が起こらない限りほとんどその効果は望めない。本土でも広報活動の推進についてはいろいろと腐心しているようで，広報誌の編集方法の改善なども数々と試みられているが，何といっても根本的には受ける側が何を必要としているかを適確に知り，それに応ずる活動を行なうことであり，このためには局と現場を統ぶ広報委員会などの組織が大いに活用されてしかるべきであろう。と同時に，行政者側としては現場指導や講習会，研修会など，あるいは新聞，ラジオなどのあらゆる直接間接の機会をとおして，現場に知ることを必要とさせる，いわゆる問題意識のじょう成もまた肝要であろう。さらには広報誌がバラエティーな編集による読者への意欲の高揚，視聴覚を通しての多方面な広報活動への前進，現場では広報誌などの活用のくふうなども検討されるべき問題点であろう。
　このように広報活動には幾多の解決すべき問題点を内包してはいるが，知らす側としてはよい意味でのサービス精神の一層の高揚，受ける側はそれにより教育実践がよりスムーズにすすめられることの理解に基づく活用など，両者が一体となって広報活動の効率化に努力を重ねるならば，教育の推進向上のために広報活動の果たす役目は，一段と高く評価されていくのではなかろうか。
　　　　　　　　　　　　　　　　　　　　　（前田　功）

座談会

文教局とともに歩んで
～その草創期を思う～

(と き) 3月26日（土）　　(ところ)　政府第二庁舎A会議室
(出席者)　　　　　　　(司　会)　安谷屋玄信（調査計画課長）

小嶺　憲達（総　務　部　長）　　金城　順一（理科教育センター所長）
富山　正憲（経　理　課　長）　　嶺井百合子（社会教育課主事）
親泊　輝昌（仲西小学校長，前教育研究課長）　新城　政信（総務課主事）

司会　文教時報は第1号が1952年6月30日に発行され今回で100号になるわけです。ここにお集まりの皆さんは大変お古い方々で，わるく申しますとコケムシタ方々，よく申しますとイキジビキでして，教育は古きをもって尊しとするということもありますか，古い思い出話を思う存分ひろうしていただき100号をかざらして下さるようお願いします。記録に残されていない裏面史とでも申しますか，10数年以上も経た今日では，それらは時効となっているはずですのでどうぞごえんりよなく。

〝旅役者風の社会教育の頃……〟

嶺井　わたしが政府入りしたのは，今の天妃の学校に佐敷の新里の上の森から政府が移った1950年の5月でした。その当時，社会部の中に婦人課があり社会部長は山城篤男先生で婦人課には仲村ノブさんが初代の婦人課長でその周囲に宮里エツさんとか，有銘シズさんとか牧志シズさんとかいったようなそうそうたる方がいたわけです。その後，社会教育課として統合されまして現在豊見城で先生しています長嶺ハルさんと私が婦人教育を担当したわ

けですがその頃は社会教育主事もいなくて本庁の方々が地方へでかけていって講演式のの社会教育をやっていたのです。沖縄復興のためになんとかしたいという意欲が各方面で強かったものですから私も家に2〜3日も帰らなくて風呂しき包みをもってあの村からこの村へと、まるで旅役者みたいに歩いたことが思いだされるんです……

親泊 わたしは52年12月に文教局に入ったわけですが、青協の取材と研修や町の単位青年会の研修会、研究会などに出かけていって一緒に研究するといったやりかたでした。その頃は公民館というものがどういうものであるか一般の人達がよくわかっていない草分けの時代でその普及にも関係者は骨をおったものでした。最近、青年会と市町村との結びつき、そういった面がどれだけ強化されているかわかりませんが、青年達が考え出した青年開発隊が成果をあげているということは一つの前進ではないかとみております。

≷馬小屋教室の中で≷

金城 私が政府入りをしたのはちょうど群島政府時代で1950年11月でありました。その頃わたしは、現在那覇連合区の教育長をしておられる阿波根直成先生と名護高校（当時田井等高校といっていたが）で寮の舎監をしていました。阿波根先生が男子寮で私は女子寮をみていたわけです。なにしろ物資の乏しい時代で、1400人の生徒にメシを食べさせるということは大変なことでした。その頃竹内和三郎氏が倉庫長をしていたので何かと融通をつけてもらいましたが……というわけで文教部入りをすすめられたとき、寮を離れることができないとことわったわけです。ところが、当時の文教部長の屋良朝苗先生から≷沖縄の教育をどうするか≷と例の調子でやられたものですから、ことわりきれず来てしまったわけです。

当時の研究調査課長は安里彦紀氏（現在琉大教授）で、そのほかに富原氏（現在、首里高校長）、山田有功氏（前琉大教授）、嘉味田宗栄氏（現琉大助教授）、それに私、若手の方では研究教員で行った時、所望されてそのまま静岡にとどまった平良仁永君、それに安里盛市君（現教育研究課長）がいましたが、1952年政府創立とともに指導課に移りました。指導主事制度がしかれてまもない頃、指導主事のメンバーと研究調査課のメンバーが一緒になりまして、ガタガタのトラックに乗せられて出かけたわけですが、その時、天妃小学校の校庭で文教部長の屋良先生、副部長の仲宗根先生の歓呼の声に送られて出かけたのが印象に残っています。当時は、学校といってもまだ馬小屋教室で教室に入ったとたんにまっ

暗になって，しばらくはどこに先生がいてどこに生徒が座っているのか見えないくらいでした。それに入口も台風の関係もあって低くしてあるものですから，急に入ろうとして頭をぶっつけたということも再三ありました。

″先島行き25日間の頃″

富山　私が政府入りしたのは実業高校設置の47年ですがそこで予算関係の仕事をしておりました。その当時教科書がなく編集課というものがあって教材をガリバンで切ってそれを全島にばらまいて教科書のように使っていたわけです。その後，本土から教科書が入って来て，今までその編集にたずさわっていた先生方がこんどはいきなり労務者になって本をかついで学校にくばり歩いていました……
庶務課の方で予算経理を担当していた頃，園田課長と初めて宮古，八重山へ行ったことは思い出に残ります。ポンポン船をやっとさがして一晩中かかって宮古につき教育委員会の予算事務などの講習をはじめたわけですが，なにしろ船が小さいためしけると出港できず八重山をまわって那覇に帰るのに25日間もかかったのです。あの頃は事務らしい事務もなく，校舎の建築もまだ始まらず人件費のみの小さい予算でした。

司会　校舎建築の話がでましたが，この問題は教育行政の中でも大事なものだと思います。新城先生はその当時施設課とおられましたが，その思い出でも……

″こわされ，つつかれ，
　　建てた校舎″

新城　53年に政府入りしましたが，その当時の施設課の課長は山川宗英氏（現厚生局長）でそのほかに端山敏輝（現東風平小学校長），中山重信（現出入管理庁総務課長），徳山清長（現大平養護学校長），それに私でした。その中で一番若かった私はまずお茶くみからやらせられました。
当時の施設課は出来たてで資料がなくどこの学校にどれだけの教室があり，坪数もどれだけかはっきりしない状態でした。教室の割当といっても一教育区2〜3教室ぐらいで，日に照されない教室が与えられるのはいつの日だろうかと心配したものです。ちょうどその頃教職員会の屋良先生が沖縄の校舎を復興しようという運動を本土同胞に呼びかけて資金を集められていたわけです。そのためか施設課に来たこともない地方教育委員会の方々が足しげくかようようになり，54年からは軍政長官（今の弁務官）が良い教師，良い施設，良い待遇というスローガンをかかげまして特に校舎建築費が増大されたわけです。その当時の資料をみます

と，52年に375教室だったものが54年663，55年730教室というふうに多くなっております。このように校舎もふえ事務も多くなったのに職員は5名しかおりません。その上，それら施設の管理が他局にあったため，話もうまくいかず文書でやりとりするためにスムウズにいかず現場からしかられる事も再三ありました。59年の末頃今の郵政庁長をしておられる佐久本先生が施設課長のとき，校舎の建築はすべて文教局がやるべきだという事で校舎の建築管理行政が一切文教局に移りました。職員も30人をこしましたが，それが今度の機構改革でまだ逆もどりして仕事がやりにくくなっているわけです。私の入った頃は新築の予算はありませんでしたので復旧とわずかな新築ということでやっておりましたが53年までは木造建て，それからコンクリートの残っているものの修理，54年から鉄筋コンクリート，ブロック建てでなければ軍の方で許可しないというのであれから鉄筋コンクリートになったわけです。今でこそいろいろ批判もありますが当時としては大変よろこばれたものでした。しかし予算も少ないので平屋建てを一律の型で建築するいう方針をとり校地の狭いところでは委員会で負担して二階建ということにしていたのです。一番想い出に残ることは，フアン台風でやられた時ほとんどの教育区の校舎がつぶされてしまい，その被害状況を報告するようにとの軍からの命令でしたが，それが大変なことです。どこの学校も何教室大破，或は倒破とか出て来まして，その被害状況が金額で示せないのです。2，3日徹夜でやっと出しましたが，報告の出ない所もあって，その後，その金額が軍からそっくり認められて復旧費が出たわけですが，そのとりあいがまるでハチの巣をつつくようなありさまになって大変でした。特に北中城はあの時の会計係がスローモーで報告をしなかったため校舎が建たないわけです。それを平良幸市議員にとつつかれて文教局はどうして調査しなかったのかと大変しぼられました。ほんとに感無量ですね。

≅マイクかついでPRの頃≅

司会 どうもありがとうございました。ほんとに「今は昔」ということにつきますが今日こう整備された状態から当時を思うとき，その当時の血のにじむような苦労が今日繁栄する素地をつくったとの感がします。

私が政府入りした頃は4つの郡島（奄美大島，沖縄郡島，宮古郡島，八重山郡島）が統合されたばかりでして，奄美大島などは戦前鹿児島旅行などの帰りにちょっと立寄るぐらいでさっぱり事情がわからない。在籍報告が来まし

てもその書類上の数だけでそれによって教員の数も決めるというちょうしで学校が実際どうなっているのかわからないという状態でした。

金城　全くそうでしたね、指導課にいた頃、たしか西平方金君と一緒だったと思いますが大島の喜界島に行ったとき、鬼界島とやらかしてしかられたこともありました。

司会　そんな状態、その間教育行政を司る最高立法というのは琉球教育法という布令第66号であったわけです。その後、教育委員会制度というのができあがり、教育委員の選挙の棄権防止のため、そのピーアールにマイクかついで飛び歩いたものです。
今さき金城先生がいわれたように奄美大島行きは大変なものでした。私も一度は大きな暴風にあい、小さなテンマ船の事とて大変なもので人間も荷物もみんなころがりトランクの中まで水びたしで、これで一巻の終りかと目をつぶって観念したものです。それにエンジンは故障してしまうし……流れに流れて運天港にたどりついた時はほんとに生きたここちはしなかった状態でした……
考えてみますと、そまつな木造校舎をつくって大変大きな祝賀会をひらいたり……今日から思うとほんとにほゝえましいことなどもありました。

〝貧乏物語に花咲く〟

嶺井　今なら旅館やホテルもあるのですが辺野古の北部の辺地に行きますとそれこそ民家ですし、夜具もなくうすい毛布でねたり、それに男と女が行くでしよう、とまる所もないし、机を真中にしてねるんです。（笑声）

金城　そうですね今でこそ各教科指導主事がいて自分の教科を持っているがあの頃はいろんな教科まで担当させられました。理科の指導で古宇利島に行った時そこに女学校時代の教え子が教員をしていたのですが音楽と国語の指導をどうしたらいいか大変困っている。それでぜひ国語の授業してほしいというわけです。まあ理科なら話はわかるが、まさかことわるわけにもいかずやむをえず国語の研究授業をやったものです。また、あの頃の私共は勤務時間というのは朝目をさましてから夜帰るまでで指導主事とはよほど運の悪い人がやるものだなあと思ったこともありました。実際に子供のことを思い出すときはね顔のことしか思い出せないのですね。

（小嶺総務部長出席）

司会　小嶺部長さんは今さっきお見えになりましたが色々と昔話を語りあっています。

嶺井　貧乏物語ですよ。

小嶺　はるかかなたの事で急には思

い出せないんですが……実は文教局入りについてなんの考えもなく来ないかとさそわれて私は役人になれるたちではないと考えておりました。それで2～3の先輩校長に相談したらそれもよかろうとのことでした，それに時の教育長の真栄田義見先生からのさそいであため2年ぐらいのつもりで入ったのです。しかしその後真栄田先生が局長になってこられたのでつい出ることができなくなったのです。そのとき学務課の島袋正輝先生が辞令を書きながら君は字をかくのが大変上手だし丁度よかったという話をしましたのでびっくりです。とんででもない字を書くよりはなぐられたほうがよいと思うぐらいなものですから……そんなことをいったのは誰かわからないが……

富山 真栄田先生ですよ，先生よりは上手だし……

小嶺 その頃全職員をあつめて打ちあわせの会合があったのですが，そのとき君司会をしろといわれしかたなかったのですが，私は内心文教局は四角ばってこわい所だと思っていましたので丁度よい機会だ，よし司会でもやってやわらかい雰囲気でもつくろうと考え引きうけたのです。ところがそこへ入って来た指導課長の中山興真君が私をみて〝君‼なにしにここへ来たのか‼……これにはびっくりしました。

〝忘れ得ぬ人々〟

司会 このような苦しいがなつかしい長い道をあゆんで来たわけですが，その間にいろんな人々が思い出に残っていることと思いますが……

金城 辺土名で第一回理科指導者研究会をやったとき，民政府教育部長のクロホード氏の講演の中で，氏が教員をしていたころ，動物の解剖の時間にネコをすることになったのですがそのネコがなかなか手に入らない。四苦八苦して手頃のものをみつけ解剖したのですが，その飼主がなんとPTAの有力者であったうえ，動物愛護を必要以上にさわぎたてるアメリカ人であることからついに追放運動までもちあがったそうです。ところが子供たちが家にかえってその授業のすばらしかったことを話したため追放変じて優秀教員のレッテルに変ったというのです。実験観察を強調された氏の印象はいつまでも残っています。もう1人はカタブツで名の残っているハークネス氏がいます。

教科書選定をしていただいたとき，その中に図工の教科書があったのですが氏は図工に教科書がいるのか，外に出て建物でも木でも描けばいいのではないのかというのです。アメリカの様子がさっぱりわからない私はほとほと困りました。しかし委員会でも決めたこ

とだし，なんとかしなくてはならないので，アメリカではどうやっているかわからないが，日本では昔から図画の本がありそれによって基本的なものを身につけその後に外に出てからをやぶって自由な絵をかくんだとにわかづくりの理論をぶちまけたので，しぶしぶ許可をうけたこともありました。

司会 今日では，中教委で可決された規則も法律化しているんですが，その当時は民政府と一条一項いちいち調整していたわけです。その係をしていたのが例のハークネス氏で布令165号が公布され時，教育区に対する補助金の算定公式をつくれといわれ私は3週間かかっていろんな公式をつくってもって行ったわけです。数学の専門家だと自称する氏には日本の数学はわからないらしくいくら説明しても納得しないのです。こんどは図表にしてみせたんですがなおおわかりにならない。数学の専門家である比嘉信光先生や数学の指導主事をともなっていって説明したらますますわからなくなってしまって困ったことがありました。ちょうど55年頃だったと思いますが，教育区の財政状況を52年頃から統計でしらべ，この行きさきは必ず行きづまりが生じる結論をえて教育税制度はあぶないから今のうちに改めた方がよいとけん策したわけです。そうすると，氏はマッ赤になって鼻の先に指をつきつけ〟君らはミスター真栄田（時の文教局長）も言わないことをいっていいのか‼布令の中の教育税を改革するというならミスター真栄田をつれてこい〟とどやされました。

その後，氏がネパールの教育顧問として行くというので，けんかもしたことだし見送りでもしようと嘉手納の飛行場に行ったら〟君，教育税はなくすなよ〟といって機上の人となったのです。今日地方教育税が改革されるにあたり当時を思うと今昔の感がしますね

新城 ハークネスというと中山君の顔を思い出すのですが当時校舎建築の数が多くなって毎週その状況報告を民政府にさせられたのです。その係が中山君だったのですが，ハークネスに会った日の中山君の顔はそれこそむつりとして大変でした。しまいにはその係を私がおしつけられこわごわいってみたんです。ところが私が行くとコーヒーを入れ茶菓子を出して愛想がいいんですね。そこで私は不思議に思っていたんです。なんで中山君がハークネスをきらうのか理解できないのです。しかし次第に彼の気持がわかってきました。ほんとにカタブツでとつつきにくい人でしたね。

司会 いろいろ民政府との間にはむづかしい問題があったのですね。実業高校の統合問題で変なオバサンが民政府から中教委の会議中にのりこんで来

て助言をしようとしたりして……
そのとき中教委は厳然として沖縄の教育の道を守りとおしましたのは一つの裏ばなしですね。それに今日，国費の学生が堂々と試験をうけて本土にわたっていますけれども，あれを制度化するには民政府の考えで一応琉大に入学し学部に入る時本土に留学させるというようでしたが，それをがんとしてはねかえし一時はとつくみあいの活劇まで演じるばかりの状態で今日の制度にもってきたのは現在の副主席の小波蔵先生だったのです。あのような体あたりの事件でいろんなことが解決される場合があっのですね。

富山 日政援助の革分けは文教局がはじめたわけですね。研究教員国費自費……など

小嶺 布令によって中央教育委員会で可決したものはみんな翻訳して民政府に送り，それで結局文教行政のすべての面でコントロールを受けるような状態になっていたのです。
そういったこともあって例の教育四法案は成立するまでに二度否決されるわけですか（1回目は56年春，2回目は56年秋）立法院で可決，民政府で否決ということをくりかえしているうちに，急に教育法布令165号（1957．3．2．）か出されたわけです，立法院では57秋3回目の教育四法案の可決となるわけですが，民政府でそれが可決さ
れ公布されたいきさつには，那覇市の市長選挙がからんでいるのです。すなわち投票日をひかえた1958年1月8日，高等弁務官は教育四法案にサインしたわけです。しかし結果は兼次候補の勝利に終ってしまって文教局はまるもうけ……

司会 今日は貴重な時間をいただきましてありがとうございました。
行政記録になくても，お互のこういった大事な心の中での記録は裏面史として沖縄の教育の歩みをふりかえってみるとき重要な意味をもってくることと思います。いまでこそこうした長い間の苦しい努力もなつかしい思い出として語ることができますが，こうした貴いお仕事が現在の沖縄教育発展の基礎をなしていると考えるものです。文教局と共に歩んでこられた諸先生方の御苦労に対し心から感謝をするものです。どうもありがとうございました。
（文責・花城）

ハークネス氏を思う

— 人事の広域交流について —

第2代文教局長
真 栄 田 義 見

　私が1953年4月，草創時代の琉球政府の文教局長になった時のUSCARの教育課長のような仕事をしていたのがハークネス氏であった。
　時に占領意識濃厚の時代で，われわれの文教行政の政策決定はUSCARとの合議の上でないと決められない時代であったので事の大小を問わず合議をせねばならなず，そのための教育部日参が多かったものである。
　その交渉相手がハークネス氏であった。アメリカさんにしても大柄の方であったが，その柄の大きさに似ず女性的なセン細な感情のひらめきを見せて，細かいことにも気をつかっておせっかいが過ぎることが多かった。今でも氏を思い出すごとにいいところがあったと思うことが2，3に止らない。
　その1つは，教育を政治から独立させようという配慮と，民主的教育制度を通そうという心構えが徹底していたことである。
　私は広城人事が沖縄の教育を活気あらせるためには是非必要であると思い，絶えずそのことを主張，委員会もこれを支持していたが，ハークネスは頑としてこれに反対した。
　それは戦前の教育行政をよく知っていて，政治的圧力で島流しという過去の事実をあげて，君たちもそうするのではないかということを言外にほのめかして反対するのであった。
　私も戦前の例をあげて説得，これに努めた。戦前は優秀な師範卒は，与那国，波照間という遠い所にやられた。2～3年の約束でやるのであるから，やられる教員にしても，若いうちに，あるいは1生にまたと経験することが出来ないことを経験できるという意味で喜こんで行ったものである。
　それから次第に近い所に上陸して，次第々々に中央にくる。そして郷里に帰るというしくみになっていた。性格の違う教員，優秀な教員等と教員論をもち出して，そういう教員に指導される機会が僻地においても与えられることが大変教育的にいいことであるとも主張したが，それを分ってか分からないでか結局われわれの主張は，彼には

通じなかったようである。

いまは，小さい教育区限りの人事交流である。しかも教育の実権を握っている委員会の委員も同村出身ということになると，コントロールする方もされる方もいってみれば親類知人という気安さできびしさが足りなくなる，することなすことイージーゴーイングなやり方をするのではないか，そうなったら，精神的血族結婚で，育つ子も血族結婚に似た精神的いびつなものになる恐れが出て来る。だから是非広域人事交流をするために教員の人事権は中央の委員会に持たさねばならないと口を極めて説得したが頑として聞かなかった。

区委員会から人事権を取り上げた時には教育の地方分権を建て前としての区委員会が骨抜きになることを恐れて，そしてもう1つは政治的に問題のある教員が，政治的圧力によって不当な転任をしいられることを恐れてのことであったようである。

話は私の感想になるが沖縄のような小さい教育区で委員会を持つことは世界に類例のないことである。同じくアメリカの勧告で委員会を造った本土においても，市町村に委員会はあってもそれは法人になっていず，人事権は県委員会が持っていて，広域な人事交流が出来るようになっている。

だから沖縄でも，本土のように広域の交流を考えねば活気ある教育の振興は望まれないのではないかと今でも考えている。今のように僻地教育の振興方策を僻地教員の待遇の改善や，住宅の提供という末梢的なことばかりでは，僻地教育は振興するものでないことは，論より証拠の事実が証明しているのではないか。

僻地教育の振興のためには進んで各地から喜こんで僻地に行く必要があるのに，いまのように人事権が中央にないと，帰りが心配になって，誰も行くものがいないだろう。結局僻地出身者ばかりが何号俸かの増俸の恩典にあずかり，自宅通勤するものだから折角造った住宅も空家になる始末になるのではないか。

私の文教局にいた頃は主席の任命した委員会で，政治的圧力による転任移動も考えられたわけだから，ハークネス氏の心配もあながち理由のないことではなかったろうし，ハークネス氏の考えには1応敬意を表して，思い出すこともできるが，いまは選挙された中央委員会があって，政治的圧力もはねかえすことが出来るのだから全島一円の教員交流を考えることが沖縄教育の振興の上から焦眉の急を要することだと思うものである。

区委員会という，いてっみれば家族

的内輪な親和感の中で，あぐらをかいて坐っているということは，ことば通りに精神的血族結婚になってしまって切磋琢磨するきびしさをなくするのではないか。

　区教育委員会を支えているもう一つの柱は財政の独立ということであった。教育税があると言えば名前は立派で教育税でまかなわれているという錯覚を起すのであるが，事実は，中央の補助金が区教育委員財政の90％以上を占めていて，財政的独立には程遠いものがあった。

　その上徴税手続の複雑さがあり，その上区の税源の貧富による格差があって，区財政の格差はどんなに補正しようと思っても，出て来て，不公平な教育運営になる欠陥をもっていた。

　そういった意味から教育税廃止を主張しても，これまた彼は区教育委員会を弱体化するものだといって聞かなかった。いろいろなへい害を内包していた駒切れ委員会になっている事実に彼は眠をおうて，地方分権という最大の教育民主化の美名を維持しょうとしていた。

　教育の民主化をとことんまで行うには，学校をその校区のＰＴＡにまかせた方がいいということになる。自分の学校を自分たちが運営するのだからこれ以上の民主化はないわけである。がこういう極端な民主化のへい害は各方面から論究されてくるし，むしろ利より害が多いのである。いまの区委員会もＰＴＡ運営と50歩100歩のへい害があることをいわねばならず，もしも区委員会を廃止できないとするならば，その長所をのばすために，その短所に鋭いメスをあてての改善策を取らねばならないのではないか。

　すでにへい害の一つである教育税は廃止された。人事交流も連合区に拡大されていても，まだまだ充分だとはいえない。広域交流のためのいろいろの方策を考えばならないのではないか。

　ハークネス氏については創草時代の沖縄教育の上から忘れてはいけないことがいろいろある。私は比嘉主席の局長といった立場もあって政治的に主張したこともあったが，彼はつねに民主化とか分権という立場に立ってそれに対して反論していたが，いまになっては彼の人柄と彼のある種のアメリカ的理想主義とともに思い出されるのである。

5月1日は学校基本調査の実施日です
調査票の提出期日
　基礎調査票……5月6日まで
　学校，教員，施設　　　｜
　図書館，卒業後の　　　｜
　状況，不就学児童　　　｜5月10まで
　生徒の諸調査票　　　　｜

大任を終えて

第4代文教局長
阿波根 朝次

　文教局長交替後まもない時だった。中部連合区の方々が新旧局長の激励のため一席設けて下さったが、その席上つぎのような趣旨のあいさつをした。

　次長時代文教局で連合区統合の方針を打ち出し、この事務を推し進める責任者として各連合区を説得して回ったが中部連合区ではこれに反対を唱え教職員会では反対決議をしたので組織で決めたことだから動かせないと強硬に反対したので中教委まで動員して中部の説得につとめた。新連合区の発足の目標を4月1日に置いているにかかわらず2月頃までまだ見通しがつかないので、小波蔵局長も「投げ出すより外ないだろう」と心境をもらされたので事務責任者としての私もいよいよ最後かと重大な覚悟をしていた。まもなく中部の皆様のご協力によって円満に調整がついて4月1日、予定通り統合連合区を発足させることが出来たことは中部地区に関連した文教局在任中のなつかしい思い出である。

　大体そういう内容のあいさつをしたら、委員長は「そんなに深刻に考えていたとは思わなかった。そうすると中部はお前の恩人だな」といわれたので「あまそういうことになりますね」といって大笑いをしたが、在任中何度か難関にぶつかったり、つき上げられたりでこれに似たような苦しい立ち場に立ったことがあるが、大任を終えた今はそれらのひとつびとつが皆なつかしい思い出になっている。

　この連合区統合の目的の一つは人事交流の広域化をはかることにあった。ある程度効果はあがっていると思うが人事交流の広域円滑化は抜本的には人事権の広域化が必要でことに僻地人事の円滑化、文教局と現場との円滑な人事交流を実現するには絶対必要だと思うが在任中いつも感じたことは、僻地の人達がどうしてこのことを主張しないだろうかということである。

　僻地手当を従来の定額制から定率制への切換えを一般公務員に先んじて実施したら、まもなく僻地のある校長から「僻地手当がこれにより増えたが、このため僻地出身の教員の地元への沈澱現象が強くなるのではないか」と心

配の手紙を受け取った。

　僻地の人事交流の円滑化が待ぐう改善だけでできるものではなく，本土で僻地交流が最近改善されつつあるのは人事権が県にあることが大きな原因であることも，僻地の先生方と膝を交えて話をする時はよくわかっておられるが，いざ陳情書を作る段階になると待遇改善一点張りである。僻地の立場は僻地の方々が主張しなければほかに主張する人はいないだろう。にもかかわらずこの問題がいっこうに僻地から出て来ないのは，この問題が出るたびに中央集権だとの声で押しつぶされるので，それを恐れて発言する人がいないのではなかろうか。僻地の方々がもっともっと勇気を出して自己の立ち場を主張する事と，全体の問題として中央集権にならないよう広域人事権の運営の仕方までとり上げて，自由にこの問題を論議しあえる空気を作ることが必要だと思う。終戦直後，集団訓練といえば軍国主義とナショナリズムといえば超国家主義に結びつけて論じられ勝ちだったのが段々とそれも反省されて来ているのと広域人事権と中央集権の問題も同様に反省されねばならぬ問題ではなかろうか。

　教育指導員の第2期計画が今年で終り来年度から新しい段階に入るのだが，第1期は各指導員が各学校に配置されて週10時間以内研究授業をやりながら沖縄の子ども，沖縄の環境条件でやれる学習指導の進め方をあみ出し，それをひっさげて現場指導を行なう行き方で，大きな反響を呼んだ。沖縄の児童および環境条件下でもやりようによっては大きな改善ができる事を身をもって示した点で大いに意義があったと思うが，この方法は指導主事が現場の先生の手をとり足をとって指導して行く方法で，おそらく世界中どこにもない指導行政の行き方ではなかろうか。それだけにこの方法をながく続けることにはいろいろな疑問が湧いてくる。

　ある指導員がある学校で指導案を配って指導授業をしたら，全校の先生が皆その時の指導通りの指導案を作るようになった……と笑っていたが，物真似に終ることを警戒する助言だと受けとった。それではいつまでたっても一本立ちはできない。指導員の業績に対する反響が大きかっただけに問題である。

　指導員は皆優秀な人ばかりが派遣されるのだから立派な業績をあげたが，一面先生方があれだけの業績をあげたかげには，指導員ひとりびとりが国から派遣されたという責任感の上に立って雑事を放棄して仕事に専念できたこと，沖縄側で先生も生徒の父兄も指導員に対し「大和から参（メン）そしちょーるむん」という期待と尊敬の念が

あって，精神的な受け入れ態勢が12分にできていて，乾いた砂に撒いた水がすぐに滲み込んで行くよう，その指導が極めて素直に受け入れられて行ったことも見逃せない。また，その評判がよかっただけに数ヶ月の滞在期間中，沖縄側の指導行政は開店休業の形であったと思う。

これらのことを考えると，応急対策としてあの方法は効果的だったと思うが，現場教師および指導主事諸氏の主体性を確立し指導行政の一本立ちを計ることこそ指導行政の恒久的対策として重要なことだとの見地からは，あの方法をいつまでも続けることは問題である。恒久的対策としては沖縄側の指導主事や校長，教頭の指導力の強化を計ることこそ急務で，指導主事の本土教委における実務研修，校長先生方の本土優秀校に長期勤務しての実務研修が開始されたのも，この趣旨からであるが，本土研修を終えて帰った指導主事の体験をその人だけの体験に終らせずに之を結集して文教局としての，或は連合区としての指導体制の強化に寄与し，或い校長先生方の研修の結果をそれぞれの学校の経営の上に結実させる仲だちとして役立つように今後の教育指導員を利用できないだろうか？

鹿児島県へ学力向上問題について調査団を派遣した後の学力向上問題についての世間の関心の高まり方は空前だったと思う。その効果も着々実るかに見えたが，満足できる程の効果があがっていないのはどうしてだろうか。

その原因を反省して見るに，第一に考えられる事は，学力向上の対策として父兄の燃え上り許りに余りに多くを期待しすぎたと思う。あの燃え上がりに追い打ちをかけるようにして学校でまた，行政当局で，明日からでも実行できるような具体的対策をかゝげて之を強力におし進めるべきだったがそれがうまく行かなかった。

また，沖縄も進歩したが本土は，それ以上に進歩しただろうことが本土では対日教組問題がおだやかになって校長の指導性が高まったことから想像できる。

次に青少年問題がやかましくなって前主席がこの問題に一石を投じて大きな波紋を投げるなどのことが起り指導行政が学力向上一体にまとまれなくなった。

その他キャラウェー旋風とそれへの反発，教科書無償問題，機構改革，教公二法，教育指導員の受け入れ，教育税の統合と交付税，教員給与の国庫負担等次々と重要なできごとが継起し，学力向上の問題がそれらの重要問題の中に埋没していったことも事実だろう。

今度の機構改革の大きなねらいの一つは局長およびそのスタッフが毎日の管理行政に追われ，指導行政が日常の

行政事務の中に埋没し勝ちなので指導関係の課を統合し，そこに部長をおいて指導行政を統轄させようということだった。今後もこの方針を維持して行くとすれば，指導部長が局長や他の部長といっしょと管理行政に巻き込まれてしまったら指導行政が埋没してしまう。教育税の統合と交付税の創設（正確には教育税の市町村税への統合と市町村交付税の中に教育費を算入するというべきだろう）がいよいよ来る7月の新会計年度から実施されるようになりそれに要する費用も政府の来年度予算案に組まれたようである。これらの計画にあたって一番心配したのは教職員会の同意いかんであるという事だった。市町村長の反対は余り計算に入れてなかった。また当初主席民政官が教育税の廃止について批判的だとの新聞報道がなされたが，これについてはそう心配はしていなかった。本家本元の米国でも教育税は段々効力を失いつゝあるので米側との調整はつくと考えたからである。

ところが，いよいよという段階では教職員会が賛成して逆に市町村長側が強く反対したのは予想外だった。状勢判断の甘かったのを恥じる次第である。

交付税創設のネライは教育財政の水準向上であるが，これが実を結ぶめたには，地教委の事務当局，教育委員および校長先生方が交付税理論を十分呑み込んで予算獲得にこれを利用する必要があり本土でもそういわれている。

さて，制度切かえをひかえて，沖縄の現状はどうだろうか。

無償教科書問題もいよいよ来年度から全額本土政府負担で行なわれることになった。問題が起ってから3年目である。後で気がついたことだが，あの時の弁務官書簡には弁務官が直接サインをしてあった。弁務官書簡は補佐官が代って署名をするのが通例である。あの弁務官の在任中数十通の書簡が出たが，その中で弁務官が直接署名したのは5〜6通に過ぎなかったそうである。

周知のように書簡の中には
①小学校全学年に無償配給
②費用は日本政府1/3，琉球政府2/3を負担
③琉球政府は負担能力がある
④もし負担力がなければ米国政府の教育補助を補正してこれにあてる
ことが示されていた。

これを断われば校舎等米国補助金による事業に穴があくし，また教科書を米国援助として配付することも問題であるので日本政府の負担率を将来高めて行くことにして弁務官提案を受諾したのであるが議会では「日本政府が全額出そうというのに何故出させんのか」ということでも7回にわたって小委員会に呼ばれて執ようにこ突きあげられ

た。翌年の予算案では中学校までの無償経費を計上して議会に送ったが議会では中学校分の付応費を削ってもらった。しかし，日本政府の予算ではすでに中学校の日本側負担分を議決してあったのでこの金が約8万ドル浮いてしまった。このまゝでは折角のこの予算が流れてしまうので何とかしてこれを小学校におろして小学校の無償費用に流用させてもらいたいのでそのことを日本政府に交渉して貰いたいと次の3案を具して米側に要望したのが65年の2月だった。

第一案，この金で小学校1，2，3年分の全額を日政負担にする。

第二案，この金を小学校全学年の日政負担にあてる。そうすると約64％が日政負担になる。

第三案，次年度の予算から小学校全学年の無償計費が1/2日政負担になるのでこの金で1年繰り上げて日政負担を1/2に上げる。

　ところが米側は第2案にとって日本政府に交渉したようである。

　その際の米側の第二案支持の理由に「次年度から日政負担が50％になるが50％と64％とでは大した差はない」とあったようで63年度当時との米側の態度の変化がはっきりうかがわれた気がして全額日政負担も可能だとの感を強くした。

　一方日本政府は第一案と第二案もとらず第三案を少し修正した案で中学校分8万ドルを小学校分に使うことに承認した。

　そして来年度からは総額50万ドルの予算で小中学校全学年を全額日政援助で無償配付が行なわれることに決定して私の肩の荷が下りたわけである。

教員給の半額国庫負担要請についての教育諸団体の活発な動きとその成果については新聞にも大きく報導されて周知のことであるのでここに至るまでの舞台裏の動きを少し書いてみよう。

　文教局の予算は年々膨脹に膨脹を続けて来ており特に備品費については本土の財政水準を上回っており財政の乏しきを憂えるよりもこの予算を効率的に消化し有効に使用する工夫が急務になって来たにもかかわらず教育財政の改善の話になると依然として備品予算などの増加を求める声のみ強く、また教育予算の中に占める備品の率は比較的小さなものでこれを2倍に増やしたところで予算全体にとってはそう大きな変化にはならないことが閑却されているので「教育財政の本土並みへ」の問題を推進するには、児童生徒一人当りの経費を本土のそれと比較するだけでなく、児童生徒一人当りの経費を分野別に出して、本土との格差を求め格差の最大なものは何かを解明し、この等大物についての改善を計らねば抜本的な解決は不可能だという事を教育関

係者に知ってもらう必要があると痛感した。

一方児童の一人当り教育費の本土のそれに対する比率を求めて最近10年の推移を検討して見ると教育予算の非常な膨脹にかかわらず「一人当り経費」では毎年悪化の一路をたどり64年以後は本土の50％以下に落ちていることが判明、愕然とするとともに前記作業を急がねばならないと文教局の関係スタッフと話し合ったのは64年の初め頃だったと思う。

この作業によって明らかになったことは「児童生徒一人当り教育費」の対本土格差の大物は第一に教員給でありその他に教育区支出費を中心とする需要費的経費、校舎建築費、恩給費を中心とする所定支払金であることがハッキリした。

また教員給における対本土格差の一半は教員定数の不足によることもわかった。

これら大物格差の内、需要費的経費は交付税の創設により解決可能、校舎建設費については米側が今まで以上に力を入れようという気になっているし、恩給は政府がやることに踏み切っているので、改善の見通しは明るい。しかし一番大物は教員給であるのでこれの改善に手をつけねば抜本的な対策とならないが幸にして本土では義務教育教員給の半額は国庫で、後の半額は交付で見ており両方合せると、僻地県では教員給の80％が国庫補助でまかなわれているのでこの際教員給の半額国庫補助を要請すべきだとの結論に達した。

一方キャラウェー氏の任期の終り頃だったと思うが弁務官から「沖縄の教育財政水準が本土に比べて著しく劣っているというが、如何なる面で、どれだけ劣っているか具体的な資料の提出をしてほしいとの要求があったので主席を通して弁務官に提出すると同時に調査計画課は一生懸命にUSCAR企画局スタッフの啓蒙につとめた。

また主席部局でも教員給の援助を本土に求めることを考えはじめたし、議会の筋でも関心を持つようになったが、舞台裏の動きとして特に記しておきたいことは、松岡主席が絶えず我々を激励して下さったことであるが、もうひとつはUSCAR企画局のスタッフが早くから深い理解を示してくれたことで、教員給の半額日本政府負担について米側の了解が比較的スムーズに行ったのは、こういう素地があったからだろうと考える次第である。

教員給と校舎の日政援助を数年前にも取りあげたことがあるが、その前は問題にもならなかった。こんどの結果を思い合わせて内外における世のうつろいを痛感し感慨にたえないしだいである。

~指導主事ひとむかし~

那覇中学校長
大　城　真太郎

　文教時報の発刊は琉球政府の誕生と同じであり，戦後の沖縄教育とともに歩んできた尊い資料である。

　沖縄の教育が進んできた足跡がよくわかりみんなの苦労がたくさんひめられていることと思う。

　百号発刊を記念してこのへんで戦後20年間の教育をふりかえって見ることも非常に意義の深いことだと思う。

　戦後の教育改革で委員会制度が発足して教育行政上著しくかわったことは，視学制度がなくなり指導主事制度ができたことである。

　この制度ができたのは1950年郡島政府発足の時である。

　当時は交通網不完全で，GMCにカバーをかけてバスのかわりに使っている時代であった。

　指導主事10人余りが屋根もつけてないダンプカーに乗り，地方巡業の旅役者みたいに，時には皆で歌をうたいながら学校指導をつづけたものである。

　払い下げのHBTの服をつけて，コックがかぶるような下士官帽をかぶって指導に行った姿はいま考えるとおかしくもあり，またほほえましく忘れることのできない思い出である。

　その姿がまた当時のテント小屋や草ぶき校舎とちょうど似合う格好ではなかったかと思う。

　ちんぷんかんぷんのドンキホーテみたいな格好をしていても内には燃ゆるものを持ち，無から有を生み新しい沖縄の教育を生み出そうと口角泡をとばし議論をたたかわしたことがついこの間みたいな感がする。

　指導主事は学校指導に出かけて役所にはあまりいないからというので，指導課はいつもあまりよくない部屋が割り当てられた。

　天妃の庁舎から新築の政府庁舎に移ったとき，文教局は地下室潜行を命じられた。部屋が足りないので指導課には倉庫が割り当てられた。

　夜も昼も電気がつき，換気は悪く，湿気は多いし健康をそこないはしないかとみんな心配した。しかし誰も病気するものはいなかった。ますます指導に熱意をかたむけ，かんかんがくがく議論をたたかわしたものである。

　沖縄の指導主事制度の確立と正しい指導の方向は，あのうすぐらい地下室で生まれたといっても過言ではないと思う。

　指導とは何か？助言とは何か？指導助言とは何か？

　新しい指導主事の性格はこういうことばの中に含まれていた。当時指導主事は事務らしい事務はあまりなくて，非常に勉強ができた。

指導のために出張する旅費も不足がちであったので課内研修の機会が多く持たれた。

あらゆる問題に対し統一的な見解を見出すまで充分討議を重ね，指導主事全体が常に共通の理解の下に強力に現場の指導に当たることができた。

指導主事制度の設定は郡島政府発足と同時であった。

当時の文教部長は屋良先生で，副部長は仲宗根先生で指導課長も兼任されていた。

本島各地からはせ参じてきた草分け時代の面々は次のとおりである。

喜久里　朝秀（国語）
大　城　真太郎（経営一般数学）
喜屋武　真　栄（経営一般体育）
山　内　繁　茂（実業）
上　間　亀　政（英語）
端　山　敏　輝（社会）
比　嘉　信　光（数学）
当　間　嗣　徳（理科）
比　嘉　徳　政（体育）
伊是名　雅　光（美術）
島　本　幸　子（家庭科）

琉球政府の発足と同時に大島をはじめ宮古，八重山などからも指導主事がきて大部陣営が変わっていった。

指導の範囲は大島から宮古，八重山にわたり，大島喜界が島まで遠征してその名をとどろかしたつわものどもいた。（前文教局学務課長）

小学校児童数＋中学校生徒数＝人口の4分の1

昨年10月の国勢調査における都道府県人口の結果が去った3月に発表された。総人口が沖縄を除いて約9,827万人で，人口の多いところは，東京都の約1千万人でそれに続いて大阪，北海道，愛知，神奈川とつづく，最も少ない県は鳥取の58万人で，沖縄の93万人は全国で37番目にランクされる。

1965年5月1日の学校基査調査によると，沖縄の小学校児童数は15万人で全国で30番目に当り，中学校生徒数は8.3万人で全国の34番目である。この児童生徒数の合計即ち義務教育人口の比率をみると，沖縄は25％で全国のトップにランクされる。児童数，生徒数共に全国一を占める東京都は11％で全国順位は47番目というように沖縄の児童生徒がいかに人口比率的に高いか知ることができよう。

尚，比率が沖縄につぐ県として鹿児島（22％）長崎（21％）となっている。

講演（要旨）

学校給食の 役割・運営・指導について

文部省体育局学校給食課

課長補佐 河 村 寛

　先進国に比してわが国の健康水準は低位にある。これは地域的に，また，階層的に栄養面と所得面の格差が著しいところにあるので，今後国民全体の食生活水準を高める施策を強力に推進する必要がある。

　今日の学校給食の内容においても地域的格差はみられるが，さらにその普及充実を図り，国民の食生活水準向上の先駆者としての役割りを果たすべきである。

　（一）学校教育の中において，学校給食がになうべき役割りはなにか。（学校給食の社会的要請）

1．食糧政策的要請

　日本民族の課題である食生活改善は，白米大食と塩蔵食品の多量摂取の食慣習の打破にあるといわれている。この意味において高位，保全食品（ミルク，卵，黄緑野菜など）を常時，能率的に廉価に供給するために，これら食品の保存，流通，加工構造の変革（冷蔵，冷凍，罐詰など）を促進する必要がある。すなわち，いわゆる低温流通機構（コールド，チェーン）の整備を向う必要がある。学校給食は，このコールド，チェーンの実践の場として最も適切であるので，まず，その前衛的役割りを果たすべきである。

2．労働政策的要請

　近年，わが国の人口動態は，多産多死型から少産少死型となったため，逐年若壮年人口が減少を示す傾向にあり，将来これが速度を加えることが予想されている。

　労働人口特に若壮年労働力の確保が，わが国を福祉国家たらしめる生命線であるといえる。従って今日の義務教育諸学校における児童生徒をより逞しく育成することは，最も重要な国の施策でなければならない。ここにおいて児童生徒の心身の発達に大きく貢献している学校給食計画をさらに強力に推進する必要がある。

3．教育的要請

　今日の日本の産業経済は世界の驚異

といわれるほど異常な発展をみせているが、経済開発に重点を注いだ政策で文化国家の実現は危険といわれている。経済開発と相まって社会開発あるいは人間開発の路線を確立することにおいて始めて健康的な文化的な生活を営む国民の姿がみられるのである。集団生活における食事を通して、生命の尊厳性を培い、社会連帯性を養い、徳性を高めることは、今日の学校教育の大きな柱でなければならない。ここに、学校給食の重要な役割りがある。

4. 社会保障政策的要請

（ア）　学校給食の目標（3つの目標の理解）

明るい社交性　｜
望ましい習慣　｝健康人の育成
正しい理解　　｜

（イ）　学校給食の適正かつ効果的運営はどのようにしたらよいか。

1．運営機構（指導体制，管理体制の確立）

校長ー教頭｜教務主任ー学年主任ー学級主任｝学習指導
　　　　　｜給食主任ー栄養士ー調理員｝管理運営
　　　　　｜保健主事ー養護教諭ー学校医，学校歯科医，学校薬剤師｝保健管理

○学校給食運営委員会－児童生徒給食委員会－学級会活動
○学校保健委員会－児童生徒保健委員会－学級会活動
○ＰＴＡ給食委員会

○学校給食教育研究会（校長，給食主任，栄養士）

（大規模学校の例）

○全教職員の参加，給食運営委員会，職員会議の活用

（ウ）　学校給食時において学習指導，生活指導との関連について

指導｜給食時指導（視聴覚，一口指導，生活指導）
　　｜教科等指導（社会，理科，体育，保健，家庭，道徳）
　　｜特活指導（児童生徒会活動学級会係活動）
　　｜校内外研修（学校運営委員会，研修会参加等）
　　｜ＰＴＡ指導（試食会，講演会，給食だより）

○学校給食の栄養指導について

（1）給食時の栄養指導

○教科の指導とは異なったもの……一口指導
○食前は栄養指導板（小学校3色，中学校6色）による献立表の発表（児童，生徒）
○食事中は主として放送（音楽を含む）または話し合い。
○食後は休養を兼ねて，物語風

に，なぞなぞ，クイズで指導
- 給食時は作法，衛生の習慣形成，心的環境のじょう成
- 給食時の学校給食は，実践学習，生活学習の場

(2) 他教科などによる栄養指導
- 家庭科，理科，社会科，保健体育，特活，生活指導
- 学校給食の指導計画には，他教科などの関連を考慮
- 保健指導と保健管理による栄養指導の強化
- 特活（児童生徒会給食部活動）で子供たちの自主的活動の中で指導

(エ) 残量のない給食にするにはどのような配慮が必要か
(1) 献立（児童生徒のし好調査，家庭の食事調査，児童生徒代表の参加）
(2) 調理（味，色，香の調理など）
(3) 配食（能率的，配食配膳の合理化などで温食）
(4) パン（パンの味，パンの食べ方，よいパンなど）
(5) ミルク（ミルクの味，ミルクの温度など）
(6) 食事指導（心的環境のじょう成，グループ訪問，一口指導）

(オ) 共同調理場の計画と運営について
(1) 共同調理場の長所
- 施設設備，人件費の節減
- 学校間の格差を解消，給食指導に一貫性をもつ
- 物資の購入が廉価（共同購入）
- 衛生，調理，事務の集中管理による合理化
- 学校給食の全面実施の近道

(2) 共同調理場の短所
- 学校行事の運営に制約をうける（関係校の遠足，運動会，臨時休校等）
- 調理時間が制約される（遠距離校への運搬等）
- 運搬についての不安（運搬車の事故，冬季間の輸送，食物の形くずれ等）
- 保温（献立作成，調理に児童生徒の意向が反映しにくい
- 仕出し屋，弁当屋の観念を持ちやすい

(3) 共同調理場の設置要領の設定
- 目的，設置者，施設設備，組織，運営
- 共同調理場設置条例の設定（市町村ごとに）
- 運営機構

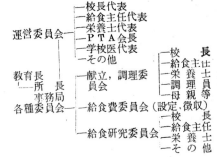

※この記事は河村先生の四時間にわたる講演を，紙面の都合で保健体育課が適当に要約したものである。

産業技術研修視察報告

産業技術学校長　大　庭　正　一

はじめに

　私たち1行4名の観察研修の目的は現在ハワイにおいて，産業技術の振興上，どのような，総合的具体策が教育行政の面で実施されいるか，科学技術，技能者の教育，養成計画の問題点は何か，すなわち，

1. 学校の管理組織と管理計画の面
2. 教職員の構成と活動状況について
3. 生徒の管理と指導について
4. 教育課程および学校行事について
5. 施設および教材教具について
6. 学校の経費等について
7. 保護者について

の諸問題をひっさげていったのである。ところが，ハワイ州の実態を観て，さらに

1. オートメーション，原子力等の新技術分野の強化，拡大のために必要な技能者，技術者の養成について
2. 技術革新の大勢に対処するための生産に従事している技術者，技能者の再教育，研修について
3. 科学者，技術者および技能者および技能者の養成計画について

の諸問題についても研修し視察したわけであるが，ハワイ大学を中心にして，質量ともに10分な技術陣を確保することが，ハワイの技術振興上の根底であることを強く認識し，技術者，技能者の教育養成に関する長期的の対策をたててその実施に懸命の努力を払っている。また，沖縄においても，アメリカの教育部，沖縄の教育界，産業界でようやくこの問題について大きな関心を示し，すでに，アメリカの教育部，中央教育委員会，文教局，経営者団体，商工会議所，工業部会などから主として今後の学校教育に関して，新時代の要請に対処する技能教育，技術教育についての一般的意見が発表されるようになり早急に対策をたてることの必要性が叫ばれるようになった。

　こうした内外の情勢に対処して，わが沖縄でも早急に技能者，技術者の教育や養成計画について，長期的の対策をたてる必要があるので，まず，ハワイの技能者，技術者の養成，再教育に関する実態と問題点を実地に視察研修させられたことを感謝いたします。

視察事項

1. 技能者の供給源となる学校における科学技術技能教育の実情。学校教育の内容は現在，何に重点がおかれているか。実際面，理論面への重点のおき方，とくに新しい技術に対処して学校教育は，いかにして行なわれているか。
2. 新技術の採用に対処して，現在すでに生産部門に従事している技能者の再教育はどんな方法で行なわれ

ているか
3．新技術の採用に対処して，技能者の養成や再教育はいかに行なわれているか。
4．産業界が学校教育に対し，いかなる考え方，または実際的行動をとっているか。
5．各種技術者の養成の基礎となる需要の算定およびその養成計画
6．その他

ハワイ州における産業技術学校の現状

ハワイ州で，初歩の工業教育を施す学校はテクニカル・スクールである。生徒の年令からいえばわが沖縄の工業高校の生徒と同じで位であるが，教育内容は工業高校とかなり差がある。ハワイ州で職業教育を施すのは2年であり，高等学校まで準備教育を行なっているハワイ州で職業教育といえば，その目的が多様であるため，入学資格，修業期間，教育程度，通学時刻などまちまちである。これらの学校，学校に通う人たちは就職が目的のものもあれば，再教育のためまたは，趣味のためのものもある。したがって通学者の年令も老年から青少年に及び，学校も昼間制，夜間制，定時制といろいろあり，あるものは，成人教育として利用されている

1．産業技術学校と工業高校との比較

(1) 教育目的

生徒に将来つく職業に必要な知識と熟練を修得させることにあるが，とくに熟練に重点をおいている。それは産業技術学校の学科目は社会の職業の種類に直結しているからである。たとえば自動車の車体修理工になる者は自動車車体科に入学し，ラジオ修理工になる者はラジオ科に入学する。このように産業技術学校の各科の教育は，科目が非常に細分化しているのである。これに対し工業高校の科目は，機械科，電気科，電子科，自動車科などと学問の系統別に専門化されているので，将来つく職種の範囲は広いけれども，学科と職業とが直結していないといえる

(2)．教育方法

産業技術学校では，1日につき3時間以上工場実習があり，学校教育は実習工場を中心にして行なわれるところに大きな特色がある。すなわち，1日の半ばを実習にあて，残りを一般教育と関連学科にあてられる時間が少ないために，産業技術学校を卒業しただけでは，工学部へ進むことはできない。工学部へ進もうとする者は，学校卒業後1年以上かかって工学部が要求する一般教育科目を終えなければならない。そのため現在ハワイ州では工業高校，短期大学との教育課程の間に問題があり，これの解決に努力され研究されている。

(3) ハワイ州の資金補助（財源）

ハワイ州の職業教育について，職業教育の教員資格，教育課程その他について連邦政府の監督を受けつつ連邦資金をもらっているのである。このことは，ハワイ州が，各種職業人の急速養成の必要に迫られたこと，各人に職業能力をつけることが社会政策上必要であったことなどのためと思われるが，結果としては，初期の目的を達成できたほかにハワイ州の職業教育を一定の水準に保つことに役立ったと思う。

連邦政府から資金を受けるためには一定の条件があり，受領した資金の使途その他については厳重な監督に服し，職業教育の実施状況については，各種の報告をする義務があることになっている。財源については，連邦政府から17％，群島政府 25％，州政府 58％程度となっている。

(4) 産業技術学校の課程

工業における中級ないし初級技術者の職種は非常に多いので，産業技術学校にどんな課程をおくか，社会の需要と教育をうけようとする者の希望によることとなる。このために州および地方公共団体の教育当局は，その決定にあたって，使用者と労働者の意見を求めるために諮問委員を設けたり，その他の方法で社会の需用を明らかにする。現在私たちのみた課程を例示すると

機械科，溶接科，配管科，洋裁科，電気機器修理科，ラジオ，テレビ科，電気機器組立科，自動車々体科，板金科，左官科，建築大工科，建築製図科，印刷科，航空機組立科，測量科，美容科，パン焼科，冷凍及空気調和科，カフェテリヤマネージメント事務科，速記科，書記科，その他。以上にあげた課程は，われわれが視た課程で一校に全部あるのでなく，いくつかのコースが設けられるのである。

(5) 産業技術学校の施設，設備

産業技術学校の施設や設備は，すぐに役立つ技能者，技術者を養成するという教育趣旨から少なくともその職業に必要なすべての基本的事項を教えるのに適当なものでなければならない。換言すると模型的なものや原理さえわかればよいというような設備や機器ではいけない。そして実習は，実際の職業の環境で，経済的能率的な作業を行ない，しかも安全作業ができなければならない。そのために学校の設備機械，作業面積，安全設備，一般器具および器具室などは諮問委員会の助言によって，その職業の標準に準拠して設定せられるのである。また関係科目の教室，実験室，製図室，視聴覚教育設備ならびに備品，消耗品および実習製品の格納室の広さなどは，職場に関連して設備せられたハワイ州の産業技術学校の設備は一般にりっぱである。設備

が時代の進歩に伴なっていることと，各職業標準に準拠しているので学校の実習場での実習が直ちに実際社会の職業生活につながることができる。設備のよいことは，有名な製作会社がその製品の宣伝のため，新式の機械，設備を学校に寄附し，さらに新型ができれば旧式のものと取り替えることも少くない。

(6) 産業技術学校の教師

産業技術学校は，実習に重点をおくので，実習設備とともに実習教師に重点がおかれている。たとえば，実習設備は前述のように生産現場と大体同様なものであり，実習のやり方も実際の作業条件に似せて行なわれる。この点原理の理解，一応の体験ということを目的としている工業高校の実習とははなはだしい相違である。また産業技術学校の実習教師は実習の指導だけでなく，実習場の一隅に黒板，椅子，テーブルをおいて専門の講義を行なうので，工業教育の主体は実習教員にあることになる。この点もこちらの事情とはかなり差がある。

産業技術学校の教師は，その資格から区分すると次のとおりである。

1. 一般教養科目の教員，これは英語，歴史，地理，体育などの科目の教員で，普通課程の高校の教師と共通する。
2. 関係科目の教員，数学，物理，化学，応用理科その他工業科目の教員。
3. 職場教員，現場で実習を指導し時にはそれに関連した工業科目の教員。

このほかに学生生活全般および就職の指導などをするカウンセラー，後述する産学協同教育を行なう場合に，学校と産業界との連絡をする連絡調整員などの教員が必要であるが，これらは上述の種類の教員の中からえらばれている。

上記の教員のうち1と2の教員はそれぞれの専門学について大学程度の教育をうけ，これに教職に関する学科を学んで所定の教員資格を得ればよい。産業技術学校の教員としての特徴は，職場教員である。工業高校では，これら2種の教師とくに関係科目の教員が教員の主体をなしているが，ハワイ州では職場教員が教員の主体である。次に職場教員の資格についてのべると，

職場教員の資格

職業教育の中枢をなす教員であるから，職場教員に適格者を得ることができるかどうかによって，職業教育の成否がきまるといっても過言ではない。

理想としては，職場教員が実習指導とともに関係科目の教育をするのが最もよいであって，事実そうしている場合が少なくない。職場教員の資格はハワイ州では

1．学歴としては高等学校卒業以上で，いずれの場合にも所定の教職科目を修めなければならない。
 (1) 職業分析　　　　　　1単位
 (2) カリキュラムの構造　1単位
 (3) 職業教育の方法　　　2単位
 (4) 工場管理の運営方法　1単位
 (5) 教具備品の保管運用　1単位
 (6) 産業教育の原理　　　2単位
 (7) 職業教育におけるテスト測定　　　　　　2単位
 (8) 工場安全　　　　　　2単位
 (9) 産業教師の心理　　　1単位
 (10) 視聴覚教材の利用　　2単位
 (11) 集団訓練　　　　　　2単位
 (12) 職業指導　　　　　　2単位
 (13) 職業教育の特殊問題　1単位
 (14) 職業教育と地域社会の要求　　　　　　2単位

2．実地経験としては，徒弟契約による徒弟の課程（3年～5年）を終え，さらに3年～4年の責任ある熟練工としての実地経験を要する。職場教員になるには，多年の実地経験が必要なので，まっすぐに大学を卒業した者はほとんどなく，すべて多年実社会で働いた者が教師を志願するのであるから，教員になる最低年令が普通の教員より高く，待遇も普通の教員より高く年額にして5,800＄～12,000＄がハワイ州の現状である。学校によっては7年以上の熟練工の実地経験を条件としている。職場教員の教員免許状にもいくらかの種類があるようでしたが，免許資格は，たやすく得られやすいところは高く，人の得られにくいとろでは低い。また他の一般教員の場合と同じく最下級の免状を得て教職についたまま，夜間の大学や定時制大学や，ハワイ大学の夏期講習で単位をかせいで上級免許状に移る方法がよく行なわれているが、実地経験だけは、ぜひ教員を志願する前に完了させておく必要がある。

(7) 産業技術学校卒業生の前途

　産業技術学校に入学する者は，中学校で職業指導を受け，そのものの趣味，能力，家庭の環境その他の点を考慮して，技能をもって世に立つのが適当と認められた者が入学するのである。したがって産業技術学校に入学した者は，将来熟練工または準専内職である職長または研究や助手になるのが普通である。ただし熟練工になるには，産業技術学校だけの実習では徒弟養成課程の実習におよばないので，工場に勤務後さらに1年ないし2年くらい現場で訓練を継続して，徒弟養成課程を終えることとなる。そしてこれらの者は将来はその力量に応じて職長その他の監督職になるのが順路である。

また研究や設計の助手になるには，卒業後それぞれの分野に勤務して，仕事のうえの指導監督をうけながら，良きテクニシャンに成長する者が多いが近代は学術が進み，産業技術学校だけの学力では不足する場合が多いため，さらに進んでテクニカル・インスチチュートテクニカル・カレッヂへ行く者がだんだんふえてきた。4年制大学に進む者はそのままでは大学の要求するアカデミックの学科の単位が不足するので，これらの不足分を修めてから大学へ進学することになる。それらの場合夜間大学を利用するなりして，勤務のかたわら夜間勉強し，長期間かかって4年制大学を卒業する。産業技術学校の卒業生が，それぞれの才能と希望に応じて進学することは，それはそれとして，産業技術学校としてはそれ自身完成教育であることははっきりしているのであるから学校の教育課程の組み方は小数の進学者のために乱されることはない。この点テクニカル・カレッヂでも同じことでそれ自身完成教育である。

(8) 産業技術学校と地域社会とのつながり

産業技術学校は最初から Vocatioual School として設置せられた学校もあるが，初めは各種学校式なVocational Schoolから成長したものも少くない。ふつうは次のような役目を果している。

1．中高校を終えた者が技術者となるため職業教育を受ける機関
2．一般教養および関係科目の教育に利用する場合
3．婦人，一般人，時には老人などが，教養，娯楽のために利用するもの，この場合の科目は，料理，裁縫，木工，皮細工，家具科などがよく利用される。
4．青年，成人が就職の機会をうるための，再教育または転職などのために利用する。
5．現に就職している人たちが，さらにその職業上の知識技能を向上させるため。

以上のうち1と2を除けば，一般に教育期間は短かく，だいたいが成人教育あるいは補修教育に属する。そして，産業技術学校の施設や教員を利用して社会教育がなされ，その地域社会の成人教育のセンターとなっているところも多い。

←機械実習工場における設備機械は平列配置され作業安全度を高めている。

↑機械配置は平列配置を原則として碁盤状規格にとらわれず使用効果に重点をおいている

航空組立科での実習工場講義教室では翼の実物模型を利用している↓

↑機械科実習工場講義室では諸掛図をはじめ実習模型を使用している

↑航空機組立科では実際に航空できる単発双発ジェット機等を教材に使用している

↑溶接科アセチレン実習工場は個人単位で効果をあげている

→溶接科実習工場での設備機械(切断機)は産業界で実際に使用されている大型機械を設置している

←実習に限らず工業教育の5分1近くを視聴覚によって授業の効果をあげている
(写真はオーバヘツドプロジェクター)

工具はすべて壁面使用で計器類までパネル配置で効果をあげている

学校書記は事務を能率的に片づけている

教育生活を顧みて

田 港 朝 明

　昭和2年4月，国学院大学を卒業した私は東京高等女学校の教諭として赴任した。同校は明治36年4月の創立で，三輪田，跡見高女と並んで最も古い女学校である。私はここで第二次世界大戦の終るまで19年間を過した。校長は百歳の高齢に至るまで女子教育界に偉大な足跡を残された棚橋絢女史であった。最初の学校で，このような校長に接したことは私の教育生活に大きな影響を与えた。当時一緒に教鞭をとっていた教員の多くは今は故人となってしまったが，教え子たちは2，30年を経た今日でもなお，年賀状やクラス会の便りや写真を送ってくれる。また中にはおばあちゃんになったと初孫の写真を同封してくるのもいる。筆無精で返事も出さなかったこともあるのだが，幾年振りかに上京した時にはたくさんの教え子に囲まれ「先生」とよばれ「〇〇さん」と呼びあいお互いの健康を喜びあった。こうしたことは，教師のみが味い得る喜びであり幸福でもあるといえるのではなかろうか。日華事変が第二次大戦に拡大して非常時体制がしかれると，正常な授業はできなくなってしまった。戦況の悪化と共に学校も幾度か危険にさらされた。私の家は芝正白金にあったが空襲で焼け，これまで苦心して集めた本など凡てを失ってしまった。思えば私の東京時代は不景気にはじまり戦争に終った感がする。色々と苦しい経験もあったのだが，その中ですぐれた師に接し，よい友を得，たくさんの教え子を持ち得たことが大きな喜びといえるのだろう。先日も沖縄少年会館の落成式に，日本中学校長代表として参列された東京高女の現校長に10年振りに再会し，旧交を温め得たのは何よりのことであった。

　沖縄に帰還したのは1946年10月であった。沖縄に帰った私は図書館を建設したいと思っていた。しかし資金や図書の入手が容易でないことを知ってついに断念した。そして再び教員として1946年12月宜野座高校に勤務することになった。当時の校長は与那嶺松助氏で，その傘下に集まった教員は何れも立派な教員であった。当時はいわば混乱期で，配給物資や給料だけでは食生活にも事欠くありさまであったが，地

元の方々の厚意があったので教員生活もつづけていけたのだと思っている。宜野座高校には僅か1年の在職であったが，非常に楽しく勤めさせてもらった思い出の学校である。

　北山高校の新設に伴ない，初代校長赤嶺康成氏と共に北山高校勤務を命ぜられた。北山高校は，今帰仁，上本部両村の熱心な誘致によって田井等（名護）高校から分離した新設校である。設立事務所は今帰仁村役所にあった。赴任早々，校長も私も教員組織や学校建設工事などの仕事に追われ，席の温まる日とてなかった。赴任はしたものの敷地も未決定で学校工事も具体的には示されていなかったので，事務所に日参して村当局や誘致委員と幾度も接渉を重ねた。敷地の決定は議論百出し容易に決論が出なかったがその年の六月になって，やっと今帰仁村議会，区長会の合同協議会で可決された。難航していただけにこれが決った時の喜びは格別であった。しかし仕事はこれからだった。まず7月23日には田井等高校の校庭で分離式が厳そかに行なわれた。おそらくそれは教師も生徒も新しい学校建設を目の前にして希望と不安の相半ばする感慨のこもった分離式であったろう。また工事は村民の資材の切出しによってはじめられ，整地作業も行なわれた。計画では，労務一切村民負担となっていたためどうしても全村民の一致した協力がなければ仕事は進まなかったのである。作業はなかなか困難で夜間作業も行なわれたので現場に宿泊して作業を見たり，時には酒を酌みかわしつつ作業員を激励し協力を求めたこともあった。そういう中で村民による木材の切出しが順調に運んだことは誠に嬉しかった。

9月1日に字崎山の事務所を仮校舎として開校式が行なわれた。生徒100余人，職員は校長以下10人であった。開校はしたものの校舎がない。われわれは崎山・仲尾次の事務所と，テント教室とで授業をした。両事務所は200米以上も離れていたので職員は仮校舎を往復して授業をした。

額に汗して忙しく指導に献身している職員の姿に思わず目頭の熱くなるのを覚えたのである。一方生徒の間には田井等高校に対する郷愁があり一時は動揺したこともあったが八方手をつくして説得に努めた為，漸く納得して学業に励むようになったのであった。1948年10月6日待望の校舎が落成した。五棟九教室であった。小さいながら木の香ただよう新しい校舎に校内は俄かに活気が溢れ生徒も目を輝かせて喜んだ。われわれ職員もほっと息をついたのである。1950年8月初代校長赤嶺康成氏の琉大教授への転出に伴ない不肖私が第2代校長になった。赤嶺校長は創業の辛酸をなめて大きな功績を残さ

れて職員生徒に惜しまれつつ退任された。翌年10月に沖縄を襲った台風ルースは本校に致命的な痛手をおわせ，4教室が倒壊したのである。無惨な残がいを前に生徒も職員も啞然として驚きと失望とで声も出なかった。倒壊校舎の後片付けと取り敢えず間に合せの仮校舎を建てることにした。一方政府から補助金と資材の支給をうけたので，それをもとにあとは自己負担で校舎建築に取りかかることにした。これは非常に冒険で困難な仕事であったがまたどうしてもやらねばならぬ事でもあった。資金づくりと共に職員生徒によって夜を日につぐ奉仕作業が始まった。村有林から資材の切出し，近くの山や川からの石の蒐集，校地の整備，床堀り，コンクリート練り等の作業を職員も生徒も交替で幾日も幾日もいつ終るともなく続けた。併し誰一人不平をもらす者もなく，歯をくいしばって黙々として奉仕した。「自分達の学校は自分達の手で」という決然たる合言葉で立ち上ったのであった。

　1952年7月にスラブコンクリート建の豪壮な四教室と天水タンクが竣工した。実に8ヶ月の長期に亘る汗と油の結晶であった。全く夢のようであった。そしてこれを契機に生徒も職員もファイトを燃やし，学業に，スポーツに精魂を打ち込んで励むようになった。その結果はあらゆる面でよい成績になって現われてきた。

　高校駅伝では二年連続優勝で本土へ派遣されるし，陸上競技では男も女も一位で優勝の栄冠に輝やくし，一方学業面でも進学率が年々向上し，或る年の如きは23人の琉大受験者のうち22人の合格者を出すなど空前の好成績をあげたのである。これは同校の最大の誇りであり喜びであり思い出である。いわば禍を転じて福となした苦難克服のたまものというべきであろう。

またこれは職員が村民の興望にこたえて後輩の教育，人材の育成に師魂を燃やしていたからであろう。この教育精神と生徒の積極的な努力こそ教育を前進させた大きな力であったと思うのである。そしてこうした職員生徒の意欲を支えていたものは，乏しい財政の中で設立に協力し，その力を惜しみなく提供してくれた両村民の誠意と努力であったといわなければならない。

　1957年4月に全琉高校長の大異動があって私も9ヶ年勤務した北山高校から石川高校に転ずることになった。赴任した私は，北山高校での苦しかったが貴重な経験を基にして，学校を中心にした職員，生徒，父兄の三位一体の精神こそ教育を支える原動力であり基盤でもあると信じ，和と信と愛とを学校経営の基調として，職員生徒父兄地域の人々に臨んだ。10余年の特色ある伝統を保持しつつ新たな教育計画を実

行していくことは教育者としての一つの喜びであった。創立15周年記念事業を完遂するため、校区内の部落懇談会で高校の現状や施設の改善、環境整備の急務であることを語り物心両面の協力援助を懇請してまわった。

地域の人々も支援を約束してくれ、また特に東恩納区と東海電気株式会社の特別な協力で水道を施設して長年苦しみ悩んできた水の問題を解消したり、庭園作りや校門或は塀を完成して環境整備がなされたこと、なおまた卒業生からピアノ・図書の寄贈があったことなど誠に感謝に堪えなかったことである。

1962年4月糸満高校長として赴任してきたが、校長の転任先には必ず〇周年が待っているものだ。北山では5周年、石川では15周年に巡り合わせた。こうして何周年かを記念して記念事業を考えることも校長に課された宿命？のようだ。学校の必要とする最小限の施設備品は政府によって為さるべきであるが、政府の不足がちな教育財政の力では各学校の要求を充足することはむつかしい。といって荏ぜん日を送っていてはよりよい教育環境を早急に整えることは不可能となる。最近の新設校の施設、備品等が比較的整備されているのを見る時、当然の事ながら誠に羨やましいことだと思わないわけにはいかない。実際、校長や職員が記念事業に没頭し渉外に奔走し基金集めに明け暮れていては大事な学校経営はできないだろう。いま問題の教育拡充の運動が叫ばれる所以であろう。それでも校長はおのずとよりよき環境作りをせざるを得なくなるのである。

糸満高校に赴任した時も20周年が2, 3年後に迫っていた。前校長の事務引継の中にもあがっていたので、PTAの役員会に提案し、学校の要望を取り上げてもらって図書館建設とはなったのである。期成会を結成し、各町村長、PTA支部長、同窓会長らの賛同を得たので直ちに実行にとりかかったのである。

1965年12月に図書館が落成してさる1月16日には創立20周年記念式典が、盛り沢山の記念行事と共に盛大に行なわれた。沖縄一といわれる豪華な図書館を比較的短時間で落成することができたのは、やはり地域の熱心な協力者が多くいたことによるのである。しかし内部施設はこれからという時に勧奨退職をうけた事は何か仕事を残して来たようにも思われるのである。

以上在職中の回想を、思いつくままに書き綴ったのであるが、40年の在職中大過なく職責を全うし得たことをこの上もない喜びとしている。関係者の方々に厚く感謝を捧げたい。

(前糸満高校長)

各種研究団体紹介 ＜3＞

沖縄教育音楽協会の活動について

沖縄教育音楽協会長

仲 本 朝 教

　沖縄教育音楽協会は，琉大を初め，小，中，高校の学校音楽教育に従事する者で，音楽教育の振興をはかる目的に賛同する者で組織される。現在495人の会員を擁しており全沖縄の音楽教育の推進に大いに力をつくしている。

全琉14教育地区における地区音楽教育研究会を統合して，沖縄教育音楽協会が組織され，全琉的の組織をもつ，音楽教育研究の団体である。本会には会長1名，副会長2名，小学校研究部長，中学校研究部長，高等学校研究部長各1名をおく。

一．沿革について

　本協会は1953年12月12日創立され，本協会役員

選出年月日	会　長	副　会　長		庶務会計
1953.12.12	糸洲　長良	仲本　朝教	渡久地政一	友利亮長を経〜 島袋　栄徳
1954. 4 .11	仲本　朝教	渡久地政一	崎山　　任	島袋　栄　徳
1963. 4 .12	仲本　朝教	渡久地政一	与那覇　睦	島袋栄徳を経〜 仲地　朝明

本協会の地区音楽教育研究会と会長
辺土名地区音楽教育研究会
　　　　　　　　崎浜　秀安
名　護〃〃　　　新城　　力
宜野座〃〃　　　前原　信正
石　川〃〃　　　比嘉　久夫
読谷嘉手納〃〃　渡久山　朝章
前　原〃〃　　　栄野川　成三
コ　ザ〃〃　　　国吉　　富
普天間〃〃　　　与那原　一
那　覇〃〃　　　上原　朝徳

知　念〃〃　　　津嘉山　　清
糸　満〃〃　　　玉城　善吉
久米島〃〃　　　宮里　正光
宮　古〃〃　　　豊見山　恵永
八重山〃〃　　　崎山　　潤

二．主な事業

＜1＞1954年以来，学校音楽コンクール，学校音楽発表会，NHK学校音楽コンクール，（合唱，合奏）を全琉対象に開催してきた。
　○学校音楽発表会　1954年2月28日

主催　沖縄教育音楽協会,
　　　琉球新報社
場所　琉球大学講堂
　　　沖縄教育音楽協会の結成祝賀
　　　をかねて小中学校のみで9地
　　　区より参加し,音楽発表会を
　　　行なう。
　　　審査は行なわない。

第1回「小中校音楽コンクール」
　1954年12月4日（小校）
　　　　　5日（中校）
主催　沖縄教育音楽協会
後援　沖縄タイムス社,文教局,
　　　琉球放送
場所　教育会館ホール

音楽コンクールとして発足し,出演種目はピアノ独奏（またはオルガン）,バイオリン独奏,合唱の四部門とし,各三位まで入賞とす。各地区において地区コンクールを行ないその代表者（各部門の一位）が本コンクールへ参加する。

　　合唱の部一位｛小校　久茂地小校
　　　　　　　　中校　真和志中校

第2回「小中校音楽コンクール」
1955年12月10日（小校）11日（中校）
主催・後援・場所は第一回に同じ
　出演種目に「楽器合奏の部」を加え
　る。本コンクールの各部門の一位は
　来年より発足する沖縄タイムス社主
　催の「全琉音楽祭」に出場参加する

ことになる。
　　合唱の部1位｛小校　真和志小校
　　　　　　　　中校　寄宮中校
　　合奏の部1位｛小校　真和志小校
　　　　　　　　中校　首里中校

第3回「全沖縄学校音楽コンクール」
1956年11月24日（小校）25日（中校）
主催　文教局,沖縄教育音楽協会
後援　沖縄タイムス社,琉球放送
場所　那覇高校城岳会館

今回より文教局と共催になり合唱の部には高校も参加させることになった。文教局より補助金を受け運営す
※今回よりNHK主催の「全国唱歌ラジオコンクール」へ参加させることになり九地方コンクールの一環として,沖縄コンクールをかねて行なうことになった。合唱の部は日を別にし9月23日に城岳会館で行なった。なお初回として久茂地小学校が九州地方コンクール公開審査へ参加のため熊本県鎮西学園高等学校会場へ出場した。
※今回より小中校器楽合奏の優勝校には宝屋楽器店寄贈の優勝旗が授与され,持ちまわり方式とした。
　　合唱一位　久茂地小校,寄宮中校,
　　　　　　　那覇高校
　　合奏一位　城西小校,首里中校
　（注）1956年2月23日,沖縄タイムス社主催第1回「全琉音楽祭が本協会後援によりグランドオリオンにおいて,故宮良長包先生の顕彰をかねて開催さ

れ，第3回小中校コンクールにおける各部門の1位，「全琉高校音楽コンテスト」の各1位，それに一般招待を加えて4部で運営された。本音楽祭は第3回より，タイムス社ホールで行なわれて，毎年開催されている。

第4回「全沖縄学校音楽コンクール」
1957年11月23日（小校）25日（中校）
　主催・後援は前回に同じ
　場所　沖縄タイムス社ホール

合唱の部は9月22日，小中高参加でタイムス社ホールで開催す。今回より審査員として**NHK**の三浦宙一氏を招聘す。

首里中校が九州地方コンクールへ沖縄代表として参加のため，福岡県電気会館会場へ出場す。本協会長糸洲長良氏が同審査員として参加した。

　合唱1位 ｛久茂地小校・首里中校
　　　　　　那覇高校
　合奏1位　宮森小校・首里中校

第5回「全沖縄学校音楽コンクール」
1958年12月27日（小校）28日（中校）
　主催・後援・場所は前回に同じ

合唱の部9月21日開催，審査員として**NHK**より川島正二氏を招聘す。九州地方コンクールへ，久茂地小学校が鹿児島県荒田小学校会場へ出場す。本協会副会長仲本朝教氏も審査員として参加す。

※出演種目に「その他の楽器独奏の部」を加える。

※今回より出演者全員に「参加賞状」を与えた。

※文教図書本社より優勝カップ大2個，小2個の寄贈あり，大カップは小中校の器楽合奏の1位に，小カップは個人出演の全種目を通して最優秀者に与える（毎年続ける）

　合唱1位 ｛久茂地小校・寄宮中校
　　　　　　首里高校
　合奏1位　宮森小校・首里中校

第6回「全沖縄学校音楽コンクール」
1959年12月26日（小校）27日（中校）
　主催・後援・場所は前回に同じ
　合唱の部は10月4日開催，**NHK**より審査員として三浦宙一氏を再度招聘す。

※今回より沖縄一地方ブロックとして認められ沖縄地方代表として小中高の優勝校はテープ録音による東京における「全国コンクール」へ参加することになった。従って九州地方コンクールへの参加出場は今回より廃止とする。

　合唱1位 ｛久茂地小校・寄宮中校
　　　　　　首里高校
　合奏1位　中の町小校　コザ中校

※**NHK**より小中高校の沖縄代表校の出演者全員に記念メダルが贈られた。

第7回「全沖縄学校音楽発表会」
1960年12月26日（小校）27日（中校）
　主催・後援・場所は前回に同じ

今回より合唱以外はコンクール式を用いず発表会とした。「全琉音楽祭」へ送る各部門の代表を決定するだけとした。その代表者にも特に賞状や賞品を与えない。代表者の発表も当日の会場では行なわない。新聞で発表し、また直接当該校へ通知する。

出演者全員に参加賞状と参加賞品を与える。いままでの優勝旗および優勝カップも今回より廃止した。

※合唱は今回より第5回「全沖縄学校音楽コンクール」と称して行なう。（これは1956年度より文教局と共催にしてNHKに参加したときより数えて5回目に当るものである。）
1960年10月9日小中高校参加してタイムス社ホールで開催す。小中高の各最優秀校・2位・3位に対しては賞状のみを与え特に賞品を与えない

合奏優秀　城前小校・コザ中校
合唱1位　松川小校・那覇中校
　　　　　首里高校

※合唱コンクール審査員としてNHKより竹内巧氏を招聘す。

第8回「全沖縄学校音楽発表会」
1961年12月26日（小校）27日（中校）
　主催・後援・場所は前回と同じ
　今回より種目中のピアノ（またはオルガン）を削除した。

※第6回「全沖縄学校音楽合唱コンクール」は10月1日タイムスホールで開催す。今回より主催に日本放送協会が加わった。
　NHKより審査員として川崎弘二氏派遣さる（費用全額NHK負担とす）NHKより代表校の小中高校に「記念楯」が贈られた。

合奏優秀　中の町小校・那覇中校
　　　　　越来中校
合唱1位　与儀小校・小禄中校
　　　　　那覇高校

第9回「全沖縄学校音楽発表会」
1962年12月27日（小校）28日（中校）
　主催・後援・場所は前回に同じ

※「NHK全国学校音楽コンクール（合唱の部）」9月29日開催。今までの「全沖縄学校音楽合唱コンクール」を改称して実施する。これはNHKの希望によるもので、文教局は主催より後援名儀に変更した。

※「NHK全国学校音楽コンクール（合奏の部）」9月28日開催。今回より新しく開催されたもので、主催は日本放送協会と本協会である。NHKより合唱、合奏コンクールに対し今回より約400ドルの補助金を受けることになった。

※NHKより審査員として日本教育音楽協会井上武士氏派遣さる。

発表会合奏優秀校
　　　　　小禄小校・那覇中校
NHK合奏1位　中の町小校・コザ
　　　　　　　中校・商業高校
NHK合唱1位　城西小校・越来中
　　　　　　　校・那覇高校

※NHK合奏の部には高校も参加できるようになった。

第10回「全沖縄学校音楽発表会」

1963年12月26日（小校）27日（中校）
主催・後援は前回に同じ
場所　琉球大学体育館
今回より会場を琉大体育館で行ない出演者以外は整理券10セントで入場させることにした。

※NHK全国学校音楽コンクール（合奏の部）9月28日
「NHK全国学校音楽コンクール（合唱の部）」9月29日
今回より琉大体育館で行ない。整理券10セントを発行す。

※NHKより審査員として須之内二郎氏派遣さる。

発表会合奏優秀校　中の町小校
　　　　　　　　　那覇中校

NHK合奏1位　宮森小校・越来中校・首里高校

NHK合唱1位　城西小校・真和志中校・那覇高校

第11回「全沖縄学校音楽発表会」

1964年12月26日（小校）27日（中校）
主催，後援，場所は前回に同じ

※NHK全国学校音楽コンクール
　（合奏の部）8月4日
　（合唱の部）8月5日

※NHKより審査員として小崎俊彦氏派遣さる。

○発表会合奏優秀校
　　　　　久茂地小校・那覇中校

NHK合奏1位　久茂地小校・小禄中学校・那覇高校

NHK合唱1位　神原小学校・越来中学校・那覇高校

第12回「全沖縄学校音楽発表会」

1965年12月26日　午前小校
　　　　　　　　午後中校

主催，後援，場所は前回に同じ

※NHK全国学校音楽コンクール
　（合奏の部）8月7日
　（合唱の部）8月8日

※NHKより審査員として伊達兼三郎氏派遣さる

○発表会合奏優秀校
　　　　　久茂地小校・那覇中校

NHK合唱1位　開南小学校・真和志中校・那覇高校

NHK合奏1位　中の町小校・那覇中校・那覇商高

＜2＞1956年3月宮良長包作曲集「南国の花」を発行す（東京響友社版）

＜3＞本土より来島した音楽知名士による音楽講習会を度々開催している。

＜4＞1956年より沖縄タイムス社主催の「全琉音楽祭」に後援として全面的に協力運営している。

＜5＞1962年11月3日文化の日に文教局と共催で那覇市内小中高校鼓笛隊，ブラスバンドによる市内パレードを実施した。

＜6＞地区音楽教育研究会においては，授業，研究等が行なわれてきた。

7．他主催の音楽行事に後援として度々協力している。

三 今後の課題

上記のように創立以来13か年にわたってコンクールや発表会等の事業をとおして音楽水準の向上に大きな効果をあげたのであるが，研究活動の面ではやや不活発な感がしないでもない。地区により，年度によっては大分やられているが，協会の組織活動として今後まとまりのある研究活動をするようにしたい。そのためにはもっと組織をきょう固なものにする必要がある。更に研究活動を活発にする為には資金が今まで以上に必要になってくる。政府を初め各方面からのご援助をお願いしたい。

１９６６学年度家庭教育・教師研修番組時刻表
（4月～6月）

番組名	家庭の時間		教室のアイデア		放送教育相談室	
放送局	琉球放送テレビ		琉球放送テレビ		極東放送（ラジオ）	
放送日	毎週日曜日		毎週火曜日		毎週水曜日	
放送時間	4月（午前10:00～10:30）5・6月（午前11:30～12:00）		午後3:40～4:00		午後4:00～4:15	
月	日	題名	日	題名	日	題名
4	17	親のこころ子のこころ	12	理科学習の環境づくり	13	教育の近代化とラジオテレビ
			19	全校でとりくむ交通安全教育	20	放送をとり入れた学校経営（小校）
	23	しつけの町	26	カルテ方式の数学指導	27	放送をとり入れた学校経営（中校）
5	1	日本のこども			4	幼稚園での放送利用
	8	母へのおくりもの	10	みじか道具を使った体育指導	11	放送の教育的はたらき
	15	母ちゃんの24時間	17	スモールプレイによる学習指導	18	新しい教材研究
	22	わが家の掲示板	24	デザイン教育のくふう	25	映像と言葉のはたらき
	29	正しい男女の交際	31	位どりをわからせる算数黒板		
6	5	隣人の条件	7	（以下未定）	1	思考力を育てる放送利用（理科）
	12	我が家の団らん	14		8	思考力を育てる放送利用（社会）
	19	うちの親父	21		15	放送教材の位置づけ
	26	みんなでしつけを	28		22	継続視聴の効果
					29	テキストのいかし方

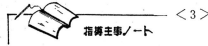

人物と器物

指導主事課 松田 州弘

最近の電気器具の発達は、実にめざましいものである。電気炊飯器が出はじめた頃、その便利なことにおどろき、明治初期の人々が、ガス燈や電車、汽車の出はじめた文明開化のめざましさを日新月歩という短いことばで端的に表現した心がよみとれたような気がした。就寝前に炊飯の用意をしてまくらもとに備え、夜半目覚めた頃にスイッチをいれておくと、ひとりでにご飯ができ、ひとりでにスイッチがきれる。ご飯が一定の温度からから冷えかかると再びひとりでにスイッチが入ってあたためられる。それを朝食時まで、人間の手にかかわらずにくりかえして、あたたかいのがいただけるというのであるからご飯のでき具合に見張りをして気をつかっていた頃にくらべると大変な相異である。最近、日常生活に必要ないろいろの器物に対する要求は、レジャーブームに乗って、日常生活の面倒なことをはらいのけてくれるものとして、巧に改良が加えられ、新しい器具がつぎつぎと多方面に製作考案されている。

このような時勢の中で、大企業も合理的経営の機能を発揮するためのオートメの方向にすすんでいるし、人間が機械につかわれているということさえ耳にする。とかく、日常生活の上で便利でありたい、面倒なことはさけたいという要求は限りがない。

翻って、人間個々の能力に対する要求、所謂、期待される人間像ということについてはどうだろうか。

器物に対するそれらの要求が、メーカーの生命をかけている程、限りないものと同じように、面倒なことを根気強く解決することや、正確に物事をおしすすめる諸能力は職業の如何を問わず人間像の期待されるべき重要なものである。4～5年前に、指導要録の行動の記録の各項目の中で、ある地区で調査した結果によると、根気強さということについての正しい考え方が、一番低い率を示していた。便利な器物を使い、合理的に日々生活することは、誰もが願うことであるが、そのような日常生活の中から、人間に要求される根気強さと、正確さを、どのようにして身につけさせるかとことは、世が世であるだけに学校教育の負う意義は大きい。教室や校庭内外の保清についても、室のすみずみ、階段のすみずみまでちゃんと清掃の手をとどかせる習慣、服装でも、ホックをきちんとつける態度、やりはじめたら最後まで、自分の能力の最大を発揮しょうとする態度、それらのことは、理論でなしに、日頃のつみ重ねによるものでなければ得られるものではない。継続的な実践の中にこそ、正しい理論の方向づけが生まれてくると思う。

教育費にかかる基準財政需要額算定に用いる

単位費用の積算基礎（1967年度）

1．小 学 校 費
調査計画課

(1) 測定単位の種類及び単位費用算定の方法

　a. 測定単位の種類

　　　学　校　数 ┐
　　　学　級　数 ├ ともに最近の学校基本調査（1966年5月1日現在）による数値
　　　児　童　数 ┘

　b. 単位費用算定の方法

　(2)のAに示す標準施設における財政需要額について

　○学校数を測定単位とする経費については学校経費（消費的経費）に，**学校経費及び学級児童経費（投資的経費）の10%を加算した額を単位費用とする。**

　○学級数及び児童数を測定単位とする経費は，学級児童経費（消費的経費）に，学校経費及び学級児童経費（投資的経費）の90%を加算した額の60%を学級数，40%を児童数にかかる経費とし，これを標準規模における学級数の数値（18学級）児童数の数値（900人）で除した額を単位費用とする。

(2) 単位費用積算基礎

　A　標準施設
　①児　童　数　　900人
　②学　級　数　　18学級（1学級当り児童数50人）
　③教 職 員 数　　23人
　④雇　　用　　人　　5人｛用務員…………2人
　　　　　　　　　　　　　　給食従事員……3人
　⑤校舎延面積　　2,640㎡

　B　単位費用
　　　学　校　数　　$1,071.80
　　　学　級　数　$ 215.11
　　　児　童　数　$　　2.87

　C　経費明細表

学校経費（消費的経費）

経　費　区　分	経費	積　算　内　容	
給　与　費	$ 705	使丁1人給料 $43×12月 　　　　　　　　339	$516.00
		期末手当　$43×100 　　　　　　　63.02	$145.77
		負担金｛年金 $516×1000＝$32.52 　　　　　　　　　　　16 　　　　医療($516＋$145.77)×1000＝$10.59	$43.11
非常勤職員報酬	100	内科医及び歯科医各1人手当年額$50.00×2人	$100.00
通信運搬費	120	郵便電報料，電話料等月$10.00×12月	$120.00
備　品　費	90	校用備品	$90.00
計	1,015		

学級・児童経費（消費的経費）

項目	金額	内訳	金額
給　与　費	$ 2,705	事務補助員給料　$45.00×12月 給食従事員給料　$40.00×12月×3人 期末手当（$45.00＋$40.00×3人）×$\frac{339}{100}$ 負担金　$\begin{cases}年金（$540.00＋$1,440.00）×\frac{63.02}{1000}\ =$127.78\\医療（$540.00＋$1,440.00＋$559.35）\\\quad ×\frac{16}{1000}=$40.63\end{cases}$	$ 540.00 $1,440.00 $ 559.35 $165.41
その他の庁費	1,553	建物維持費　$0.10×2,640m² 建物修繕費　$0.35×2,640m² 運動場修理費　$0.05×7,300m²	$ 264.00 $ 924.00 $ 365.00
需　用　費	$ 755	事務用及び教材用消耗品費 薪代，燃料費 印刷製本費 光熱水費 備品修繕費	$ 260.00 $ 90.00 $ 115.00 $ 240.00 $ 50.00
原　材　料　費	54	薬品及び実験材料購入費	$ 54.00
備品　購入費	300	教材用図書及び備品	$ 300.00
負担金及び交付金	507	要保護，準要護児童関係費 　学用品給与費　$5.00×900人×0.07＝$315.00 　給食費　$0.01×900人×0.07×200日＝$126.00 　治療費　$5.00×900人×0.07×0.045＝$14.18 学校安全会共済掛金 　一般児童　$0.06×810人＝$48.60 　準要保護児童　$0.045×63人＝$ 2.84	$ 455.18 $ 51.44
衛　生　費	90	衛生費	$ 90.00
旅　　費	460	旅　費　$20.00×23人	$ 460.00
歳　出　計 a	6,424		

歳 入	政府補助	$　458	要保護，準要保護児童関係経費補助 　　　　　$455.18×½ 旅費補助　　　　$460.00×½ 学校安全会共済掛金徴収金 $48.60×½	$ 227.59 $ 230.00 $ 24.30
	雑　入	24		
歳　入　計 b		482		
差引一般財源充当額 （a－b）		5,942		

学校経費及び学級・児童経費（投資的経費）

経費区分	経費	積算内容					
		（種類）	（単価）	（数量）	（価格）	（耐用年数）	（償却費）
設備費	$ 1,126	児童用机・椅子	$5.00	900	$4,500.00	10年	$405.00
		黒板（大）	20.00	18	360.00	〃	32.40
		黒板（小）	5.00	5	25.00	〃	2.25
		音楽室腰掛	1.80	50	90.00	〃	8.10
		理科実験台	40.00	5	200.00	〃	18.00
		理科実験椅子	1.80	50	90.00	〃	8.10
		事務用机・椅子	13.80	22	303.60	〃	27.32
		両袖机・椅子	40.00	1	40.00	〃	3.60
		教卓・教壇	25.00	18	450.00	〃	40.50
		下駄箱	20.00	18	360.00	〃	32.40
		戸棚	25.00	7	175.00	〃	15.75
		オルガン	95.00	2	190.00	〃	17.10
		放送施設	550.00	1式	550.00	〃	49.50
		体育設備	400.00	〃	400.00	〃	36.00
		衛生設備	300.00	〃	300.00	〃	27.00
		給食設備	1,000.00	〃	1,000.00	〃	90.00
		理科設備	1,600.00	〃	1,600.00	〃	144.00
		学校図書館設備	1,880.00	〃	1,880.00	〃	169.20
						計	$1,126.22
歳出計 a	1,126						

歳入	政府補助	153	理科設備費補助	$144.00×$\frac{3}{4}$=108.00	$108.00
			給食設備費補助	$90.00×$\frac{1}{2}$=45.00	$ 45.00
	政府支出	405	児童用机・椅子		$405.00

歳入計 b	558
差引一般財源充当額（a−b）	568

単位費用

学校数　　$1,015＋$568×0.1＝1,071.80

学級数　　（$5,942＋$568×0,9）×0.6÷3,871.92　$3,871.92÷18≒215.11

学級数　　×0.4÷2,581.28　$2,581.28÷900≒2.87

2. 中 学 校 費

(1) 測定単位の種類及び単位費用算定の方法

a 測定単位の種類

学 校 数
学 級 数 } ともに最近の学校基本調査（1966年5月1日現在）による数値
生 徒 数

b 単位費用算定の方法

(2)のaに示す標準施設における財政需要額について

○ 学校数を測定単位とする経費については<u>学校経費（消費的経費）</u>に，<u>学校経費及び学級生徒経費（投資的経費）</u>の10％を加算した額を単位費用とする。

○ 学級数及び生徒数を測定単位とする経費は，<u>学級生徒経費（消費的経費）</u>に，<u>学校経費及び学級生徒経費（投資的経費）</u>の90％を加算した額の60％を学級数，40％を生徒数にかかる経費とし，これを標準規模における学級数の数値（15学級），生徒数の数値<u>（750人）</u>で除した額を単位費用とする。

(2) 単位費用積算基礎

A 標 準 施 設

① 生 徒 数　750人
② 学 級 数　15学級（1学級当り生徒数50人）
③ 教職員数　25人
④ 雇 用 人　3人 { 用 務 員　2人
　　　　　　　　　　　給食従事員　1人
⑤ 校舎延面積　2,986㎡

B 単 位 費 用

学 校 数　＄1,060.10
学 級 数　＄　236.16
生 徒 数　＄　　3.15

C 経 費 明 細 表

学校経費（消費的経費）

経 費 区 分	経　費	積　　算　　内　　容	
給 与 費	＄705	使丁1人給料　＄43.00×12月	＄516.00
		期 末 手 当　＄43.00×$\frac{339}{100}$	＄145.77
		負担金 { 年金 ＄516.00×$\frac{63.02}{1000}$＝＄32.52 医療（＄516.00＋＄145.77）×$\frac{16}{1000}$＝＄10.59	＄43.11
非常勤職員報酬	100	内科医及び歯科医各1人手当年額　＄50.00×2人	＄100.00
通 信 運 搬 費	100	郵便電報料・電話料等　月＄8.33×12月	＄99.96
備　品　費	90	校用備品	＄90.00
計	995		

学級・生徒経費（消費的経費）

経費区分	経費	予算内容	
給 与 費	$1,393	事務補助員給料　$45×12月	$540.00
		給食従事員給料　$40×12月	$480.00
		期末手当（$45+$40）×$\frac{339}{100}$	$288.15
		負担金 ｛年金（$540+$480）×$\frac{63.02}{1000}$=$64.28	$85.21
		医療（$540+$480+$288.15）×$\frac{16}{1000}$=$20.93	
その他の庁費	1,806	建物維持費　$0.10×2,986m²	$298.60
		建物修繕費　$0.35×2,986m²	$1,045.10
		運動場修理費　$0.05×9,250m²	$462.00
需 用 費	682	事務用及び教材用消耗品費	$258.00
		薪代、燃料費	$110.00
		印刷製本費	$120.00
		光熱水費	$110.00
		備品修繕費	$84.00
原材料費	300	薬品及び実験材料購入費	$300.00
備品購入費	600	教材用図書及び備品費	$600.00
負担金及び交付金	422	要保護、準要保護生徒関係費	$379.31
		学用品給与費　$5×750人×0.07=$262.50	
		給　食　費　$0.01×750人×0.07×200日=$105	
		治　療　費　$5×750人×0.07×0.045=$11.81	
		学校安全会共済掛金	$42.84
		一般生徒　$0.06×675=$40.50	
		準要保護生徒　$0.045×52人=$2.34	
衛 生 費	75	衛　生　費	$75.00
旅 費	500	旅　費　$20×25人	$500.00
歳　出　計 a	5,778		

歳	政府補助	440	要保護，準要保護生徒関係経費補助 $379.31×$\frac{1}{2}$	$189.66
			旅費補助　$500×$\frac{1}{2}$	$250.00
入	雑　入	20	学校安全会共済掛金徴収金　$40.50×$\frac{1}{2}$	$20.25
歳　入　計 b		460		
差引一般財源充当額　(a－b)		5,318		

学校経費及び学級生徒経費（投資的経費）

経費区分	経費	積算内容					
設備費	$ 1,214	（種類）	（単価）	（数量）	（価格）	（耐用年数）	（償却費）
		生徒用机・椅子	$5.00	750	$3,750.00	10年	$337.50
		黒板（大）	20.00	15	300.00	〃	27.00
		黒板（小）	5.00	5	25.00	〃	2.25
		音楽室腰掛	1.80	50	90.00	〃	8.10
		理科実験台	40.00	6	240.00	〃	21.60
		理科実験椅子	1.80	50	90.00	〃	8.10
		事務用机・椅子	13.80	24	331.20	〃	29.81
		両袖机・椅子	40.00	1	40.00	〃	3.60
		教卓・教壇	25.00	20	500.00	〃	45.00
		下駄箱	20.00	16	320.00	〃	28.80
		戸棚	25.00	5	125.00	〃	11.25
		大テーブル	35.00	3	105.00	〃	9.45
		放送施設	550.00	1式	550.00	〃	49.50
		体育設備	400.00	〃	400.00	〃	36.00
		衛生設備	300.00	〃	300.00	〃	27.00
		給食設備	1,000.00	〃	1,000.00	〃	90.00
		理科設備	1,600.00	〃	1,600.00	〃	144.00
		技術家庭設備	1,600.00	〃	1,600.00	〃	144.00
		ピアノ	800.00	1	800.00	20年	36.00
		学校図書館設備	1,720.00	1式	1,720.00	10年	154.80
						計	1,213.70
歳出計 a	1,214						

歳入	政府補助	225	理科設備補助	$144×$\frac{3}{4}$		$108.00
			産業教育設備補助	$144×$\frac{1}{2}$		$ 72.00
			給食設備補助	$90×$\frac{1}{2}$		$ 45.00
	政府支出	338	生徒用机・椅子			$337.50
歳入計 b		563				
差引一般財源充当額（a—b）		651				

単位費用

学校数　$995＋$651×0.1＝$1,060.10

学級数　（$5,318＋$651×0.9）×0.6＝$3,542.34　$3,542.34÷15＝$236.16

生徒数　　　　　　　　　　　　　×0.4＝$2,361.56　$2,361.56÷750＝$3.15

3. その他の教育費

(1) 経費の内容，測定単位の種類および単位費用算定の方法

   a．経費の内容

     その他の教育費は地方教育費のうちで，義務教育学校を除いたもので，教育委員会費，社会教育費，幼稚園費に要する経費である。

   b．測定単位

     国勢調査（1965年10月1日）による当該教育区の人口

   c．単位費用の算定の方法

     (2)のaに示す標準施設規模における財政需要についてこれを標準施設規模の人口（15,000人）で除した額である。

(2) 単位費用積算基礎

   a　標準施設規模

     ① 教育委員会　　教育委員　5人　会計係　1人　書記　1人　用人1人
     ② 公民館数　　　10館
     ③ 幼稚園　　　　教員　4人　4学級　160人
     ④ 人口　　　　　15,000人

   b　単位費用

     人口1人当り　　$ 0.66

   c　経費明細表

    1　教育委員会費

経費区分	経費	積算内容	
給与費	$ 4,400	報酬　教育委員 $20×12×1人＋$15×12月×4人（委員長）（委員）	$960.00
		監査委員 $1.50×10日×2人	$ 30.00
		職員給料　会計係 $100.60×12月＝1,207.20	$2,496.00
		書記 $64.40×12月＝772.80	
		用人 $43.00×12月＝$516.00	
		期末手当 ($100.60+$64.40+$43.00)×339/100	$705.12
		負担金　年金 $2,496×63.02/1000＝$157.30	
		医療 ($2,496+$705.12)×16/1000＝$51.22	$208.52
人当庁費	60	職員3人 $20×3人	$ 60.00
旅費	215	費用弁償 $1.00×24回×5人	$120.00
		連合区会議 $5.00×4回	$ 20.00
		職員旅費 $25×3人	$ 75.00
報償費	100	審判謝礼，賞賜金 $2.00×50人	$100.00
賃金	20	人夫賃 $2.00×15人	$ 20.00
需用費	285	消耗品費	$ 60.00
		印刷製本費	$150.00
		修繕費	$ 15.00
		光熱水費	$ 60.00
通信運搬費	60	郵便，電報，電話料　月$5.00×12月	$ 60.00
借料及び損料	48	借料，損料　　　　　月$4.00×12月	$ 48.00
備品購入費	35	備品購入費	$ 35.00
原材料費	98	薬品費（未就学児童及び生徒健康管理，寄生虫，結核予防）	$ 98.00
負担金補助及び交付金	2,300	連合区負担金 $2,250.00　その他 $50.00	$2,300.00
歳出計	7,621		

2 社会教育費

経費区分	経費	積算内容	
旅　　費	$ 150	講師旅費 社会教育主事旅費	$ 90.00 $ 60.00
報　償　費	60	各種行事講師謝礼，体育指導員謝礼	$ 60.00
賃　　金	30	人夫賃　$2.00×15人	$ 30.00
需　用　費	375	消耗品費 光熱水費 燃料費 食料費 印刷製本費 修繕費	$ 60.00 $ 36.00 $ 20.00 $ 53.00 $156.00 $ 50.00
通信運搬費	12	郵便，電報，電話料	$ 12.00
借料及び損料	94	借料，損料	$ 94.00
備品購入費	24	備品購入費	$ 24.00
負担金補助及び交付金	210	青年会，婦人会，公民館等育成	$210.00
公民館施設費	300	一館　$30.00×10館	$300.00
歳　出　計	1,255		

3. 幼稚園費

経費区分	経費	積算内容	
給　与　費	$ 4,036	給　料　$64.40×2人×12月　$1,545.60 　　　　　$53.70×2人×12月　$1,408.80	$2,954.40
		期末手当($64.40×2人+$58.70×2人)×$\frac{339}{100}$	$834.62
		負担金 $\begin{cases}\text{年金 }\$2,954.40×\frac{63.02}{1000}=\$186.19\\ \text{医療}(2,954.40+\$834.62)×\frac{16}{1000}=\$60.62\end{cases}$	$246.81
修　繕　費	133	建物修繕費　$0.35×380㎡	$133.00
非常勤職員報酬	50	校医1人　年額	$ 50.00
旅　　費	80	1人　$20.00×4人	$ 80.00
需　用　費	164	消耗品費 燃料費 光熱水費	$ 93.00 $ 36.00 $ 35.00
通信運搬費	24	郵便，電報，電話料　月$2.00×12月	$ 24.00
備品購入費	40	図書　$24.00　幼稚園図書　$16.00	$ 40.00
原材料費	13	薬品　$0.08×160人	$ 12.80
歳　出　計 a	4,540		

歳入	政府補助	1,182	幼稚園教育給料補助 $2,954.40×$\frac{40}{100}$	$1,181.76
	使用料手数料	2,277	保育料 $1.10×160人×12月	$2,112.00
			入園料 $1.00×160人	$ 160.00
歳入計 b		3,459		
差引一般財源充当額（a－b）		1,081		

単位費用　$7,621+$1,255+$1,081＝$9,957
　　　　　$9,957÷15,000人＝$0.66

（付）基準財政需要額算出の方法

　各教育区における基準財政需要額（教育費分）の算定は，小中学校費については，それぞれ測定単位にかかる単位費用に各教育区の測定単位数（学校数，学級数，児童または生徒数）を乗じたものを加えて算出するが，その他の教育費（人口経費）については，測定単位数を次のような段階補正，態容補正を行なった数値（補正人口）に単位費用を乗じて算出する。

　　　　　　　　補正人口＝段階補正人口×態容補正係数

ア　段階補正

　測定単位の数値が15,000人以上のもの
　　15,000人　　　　　　　　　　　　　1.00
　　15,000人を越え25,000人までの数　　0.75
　　25,000人を越え50,000人までの数　　0.63
　　50,000人を越え100,000人までの数　 0.62
　　100,000人を越える数　　　　　　　　0.61
　測定単位の数値が15,000人に満たないもの
　　その団体の数値　　　　　　　　　　　1.00
　　15,000人に満たない数が7,000人までの数　　　　　　　　0.39
　　15,000人に満たない数が7,000人を越え11,000人までの数　0.42
　　15,000人に満たない数が11,000人を越え13,000人までの数　-0.43
　　15,000人に満たない数が13,000人を越える数　　　　　　　0.47

イ　態容補正

級地	補正係数	教育区
1	1.21	那覇
2	1.07	コザ
3	1.05	与那原，嘉手納，糸満，石川，名護，浦添，宜野湾，北谷，美里
4	1.04	石垣，平良，具志川，北中城，
5～8	1.00	上記以外の教育区

　（注）　1．合併市町村（教育区）については合併前の行政区域の人口をもとにした補正人口の和をその教育区の補正人口とする。
　　　　　2．態容補正の級地は1965年10月1日の国勢調査の結果により，再区分されるので若干の変動が予想される

基準財政需要額（教育費分）

経　費　の　区　分	測　定　単　位	単　位　費　用	基準財政需要額
小学校費　学　校　数	237	1,071.80	254,016.60
学　級　数	3,710	215.11	798,058.10
児　童　数	149,179	2.87	428,143.73
中学校費　学　校　数	149	1,060.10	157,954.90
学　級　数	1,810	236.16	427,449.60
生　徒　数	80,713	3.15	254,245.95
その他の教育費	991,961	0.66	654,694.26
計	—	—	2,974,563.14

国調人口（1965.10.1）及び補正人口

教育区	国調人口	補正人口	教育区	国調人口	補正人口	教育区	国調人口	補正人口
国　頭	9,193	11,454	コ　ザ	55,920	44,876	玉　城	9,533	11,668
大宜味	5,552	9,311	読　谷	20,535	19,159	知　念	5,765	9,432
東	2,721	6,582	嘉手納	14,346	15,334	佐　敷	8,000	10,728
羽　地	8,387	10,962	北　谷	9,952	12,518	与那原	8,740	11,737
屋我地	3,349	7,478	北中城	8,642	11,567	大　里	6,771	10,014
今帰仁	12,536	13,501	中　城	10,093	12,011	南風原	9,912	11,894
上本部	4,589	8,751	宜野湾	34,548	29,927	渡嘉敷	1,038	5,039
本　部	15,066	15,051	西　原	9,320	11,538	座間味	1,428	5,246
屋　部	4,344	8,610	計	271,580	263,677	粟　国	2,010	5,564
名　護	19,598	19,364	浦　添	30,819	27,473	渡名喜	1,247	5,151
久　志	5,916	9,519	那　覇	256,960	199,611	計	115,797	165,643
宜野座	3,944	8,330	(久)具志川	5,922	9,523	平　良	32,599	28,376
金　武	9,188	11,457	仲　里	8,124	10,805	城　辺	14,559	14,734
伊　江	7,058	10,185	北大東	962	5,000	下　地	5,205	9,109
伊平屋	3,083	7,109	南大東	2,933	6,884	上　野	4,603	8,760
伊是名	4,384	8,632	計	305,720	259,296	伊良部	10,266	12,114
（計）	118,909	166,296	豊見城	11,083	12,612	多良間	2,603	6,411
恩　納	7,783	10,600	糸　満	14,288	15,287	計	69,835	79,504
石　川	15,958	16,505	兼　城	6,464	9,838	石　垣	29,168	26,119
美　里	21,786	21,091	三　和	9,470	11,629	大　浜	12,149	13,267
与那城	15,014	15,014	高　嶺	3,837	8,177	竹　富	7,023	10,162
勝　連	12,228	13,304	東風平	9,499	11,646	与那国	3,670	7,938
具志川	35,455	30,233	具志頭	6,712	9,981	計	52,010	57,486
						全琉計	933,850	991,902

総目次
(1号～100号)

- A. 局長関係、挨拶、巻頭言 ……………………………… 52
- B. 教育のあり方等に関する随想評論 ………………… 54
- C. 解　説
  - 1. 教育行政基本的原理、教育内容、教育課程、教科書問題 …… 58
  - 2. 教育行政組織制度 ……………………………… 61
  - 3. 教員の身分 ……………………………………… 62
  - 4. その他 …………………………………………… 62
- D. 法令等の紹介 …………………………………………… 63
- E. 通　知 …………………………………………………… 63
- F. 調査統計 ………………………………………………… 65
- G. 教育費　財政 …………………………………………… 66
- H. 指導資料
  - 1. 教育全般 ………………………………………… 67
  - 2. 国　語 …………………………………………… 68
  - 3. 社　会 …………………………………………… 69
  - 4. 算数、数学 ……………………………………… 70
  - 5. 理　科 …………………………………………… 71
  - 6. 英　語 …………………………………………… 72
  - 7. 体育、保健、給食 ……………………………… 72
  - 8. 美術、音楽 ……………………………………… 73
  - 9. 職家技術 ………………………………………… 74
  - 10. 学級経営 ………………………………………… 75
  - 11. 研究報告 ………………………………………… 76
  - 12. 視聴覚教育 ……………………………………… 78
- I. 地方の紹介 ……………………………………………… 78
- J. 図書紹介 ………………………………………………… 80
- K. 雑録（研究教員だより等） …………………………… 81
- L. 講　座 …………………………………………………… 89

――――――××――――――

A. 局長関係、挨拶、巻頭言　　　　　　　　　　　　　　　　　ページ

1	創刊号に寄せて	奥　田　愛　正	No. 1 (52/6)	1
2	三つの反省	中　山　興　真	No. 3 (　　)	1
3	就任のことば	真栄田　義　見	No. 4 (53/4)	1
4	講演　新教育に魂を入れるもの	下　程　勇　吉	No. 5 (53/7)	31
5	巻頭言	真栄田　義　見	No. 7 (54/2)	表紙裏
6	一つの声	坂　元　彦太郎	No. 8 (54/3)	表紙裏
7	突っこみの深い問題解決学習を		No. 9 (54/6)	表紙裏
8	楽しい運動会を		No.10 (54/9)	表紙裏
9	研究教員を迎えて思うこと	中　山　興　真	No.11 (54/12)	2
10	年頭の辞	真栄田　義　見	No.12 (55/1)	1
11	就任にあたって	比　嘉　信　光	No.12 (〃)	2
12	研究教員を迎えて思うこと	中　山　興　真	No.12 (〃)	46

13	祝　辞……………………………	比嘉　秀平	No.13（55/3）	1
14	あいさつ…………………………	大浜　信泉	No.13（〃）	2
15	へき地教育について（講演）……	山川　武正	No.13（〃）	4
16	見たいもの・見たくないもの……	小波蔵　政光	No.15（55/6）	1
17	年頭にあたって…………………	真栄田　義見	No.20（56/1）	1
18	三度びっくり……………………	小波蔵　政光	No.24（56/5）	1
19	新学期によせて…………………	中山　興真	No.26（56/9）	1
20	年頭挨拶、偏見を棄てよう……	真栄田　義見	No.28（57/1）	1
21	年頭挨拶…………………………	ケネス・エム・ハークネス	No.28（〃）	3
22	巻頭言……………………………	比嘉　信光	No.29（57/2）	1
23	教師の第一義……………………	中山　興真	No.30（57/4）	1
24	教育四法の民立法を祝しその成長を期待する			
		真栄田　義見	No.37（58/1）	1
25	萌　芽……………………………	比嘉　信光	No.38（58/2）	表紙裏
26	はち巻して50点…………………	中山　興真	No.39（58/3）	1
27	新任のあいさつ…………………	小波蔵　政光	No.41（58/4）	1
28	離任のことば……………………	真栄田　義見	No.41（58/4）	2
29	ごあいさつ………………………	阿波根　朝次	No.42（58/6）	1
30	就任のあいさつ…………………	喜屋武　真栄	No.42（58/6）	2
31	親しまれる教育誌に……………	喜久山　添采	No.44（58/7）	1
32	健康を育てるために……………	喜屋武　真栄	No.45（58/9）	1
33	青少年問題について……………	山川　宗英	No.49（58/12）	表紙裏
34	教育財政確立を推進しよう……	金城　英治	No.50（59/1）	裏表紙
35	年頭のことば……………………	小波蔵　政光	No.50（〃）	1
36	1959年の琉球教育に対する10の期待……	ボナー・クロフォード	No.50（〃）	2
37	年頭に当って……………………	安里　源秀	No.50（〃）	5
38	年頭所感…………………………	屋良　朝苗	No.50（〃）	6
39	巻頭言……………………………	比嘉　信光	No.51（59/2）	表紙裏
40	春と成長…………………………	中山　興真	No.52（59/3）	〃
41	沖縄の教育事情（対談）北岡文部省調査部長・阿波根文部局長…		No.53（59/4）	1
42	新学年に希望を寄せて…………	佐久本　嗣善	No.53（59/4）	表紙裏
43	教育財政の確立を期待する……	安谷屋　玄信	No.56（59/6）	〃
44	教育を生かすもの………………	大城　真太郎	No.57（59/8）	〃
45	実験学校の歩み…………………	仲本　朝教	No.59（59/10）	〃
46	大田新主席に期待する…………	石川　盛亀	No.60（59/11）	〃
47	教育指導委員を迎えて…………	大城　真太郎	No.61（59/12）	〃
48	1959の職業教育をかえりみて…	玉城　深二郎	No.62（59/12）	〃
49	教育課程改訂に際して…………	喜久山　添采	No.63（60/1）	〃
50	年頭のあいさつ…………………	小波蔵　政光	〃　　〃	1
51	パン給食の実現…………………	喜屋武　真栄	No.64（60/2）	表紙裏
52	教育指導委員の残した業績……	阿波根　朝次	No.67（60/6）	〃

53	教育諸問題をたずさえて	小波蔵 政光	No.68 (60/8)	表紙裏
54	社会教育指導の心構え	山川 宗英	No.69 (60/9)	〃
55	最近の職業教育	比嘉 信光	No.70 (60/10)	〃
56	非行少年と学校教育	喜久山 添采	No.71 (60/12)	〃
57	定時制教育の振興を期待して	笠井 善徳	No.72 (61/1)	〃
58	年頭の辞	小波蔵 政光	〃 〃	1
59	科学教育における教師の任務	大城 真太郎	No.73 (61/2)	表紙裏
60	巻頭言	比嘉 信光	No.75 (61/6)	〃
61	中学校，技術，家庭科担当教員の現職教育の必要性から	〃	No.77 (61/11)	〃
62	校内研修にひとこと	浜比嘉 宗正	No.78 (62/1)	〃
63	はしがき	阿波根 朝次	No.80 (62/9)	〃
64	〃 〃	安谷屋 玄信	No.82 (63/11)	〃
65	大量消費社会と青少年問題	安谷屋 玄信	No.98 (65/12)	〃
66	局長就任のことば	赤嶺 義信	〃 〃	1
67	教育放送の果す役割を正しくとらえよう	下門 竜栄	No.99 (66/2)	2
68	広報活動に思う	前田 功	No.100 (66/4)	

B 教育のあり方等に関する随想，評論

1	読書の方向	比嘉 博	No.1 (52/6)	13
2	子供は大切にされているか	真栄田 義見	No.2 ( )	1
3	社会教育振興上の問題	金城 英浩	No.2 ( )	31
4	新教育は如何様にして生まれたか	比嘉 博	No.3 ( )	54
5	誰のための先生となるか（政治と経済と教育）	無着 成恭	No.5 (53/7)	22
6	アルバイトの子供達を想うて	真栄田 義見	No.6 (53/8)	
7	女教師の皆様へ	照屋 秀	No.6 (53/8)	1
8	座談会 教育の諸問題について		No.6 (〃)	3
9	お早うございます	美原 秋穂	No.6 (〃)	20
10	座談会 教育評価について…小見山，長島両先生を囲んで		No.6 (〃)	49
11	人間育成の作文観	豊平 良顕	No.7 (54/2)	1
12	問題の子等を訪ねて	中山 興真	No.8 (54/3)	1
13	産業教育の優先を何故叫ぶ？	亀川 正東	No.8 (54/3)	3
14	産業教育計画について	文教審議委員会	No.8 (〃)	5
15	産業教育振興に関する答申	〃	No.8 (〃)	7
16	アメリカ農業教育記	島袋 俊一	No.8 (〃)	12
17	学習指導について	大庭 正一	No.8 (〃)	39
18	教育学研究の方法	安里 彦紀	No.8 (〃)	46
19	盲ろう教育の目標	又吉 康福	No.13 (55/3)	15
20	ろう児の取り扱いについて	勝連 シズ子	No.13 (〃)	19
21	社会教育振興上の諸問題	金城 英浩	No.13 (〃)	26
22	よい教育環境はまず公民館をつくることから		No.13 (〃)	30
23	P.T.Aはどのように活動しているか	山元 芙美子	No.13 (55〃3)	31

24	改善された高校………………教育課程審議会の答申………	No.13 (〃)	56
25	教科以外の活動の計画指導1…文部省初等教育パンフレットより	No.13 (〃)	61
26	温い手をのべよう………………………真栄田　義見……	No.14 (55/4)	1
27	児童相談所と欠席児童について………外間　宏栄……	No.14 (55/4)	2
28	環境論を越えて…………………………玖村　敏雄……	No.14 (〃)	42
29	教育評価と記録…………………………小見山　栄一……	No.14 (〃)	42
30	教科以外の活動の計画と指導2…文部省初等教育パンフレットより	No.14 (〃)	49
31	通知票のあり方，相対的評価と絶対的評価について…赤嶺利男…	No.15 (55/6)	2
32	教育三考…………………………………仲間　智秀……	No.15 (〃)	41
33	新学校経営論……………………………石　三次郎……	No.15 (〃)	42
34	教科以外の活動の計画と指導3…文部省初等教育パンフレットより	N.15 (〃)	47
35	高等学校の農業に関する「教育課程改訂」について………	N.15 (〃)	51
36	青年学級の問題点………………………大宜味　朝恒……	No.16 (55/8)	38
37	教科以外の活動の計画と指導4…文部省初等教育パンフレットより	No.16 (〃)	45
38	夏季施設の反省から……………………T．H　生……	No.17 (55/9)	35
39	教科以外の活動の計画と指導5…文部省初等教育パンフレットより	N.017 (〃)	51
40	純潔教育について………………………山元　芙美子……	No.18 (55/11)	47
41	新教育と教育新語………………………仲間　智秀……	No.18 (55/11)	49
42	教育調査を手がけて……………………福里　文夫……	No.20 (56/1)	35
43	新教育をはばむ一面……………………仲間　智秀……	No.21 (56/2)	33
44	ジュースの味……………………………森田　長一郎……	No.21 (56/2)	46
45	卒業式と入学式…………………………久米島具志川中……	No.22 (56/3)	49
46	校地計画について………………………中山　重信……	No.22 (56/3)	54
47	古い卵と新しい卵………………………木本　善一……	No.23 (56/4)	55
48	校外補導と親たちの気構えについて……荒井　美蔦香……	No.23 (56/4)	56
49	産業教育振興計画に関する答申………文教審議委員会……	No.26 (56/9)	2
50	賞罰のあり方……………………文部省初等教育資料より……	No.26 (56/9)	21
51	賞罰の心理………………………………三好　稔……	No.26 (56/9)	24
52	学校，給食について……………………新垣　真子……	No.28 (57/1)	20
53	幼児の物の考え方………………………文沢　義永……	No.28 (〃)	21
54	へき地教育の基本問題…………………手塚　六郎……	No.28 (〃)	31
55	へき地児童の性格的特性………………福田　正次……	No.28 (〃)	34
56	へき地教育の実態………………………山川　武正……	No.28 (〃)	38
57	へき地教育を育てるために（座談会）………………………	No.28 (〃)	43
58	いまの子供たちをどうする？…………宮城　鷹夫……	No.31 (57/5)	30
59	水難防止について………………………新垣　佺……	No.32 (57/6)	26
60	夏の食生活上の注意……………………外間　ユキ……	No.32 (〃)	27

61	夏の栄養と七つの基礎食品	名城 弘子	No.32 (〃)	29
62	学校長の離任と就任	仲間 智秀	No.32 (〃)	40
63	新人生を迎え	宮良 ルリ	No.32 (〃)	41
64	教師一年生	宇座 幸子	No.34 (57/8)	18
65	生きたことば	大浜 英祐	No.34 (57/8)	20
66	四十年の僻地教育を省みて	入伊泊 清光	No.38 (58/2)	64
67	水産高校，実習船の使命と建造について	玉城 盛正	No.41 (58/4)	40
68	沖縄の子供たちの栄養	黒田 嘉一郎	No.43 (58/7)	4
69	貴重な報告をみて	外間 ゆき	No.43 (58/7)	8
70	心の旅路　学校づくり	渡久地 政功	No.44 (58/7)	8
71	私達の運動会	瀬底美佐子	NO.45 (58/9)	44
72	流行を追う子供達	与那城 茂	NO.45 (〃)	47
73	現代の道徳教育	松田 義哲	NO.48 (58/11)	1
74	生活指導と道徳教育	篠崎 謙次	NO.48 (〃)	3
75	指導者の態度がパーソナリティ形式に及ぼす影響について	大湾 芳子	NO.48 (〃)	9
76	ことばと道徳	安里 盛吉	NO.48 (〃)	13
77	主体性ある学校教育	山田 弘	NO.48 (〃)	13
78	忘れ得ぬことば	照屋 寛功	NO.48 (〃)	14
79	座談会＝別府における道徳教育講習会に参加して	仲間 智秀	NO.49 (58/12)	1
80	文部省主催＝道徳教育講習会受講記録	仲間 智秀	NO.49 (〃)	6
81	現代の道徳教育	松田 義哲	NO.51 (59/2)	29
82	環境の整理	松田 盛康	〃 〃	44
83	道徳教育の底を流れるもの	阿波根 直英	〃 〃	45
84	新入学児童について	名城 嗣明	NO.52 (59/3)	1
85	卒業式・入学式のあり方	石川 盛亀	NO.52 (59/3)	4
86	過去を顧みて	饒平名 知高	NO.52 (〃)	31
87	新学期を迎えて	徳山 清長	NO.53 (59/4)	5
28	アンケート　教育行政に対する要望（1959学年度）		NO.53 (59/4)	8
89	アンケート　学校経営について		NO.53 (〃)	10
90	「道徳の時間」特設の問題について	安里 彦紀	〃 〃	12
91	発達研究方法の二，三の問題	文沢 義永	NO.57 (59/8)	5
92	私の当面している課題	仲松 源光	NO.57 (〃)	23
93	私の当面している課題	渡慶次 ハル	No.57 (59〃8)	25
94	児童生徒の不良化防止策学級担任教師への期待	文沢 義永	No.58 (59/9)	1
95	児童生徒の不良化防止について	当間 賀助	〃 〃	2
96	不良化防止について思うこと	宮里 信栄	〃 〃	9
97	青少年の不良化と家庭	嘉数 正一	〃 〃	10
98	新しい教育の目ざすもの	文部公報	No.59 (59/10)	53

99	指導委員にきく沖縄教育の問題点	学校教育課	No.61 (59/12)	1
100	沖縄の教育を現地に見て	山川辰五郎	〃 〃	3
101	沖縄の教育を現地に見て	原田彦一	〃 〃	5
102	沖縄の教育を現地に見て	中島彬文	〃 〃	7
103	音楽科指導にあたって	富永忠男	〃 〃	8
104	音楽における指導計画について	梶山逸夫	〃 〃	9
105	数学教育の動向と課題	尾崎馨太郎	〃 〃	11
106	安保先生を迎えて	奥間松蔵	〃 〃	13
107	本土より指導委員を迎えて	松川恵伝	〃 〃	16
108	教育指導委員を迎えて	富名腰義幸	〃 〃	17
109	〃	中里勝也	〃 〃	19
110	沖縄教育を現地に見て	才所敏男	No.62 (59/12)	12
111	那覇地区の学校を訪問して	川島茂	〃 〃	14
112	指導助言	清村英診	〃 〃	17
113	養護諭一ヵ年をかえりみて	山里洋子	〃 〃	31
114	〃	宇座厚子	〃 〃	33
115	学園の緑化計画と実践について	比嘉恒夫	No.63 (60/1)	22
116	赤ん坊から年寄までの食物	川島四郎	No.64 (60/2)	28
117	沖縄学校, 建築に関する覚書 (案)	菅野誠	No.64 (60/2)	66
118	啓発経験	前津栄位	No.65 (60/3)	13
119	児童期の道徳的発達	文沢義永	〃 〃	43
120	招へい教育指導委員について	宮城定蔵	No.67 (60/6)	1
		宜保悦助		
		大城知善		
		糸数用著		
121	教育指導委員にきく沖縄教育について		〃 〃	17
122	新しく教壇に立つ諸君へ	岸本普順	〃 〃	21
123	始めて教壇に立つ方々へ	新里章	〃 〃	23
124	新しく教壇へ立たれる諸君へ	比嘉良芳	〃 〃	24
125	対外競技について	平良健	〃 〃	31
126	対外競技雑感	翁長維行	〃 〃	33
127	対外競技について	屋部和則	〃 〃	35
128	学校応援団とその指導について	コザ高校・生徒会指導部	〃 〃	36
129	学校応援団について	中村義永	〃 〃	37
130	思い出と前進と	野田弘	No.71 (60/12)	31
131	国語教育についてのひとつの印象	田中久直	〃 〃	35
132	本土の教育状況紹介	白石三郎	〃 〃	36
133	学校保健序説	杉浦正輝	〃 〃	40
134	本校における定時制教育	新垣博	No.72 (61/1)	4
135	八重山高校定時制のいきさつ	喜友名英文	〃 〃	7
136	宮古高等学校定時制課程	比嘉三郎	〃 〃	11

137	定時制教育の問題点……首里高，石川高，知念高，糸満高…………	〃	〃	15
138	首里高校定時制課程の8年の足跡…………………………………	〃	〃	24
139	定時制生徒の手記…………………我那覇八重子　比嘉美智子……	〃	〃	28
140	学校における保健教育………………………杉　浦　正　輝……	NO.72	(61/1)	57
141	理科教育を推進させる観点…………………松　田　正　精……	NO.73	(61/2)	3
142	科学教育センターの機構と構想……………金　城　順　一……	NO.73	(61/2)	4
143	青少年問題に寄せる…………………………大　浜　安　平……	〃	〃	9
144	無から有を生む努力…………………………与那城　朝　惇……	NO.75	(61/6)	20
145	教育指導委員K先生…………………………渡久地　　　繁……	〃	〃	21
146	教師と服装……………………………………石　垣　喜　與……	NO.78	(62/1)	41
147	科学技術教育…………………………………松　田　正　精……	〃	〃	50
148	岡山教育を語る………………………………砂　川　恵　保……	NO.86	(64/5)	55
149	学校を統合してみて…………………………黒　島　廉　智……	NO.87	(64/6)	45
150	寮設置による学校統合………………………大　原　中　学　校……	〃	〃	48
151	新設された体育指導委員とは………………保　健　体　育　課……	NO.88	(64/6)	30
152	校内の態勢づくり……………………………中　村　直　雄……	NO.88	(64/6)	35
153	私たちの青ばと教育隣組の活動……………上　地　信　子……	〃	〃	39
154	〝根性〟について……………………………高　瀬　　　保……	NO.93	(65/2)	1
155	精神的空白に新たな理想「期待される人間像」　文　部　広　報……	NO.93	(65/2)	24
156	非行と家庭……………………………………名　城　嗣　明……	NO.98	(65/12)	2
157	座談会　今日の非行児問題…………………………………………	〃	〃	5
158	島を豊かに……………………………………島　田　喜知治……	NO.99	(66/2)	41

C　解　説
　　(1)　教育行政の基本的原理，教育内容，教育課程，教科書問題

1	中央教育委員会概要………………………………………………	No. 1	(52/6)	10
2	教育委員会について…………………………小波蔵　政　光……	No. 1	(52/6)	12
3	本年度指導係指導目標設定資料……………指　　導　　課……	No. 1	(52/6)	19
4	教育の現況とその反省………………………指　　導　　課……	NO. 1	(52/6)	21
5	高等学校入学考査の諸問題…………………小波蔵　政　光……	No. 4	(53/4)	3
6	1953年度重点目標について…………………中央教育委員会……	No. 5	(53/7)	1
7	新学年に臨む指導課の態勢…………………指　　導　　課……	No. 5	(53/7)	15
8	中学校，職業家庭科及び職業指導施設の基準（文部省初等中等教育局）
			No. 8	(54/3)	44
9	1954年度高等学校入学試験の結果をみる……研　究　調　査　課……	No.11	(54/12)	31
10	「児童はどのようにして守られているか」…………………………	No.13	(55/3)	22
11	入学試験の存廃について……………………阿波根　朝　松……	No.14	(55/4)	4
12	本年度の社会教育計画………………………金　城　英　浩……	No.16	(55/8)	12
13	水産高等学校における教育課程……………玉　城　盛　正……	No.17	(55/9)	1
14	諸標準検査の学習指導への利用……………研　究　調　査　課……	No.17	(55/9)	15
15	1956学年度・高等学校入学者選抜法改善の趣旨
	比　嘉　信　光……	No.18	(55/10)	1

16	1956学年度・高等学校入学者選抜要項………中央教育委員会……No.18（〃）3	
17	本土における改訂教育課程の解説…………杉　江　　　清……No.19（55/12）1	
18	高等学校教育課程の改善について…………〃　　　　　〃……No.19（55/12）6	
19	高等学校の改訂教育課程実施上の問題点……中　等　教　育　課……No.19（55/12）15	
20	都道府県指導部課長会議における協議事項……………………………No.19（55/12）23	
21	本土におけるガイダンスの実践……………内　間　武　義……No.20（56/1）15	
22	沖繩水産高等学校における製造養殖科の教育課程について	
	東江　幸　蔵……No.20（56/1）42	
23	指導要録の改訂………………………………大　島　文　義……No.21（56/2）36	
24	沖繩水産高校における機関科の教育課程について	
	具志堅　松　一……No.22（56/3）1	
25	入試選抜法改正をこう迎えた………………仲　間　智　秀……No.22（56/3）11	
26	正常分布と五段階評点法ものがたり………私　次　庄　市……No.22（56/3）47	
27	指導要録改訂要領……………………………真栄田　義　見……No.23（56/4）1	
28	改訂指導要録と評価…………………………小　河　正　介……No.23（56/4）53	
29	改訂児童指導要録の解説……………………文部省　各係官……No.24（56/5）38	
30	道徳教育の反省とその測定評価実施の難task…比　嘉　俊　成……No.26（56/9）5	
31	琉球における青少年不良化の防止対策……政　井　平　進……No.26（56/9）8	
32	1957年度高等学校入学者選抜及び高等学校生徒定員に関する答申	
	文教審議委員会……No.28（57/1）4	
33	55年度義務教育学力測定結果の解説………研　究　調　査　課……No.29（57/2）2	
34	学年ということをどのように考えて指導したらよいか	
	文　　部　　省……No.31（57/5）36	
35	社会教育特集号………………………………………………………No.36（57/11）1〜104	
36	法的にみた児童生徒の懲戒と体罰について…知　念　　　繁……No.37（58/1）2	
37	懲戒は教育的配慮で…………………………文　部　広　報……No.37（58/1）35	
38	秩序と体罰……………………………………鳥　巣　通　明……No.37（58/1）37	
39	環境緑化の教育計画と実施要領……………大　庭　正　一……No.37（58/1）38	
40	小学校，中学校の道徳教育の強化について…文　　教　　局……No.41（58/4）32	
41	時間配当に結論「理科，数学」をふやす……教育課程審議会……No.41（〃）38	
42	小学校，中学校，教育課程の改善…………………………………No.42（58/6）39	
43	保健体育の諸問題……………………………喜屋武　真　栄……No.43（58/7）1	
44	学校身体検査の実施と結果の処理…………謝　花　喜　俊……No.43（58/7）11	
45	学校指導要領各教科改訂案の要点…………………………………No.46（58/9）21	
46	1959学年度高等学校入学者選抜要項………………………………No.48（58/11）46	
47	ドル切換と教育についての答申……………文教審議会答申……No.49（58/12）18	
	安全教育問題	
	青少年問題と対策	
48	青少年問題とその対策………………………清　村　英　診……No.49（〃）22	
49	1958学年度の反省にたいて…………………………………………No.52（59/3）6	
	各教科，教科外学習の展望　　担当指導主事，現場職員	

50	評価について………………………………喜友名 盛 範……	No.52	(〃)	22
51	週案について………………………………金 城 順 一……	No.52	(59/3)	39
52	私の学校経営………………………………山 田 朝 良……	〃	〃	40
53	学校，経営に当って………………………玉 城 幸 男……	〃	〃	41
54	なんだい……盲聾学校生徒と共に歩んで……宮 城 康 輝……	〃	〃	42
55	小学校，教育課程移行措置と通達………………………………	No.54	(59/4)	50
56	成長をあすに期待する盲ろう教育…………与那城 朝 惇……	No.56	(59/6)	21
57	ろう児の生活意識に関する調査……………仲村渠 三 郎……	〃	〃	23
58	高等部新設と視覚障害者の職業教育………町 田 実……	〃	〃	26
59	夏休みの学校管理と生活指導について……学 校 教 育 課……	No.57	(59/8)	1
60	文教審議会答申第十二号の内容………………………………	No.58	(59/9)	35
61	実験学校の歩みから………………………金 城 順 一……	No.59	(59/10)	1
62	へき地教育振興について…………………知 念 繁……	No.60	(59/11)	1
63	へき地における学校経営…………………前 新 加太郎……	No.60	〃	4
64	へき地教育を語る…………………………糸 数 昌 吉……	〃	〃	7
65	へき地教育で健闘する先生方の声…………………………………	No.60	(59/11)	9
66	本土におけるへき地級より別指定基準………文 部 広 報……	〃	〃	17
67	わが国の教育水準…………………………… 〃 ……	No.61	(59/12)	33
68	高等学校における産業教育の改善………… 〃 ……	No.62	(59/12)	
69	改訂指導要領における「学校行事等」について………………	No.63	(60/1)	2
70	新しい学校行事の年間計画………………大 里 朝 宏……	〃	〃	6
71	儀式運営上の問題点………………………渡名喜 元 尊……	〃	〃	8
72	東日本学校給食研究集会＝記録………………………………	No.64	(60/2)	24
73	全琉小中校長研修会の実施経過……………大 城 真太郎……	No.68	(60/8)	1
74	全琉小中学校長研修会のまとめ…………………………………	〃	〃	3
75	日本生物教育会第14回全国大会に参加して…伊 波 秀 雄……	〃	〃	24
76	高校教育課程の改善………………………文 部 広 報……	〃	〃	34
77	特集・社会教育…………………………………………………	No.69	(60/9)	
	社会教育学級講座の諸問題………………照 屋 善 一…………			1
	新生活運動…………………………………嶺 井 百合子…………			2
	活動するＰＴＡ……………………………知 念 正 光…………			3
	あいさつ……………………………………大 田 政 作…………			5
	職業教育青年学級の運営…………………照 屋 寛 吉…………			6
	教養の向上をめざす公民館活動……………瀬 底 正 俊…………			7
	嘉手納村における婦人会活動……………玉 城 信 子…………			8
	祝 辞…………………………………安 里 積千代…………			9
	農村における新生活運動のすすめ方………仲 間 茂 夫…………			10
	栄町婦人学級の歩み………………………我那覇 ハ ツ…………			12
	青年会運営のあり方………………………石 原 昌 雄…………			13
78	高等学校指導要領改訂草案の要点…………文 部 広 報……	No.70	(60/10)	46
79	道徳教育の底辺は何か……………………松 田 州 弘……	No.71	(60/12)	1

80	問題家庭を訪ねて	大 城　　　肇	〃	〃	9
81	非行化の原因	喜友名　正　謹	No.71	(60/12)	11
82	非行児の補導事例	比 嘉 良 雄	〃	〃	12
83	青少年問題への提言	山 城 清 輝	〃	〃	16
	教育隣り組みと母性の結びつき	嘉 数 芳 子	〃	〃	18
	教育隣り組みの発展を望む	山 元 英美子	〃	〃	19
	あなたの家庭診断	謝花 寛じょう	〃	〃	21
84	少年非行と児童相談所	幸 地　　　努	〃	〃	24
85	児童福祉施設の立場から教育界への要望	知 名 定 亮	〃	〃	29
86	勤労青年教育の現状と問題点	宮 里 勝 之	No.72	(61/1)	2
87	定時制教育の特異性と問題点	小 嶺 幸五郎	〃	〃	3
88	本校の教育研修の現況	仲 村 善 雄	〃	〃	41
89	進みゆく社会の青少年教育	文 部 広 報	〃	〃	12
90	改訂指導要録の記入要領	徳 山 清 長	No.75	(61/6)	64
91	低学年の製作活動についての諸問題	文 部 省	〃	〃	78
92	対外競技の基準改訂	文 部 広 報	No.76	(61/8)	75
93	高等専門学校について	〃			76
94	理科学習指導における科学的思考	松 田 正 精	No.77	(61/11)	52
95	校長教育委員研修会質疑ならびに要望事項		No.80	(62/6)	39
96	1964年度予算説明会質疑と要望事項		No.81	(63/11)	41
97	学力向上のための局長対談		No.86	(64/5)	1〜27
98	沖縄の特殊教育		No 87	(64/6)	34
99	公立小中校の規模の適正化				
	小規模学校の解消	義 務 教 育 課	〃	〃	44
100	補助教材の取り扱い入手の手続き、方法は公正に	文部広報	〃	〃	58
101	前向きの解釈を	文 部 広 報	No.87	(64/6)	59
	〟補助教材の取り扱いをめぐって〟				
102	中校教育課程研究集会全国共通問題	〃			62
103	自営者の養成と確保	文 部 広 報	No.88	(64/6)	48
104	4分の1はへき地校	〃	No 90	(64/10)	42
105	1965学年度学校教育指導指針		No.95	(65/6)	1〜65
	及び学校運営における指導指針の生かし方（特集号）				
106	青少年健全育成について	指 導 課	No.98	(65/12)	19
107	青少年健全育成モデル地区の活動	大 城 徳次郎	〃	〃	20
108	青少年の非行対策について	我那覇 貞 信	〃	〃	21
109	産業技術学校について	伊是名 甚 徳	〃	〃	23
110	商業実務専門学校について	与世田 兼 弘	No.99	(66/2)	53
(2)	教育行政組織制度				
1	文教局機構表		No.1	(52/6)	5
2	各職域分掌表		No.1	(52/6)	6
3	学校教育課というところ	学 校 教 育 課	No.47	(58/10)	4

4	保健体育の推進策について	保健体育課	No.47 (〃)	5
5	1959年度の教育施設について	施設課	No.47 (〃)	7
6	1959年度社会教育事業計画	社会教育課	No.47 (〃)	9
7	1959年度事業計画	研究調査課	No.47 (〃)	10
8	文教局新機構紹介		No.98 (65/12)	30

(3) 教員の身分

1	教員異動方針についての助言案		No.39 (58/3)	3
2	教員養成制度の改善方策	中教審議会答申	No.46 (58/9)	31
3	教員交流に関する答申（1958）	文教審議会	No.51 (59/2)	41
4	結核性疾患教員について	謝花喜俊	No.56 (59/6)	9

(4) その他

1	1953年度校舎建築について	施設課	No.3 ( )	41
2	便利な教育百貨店公民館について	清村英診	No.3 ( )	51
3	入試問題作成経過		No.4 (53/4)	4
4	1953年度年間事業計画予定表		No.5 (53/7)	48
5	1954年度校舎建築割当方針	施設課	No.8 (54/3)	65
6	新生活運動要綱		No.24 (56/5)	25
7	教研式学力知能検査		No.24 (56/5)	27
8	1955年度義務教育学力測定結果の解説	研究調査課	No.30 (57/4)	2
9	生物研究会のあゆみ	玉代勢孝雄	No.38 (58/2)	1
10	沖縄ユネスコ協会発会の辞	山田有幹	No.56 (59/6)	32
11	宮古地区理科教育研修指導計画	秋葉和夫	No.62 (59/12)	16
12	教科指導員はどのように研修ができたか		No.67 (60/6)	4
13	日本学校安全会の事業	文部広報	〃 〃	40
14	減少する長欠児（33年度調査結果から）		〃 〃	42
15	中学校の技術家庭科設備充実の参考例	〃	No.68 (60/8)	30
16	中学校の移行措置と留意点（3）	〃	〃 〃	32
17	昭和36年度、全国中学校一せい学力調査調査問題の作成方針とねらい		No.77 (61/11)	48
18	45分間の主軸をたてよう	松田州弘	No.78 (62/1)	1
19	校内研修の動向	平良良信	〃 〃	2
		与那嶺仁助	〃 〃	4
		譜久村寛仁	〃 〃	8
20	校内研修の組織と運営	平良利雄	No 78 (62/1)	12
21	本校の校内研修概要	仲嶺盛文	〃 〃	14
		玉木健助	〃 〃	15
22	校内研修のあい路とその打開策	当銘武夫	〃 〃	16
23	中学校としての研修のあり方	親富祖永吉	〃 〃	17
24	校内研修時間を生み出すためのくふう	大里朝宏	〃 〃	18
25	青森市における第11回全国学校保健大会に参加して			
		安井忠松	〃 〃	22

26	栃木の教育に学ぶもの	当間 嗣永	No.88（64/6）32
27	中、高校卒業者の卒業後の状況（特集）		No.93（65/2）3〜21
28	沖縄農業教育研究会活動について	友利 恵盛	No.98（65/12）33
29	奥武山総合競技場における水泳競技場建設の構想	屋良 朝晴	No.99（66/2）43
30	沖縄算数数学教育研究会活動について	大城 真太郎	〃 〃 70
31	沖縄教育音楽協会の活動について	仲本 朝教	No.100（66/4）35

D 法等令の解説紹介

1	教育法		No.37（58/1）5
	（教育基本法、教育委員会法）		
	（学校教育法、社会教育法）		
2	民立法（四法）と布令（165号）との比較		No.37（58/1）29
3	公立義務教育諸学校、学級編成及び教職員定数の標準に関する法律案		No.41（58/4）34
4	教育関係法令特集		No.46（58/9）1〜19
	教育職員免許法他4		
5	中央教育委員会の選挙執行に関する規則		No.48（58/11）42
6	現行教育法令特集号		No.55（59/6）1〜366
7	学校給食用パン委託加工契約書		No.64（60/2）21
8	学校給食用製パン委託加工工場の認可並びに学校給食用パンの審査に関する規則		No.64（60/2）22
9	理振法とその解説	学校教育課	No.73（61/2）1
10	教育関係法令解説（特集）		No.81（62/9）1〜75
11	中央教育委員会会議のもよう		No.86（64/5）32
12	一般職員の給与に関する立法の一部を改正する立法		No.90（64/10）34
13	義務教育諸学校施設費国庫負担法施行令等の一部改正		〃 〃 48
14	教育委員会法の一部を改正する立法（案）		No.92（65/1）61
15	教育職員免許法及び同法施行法の一部を改正する立法について	安村 昌亨	No.95（65/6）67
16	第28議会において成立した文教関係立法の解説（特集号）		No.97（65/9）1〜44
17	青少年保護育成法		No.98（65/12）14

E 通知

1	第二回琉球研究教員配置名簿	No.3（ ）52
2	局内人事異動	No.8（54/3）70
3	文教時報原稿募集	No.8（ 〃 ）70
4	歴史資料収集についてお願い……研究調査課	No.14（55/4）62
5	1955年琉球大学夏季講座地区別受講者数	No.16（55/8）19
6	人事案内	No.21（56/2）55
7	人事移動	No.23（56/4）61
8	1957年度文教局年間行事計画	No.27（56/12）39
9	人事だより	No.28（57/1）57
15	〃　〃	No.31（57/5）43
11	第11回(昭和32年度前期)研究教員候補者名簿	No.31（57/5）46

12	1957年夏季講座招聘教授名……………………………………………No.33（57/6）50		
13	文教局組織規則の改正に伴う人事異動　1957年9月24日………No.35（57/11）7		
14	局内人事だより……………………………………………………………No.45（58/7）54		
15	新庁舎に移って………………………………………石　川　盛　亀……No.47（58/10）32		
16	1958年夏季講座招聘講師名一覧………………………………………No.48（58/11）8		
17	すき間を利用して…………………………………………………………No.49（58/12）5		
18	中央教育委員7氏決定……………………………………………………No.50（59/1）10		
19	1959年度入学者定員決まる……………………………………………No.50（〃）50		
20	第15回琉球派遣研究教員決定…………………………………………No.51（59/2）42		
21	教育講習会…………………………………………………………………No.53（59/4）7		
22	1959年度異動後校長名一覧……………………………………………　〃　　〃　57		
23	1959年夏季認定講習会招へい講師名簿………………………………No.58（59/9）15		
24	青年学級の教育構造と振興策…………………………………………No.58（59/9）27		
25	1959年度、前、後、期招へい教育指導員の配置計画………………No59（59/10）6		
26	広報（中教委規則第28号）……………………………………………　〃　　〃　37		
27	1960年間行事計画…………………………………文　教　局……　〃　　〃　56		
28	中学校の移行措置と通達…………………………文　部　広　報…No60（59/11）20		
29	初のへき地教育調査を12月に実施……………………………………No61（59/12）44		
30	みんなで新正を祝いましょう…………………………………………No62（59/12）34		
31	国民体育大会に参加して…………………………喜屋武　真　栄……No.62（〃）39		
32	（昭和35年前期留日琉球派遣研究教員候補者名簿…………………No.65（60/3）47		
33	沖繩派遣指導委員増員要請の件………………………………………No.67（60/6）3		
34	教育指導員の継続派遣並びに増員について…………………………　〃　　〃　10		
35	1960年夏季認定講習会招へい講師名…………………………………No.68（60/8）59		
36	社会教育行事予定一覧……………………………文　部　広　報…No.69（60/9）30		
37	1960年度教科指導委員配置きまる……………………………………No.70（60/10）19		
38	成人大学講座開催…………………………………………………………No.71（60/12）14		
39	高校学習指導要領改正草案の修正点……………文　部　広　報…No.71（60/12）54		
40	58-60年度、各小、中校、の研究テーマ……研　究　調　査　課…No.73（61/2）19		
41	1961学年度、高校長、教頭研修会　全体会議録……………………No.75（61/6）1		
42	昭和36年度全国中学校一せい学力調査実施要綱……………………　〃　　〃　15		
43	教育心理技術講習会案内………………………………………………No.77（61/11）32		
44	人材養成計画立案のため初の職場学歴構成調査を実施……………No90（64/10）9		
45	中学校卒業認定試験実施について……………………………………　〃　　〃　29		
46	「健康の日」実施要項…………………………………………………　〃　　〃　35		
47	文部省主催第29期校長指導主事等研修講座のもよう		
	新　城　　　力……No.91（64/11）44		
48	東日本、学校給食栄養管理講習会に参加して		
	金　城　光　子……No.93（65/2）49		
49	全国幼稚園研修会に参加して……………………玉　城　勝　子……　〃　　〃　52		
50	南極観測船船名募集要項…………………………文　部　広　報……　〃　　〃　66		

51	家庭教育研修概況	社会教育課	No.94 (65/5)	41
52	教育懇談会実施要項		No.98 (65/12)	29

F 調査統計

1	小中学校学力水準の実態 (1954.3)	研究調査課	No.9 (54/6)	1
2	学校身体検査統計について (1954)	謝花喜俊	No.10 (54/9)	41
3	長期欠席児童生徒の実態	研究調査課	No.12 (55/1)	3
4	長欠児の実態とその対策	山田朝良	No.12 (〃)	9
5	特殊児童生徒調査に際して	比嘉信光	No.13 (55/3)	8
6	知能検査の発表に際して	比嘉信光	No.14 (55/4)	5
7	知能検査の結果はどうあらわれたか	研究調査課	No.14 (〃)	6
8	高等学校入学選抜に関する統計 (1955年)	〃	No.15 (55/6)	11
9	混血児調査	研究調査課	No.16 (55/8)	14
10	健康優良児の審査をおえて	謝花喜俊	No.16 (〃)	24
11	校舎建築現況	施設課	No.19 (55/12)	49
12	現在生徒数を国勢調査の数に補正した生徒数	学務課	No.19 (〃)	55
13	長欠児童生徒調査	研究調査課	No.20 (56/1)	4
14	特殊児童生徒の実態	〃	No.21 (56/2)	52
15	義務教育学力測定成績速報	〃	No.29 (57/2)	46
16	全国学力調のまとめ	文部広報	No.34 (57/8)	33
17	学力調査のまとめ (特集)		No.40 (58/4)	1～137
18	知能検査及び義務教育学力測定	研究調査課	No.41 (58/4)	43
19	琉球育英会調査資料 1957年度	琉球育英会	No.41 (58/4)	48
20	1958年度標準検査の結果をかえりみて	与那嶺進	No.48 (58/11)	24
21	昭33年度全国学力調査問題別正答率 (小、中、高)		No.49 (58/12)	53
22	全国学力調査 (昭33.9.25) 中間報告		No.50 (59/1)	19
23	高等学校教員、年度別、経験年数別図表		〃 〃	58
24	学校教育費、生徒1人当り、児童1人当り教育費		〃 〃	60
25	全国学力調査結果報告 (特集)	研究調査課	No.54 (59/4)	1～49
26	全国学力テスト終る 昭和34年 国語、算数 (数学)		No.59 (59/60)	23
27	全国学校、先生、生徒の数	文部統計速報	〃 〃	25
28	昭和34年度全国学力調査中間報告 (特集)		No.66 (60/4)	1～54
29	34年度学校衛生統計	文部広報	No.68 (60/8)	33
30	道徳性診断テストの結果の概要	研究調査課	No.70 (60/10)	31
31	昭和35年度全国学力調査全琉平均得点	〃	No.71 (61/1)	42
32	全国学力調査報告 (社会科、理科) 特集	〃	No.74 (61/3)	1～104
33	連合区別長期欠席児童生徒調査 1960学年度		No.75 (91/6)	54
34	1959年度児童生徒の年令別発育統計		〃 〃	54
35	本土就職青少年職場視察団報告特集号		No.76 (61/8)	1～66
36	全国学力調査抽出の結果		No.77 (61/11)	42
37	標準読書力診断テスト結果の概要	研究調査課	No.78 (62/1)	27

38	小、中、高昭和36年度学力調査のまとめ（特集号）教育研究課	No.79 (62/6)	1～128
39	学校設備調査結果まとまる	No.88 (64/6)	38
40	学校基本調査中間報告……………………調査広報課	No.90 (64/11)	13
41	職場学歴構成調査中間報告	〃	No.93 (65/2) 21
42	1964学年度高校入学志願者と入学者	〃	No.93 (65/2) 22
43	沖縄学生調査完了す……………………育英会報	No.94 (65/5)	39
44	最近の非行傾向………………………警本防犯少年課	No.98 (65/12)	13
45	学校基本調査結果の中間報告（1965.5.1）	〃	〃 44
46	小学校児童数の推移（連合区別）	〃	〃 裏表紙
47	中学校卒業者の教育区別進学率（1965.3卒）	No.99 (66/2)	裏表紙

G 教育費、及び財政

1	1956会計年度文教予算について……………研究調査課	No.16 (55/8)	7
2	教育予算について………………………金城英浩	No.27 (56/12)	1
3	PTA財政のありかた………………黒田麓	No.32 (57/6)	25
4	日本及び琉球児童生徒一人当りの教育費	No.32 (〃)	54
5	地方教育財政と教育税の問題………安谷屋玄信	No.33 (57/6)	1
6	PTAと経費のあり方………………文部広報	No.34 (57/8)	36
7	1958年文教局予算について…………金城英浩	No.35 (57/10)	1
8	立法院における文教局長の予算説明 1959年度	No.47 (58/10)	1
9	教育費のすがた…………………………研究調査課	No.52 (59/3)	52
10	教育費のすがた…………………………〃	No.53 (59/4)	62
11	1960年度文教局歳入歳出予算案の説明………小波蔵政光	No.56 (59/6)	1
12	父兄はどのくらい教育費を負担するか（33年度調査報告書から）	No.67 (60/6)	44
13	地方教育の実態を見る…………………文部広報	No.67 (60/9)	27
14	教育予算の内容はどうなっているか（1963年度、予算編成方針）	No.80 (62/9)	1～38
15	1964年度教育予算はどうなっているか（特集）	No.81 (63/11)	1～50
16	公立文教施設整備費第2次5カ年計画	No.83 (64/1)	44
17	1965年度文教局卜出予算案の説明	No.87 (64/6)	1～33
18	教育財政のあらまし（特集）………調査広報課	No.88 (64/6)	1～19
19	1965年度文教局予算解説	No.89 (64/8)	1～34
20	教育財政校長教育委員長研修会主なる質問事項とその解答	No.90 (64/10)	20
21	教育財政の現状とその推移（特集号）	No.92 (65/1)	1～60
22	小、中、高校の校舎概況…………調査広報課	No.93 (65/2)	40
23	わが国の教育水準 昭和39年度………文部広報	〃	〃 54
24	高等学校、教育費の推移と現状（特集号）	No.94 (65/5)	1～38
25	1964年度教育財政調査まとまる………調査広報課	No.95 (65/6)	66
26	1966年度文教局予算解説	No.96 (65/9)	1～52
27	1965年度財政法規研修会における主なる質疑応答事項	No.98 (65/12)	27
28	昭和41年度日本政府の沖縄教育援助の内容	No.99 (66/2)	37
29	教育予算の様式の解説…………………賀数徳一郎	〃	〃 56
30	教育区の予算編成………………………〃	No.100 (66/4)	42
31	1967年度単位費用の積算基礎………〃	〃	〃 42

H 指導資料
(1) 指導全般

1	私の学習計画	嶺井政子	No.16 (55/8)	33
2	さて、あなたの座標は	宮里正光	No.16 (〃)	36
3	近代学習の立場	下程勇吉	No.17 (55/9)	38
4	経験と指導	倉石一精	No.20 (56/1)	38
5	能力差に応ずる学習指導法	名嘉正析	No.21 (56/2)	12
6	進路指導はどう行なわれていたか	金城信光	No.21 (56/2)	17
7	特別教育活動として	奥間信一	No.23 (56/4)	32
8	しかり方、ほめ方の反省	望月稔	No.26 (56/9)	28
9	しかり方のくふう	宮崎幸子	No.26 (56/9)	30
10	しかり方、ほめ方の調査	下島節	No.26 (56/9)	33
11	精神薄弱児を主体とする特殊教育	横田裕之	No.27 (56/12)	17
12	生活指導の領域における課題	山田栄	No.27 (〃)	27
13	地域差について児童の知能と環境の発達的刺激価値	東江康治	No.31 (57/5)	1
14	構成教育研究の小さなまとめ	仲本賢弘	No.32 (57/6)	10
15	楽しい臨海学校	真和志小学校	No.34(57/8)	グラビア
16	人間成長のためのクラブ活動	安里盛市	No.34 (57/8)	8
16	楽しい臨海学校	宮平清徳	No.34 (57/8)	44
17	夏休みを省みて	コザ高校	No35 (57/10)	8
18	〃	宜保キミ	No.35 (57/10)	13
19	中学校における生活指導の基本問題について	仲間功	No.35 (57/10)	29
20	学年当初の学級編成上の問題	古簗安好	No.39 (58/3)	52
21	小学校における生活指導	慶田盛正光	No.42 (58/6)	29
22	児童の自主性はどう育てたらよいか	城前小学校	No.43 (58/7)	36
23	わが校の給食の歩み	喜名盛敏	No.43 (58/7)	45
24	夏休みの友について	平敷静男	No.44 (58/7)	4
25	生活指導研究後の考察	新里孝市	No.59 (59/10)	5
26	学校行事の演劇化	大城稚俊	No.60 (59/11)	31
27	本校における進路指導について	新城哲弘	No.62 (59/12)	5
28	児童全員の参加をねらった本校学芸会の特色	大山力	No.63 (60/1)	10
29	進路知識、情報について	新屋慶	No.65 (60/3)	7
30	個人調査資料の概要	赤嶺貞行	〃 〃	11
31	カウセラーが相談する場合の望ましい態度	松田正精	〃 〃	12
32	本校における学力振興策	島圧久	No.71 (60/12)	49
33	学力向上への道	八重山高校	No.75 (61/6)	53
34	環境浄化週間（特集号）		No.85 (64/4)	1〜58
35	特殊学級の実態と指導法	久高将宣	No.94 (65/5)	58
36	指導主事ノート 雑感	花城有英	No.98 (65/12)	37
37	〃 〃 ママはパパであった	島元巌	No.99 (66/2)	73
38	〃 〃 人物と器物	松田州弘	No.100 (66/4)	41

(2) 国語

1	国語指導の反省	赤嶺亀二	No.6 (53/8)	41
2	作文教育への考察	新垣庸一	No.7 (54/2)	4
3	作文の時間と作文の教室	新屋敷幸繁	No.7 (〃)	9
4	作文教育の実態とその盲点	阿波根朝松	No.7 (〃)	12
5	作文について	嘉味田完栄	No.7 (〃)	14
6	作文指導の基盤	伊礼茂	No.7 (〃)	16
7	句作の道芝	数田雨条	No.7 (〃)	20
8	私の作文指導の一端	神村芳子	No.7 (〃)	22
9	学校の作文	福原麟太郎	No.7 (〃)	24
10	作文指導の動向	石森延男	No.7 (〃)	25
11	ぐみの木のある原っぱ	福田恭三	No.7 (〃)	29
12	教科書と関連した作文の指導	森下厳	No.7 (〃)	31
13	わたしは作文をこのように書かせこのように処理した	吉田友治	No.7 (〃)	34
14	作文カリキュラム試案（六年）	赤嶺康子	No.7 (〃)	36
15	私のあゆむ作文教育	赤嶺康子	No.8 (54/3)	58
16	私の俳句指導	内間武義	No.11 (54/12)	27
17	〝遅れた子と進んだ子〟の作文指導	渡口繁	No.13 (55/3)	49
18	私の読書指導	当原しげ	No.14 (55/4)	24
19	1年生の作文指導の歩み	石川哲子	No.14 (〃)	26
20	国語学習における教師の発問法	川添考行	No.14 (〃)	43
21	学校に於ける話し言葉の指導と今後の計画	上地安宜	No.15 (55/6)	25
22	国語水準説査雑感1、文法指導を	伊礼蔵	No.19 (55/12)	38
23	歌で育てる私の人間像	仲間智秀	No.19 (〃)	45
24	国語教育について	普天間朝英	No.22 (56/3)	12
25	児童読物のゆくえ	中山桂一	No.22 (56/3)	41
26	文字力を伸ばすには	川崎ゆき	No.23 (56/4)	49
27	同音の漢字による書きかえ		No.27 (56/12)	29
28	学校図書館のあらまし	東恩納徳友	No.27 (〃)	31
29	かなづかい論争について	楠道隆	No.32 (57/6)	43
30	国語科学習指導、見たまま、聞いたまま	石川栄善	No.34 (57/8)	30
31	国語教育界に望む	石川庄司	No.35 (57/11)	44
32	国語問答		No.38 (58/2)	65
33	当用漢字音訓の制限		No.43 (58/7)	47
34	創作指導		No.45 (58/9)	45
35	形容詞の送りがなの法則		No.45 (〃)	52
36	鑑賞導の取り扱い（実践録）	稲田小学校	No.47 (58/10)	12
37	動詞送りがなの法則		No.47 (〃)	43
38	漢字の誤字誤用現象の追求とその対策	比嘉次夫	No.49 (58/12)	46
39	目的に応じた読みの指導（6年）	大嶺弘子	No.50 (59/1)	34
40	漢字を用いないでかな書きにすることば		No.53 (59/4)	4

41	国語科の個人研究をひきうけて	伊波　政仁	〃	〃	48
42	学校図書館の概要と運営の実際	本村　恵昭	〃	〃	49
43	国語問答		No.58	(59/9)	17
44	送りがなのつけ方		No.59	(59/10)	2
45	読解指導をどのようにするか	上原　政勝	〃	〃	26
46	送りがなのつけ方		No.60	(59/11)	3
47	国語科学習1年間のまとめ（6年）	知念　たま	No.64	(60/2)	49
48	〃　　　　（中学3年）	花城　有英	〃	〃	53
49	ひらがなで書いていただきたい		No.67	(60/6)	39
50	作問指導	仲本　興真	No.73	(61/2)	59
51	日本の国語教育	上原　政勝	〃	〃	39

（3）社　会

1	三年生単元「お魚」	社会科研究部	No.3	(　　)	17
2	社会科の指導計画に関する資料		No.9	(54/6)	92
3	小学校社会科における地理的指導について	西平　秀毅	No.18	(55/10)	8
4	高等学校、社会科の改訂について	教材等調査研究会	No.18	(55/10)	36
5	社会科教室		No.20	(56/1)	51
6	紀年の取り扱いと歴史教育	饒平名　浩太郎	No.23	(56/4)	32
7	平敷屋事件の背後にあるもの	〃	No.24	(56/5)	21
8	道徳教育の問題	〃	No.27	(56/12)	3
9	社会科地理教育	〃	No.29	(57/2)	26
10	中学校、社会科における道徳教育	本村　恵昭	No.30	(57/4)	25
11	中学校第1学年単元配当表（社会）	研究調査課	No.30	(57/4)	57
12	小学校、各学年社会科単元配当表		No.30	(57/4)	58
13	甘藷の伝来と集落の変遷	饒平名　浩太郎	No.31	(57/5)	14
14	郷土の学習計画	〃	No.32	(57/6)	1
15	綱引の民俗	〃	No.33	(57/6)	16
16	物の見方について	亀川　正東	No.33	(57/6)	30
17	各国の道徳教育の現状	初等教育資料	No.33	(57/6)	32
18	旅と民俗	饒平名　浩太郎	No.34	(57/8)	1
19	琉球の珍書「双紙」について	稲村　賢敷	No.35	(57/10)	5
20	稲の民俗史（一）	饒平名　浩太郎	No.38	(58/2)	2
21	各国の道徳教育の現状	初等教育資料	No.38	(58/2)	66
22	本校、社会科指導における道徳教育	塩屋小中校	No.39	(58/3)	18
23	私たちの学校	宮城　園子	〃	〃	21
24	社会科グループ学習の場における道徳教育	宮城　敬子	No.39	(58/3)	22
25	民主的な生徒を育てるのに社会科でどのように指導して来たか	宮城　松一	〃	〃	26
26	道徳教育について	仲間　智芳	〃	〃	46
27	座談会、新しい道徳指導のあり方について		No.42	(58/6)	5
28	道徳教育における生活指導の役割	安里　盛市	No.42	(〃)	16

29	社会科における道徳教育	中山興健	No.42 (〃)	17
30	学校「道徳」年間計画例B案		No.43 (58/7)	69
31	牧志朝忠の生がい	饒平名浩太郎	No.44 (58/7)	27
32	道徳教育をめぐって	玉那覇正孝	No.44 (58/7)	31
33	社会科教室経営 壁間の利用	松田州弘	No.45 (58/9)	22
34	道徳教育二題	与那城茂	No.47 (58/10)	39
35	社会科のノート使用について一考	登川正雄	No.48 (58/11)	30
36	民族の自由と独立	島まさる	No.48 (58/11)	32
37	農政の先駆者、儀間真常	饒平名浩太郎	No.48 (58/11)	35
38	琉球教育の先従名護親方	〃	No.49 (58/12)	39
39	私の観た「道徳」の授業	横田裕之	No.50 (59/1)	46
40	道徳の時間とロールプレイン（役割演技）	与那城茂	〃 〃	47
41	世添おどんおきやか	饒平名浩太郎	No.52 (59/3)	34
42	小学校の歴史教育	〃	No.53 (59/4)	15
43	教育計画道徳指導	前川守皎	No.53 (59/4)	32
44	道徳教育	田里松吉	〃 〃	50
45	新しい道徳理解のための一方策	福元栄次	No.56 (59/6)	11
46	沖縄の民家史（一）	饒平名浩太郎	No.57 (59/8)	41
47	〃 （二）		No.58 (59/9)	20
48	道徳指導における実践上の諸問題	大城雅俊	No.58 (59/9)	28
49	社会科のおける道徳指導	中山興健	No.59 (59/10)	7
50	道徳における具体問題とその対策	大城雅俊	〃 〃	30
51	道徳主題と取り組んで反省と自覚点	中山俊彦	No.60 (59/11)	33
52	三年生の特性を考えた道徳指導の実際	宇都宮大付属中	No.61 (59/12)	24
53	価値葛藤の場における道徳の指導	松原聡	No.62 (59/12)	50
54	特設時間「道徳」の指導方法について	中山俊彦	〃 〃	52
55	社会科学習1年間のまとめに当って（6年）	森田清子	No.64 (60/2)	54
56	薩摩入りの歴史的意義（一）	饒平名浩太郎	No.68 (60/8)	43
57	道徳教育	幸喜伝善	No.69 (60/9)	44
58	薩摩入りの歴史的意義（二）	饒平名浩太郎	〃 〃	45
59	〃 （三）	〃	No.70 (60/10)	58
60	高校日本史指導上沖縄史の取扱い	島まさる	No.73 (61/2)	24
61	尚敬王の時代 1	饒平名浩太郎	No.75 (61/6)	25
62	〃 2	〃	No.76 (61/8)	79
63	尚寧王の時代 1	〃	No.77 (61/11)	33
64	〃 2	〃	No.78 (62/2)	35
65	道義高揚週間（道徳教育特集）		No.84 (64/4)	1〜59
66	人間尊重を基調に学校の実情に適した指導〝道徳の指導資料の使い方〟 文教広報		No.87 (64/6)	51

（4）算数・数学

1	新学年に於ける算数・数学指導の準備	比嘉信光	No.1 (52/6)	14

2	一年の算数指導について	神村 芳子	No.15 (55/6) 28
3	学力水準調査の結果にみる算数の問題点（小学校の部）		
		桑江 良喜	No.17 (55/9) 34
4	生徒の計算技能の向上を図るにはどうすればよいか		
		比嘉 栄吉	No.19 (55/12)43
5	算数教育における暗算の位置	浜田 正矩	No.22 (56/3) 39
6	分数領域における計算技能の実態	比嘉 栄吉	No.33 (57/6) 22
7	計算力をたかめるための指導	座間味 良勇	No.49 (58/12)48
8	教育計画　算数科	今帰仁小学校	No.53 (59/4) 19
9	算数，数学における診断と治療	安保　宏	No.60 (60/2) 34
10	中学校　新編新しい数学　1年	〃　〃	38

(5) 理　科

1	夏休みの理科学習とその処理	金城 順一	No.6 (53/8) 12
2	天文教材の取り扱いについて	安谷屋 玄信	No.6 (53/8) 38
3	理科教育について	新崎 盛繁	No.23 (56/4) 51
4	沖縄における理科教育	譜久里 広徳	No.26 (56/9) 13
5	簡易理科実験器具による実験方法	瀬喜田中学校	No.32 (57/6) 15
6	生物科における野外活動の望ましい指導	伊波 秀雄	No.34 (57/8) 14
7	中学理科の基本的実験観察の選定とその効果的指導法		
		玉城 吉雄	No.49 (58/12)46
8	本校の気象クラブ	吉浜 朝幸	No.51 (59/2) 39
9	沖縄と気象教育	島本 英夫	〃　〃　40
10	気象観測教育環境設備とその活用	三島　勤	No.52 (59/3) 39
11	天気図の見方(1)	糸数 昌丈	〃　〃　43
12	理科の指導計画の観点	小橋川 松明	No.53 (59/4) 25
13	理　科	中里 勝也	No.53 (〃) 26
14	本校の科学教育	仲松 邦雄	〃　〃　28
15	地域性を生かした理科施設教具の研究	松田 正精	〃　〃　32
16	天気図の見方(2)	糸数 昌丈	〃　〃　52
17	気象相談室	伊志嶺 安進	No.56 (59/6) 14
18	〃		No.59 (59/10)14
19	〃	〃	No.61 (59/12)15
20	中学校理科実験観察	松田 正精	No.71 (60/12)45
21	卵膜による浸透	浦添 貞子	No.73 (61/2) 11
22	人絹をつくる	仲松 邦雄	〃　〃　27
23	理科実験器具の製作とその活用の研究	大城善栄・長嶺栄一	No.73 (61/2) 32
24	理科教育施設設備の現状とその対策	玉城 吉雄	〃　〃　41
25	自動式蒸留水製造装置の試作と困難性	野原 正徳	〃　〃　43
26	葉にできたでんぷんの検出	屋良 朝雄	〃　〃　44
27	理科の指導計画と研究計画	安谷 安徳	〃　〃　54

(6) 英　語

1	英語学習指導の実際を訪ねて	永山　政三郎	No.9 (54/6) 55
2	英語学習指導への一つの提言	〃	No.11 (54/12)10
3	英語教育雑感	平良　信良	No.27 (56/12)23
4	言語科学の応用としての英語教授及び学習	成田　義光	No.32 (57/6) 22
5	夜間英語講座を担当して	屋比久　浩	No.33 (57/6) 29
6	英語教育の過去と現在	上間　亀政	No.35 (57/10)25
7	東京都中学校英語指導の実情	真栄平　房敬	No.44 (58/7) 43
8	研究経過	棚原　良雄	No.44 (58/7) 44
9	英語の学習指導と実生活	吉浜　甫	No.45 (58/9) 8
10	英語指導における無駄の考察	〃	No.47 (58/10)26
11	入門期指導と能力に応ずる個人指導	久田　友明	No.47 (〃) 36
12	Readingの指導について	吉浜　甫	No.49 (58/12)43
13	新しい指導要領によるローマ字のとりあつかいについて 　　　　　　　　　　　　　　　　Oyama Takasi		No.63 (60/1) 25

(7) 体育、保健、給食

1	体育指導への希望	比嘉　徳政	No.2 (　　) 23
2	望ましい運動会の運営	屋部　和則	No.10 (54/9) 1
3	新しい運動会の在り方	喜屋武　真栄	No.10 (〃) 6
4	座談会　反省期に立つ運動会		No.10 (〃) 11
5	特別教育活動としての運動会の運営	安里　盛市	No.10 (〃) 15
6	最近の運動会傾向	与那嶺　仁助	No.10 (〃) 21
7	座談会　運動会をめぐる諸問題	琉大夏季講習受講者	No.10 (〃) 25
8	運動会の企画と実践	知念　清	No.10 (〃) 30
9	運動会のダンス指導について	大湾　芳子	No.10 (〃) 37
10	小学校学習指導要領体育編改訂の方向	与那嶺　仁助	No.13 (55/3) 41
11	最近における学校体育の諸問題(1)	〃	No.13 (〃) 42
12	〃　　〃　　(2)	〃	No.14 (55/4) 37
13	スポーツの正常化	屋良　朝晴	No.14 (〃) 41
14	遊びとしつけと体育	中田　豊太郎	No.15 (55/6) 45
15	学校体育におけるスポーツの地位	加藤　橘夫	No.16 (55/8) 40
16	体育科教育の課題	大城　道吉	No.18 (55/10)21
17	運動会の反省	新里　清	No.19 (〃) 33
18	体育科の学習評価	前田　真一	No.21 (56/2) 19
19	運動会の反省と実際	大城　道吉	No.27 (56/12)11
20	陸の河童	新垣　侑	No.27 (56/12)38
21	高等学校体操大会を観て	屋部　和則	No.29 (57/2) 24
22	安全教育を主とした水泳指導	新里　昭正	No.32 (57/6) 24
23	夏季伝染病と公衆衛生	金城　和夫	No.33 (57/6) 27
24	運動会のあり方（座談会）		No.35 (57/10)33
25	マット，跳箱運動の技術指導	屋部　和則	No.43 (58/7) 22

26	夏休みの健康指導	与那嶺 仁 助	No.44 (58/7)	2
27	運動会の理想像	新里 紹 正	No.45 (58/9)	2
28	運動会はこうありたい	保健体育課	No.45 (58/9)	6
29	運動会のマスゲームについて	屋部 和 則	No.45 (58/9)	9
30	運動会の音楽について	新垣 真 子	No.45 (〃)	16
31	運動会の反省と評価	与那嶺 仁 助	No.45 (〃)	17
32	東京都の運動会を見聞して	天川 幸 一	No.45 (〃)	20
33	運動会のもち方			
	小学校	那覇 政 一	No.45 (〃)	23
	児童のための運動会の計画と運営	前田 真 一	No.45 (〃)	26
	中学校	新垣 久 子	No.45 (〃)	32
	高等学校	岸本 厳	No.45 (〃)	36
34	体育と健康	徳元 八 一	No.45 (〃)	43
35	甲子園の土を踏んで首里高選手の健斗		No.46 (58/10)	グラビア
36	日本人の発育		No.49 (58/12)	38
37	第八回沖縄健康優良児について	謝花 喜 俊	No.50 (59/1)	25
38	地域に即した計画とその実践（健康教育）	田中 市 助	No.53 (59/4)	44
39	本土の体育状況	前川 峰 雄	No.56 (59/6)	7
40	みどり音頭	平良 健（振付）	No.56 (〃)	49
41	体育施設用具の充実と活用	大城 道 吉	No.57 (59/8)	26
42	健康生活の習慣化	知花 俊 吉	No.59 (59/10)	15
43	身体検査並体力テスト実施と結果の処理活用展開	友利 定 一	No.59 (59/10)	19
44	20万人のパン給食	喜屋武 真 栄	No.64 (60/2)	3
45	ミルク給食からパン給食へ	識花 喜 俊	〃 〃	6
46	これからの学校給食	与那嶺 仁 助	〃 〃	10
47	本校の学校給食の実状と今後の計画	伊波 英 子	〃 〃	13
48	よろこんでミルクを飲ませるためにこんなことをした			
		大湾 芳 子	〃 〃	20
49	給食用パン及びミルクの1日1人当りの熱量表		〃 〃	48
50	体育科学習と評価の活用について	知念 清	〃 〃	57
51	体育評価について	佐川 正 二	〃 〃	60
52	体育管理	大城 朝 正	No.69 (60/9)	40
50	学校給食十周年（特集号）		No.91 (64/11)	1～46
51	講演要旨学校給食の役割，運営指導について	河村 寛	No.100 (61/4)	20

（8）美術・音楽

1	一年生の図画指導	笠井 美智子	No.9 (54/6)	84
2	図工科教育について	楚辺小学校	No.17 (55/9)	23
3	子供はどう導びけばよいか	大堂 安 清	No.17 (55/9)	28
4	図画工作実践記録の中から	渡口 盛 男	No.33 (57/8)	28
5	粘土工作を指導して	宮平 初 枝	No.39 (58/3)	40
6	各種楽器の発達変遷（その1）	崎山 任	〃 〃	37

7	版画の技法と指導	島袋文雄	No.50 (59/1)	28
8	各種楽器の発達変遷（その2）	崎山　任	〃　〃	37
9	〃　　　　（その3）	〃	No.51 (59/2)	48
10	図工科教育年間の計画について	具志堅以徳	No.53 (59/4)	24
11	みどり音頭		No.53 (〃)	55
12	新生活の歌		No.56 (59/6)	50
13	昔の姿なかりけり		No.60 (59/11)	42
14	図工教育雑感（一）	高智四郎	No.65 (60/3)	27
15	創造性を育てる教育へ	長谷喜久一	〃　〃	29
16	第4回全琉児童生徒作品展を終えて	当銘睦三	〃　〃	37
17	小校図工科	嘉味元絮仁	No.69 (60/9)	37
18	学校内でできる楽焼き	〃	No.71 (61/1)	46

（9）職業・技術

1	職業指導のためにどんな経営組織がほしいか	大庭正一	No.2 (　　)	3
2	工業教育の目標について	〃	No.6 (53/8)	44
3	職業教育について	山内繁茂	No.8 (54/3)	16
4	中学校職業，家庭科について	宮原誠一	No.8 (〃)	27
5	北農の取組んでいる問題	仲田豊順	No.8 (〃)	32
6	本校の飼育部経営の実際	新島俊夫	No.14 (55/4)	20
7	琉球の水産経営と学校の立場	山口寛三	No.16 (55/8)	1
8	沖縄水産高校における漁撈海科のカリキュラムについて 西島本信昇		No.18 (55/10)	13
9	職業家庭科について	当山正男	No.20 (56/1)	26
10	産業教育シリーズ（その1）醸造業の巻		No.26 (56/9)	38
11	〃　　　　（その2）食品加工		No.27 (56/12)	42
12	〃　　　　（その3）水産業		No.29 (57/2)	47
13	〃　　　　（その4）たばこ製造業		No.31 (57/5)	49
14	軍作業と現職教者		No.34 (57/8)	42
15	私は新人生に職業科をこのように導入した	永山清幸	No.34 (57/8)	42
16	職業指導個人の理解と個人資料の活用	津堅小学校	No.39 (58/3)	30
17	とうもろこしの調理研究	岸本公子	〃　〃	36
18	東京都の農業教育について	藤田長信	No.44 (58/7)	42
19	第一回本土就職のみなさんを追って　カメラルポ		No.51 (59/2)	グラビア
20	進路指導における就職指導の現状	編集部	No.51 (59/2)	1
21	学校における進路指導について	大庭正一	No.51 (〃)	6
22	進学希望から就職に仕向ける	比嘉繁三郎	No.51 (〃)	7
23	進路指導について想う	川平恵正	No.51 (〃)	8
24	中校の進路指導に想う	中村秀雄	No.51 (59/2)	10
25	進路指導の事例	比嘉繁三郎	〃　〃	11
26	高校における被服指導	国吉静子	〃　〃	12
27	中学校における職家技術指導の具体例	永山清幸	〃　〃	15

28	進路指導アンケート				
		安 里 哲 夫……	〃	〃	20
		前 田 政 敏……	〃	〃	20
		仲完根 盛 栄……	〃	〃	22
		新 垣 秀 雄……	〃	〃	22
		安 里 清 信……	〃	〃	22
		金 城 節……	〃	〃	24
29	全国商業高校長協会珠算実務検定試験について				
		前 田 博 之……	〃	〃	25
30	職業高校紹介（商業高校）………………………		〃	〃	26
31	英文タイプライタの使命と英文タイプ検定について				
		新 垣 清……	〃	〃	27
32	教育計画、職業家庭科（主力点）…………	上 原 茂……	No.53	(59/4)	20
33	純漁村における職業教育…………………	池 間 小 中 校……	No.59	(59/11)	9
34	地域社会における実験実習の在り方………	具志堅 政 芳……	No.62	(59/12)	1
35	台湾の工業教育……………………………	城 間 正 勝……	No.65	(60/3)	1
36	職業選択の指導……………………………	松 田 正 精……	〃	〃	14
37	中学にかける職業指導と就職あつ旋について…	下 地 純……	〃	〃	19
38	就職後の補導………………………………	上 原 信 造……	〃	〃	21
39	「急業に開する課程」の教育課程の改訂について				
		大 屋 一 弘……	No.67	(60/6)	52
40	技術教育……………………………………	与那覇 健……	No.69	(60/9)	34
41	工業高校のカリキュラムの改善……………	崎 浜 秀 栄……	No.70	(60/10)	1
42	工業教育における機械課程…………………	豊 岡 静 致……	〃	〃	4
43	本土の農業教育をみて……………………	長 浜 真 盛……	〃	〃	6
44	職業教育原論………………………………	顧 柏 岩……	〃	〃	9
45	機械課程における問題点…………………	具志堅 政 芳……	〃	〃	17
46	漁業労働の特殊性…………………………	運 天 政 一……	〃	〃	30
47	職業の研究と工業職業教育………………	鄭 孟 し……	No.73	(61/2)	50
48	中学校技術科教員の技術研修……………		No.77	(61/11)	1
	中学校技術科のセンター校設置…………	城 間 正 勝			
	沖縄での職業教育技術研修会……………	佐久本 哲			
	中学校技術研修会…………………………	仲 間 清			
	台湾省講師団による研修…………………	与那嶺 浩			
	台湾沖縄での技術研修状況………………	前 原 信 男			
	中学校に於ける職業教育の回顧と展望……	職 業 教 育 課			
49	産業技術研修視察報告……………………	大 庭 正 一……	No.100	(66/4)	23
(10) 学 級 経 営					
1	交友関係の調査とその方法………………	安 里 盛 市……	No.1	(52/6)	15
2	口をきかない子供…………………………	福 島 吉 郎……	No.2	( )	14
3	夏の学校（小学校一年生）…………………	福 山 功……	No.3	( )	6

4	私の学級	国 仲 恵 彦	No.3 ( )	25
5	Kは「悪い子」じゃない	宮 本 三 郎	No.12 (55/1)	33
6	日本教育大学協第三部会を〃観察の要領〃		No.12 (〃)	39
7	私の学級経営〃心のポスト〃の実施	手 塚 幸 由	No.16 (55/8)	43
8	生活指導偶感	安 里 盛 市	No.19 (55/12)	47
9	特別教育活動について	照 屋 忠 英	No.20 (56/1)	30
10	子ども銀行のあり方(教育活動の一環として)	安 里 盛 市	No.21 (56/2)	29
11	私の学級経営	安 里 ヨ シ	No.21 (56/2)	31
12	診断座席表によせて	研 究 調 査 課	No.21 (56/2)	48
13	問題児の診断と指導	幸 地 長 弘	No.23 (56/4)	8
14	中学校ホームルームに於ける教育測定と教育診断	名 嘉 善 信	No.24 (56/5)	2
15	不就学長期欠席児童生徒の対策について	宜 保 徳 助	No.30 (57/4)	22
16	夏をひかえての生活指導	菅 沼 秘	No.32 (57/6)	32
17	不良文化財と青少年	辻 洲 二	No.32 (57/6)	35
18	わたしのくらし(特殊児童と共に)	屋 部 洋 子	No.33 (57/6)	39
19	ホームルームにおける集団指導	下 地 憲 一	No.39 (58/2)	42
20	子供の記録 赤エンピツ	福 田 小 学 校	No.41 (58/4)	30
21	学級会活動を育てるための発言指導	久 高 利 男	No.44 (58/7)	14
22	進学指導のための資料	中 村 秀 雄	No.44 (58/7)	19
23	私のホームルーム活動の実際	知 念 豊 子	No.47 (58/10)	23
24	私の学級づくり	大 城 雅 俊	No.52 (59/3)	26
25	教育計画、生活指導	大 城 政 一	No.53 (59/4)	21
26	問題児の家庭を訪ねて	嘉 数 芳 子	No.58 (59/9)	12
27	学級指導の実態	中 山 俊 彦	No.59 (59/10)	31
28	かわいいボスの目覚め	松 井 恵 子	No.60 (59/11)	16
29	ゲームをとりまく指導	比 嘉 初 子	No.61 (59/12)	22

(11) 研 究 報 告

1	学習不振児指導の機会とその具体的方法	研 究 調 査 課	No.1 (52/6)	18
2	知能検査の結果とその利用について	〃	No.2 ( )	7
3	学校評価基準資料活用のための手引	〃	No.2 ( )	19
4	夏休み実務訓練実施記録	宮古女子高等学校	No.3 ( )	19
5	学校読書実態調査	研 究 調 査 課	No.3 ( )	34
6	学校におけるカリキュラムの構成について	〃	No.5 (53/7)	36
7	生いもで回虫駆除ができるか	久 松 小 学 校	No.13 (55/3)	45
8	経済振興第一次五ケ年計画に対する教育のあり方 夏季講習(教育課程)研究グループ第一班		No.17 (55/9)	20
9	研究報告発表内容	中 村 秀 雄	No.19 (55/12)	35
10	知能検査に関する考察二題	与 那 嶺 松 助	No.21 (56/2)	1
11	沖縄学校農業クラブ大会 花やさいの栽培	真 栄 田 啓 史	No.22 (56/3)	31

	荒蕪地解消と甘蔗の増収について	井口康一	No.22 (56/3)	33
	育ヒナについて	嘉味田実	No.22 (56/3)	35
	第六回公国農業クラブ大会に参加して	徳本行雄	No.22 (56/3)	37
12	昭和31年度中部日本生活指導研究協議会に臨んで	仲完根寛	No.28 (57/1)	13
12	高等学校に於けるカウセリングの計画と実践	コザ高校	No.30 (57/4)	37
14	高学年の遠足について	中山俊彦	No.31 (57/5)	19
15	遠足について	城西小学校	No.31 (57/5)	20
16	低学年の遠足	新里考市	No.31 (57/5)	26
17	じっけん いもりの尾の再生についての観察	宮城幸三・平良盛市	No.38 (58/2)	9
18	昆虫の生態	瀬底勝	〃 〃	10
19	蠅の死因と化学薬品に対する抵抗性	宮城弘光	No.38 (58/2)	17
20	アフリカマイマイについて	平田義弘	〃 〃	20
21	血液型について	安里為任	〃 〃	25
22	淡水魚の呼吸について	泉朝興	〃 〃	29
23	ミミズの再生について	玉元武一	〃 〃	32
24	トラフカクイカについて	日越博信	〃 〃	33
25	球根類の染色体について	善国幸子, 松川和子	〃 〃	38
26	石川近郊における鱗翅目の分布状態と出現期	知花包徳	〃 〃	39
27	花粉	島袋邦尚	〃 〃	44
28	読谷村における植物分布	沢岻安喜	〃 〃	54
29	炭酸同化作用と光の関係	大山隆	〃 〃	56
30	人の遺伝	下門陽子, 仲宗根房子・渡久地政子	〃 〃	60
31	シダの前葉体形成と養分	中里正次	〃 〃	63
32	生徒指導のための教育調査	与那原中校	No.39 (58/3)	4
33	数学教育における能力別指導の実践	国場幸喜	No.41 (58/4)	3
34	職業家庭科の計画と実践	砂川徳市		13
35	体格体力測定の結果と今後の指導方針	本若静	No.56 (59/6)	15
36	日本音階からみた君が代の研究(一)	崎山仁	No.57 (59/8)	37
37	児童生徒不良化の実態	照屋正雄	No.58 (59/9)	5
38	児童生徒の不良化傾向の実態	山田朝良	No.58 (59/9)	7
39	日本音階からみた君が代の研究(二)	崎山仁	No.58 (59/9)	18
40	研究テーマと主なる研究内容	伊波忠子	No.59 (59/10)	24
41	学級会活助を通しての学級作り	島田尚子	No.62 (59/12)	24
42	放送学習の実際	喜屋武清昭	No.62 (59/12)	27
43	本校児童の災害の状況	山城富美子	No.63 (60/1)	19
44	鼓笛隊の指導	玉木繁	〃 〃	30
45	「普通課程選考の反省」から	村田実保	No.67 (60/6)	29
46	標準読書力診断テストの結果とその考案	本村恵昭	〃 〃	48
47	夏休みの成績物の処理と活用	末吉英徳	No.60 (65/9)	16
48	〃 〃 〃	知念仁幸	〃 〃	17

49	夏休み後の生活指導………………………	金　城　　実……	〃	〃	19
50	学力向上対策中校・国の場合…………	上　間　正　恒……	〃	〃	20
51	指導委員の足跡……………………………	福　里　広　徳……	〃	〃	22
52	現場における教育課程の編成…………	文部広報より……	〃	〃	24
53	読解指導を中心とした教材研究………	上　原　政　勝……	No.70 (60/10)		39
54	縦笛の指導…………………………………	富名腰　義　幸……	No.70	〃	43
55	高校生の寄生虫調査……………………	南　　　庸　雄……	No.75 (61/6)		45
56	蝶の幼虫から成虫への変化……………	伊　波　繁　男……	〃	〃	47
57	人間形成からみた音楽の機能性………	崎　山　　任……	No.77 (61/11)		28
58	私がこころみた入門初期の文字学習…	比　嘉　八重子……	No.78 (62/1)		20
59	これも教具のひとつか…………………	多嘉良　行　雄……	No.78 (62/1)		56
60	全琉教育作品展（特集）…………………………………………………		No.83 (64/1)		1～43
61	親子関係からみた家庭学習……………	黒　島　信　彦……	No.88 (64/6)		20
62	健全なる国民の育成をめざして………	仲　間　智　秀……	〃	〃	42
(12)	視聴覚教育				
1	本校の視聴覚教育の歩み………………	平良第一小学校……	No.9 (54/6)		64
2	視聴覚教育あれこれ……………………	慶世村　英　診……	No.15 (55/6)		55
3	新教育と視聴覚教育……………………	前　泊　朝　雄……	No.33 (57/6)		19
4	視聴覚教室………………………………………………………………		No.34 (57/8)		49
5	視聴覚教室…………………………………	中　山　重　信……	No.35 (57/10)		49
6	視聴覚教具教材利用の態度……………	喜屋武　清　昭……	No.67 (60/6)		61
7	伸びるテレビの利用……………………	文　部　広　報……	No.88 (64/6)		54
8	学校教育放送の現状と今後の指導……	嘉　数　正　一……	No.99 (66/2)		7
9	NHKテレビ、ラジオ学校放送番組と利用体制および実践記録				
		普天間小学校………	〃	〃	22
10	学校教育放送による指導案実践例……………………………………		〃	〃	29
11	1966学年度，家庭教育，教師研修番組時刻表………………………		No.100 (66/4)		40
1	地方の紹介				
1	宮古訪問雑感……………………………	金　城　順　一……	No.1 (52/6)		4
2	八重山の訪問感想………………………	大　城　真太郎……	No.1 (52/6)		4
3	徳之島訪問雑記…………………………	守　屋　徳　良……	No.2 (〃)		24
4	先島教育管見……………………………	〃	……No.3 (〃)		23
5	ことばの教育を通して（田場小学校研究会参観記）	〃	……No.5 (53/7)		18
6	村おこし運動　公民館の歩み…………………………………………		No.6 (53/8)		27
7	学校図書館運動の振興―豊川小学校の場合と今後の問題点				
		永　山　政三郎……	No.6 (53/8)		34
8	躍進する八重山教育界の展望　辺土名地区……	西　平　秀　毅……	No.6 (〃)		55
9	人間形成をめざし地域の課題と取りくむ生産教育の実態				
		喜如嘉小中校……	No.12 (55/1)		15
10	久米島に拾う……………………………	金　城　順　一……	No.12 (〃)		51
11	1人1人の子供を伸ばす教育　宜野座小学校発表参観記				
		桑　江　良　善……	No.13 (55/3)		53

12	へき地の子等を訪ねて1	金城順一	No.13	(〃)	68
13	〃　　　　　2	〃	No.14	(55/4)	55
14	本地区の教育計画案	平田善吉	No.15	(55/6)	16
15	新学年度の抱負をきく	知花高伝	〃	〃	18
		田港朝明	〃	〃	18
		島袋喜厚	〃	〃	19
		安謝小中校	〃	〃	20
		喜納政明	〃	〃	21
		東恩納徳友	〃	〃	21
		岸本貞清	〃	〃	22
		吉元仙永	〃	〃	22
		渡名喜元尊	〃	〃	23
		宮里信栄	〃	〃	24
		吉田安哲	〃	〃	24
16	特別教育活動の成果（福嶺中学校参観記）	安里盛市	〃	〃	31
17	八重山の印象	西平秀毅	〃	〃	35
18	本校校内放送の立場	登野城小	〃	〃	36
19	紙芝を利用した社会科学習	黒島廉智	〃	〃	40
20	本校における教育評価の実際	宮古高等学校	No.16	(55/8)	27
21	教育施設〃戦後10年〃				
	百名小，宮森小，久茂地小，大道小，糸満小，小禄小，		No.25	(56/6)	1〜38
	石垣小，真和志小，与那原小，辺土名小，大浜小，				
	白保中，喜如嘉中，中城中，大里中，名護中，西城中，				
	那覇高，野嵩高，宮水高，工業高，商業高，中農高				
22	学校紹介　知念地区玉城村百名小学校		No.28	(57/1)	50
23	伊豆味小中校訪問記		No.31	(57/5)	31
24	我が校の一学期間の歩み……女子コース	新垣初子	No.34	(57/8)	47
25	連合教育委員会事務局めぐり　1958年度努力目標		No.42	(58/6)	47
26	辺土名地区47年度1ヶ年の歩み		No.43	(58/7)	76
27	ことしの夏休みの計画	越来小学校	No.44	(58/7)	7
28	前原連合区1958年度指導努力点		No.44	(58/7)	46
29	運動会報告資料から	八重山某小学校	No.45	(58/9)	4
30	1958年教育方針	名護連合区	No.45	(〃)	53
31	安田小中校の発表会にのぞんで	金城順一	No.47	(58/10)	21
32	辺地における学校教育の困難点とその打開	大城貞賢	No.49	(58/12)	29
33	長浜公民館と児童生徒の結びつきについて	与久田幸吉	No.49	(〃)	30
34	ＰＴＡ活動と学校教育	名護小学校	No.49	(〃)	33
35	開校一ヶ年を顧みて	城間喜春	No.52	(59/3)	24
36	喜如嘉小中校ＰＴＡ研究発表会にのぞんで	山元芙美子	No.56	(59/6)	31
37	本地区の教育研修の動向	伊良皆高成	No.57	(59/8)	10
38	〃	砂川恵保	〃	〃	12

39	本校における教育研修…………………	山城　幸吉……	〃	〃	14
40	校内の自主的研修を高めるために………	具志　幸喜……	〃	〃	15
41	高等学校における教育研修………………	町田　宗吉……	〃	〃	17
42	へき地の教育研修におもう………………	金城　哲雄……	〃	〃	21
43	教育研修に望む………………………………	黒島　廉智……	〃	〃	22
44	本地における生活指導……………………	砂川　玄公……	No.59 (59/10)		3
45	本校の現況……………………………………	仲盛　清一……	No.60 (59/11)		14
46	各地区理科同好会紹介……… 那覇地区、久米島地区、宮古地区……		No.73 (61/2)		6
47	石川地区理科同好会々則…………………		〃	〃	55
48	中部離島見聞記……………………………	石垣　喜興……	No.77 (61/11)		25

J　図　書　紹　介

1	初等教育の原理…………………………	文　　部　　省……	No.1 (52/6)	2
2	小学校各教科の学習指導法…………	木宮乾峰・五十嵐清正……	No.1 (52/6)	23
3	最近発行の初等教育関係文部省刊行物一覧…………		No.1 (52/6)	24
4	中等教育に関する文部省刊行物一覧…………………		No.3 (　　)	57
5	日本人の創造、他4…………………		No.5 (53/7)	35
6	じょろうぐも………………………………	守屋　徳良……	No.6 (53/8)	19
7	良書紹介　基地の子、絵をかく子供他…………		No.6 (〃)	57
8	社会科の改造（他11冊）…………………		No.7 (〃)	裏表紙
9	日本考古学概況（他13冊）………………		No.9 (54/6)	63
10	体育関係図書紹介…………………………	与那嶺　仁助……	No.10 (54/9)	47
11	沖繩語の研究………………………………		No.11 (54/12)	41
12	おすすめしたい図書　小さな学校（他2冊）……		No.12 (55/1)	8
13	単元学習のために…………………………		No.12 (〃)	32
14	日乗上人日記………………………………		No.13 (55/3)	裏表紙
15	行事教育の計画実践………………………		No.14 (55/4)	〃
16	児童文庫、野口英世その他19冊…………		No.15 (55/6)	17
17	沖繩の地位…………………………………		No.17 (55/9)	59
18	指導要録記入のための関係図書（5冊）……		No.22 (56/3)	63
19	夏季講習本土招聘講師の著書紹介………		No.26 (56/9)	49
20	〃		No.27 (56/12)	53
21	宮城鉄夫……………………………………		No.28 (57/1)	57
22	新教育の進路　他14冊……………………		No.29 (57/2)	53
23	粘土彫塑の導き方　他4冊………………		No.31 (57/5)	57
24	中等教育資料（Ⅵ－5）他3冊……………		No.32 (57/6)	25
25	国民教育の理論と実践……………………		No.39 (58/3)	48
25	道徳教育……………………………………		No.53 (59/4)	62
26	楽しい学級の設計…………………………		No.56 (59/6)	20
27	講座教育診断法……………………………		No.75 (61/6)	32
28	現代の書写書教育…………………………		No.90 (64/10)	33
29	学校カウンセリングの実際　他3冊……	上原　敏夫……	No.98 (65/12)	17

30	放送教育の実践他9冊（学校放送関係図書）……………………No.99 (66/2) 55		

K　雑録　（研究教員便り、その他）

1	身辺雑記………………………………豊 平 良 顕……No.1 (52/6) 3
2	研究教員便り……………………………上 原　　実……No.2 (　) 24
3	東京のこと……………………………島 袋 栄 徳……No.3 (　) 3
4	校長候補考査問題……………………………………………No.3 (　) 37
5	高等学校入学試験問題………………………………………No.4 (53/4) 43
6	座談会　研究教員の観た本土の教育…………………………No.5 (53/7) 3
7	〃　　沖縄の教育を語る…………………………………No.5 (53/7) 24
8	育英事業雑記……………………………島 袋 全 幸……No.5 (53/7) 30
9	沖縄の風………………………………………………………No.5 (53/7) 34
10	局内人事…………………………………………………………〃　〃　53
11	中央教育委員紹介………………………………………………〃　〃　53
12	百万人の合唱（沖縄行進曲）…………………………………〃　〃　54
13	子供スケッチ……………………………あさと　もり一……No.6 (53/8) 21
14	アメリカの社会教育と視て………………金 城 英 浩……No.6 (53/8) 24
15	「琉球の歴史」について…………………仲 原 善 忠……No.6 (〃) 59
16	関東地区初等教育研究会に参加して（社会科の問題点） 　　　　　　　　　　　　　　　　　　平 良 仁 永……No.6 (〃) 65
17	就仁のあいさつ…………………………栄忠　敬・普久山添来……No.6 (〃) 74
18	中央教育委員会々議録抄 　（1954学年度高等学校入学者選抜の方法に対する助言）……………No.6 (〃) 76
19	創作の舞台裏「流れる銀河」をめぐって……大 城 立 裕……No.7 (54/2) 42
20	中央教育委員会だより…………………………………………No.7 (〃) 45
21	文教審議会だより………………………………………………No.7 (〃) 46
22	座談会　本土教育の状況と沖縄教育に望むもの（第三回研究教員を囲んで） 　　　　　　　　　　　　　　　　　　　　　　　No.8 (54/3) 47
23	赤いペンと教師…………………………金 城 文 子……No.8 (54/3) 55
24	研究教員の見た本土の教育（第四回研究教員）………………No.9 (54/6) 50
25	辺土名地区教育懇談会より……………………………………No.9 (〃) 61
26	静岡の友達を迎えて（名護における交歓会）…研究調査課……No.9 (〃) 86
27	新潟市雑感（研究教員のメモ）…………富名腰 義 幸……No.9 (〃) 89
28	熊本の職業高校をみて…………………石 垣 長 三……No.9 (〃) 91
29	運動会に感多し…………………………中 山 興 真……No.10 (54/9) 34
30	運動会雑感………………………………安谷屋　　勇……No.10 (〃) 39
31	第5回研究教員座談会…………………………………………No.11 (54/12) 4
32	日本講師団を迎えて……………………………………………No.11 (〃) 15
33	余談　耳垂り馬…………………………教育長研修会……No.11 (〃) 40
34	よい校舎…………………………………端 山 敏 輝……No.12 (55/1) 23
35	西日本初等教育研究集会に参加して……安 里 盛 市……No.12 (55/1) 26
36	中央教育委員会々議概況（1954.1～1954.12）………………No.12 (〃) 53

37	琉球育英会だより		No.12	(〃)	53
38	各課だより	研 究 調 査 課	No.12	(〃)	55
39	故郷へ帰って	山 川 武 正	No.13	(55/3)	6
40	短歌 折にふれて	又 吉 康 福	〃	〃	17
41	眼の衛生	石 川 敏 夫	〃	〃	18
42	N子さんを詠む・他	池 蓮 子	〃	〃	20
43	不温な我が子のために	比 嘉 敏 子	〃	〃	21
44	追悼 志喜屋先生の思い出	中 今 信	〃	〃	23
45	誠意の人	池宮城 秀 意	〃	〃	24
46	追憶二題	島 袋 全 幸	〃	〃	25
47	教研大会を省みて	喜屋武 真 栄	No.13	(55/3)	38
48	随筆、茶飯事	数 田 雨 条	No.13	(〃)	71
49	琉球育英会だより		No.13	(〃)	72
50	詩、放課後	小 波 康 慶	No.14	(55/4)	21
51	文化財保護強調運動を回顧して	玉 木 芳 雄	No.14	(〃)	30
52	全国婦人教育指導者会議に参加して	嶺 井 百合子	No.14	(〃)	33
53	詩、幸の門出に（卒業生に送る）他	比 嘉 俊 成	No.14	(〃)	59
54	琉球育英会だより 3		No.14	(〃)	60
55	本土の教育を語る（座談会）	指導課、研究調査課	No.15	(55/6)	6
56	病床に苦しむ人々に寄す	東 門 松 永	No.15	(〃)	57
57	琉球育英会だより 4		No.15	(〃)	58
58	学務課あれこれ	佐久本 嗣 善	No.15	(〃)	63
59	文教時報のあゆみ（第1〜14号）目次		No.15	(〃)	65
60	本土講師団の囲む教育懇談会		No.16	(55/8)	20
61	詩 真を求めて	宮 沢 優美子	No.16	(〃)	32
62	戦後の学校つくり（我校を中心として）	比 嘉 俊 成	No.16	(〃)	51
63	いざいほう としぬぐについて	玉 木 芳 雄	No.17	(55/9)	30
64	銷夏展をかえりみて	那 覇 中 校	No.17	(〃)	37
65	本土出張余録	島 袋 全 幸	No.17	(〃)	55
66	中央教育委員会だより		No.17	(〃)	57
67	日本本土における高校入学選抜法		No.17	(〃)	60
68	本土派遣教員報告	池 原 弘	No.19	(55/12)	28
69	本土教育の現況	普天間 朝 英	No.19	(〃)	31
70	奈良より帰って	与 儀 利 夫	No.19	(〃)	33
71	年賀状の快味	中 山 興 真	No.20	(56/1)	2
72	短歌 教員と正月	比 嘉 俊 成	No.20	(56/1)	3
73	文部省機構図		No.20	(56/1)	53
74	6ヶ月の経過を顧みて	新 垣 久 子	No.22	(56/3)	27
75	子供博物館によせて	安 村 良 旦	No.23	(56/4)	27
76	中央教育委員会だより（第35〜36回）		〃	〃	60
77	〃 （第37回）		No.24	(56/5)	51

78	座談会　招聘本土講師を囲む		No.26	(56/9)	16
79	アルバイトの記　バスの窓から	上原　忠治	No.26	(56/9)	37
80	夏季講習を省みて	文沢　義永	No.27	(56/12)	21
81	台風を潜って	比嘉　俊成	No.27	(56/12)	34
82	思い出の旅日記	儀間　節子	No.27	(56/12)	37
83	文化的投影	東江　康治	No.28	(57/1)	16
83	故郷訪問雑感	ロイド・エル・エバンズ	〃	〃	24
85	座談会　定時制高校を語る		〃	〃	25
86	文教10大ニュース		〃	〃	30
87	連載小説　村の子, 町の子 1	宮里　静子	〃	〃	48
88	中教委だより（43回）		〃	〃	56
89	歌人　恩納ナベ女	新城　徳祐	No.29	(57/2)	37
90	アメリカの教師の負担量	宮地　誠哉	〃	〃	38
91	英語を学ぶ移民たち	名城　嗣明	〃	〃	42
92	旅で感じたこと	大城　崇仁	〃	〃	43
93	第一走者の弁	わたり　宗公	〃	〃	44
94	落穂拾ひ	大城　真太郎	〃	〃	45
95	雑感	新里　章	No.30	(57/4)	32
96	ふるさとのわらべうた	仲原　善秀	〃	〃	33
97	村の子, 町の子（3）	宮里　静子	〃	〃	35
98	新しい学校	中原　美智子	No.31	(57/5)	18
99	校長は楽しい仕事か	親富祖　永吉	〃	〃	29
100	村の子, 町の子（4）	宮里　静子	〃	〃	34
101	研究教員便り	具志堅　興喜	No.32	(57/6)	23
102	本土のインフルエンザー近況		〃	〃	〃
103	釣り	金城　秋夫	〃	〃	37
104	終戦直後の教育		〃	〃	39
105	想い出	世嘉良　栄	〃	〃	42
106	琉米人間の理解の促進は可能か	大田　昌秀	No.33	(57/6)	10
107	本土の学校をみたまま感じたまま	前原　武彦	〃	〃	40
108	秋田へ来て	嶺井　政子	〃	〃	42
109	東京都立学校, 職員適性検査問題（昭和32年）		〃	〃	43
110	心理学遍歴	与那嶺　松助	No.34	(57/8)	16
111	村の子, 町の子（5）	宮里　静子	〃	〃	26
112	研究教員だより	山城　弘	〃	〃	32
113	中教委だより		〃	〃	35
124	座談会　沖縄の嶺井政子先生を囲んで	教育　秋田	〃	〃	38
115	中教委だより		〃	〃	50
116	高山団長大いに語る		No.35	(57/10)	16
117	誇り高き子供	名城　嗣明	〃	〃	24
118	フリーズ・メソッドについて	祖慶　良賢	〃	〃	28

119	雑　感………………………………	国　場　幸　喜……	No.35 (57/10)	31
123	村の子、町の子(6)…………………	宮　里　静　子……	No.35 (57/10)	41
121	「夏季講習」への反省の中から二つ…	安　里　盛　市……	No.35 (57/10)	46
122	雑　感………………………………	大小堀　松　三……	No.35 (57/10)	48
123	人工衛星の歴史……………………		No.38 (58/2)	63
124	米ソ人工衛星の比較………………		No.39 (58/3)	17
125	沖縄の教育を視察して……………	北　岡　健　二……	〃　〃	49
126	中教委だより (56)…………………		〃　〃	55
127	中教委だより (57)…………………		No.41 (58/4)	55
128	第三回アジア大会　聖火沖縄リレー…	屋　良　朝　晴……	No.43 (58/7)	49
129	沖縄における民族意識の発達……	島　　まさる……	No.43 (〃)	53
130	研究教員だより　本校の教育研究の一面…	福　治　友　清……	No.43 (〃)	57
131	本土職家教師の声をきいて………	大　湾　澄　子……	No.43 (〃)	58
132	孤窓展望一月余……………………	大　嶺　弘　子……	No.43 (〃)	60
133	清新な気持で学校生活……………	波　平　　　慶……	No.43 (〃)	62
134	恵まれた本土の先生方……………	伊　佐　常　英……	No.43 (〃)	64
135	大森第三中校の教育概要について…	横　田　裕　之……	No.43 (〃)	67
136	銷夏法ということ…………………	川　平　朝　申……	No.44 (58/7)	9
137	児等を見守りながら………………	小橋川　　　カナ……	No.44 (〃)	9
138	小学校在職三カ月…………………	富名腰　義　幸……	No.44 (〃)	10
139	夏季二題……………………………	浦　崎　律　子……	No.44 (〃)	10
140	ハンシーとタンメー………………	山　元　芙美子……	No.44 (〃)	12
141	赴任校の様子………………………	金　城　唯　勝……	No.44 (〃)	32
142	基礎的生活態度の実践を期す城山中学…	砂　川　恵　正……	No.44 (〃)	33
143	歩みと歩み…………………………	米　田　精　仁……	No.44 (58/7)	38
144	職業指導全国協議大会に参加して…	永　山　清　幸……	〃　〃	39
145	屋良先生の功績を讃えて…………	小波蔵　政　光……	No.45 (58/9)	38
	タイムス文化賞に輝く屋良先生の功績…	徳　元　八　一……	〃　〃	38
	信念の人、真の教育者……………	阿　根　朝　松……	〃　〃	39
146	運動会の今昔………………………	上　原　敏　範……	〃　〃	40
	運動会今昔を想う…………………	崎　浜　秀　主……	〃　〃	41
147	中教委日程 (62)……………………		No.46 (〃)	20
148	児童生徒作文の頁　おおきいが他9編…		No.47 (58/10)	27
149	町の子，村の子 (7)…………………	宮　里　静　子……	〃　〃	34
150	道徳教育指導者講習会に出席して…	横　田　裕　之……	〃　〃	38
151	中教委だより (60)(61)……………		〃　〃	42
152	眉……………………………………	木　村　俊　夫……	No.48 (58/11)	
153	沖縄の印象…………………………	河　野　太　郎……	〃　〃	2
154	琉球，変らざるもの………………	森　田　　　清……	〃　〃	5
155	ありがとう、さようなら…………	木　村　俊　夫……	〃　〃	6
156	雑　感………………………………	大　野　豊　平……	〃　〃	7

157	メートル法の歴史		〃	〃	62
158	受講雑感	喜屋武 真栄	〃	〃	15
159	カンフルの記（教育心理）	高橋 直仁	〃	〃	16
160	須藤先生	山城 修	〃	〃	18
161	赤松先生	中村 文子	〃	〃	19
162	教育財政学三単位	仲地 清徳	〃	〃	20
163	生地のふれあい　永杉先生の横顔	大浜 貞子	〃	〃	21
164	受講の反省	久場 里亀	〃	〃	22
165	舞台裏の仕事として	平良 良信	〃	〃	22
166	大浜早大総長の再選に当って	石川 盛亀	〃	〃	29
167	町の子，村の子（8）	宮里 静子	〃	〃	40
168	好ましくないマスコミへの抗議	与那城 茂	〃	〃	49
169	児童生徒夏季作品　はちのす他9編		〃	〃	51
170	信濃だより	大山 たかし	No.49	(58/12)	49
171	文教時報総目録　37～49号		〃	〃	56
172	猪年に思う	端山 敏輝	No.50	(57/1)	6
173	イノシシに寄せて	石川 盛亀	〃	〃	7
174	正月の民族	饒平名 浩太郎	〃	〃	8
175	年頭にあたって思うこと	阿波根 朝次	〃	〃	9
176	エッセイ，沖縄での想想	田中 久夫	〃	〃	12
177	ことしこそ	徳山	〃	〃	13
178	正月のリズム	米盛 富	〃	〃	14
179	新年のおもう	大山 とよ	〃	〃	15
180	こんなこと思う	富里 良一	〃	〃	17
181	青少年の不良化傾向について思う	津波古 孝子	〃	〃	18
182	雑感	砂川 宏	〃	〃	18
183	時は非情なり	上間 泰夫	〃	〃	20
184	寄宿舎の古つるべ	比嘉 俊成	〃	〃	21
185	今年こそは	比嘉 敏子	〃	〃	22
186	子ども等と共に	玉城 幸徳	〃	〃	23
189	雑感	徳山 清志	〃	〃	24
190	地区教研集会に出席して	喜屋武 真栄	No.50	(59/1)	27
191	1958年度教育十大ニュース		No.50	(〃)	34
192	集団少年を職場訪問	仲間 智考	〃	〃	41
193	信濃だより（2）	大山 たかし	〃	〃	44
194	両君への私の口ぐせ（雇用主として）	岡田 芳	No.51	(59/2)	28
195	浦和と学校紹介	仲村 守男	No.51	(59/2)	33
196	気象研究会発足に当って	比嘉 徳太郎	No.51	(59/2)	34
197	沖縄気象教育研究会の誕生を喜ぶ	具志 幸孝	No.51	(〃)	39
198	町の子、村の子（9）	宮里 静子	No.51	(〃)	46
199	〃　　　（10）		No.52	(59/3)	32

200	日本理科教育学会第八回総会および全国大会に参加して	玉城吉雄	〃 〃	46
201	「つづり方兄妹」の主人公と交通		No.54 (59/4)	56
202	寄宿舎の古つるべ	比嘉俊成	No.56 (59/6)	36
203	居眠りと民主教育	吉浜 直	〃	38
204	霧島、宮崎の旅に思う	真栄田義見	〃	39
205	本土での雑感	長嶺栄一	〃	42
206	配属校の概観	三島 勤	〃	42
207	赴任校の紹介	砂川淳一	〃	43
208	行動の再現をとおして	大城雅俊	〃	44
209	東京の印象一つ	本成善康	〃	46
210	私の研究計画	下地清吉	〃	46
211	本土みたまま感じたまま	新城繁正	〃	47
212	形見の哀傷	比嘉俊成	No.57 (59/8)	46
213	わたり鳥の記	島本英夫	〃	47
214	麦わら帽は涼しいか	北村伸治	No.57 (59/8)	49
215	配属校の概観	又吉光夫	〃	53
216	本土の第一印象	宮城真英	〃	53
217	信濃教育から	大城雅俊	〃	54
218	私の研究計画	比嘉初子	〃	57
219	配属校の概観	中山俊彦	〃	59
220	「研究教員」についての研究報告	徳山正雄	〃	60
221	海邦養秀		No.58 (59/9)	
222	形見の哀傷	比嘉俊成	No.58 (〃)	16
223	温泉猿ヶ京に旅して	新城繁正	No.58 (〃)	33
224	楽しみを求めて	島袋晃一	No.59 (59/10)	36
225	私の好きな先生	真田正洋	No.60 (59/11)	14
226	和久君	島袋候栄	〃	15
227	「へき地教育指導講座」東部会場から	新城繁正	〃	39
228	秋日断想	上原良知	〃	21
229	配属校の「道徳教育」展望	糸洲守英	No.61 (59/12)	50
230	歓迎会を受けて	山城 実	〃	42
231	年少労働者の中学校に対する要望について	与那覇光男	〃	43
232	教育指導委員を迎えて	平良長康	No.62 (59/12)	18
233	本土より指導委員を迎えて	米盛富	〃	19
234	〃 〃	宮城邦男	〃	21
235	文教十大ニュース		〃	30
236	第14回国民体育大会のスナップ		〃	35
237	1956年沖縄教育十大ニュース		No.62 (59/12)	42
238	1960年3月本土卒業予定者名	琉球育英会	〃	43
239	文教時報総目録…No.50〜62		〃	58

240	ネズミのはなし	石川　盛亀	No.63 (60/1)	12
241	厄年について	〃	〃	15
242	松竹雑感	山内　茂月	〃	16
243	ひとりごと	K．T生	〃	16
244	1960年こそ新しい見吹を	与那城　朝惇	〃	17
245	無から有を作る	松岡　みね	〃	26
246	生活雑感	喜納　文子	〃	37
247	見たもの、思ったこと、望むもの	伊波　政仁	〃	38
248	ほめられた「ことば」	東恩納　美代	〃	39
249	女教師の喜び	仲本　とみ	〃	40
250	機　　械	清村　英診	〃	41
251	基礎学力の低下と訓練の意義	新城　繁正	〃	42
252	新しい学習指導要領における数学教育の批判と検討			
		与那覇　光男	〃	43
253	道徳と学芸会との問題	糸洲　守英	〃	44
254	脳中掲示年表はいかが	X．Y．Z	〃	47
255	教師生活1年めをふりかえてみて	安里　日出光	No.64 (60/2)	45
256	よちよち先生	喜友名　正輝	〃	46
257	昭和35年度の初等中学教育行事展望		No.65 (60/3)	40
258	八丈島に旅して	松田　美代子	〃	48
259	のぞましい職員室づくり	新城　繁正	〃	50
260	日々の断片	古堅　英子	〃	51
261	教師雑想	平田　　啓	No.67 (60/6)	26
262	教育効果をあげるには父兄の協力から	崎浜　秀教	〃	27
263	忙しさの中の喜び	安村　律子	〃	28
264	私の初旅雑感	宮城　秀一	〃	55
265	派遣初期における私の歩み	奥平　玄位	〃	56
266	配属校生活一か月	安谷　安徳	〃	59
267	配属校の概況について	幸喜　伝善	〃	64
268	数量関係について	知念　長助	〃	65
269	寸思，ヒイチルということ	森根　覧徳	No.68 (60/8)	29
270	札掛を訪ねて	伊波　英子	〃	49
271	配属校展望	小崎　治雄	〃	50
272	配属校寸描	東江　幸蔵	〃	52
273	研究通信（1）	嘉味元　繁仁	〃	53
274	東京都立農芸高等学校	新垣　善秀	〃	57
275	みんなそろって新正月に	新生活推進協議会	No.69 (60/9)	14
285	静岡からの便り	上原　政勝	〃	31
286	配置校紹介	与座　佳安	〃	36
287	研修生活	知念　トシ	〃	39
288	寄宿舎運営のむずかしさ	与那城　朝惇	No.70 (60/10)	25

289	話しことば雑考	大城 立裕	〃	〃	28
290	配属校あれこれ	山里 芳子	〃	〃	62
291	施設備品の活用について思う	安谷 安徳	〃	〃	64
292	雨天体育指導	大城 朝正	〃	〃	66
293	運動会のメモから	伊波 英子	〃	〃	67
294	実務学園をたずねて		No.71	(60/12)	2
295	ある訪問教師の補導月報		〃	〃	15
296	養護係になって	仲村 史子	〃	〃	50
297	適確な表現を	伊波 政仁	〃	〃	51
298	雑記帳	石川 盛亀	〃	〃	52
299	理想の国字	安里 武泰	〃	〃	53
300	国語教育の姿	上原 政勝	〃	〃	57
301	うしによせる	石川 盛亀	〃	〃	30
302	1961年にのぞむ	与那嶺 義孝	〃	〃	32
		伊良皆 啓次	〃	〃	33
303	新春随想	垣花 実	〃	〃	34
304	幼い頃の正月に憶う	玉本 春雄	〃	〃	34
305	幼い頃の正月を語る	宜保 キミ	〃	〃	36
306	こんな先生になりたい	上江州 トシ	〃	〃	37
307	教え子とともにいて	喜名 和子	〃	〃	38
308	らくがき	石川 盛亀	〃	〃	40
309	沖縄文教関係十大ニュース		〃	〃	42
310	教育指導委員の横顔	渡久地 繁	〃	〃	43
311	配属校の概況と十月中の研修概要	運道 武三	〃	〃	45
312	祖国の秋	宮城 秀一	〃	〃	52
313	配属校の音楽環境	波名城 長要	〃	〃	53
314	文教時報総目録No.63～71		〃	〃	55
315	雑記帳	石川 盛亀	〃	〃	26
316	かなづかい談義	伊波 政仁	No.75	(61/3)	24
317	雪国	伊波 英子	〃	〃	33
318	魚肉ソーセージ	田場 安寿	〃	〃	36
319	第二回日本青年海外派遣報告書		No.76	(61/8)	67
320	学校経営雑感	山城 宗雄	No.77	(61/11)	23
321	研究教員便り	嘉陽田 朝吉	〃	〃	39
322	〃	本村 朝祥	〃	〃	40
323	秋田国体参観記	石垣 喜興	No.78	(62/1)	40
324	委員会「こぼれ話」	〃	No.80	(62/6)	44
325	科学的思考育成の必要性	田場 重雄	No.88	(64/6)	46
326	(グラビア)東京オリンピックの聖火遂に本島一周を果す		No.90	(64/10)	1
327	オリンピック東京大会聖火沖縄リレー	保健体育課	〃	〃	17
328	研修講座に参加して	砂川 禎男	〃	〃	30
329	全日本書道教育研究会大分大会に参加して	前泊 福一	〃	〃	31

30	日泡の感	芝　千　雲	No.94 (65/5)	56
331	重要文化財ビジ川橋	文化財保護委員会	No.98 (65/12)	
332	ご存じですか　一番大きい学校と小さい学校	〃	〃	36
333	中教委だより (145回)	〃	〃	
334	若人の森建設について	嶺井　百合子	No.99 (66/2)	45
335	アメリカペンスナップ	城間　正勝	〃	〃	66
336	ご存じですか	〃	〃	69
338	中教委だより (146, 147回)	〃	〃	85
338	天然記念物　タイガーグムイ	文化財保護委員会	〃	〃	表紙裏
339	重要文化財　自了筆「白沢之図」	文化財保護委員会	No.100 (66/4)	表紙裏
340	座談会, 文教局とともに歩んで	〃	〃	1
341	ハークネス氏を思う	真栄田　義見	〃	〃	9
342	大任を終えて	阿波根　福次	〃	〃	12
343	指導主事ひとむかし	大城　真太郎	〃	〃	18
344	ご存じですか	〃	〃	19
345	教育生活を顧みて	田港　朝明	〃	〃	13

L　講　座

1	和こう遺跡と青磁考 1	稲村　賢敷	No.44 (58/7)	27
2	〃　　　　　　　 2	〃	No.45 (58/9)	49
3	教育費講座　開講のことば	安谷屋　玄信	No.98 (65/12)	38
	第一話　教育財政のしくみ (1)	前田　功	〃	〃	
	〃　　　〃　　　　　 (2)	〃	No.99 (66/2)	74

中教委だより

第148回臨時中央教育委員会
1．期日　1966年3月4〜8日
2．会議録（抄）……可決
○政府立那覇高等学校衛生看護科の設置要項について（議案第5号）
○免許状授与のための課程認定について（1案、2案）（議案第10号）
○1966年度公立小中学給食準備室割当について（議案第1号）
○地方教育区公務員法及び教育公務員特例法の立法について
　　　　　　　　　　（協議題）
○義務教育諸学校、職員定数の算定に関する立法案について（協議題）
○政府立高等学校教職員定数の算定に関する立法案について（〃〃）

第149回定例中央教育委員会
1．期日　1966年3月25〜29日
2．会議録（抄）……可決
○学校運営補助金交付に関する規則の一部を改正する規則について
　　　　　　　　　　（議案第1号）
○政府立高校へき地勤務手当支給規則の一部を改正する規則について
　　　　　　　　　　（議案第2号）
○義務教育諸学校の学級編制及び教職員定数の基準に関する立法参考案　　　　（議案第3号）
○公立の小学校及び中学校の学級編制及び教職員定数の算定基準の一部を改正する規則を次のように定める　　　　　　（議案第21号）
○政府立高等学校教職員定数の算定に関する立法案　（議案第9号）

1966年4月25日印刷
1966年4月30日発行

文　教　時　報　（第100号）
　　　　　　　　　　　非　売　品

発行所　琉球政府文教局総務部調査計画課
印刷所　琉球新報社印刷部　電話⑧1131番

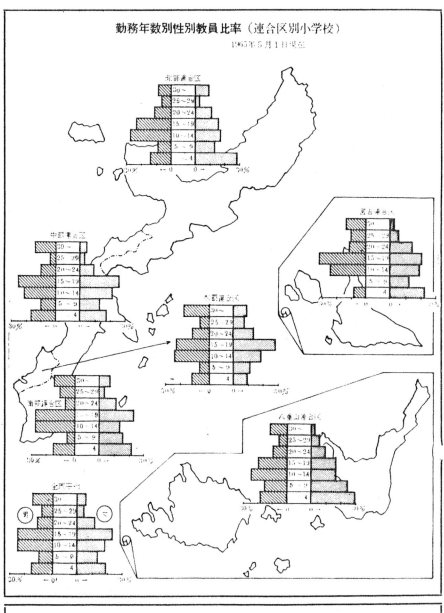

文教時報

No.101 '66/5

101

集　学力調査結果の分析と活用

琉球政府・文教局総務部調査計画課

重要文化財・史跡

【知念城跡】

知念村字知念

知念城跡裏門内部

　この城は、知念部落の上にあって部落からの急坂をおよそ十分位上り、西の方にやや下り気味に100米位行くとアーチ形の城門に達する。知念城は一名知念森城ともいわれ城内にトモリの御嶽があって神名は知念森添森のイビである。城は自然石を其のまま積みめぐらした古城と、その下に坂石積みの石垣に二個の拱門を備えた城との二つから成っていてこの二つの城を総称して知念城という。この城は東御廻りの霊地として全住民が崇拝している所で上の古城は、雑木うつそうとして城壁は一米から二米の高さに石垣が残り森城の名にふさわしく高い森の上にきづきかれている。ここは天孫氏が築いたと伝えられ代々の知念按司の居城であったと言い、数百年の星霜がたっているので石垣の大部分にゆるみがあるが、つた、かずらに抱かれてようやく崩壊をまぬかれている。古城の北に隣接して築かれた城は地形が十米程も下っていて石垣は三米位の高さの切石積みになり、東側に正門，北側に裏門があって共にアーチ形の石門が昔のままに残っている。城内は広場になって芝草が生え西北には樹令二三百年の福木やガジマルの老木が生い茂って程よいいこいの場をつくっている。

　尚敬王十七年の条に「昔より知念城内に一殿を修造し世々重修して行礼の所となす今年風のためにこわれしにより其の殿を裁す」とあってこの切石積の城は専ら祭礼をとり行なうために建造されたもので神域として石垣で囲ったものと考えられる。伝説によるとこの切石積みの城は四百数十年前に内間大親が築いたとつたえられている。知念城内の拝殿は尚貞王代に瓦葺に改められ，尚敬王代に重修され、後に知念番所となっていたが明治三十六年に番所は移転し、それ以来空城となって今日に至っている。（文化財保護委員会）

巻頭言……………………安里　盛市	

特集　学力調査結果の分析と活用
　　　　　　　　　　喜久里　勇…1
＜活用事例＞私は学力調査結課をこのように
　　利用した…………宮良　翠子…20

青年の家　建設………………当山　正男…24
＜教育財政＞教育区の予算編成について
　　　　　　…………賀数　徳一郎…35

台湾の学校、教育視察…………石島　英…40
少年科学の日について…………城間　正勝…29

「後期中等教育のあり方について」
　　～中間報告～…………文部広報…49

｛教育職員免許法施行規則、教育職員免許法施行法施行規則及び教育職員免許に関する細則の一部改正について｝
　　　　　…………安村　昌享…57

＜教育費講座＞3
　　第二話　政府の教育予算
　　　　　　……………前田　功…80

＜指導主事ノート＞4
　　しつけと規則……………徳森　久和…79
＜沖縄文化財散歩＞4
　　文化財保護委員会……………表紙裏
＜中委だより＞……………総務課
＜統計図表＞
勤務年数別性別教員比率
　　　（連合区別、中学校）…裏表紙

＜表紙＞〃農連市場風景〃
　　　　　前島小…………大見謝　文

文教時報

NO.101 '66/5

全国学力調査を学習指導の改善に役たてよう

　全国学力調査が実施されてから既に10年を経過したのであるが，いつの間にかその真の目的が見失われ，結果としてあらわれた点数に一喜一憂しているといった傾向になっていはしないだろうか。

　とくに沖縄においては，あまりにも大きな本土水準との較差に目を奪われ，「どうすれば学力を本土水準にまで引きあげるか」ということがこの学力調査の目的であったかのような錯覚にさえ陥ってしまったのではないだろうか。

　このような意識のもとではいたずらに学習の時間と量を増大させることによって学力を向上させようとする安易な手段に訴えることにもなりかねない。

　学習指導に研究的な教師達は，学習の効果を量と時間に求めるのでなくて，その質に求めるように考えているのである。

　このような立場にたって，自分達の学習指導を改善しようと思ったとき，全国学力調査が有効な役割を果たすことになるのである。いうまでもなく，全国学力調査の目的は教育課程に関する方策の樹立，学習指導の改善に役だてるための資料を得ることにある。

　その意味で調査問題の作成にはとくに意を用い，学習指導要領に示された各教科の目標および内容の基本的事項について現在の児童生徒がどの程度習得できたかを見ようとしているのである。とくに最近の出題傾向はできるだけ理解の深さや応用力，考え方などを見ることができるように配慮されている。

　したがって調査結果を細かく分析し，考察を加えることによって，自分の学級や学校の到達度がわかり，さらに学習指導の弱点を発見することができるのである。

　せっかちに学力の向上に腐心し学力調査の結果を単に平均点のみでとらえ，表面的に観察するだけでは，学習指導の改善はおろか，学力の向上さえもおぼつかないものになってしまうのではなかろうか。

　われわれは，全国学力調査本来の目的に立ちかえり，積極的にこれを生かし，その結果を活用する具体的な方途を見いだしたいものである。

　　　　　　　　　　　　　　　　　安　里　盛　市

学力調査結果の
分析と活用

教育研究課　喜久里　勇

はじめに

昭和31年から始まった全国学力調査は，すでに10回を重ね，沖縄でも文部省の実施要領にしたがって過去10回にわたってしっ皆で調査に参加し，児童生徒の学力を全国水準と比較してみてきたが，いまだに全国水準に達しないばかりか全国の最低県の学力にもおよばない現状である。

かかる現状を私どもは卒直に認め，学力不振の原因がどこにあるか，各関係者が，謙虚にいま一度学力調査結果を反省する必要があろう。

学力の向上ということは，短期間で達成できるものはなく，教育的諸条件の整備，改善と相まって，教師のたゆまざる学習指導上のくふう改善と教育的熱意によって期待されるものである。とくに，学力の形成にはたらく諸要因の中で，学習指導の直接の担い手である教師の力にまつところが大である。

学力調査の目的は，教育施策の樹立と学習指導の改善に資するために行なわれているが，これらの目的が達成されるためには，各関係者が各々の立場をよくわきまえ自主的に結果を活用することによって達成されるものである。

本稿は，学校現場で学力調査結果を利用する場合の分析のし方から活用方法にいたる過程を述べたものであるが教師作成や標準化されたテスト等にも利用できるものである。

なお学力調査結果による学力について文部省初中局奥田真丈氏は次のように説明している。

「学力調査においては，学習指導要領に示されている各教科の目標，内容を学力の内容と考えていて，これが児童生徒に習得されてじゅぶん身についた場合に学力が身についたといい，その教科の目標を達成したことになると考えているのである」と。また「このような学力を分析的に考えてみると，知識，技能，態度の要素としてとりあ

げることができる。……この三つの要素が調和のとれた姿で児童生徒の身についたならば、りっぱに学力が身についたことになる。また目標に到達したことにもなる」と、したがって本稿においてもこの考え方をもとに学習の到達度を学力とみなしていくことにする。

I 資料の見方とその活用
1 平均点

平均点はその集団の代表値としてもっとも一般的に用いられ、いづれの学校でも児童生徒の成績評価に欠くことのできないものである。

学力調査の結果、自校（学級）の平均点を算出し、それと全国平均、全琉平均、連合区平均等と比較することによって、自校（学級）の学力の位置を確認したりあるいは、基準との学力の変異を発見することなどに利用できる。

次の表は、全国学力調査中学校3年の数学の成績（平均点）を本土と比較し年次別に学力の変異をしめしたものである。

第1表 学力の推移（中・3・数学）

	昭和36	37	38	39	40
全国	57.2	41.0	44.5	41.6	49.2
沖縄	41.8	29.0	32.5	27.2	30.7
差	15.4	12.0	12.0	14.4	18.5

これによると、各年度とも全国水準と大きな落差がある。この落差は、36年より37年はちぢまっているが、38年以降はますます大きくなっていく傾向にある。沖縄の児童生徒の学力を全国の児童、生徒並みの学力にひきあげるために努力してきたけれども、現状はますますひきはなされていく傾向に注目したい。これは単に中学校3年の数学のみにいえることではなく、他の教科もこれとほゞ同じような傾向にある。

全国学力調査では、全国平均点のみでなく、地域類型別平均点、学校平均点の分布、県平均点の分布などとも比較することができるようになっている。各学校、学級では、これらの基準と比較し、自校の学力の位置を的確には握することがのぞましい。以下これらの基準との比較のし方について簡単に述べることにする。

▲地域類型別平均点との比較

学力が児童生徒をとりまく社会環境に影響されるということは容易に予想がつく。したがって学力をみる場合も単に全国水準との比較のみにおいてとらえるのではなく、ほぼ同一社会環境の児童生徒の学力と比較することもきわめて意義深いことである。

第1表では、沖縄の児童生徒の学力を全国水準と比較して大きな落差のあることがわかった。では沖縄の児童生徒の学力は全国のどの地域の学力に匹

第2表

		全琉平均	全国のへき地平均	全市街平均
中2	国語	42.2	47.0	45.0
	社会	22.5	25.8	27.7
	数学	29.6	35.6	35.9
	理科	26.5	28.8	29.6
	英語	34.2	40.4	42.0
中3	国語	41.6	47.8	49.4
	社会	20.8	26.8	25.4
	数学	30.7	36.7	36.7
	理科	25.4	28.1	29.2
	英語	30.4	35.6	35.6
小5	社会	38.0	41.6	40.8
	理科	34.4	40.0	35.6
小6	社会	40.4	47.6	46.0
	理科	34.4	40.0	38.8

（昭和40年学力調査）

したのが左の第2表である。

第2表　地域類型別にみた沖縄の学力
まず全琉平均点と全国へき地平均点を比較すると各教科とも全琉平均点は本土の山間へき地の学力にも劣ることがわかる。これは単に中学校2年生のみでなく、他の学年の学力にもほぼ同じようなことがいえる。

次に沖縄でもっとも学力の高い住宅市街地域と本土のへき地の子どもの学力についてみると、ほゞ同程度の学力とみなされる。

沖縄の住宅市街地域といえば那覇の都心部の学校であるが、学力の面からみれば本土の山間へき地の子ども達の学力並みということが注目される。

▲学校平均点の利用のし方

学校平均点の分布表によって自校の学力の位置をは握することができる。第3表は数学（中2）の学校平均点の分布をしめしたものである。

敵するであろうか。本土でもっとも学力の低い地域類型にはいるへき地の学力と、全琉平均、沖縄でもっとも学力の高い住宅市地域平均を比較

第3表　学校平均点の分布

（昭和40年学力調査）

得点階級	3.7～7.3	7.4～11.0	11.1～14.7	14.8～18.4	18.5～22.1	22.5～25.8	25.9～29.2	29.6～33.2	33.3～36.9	37.0～40.6	40.7～44.3	44.4～48.0	48.1以上	計
沖縄	0校	0	0	3	9	11	5	5	4	1	1	0	0	39校
全国	2校	1	10	23	40	82	163	169	229	265	276	251○	732	2216校

○は全国平均点の位置

たとえば上記の表でA校の数学の平均点が27点とすればA校の同程度の学力を持つ学校が5校あり，A校より高い学力を持つ学校が11校，下位の学力をもつ学校が23校あることが学校平均点の分布によって知ることができる。また全国平均点が48点であるから全国平均点以上の学校は1校も沖縄にはないということもわかる。

▲県平均点の分布の利用のし方

全国学力調査では46都道府県の学力が，全国平均点を中心にしてどのように学力が分布しているかをみることができる。これによって県単位の学力差の傾向をは握することができる。第4表は数学と国語の県平均点の分布をしめしたものである。

これによると50点～51点までの学力を持つ県が国語では10県，数学では7県またこれ以上の学力を持つ県は，国語で28県，それ以下は7県といったこともわかる。沖縄の場合についてみると全国最低県の学力より国語は2階級数学が3階級も劣るといったことなども県平均点の分布表によってわかる。

平均点の見方，活用のし方については，上記以外に他教科との比較などもできるが，この場合は各教科とも満点が異なるし，またテストの難易度などによって平均点は左右されるから，素点のままで比較することは不合理である。

▲平均点活用上の留意点

平均点の活用のし方について述べてきたが，平均点はその学校のテスト結果を概観し，また学力の実態を分析研究する上の糸口として大切である。しかし平均点は多くの要因の複雑なからみあいから構成されたもので，その要因を究明しない限り学習指導改善の方策は生まれてこない。そこでこれをどのようにときほぐし，平均点の生じた背後を追求するかということが大事である。

2．得点分布

得点分布は，児童生徒の学力の分布特性をみるのに有効である。学力調査の集計表（A表）でも一応の傾向はつかめるが，各々の得点階級に含まれる児童生徒数を百分率【各得点階級に含まれる度数（人員）÷受験人員×100】で表わし，全国や全琉の得点分布図と

第4表　都道府県の学力の分布

得点階級	26~27	28~29	30~31	32~33	34~35	36~37	38~39	40~41	42~43	44~45	46~47	48~49	50~51	52~53	54~55	56~57	58~59	60~61	62~63	計(県)
国語								沖縄	1	6	10	⑪	10	4	1	2				46
数学		沖縄			1	3	3	7	2	5	3	⑥	7	3	2		2	1		46

○は全国平均点の位置

同一グラフ上に書けば基準（全国，全琉連合区等）の分布と自校のそれを直接比較することができる。

得点分布は正規分布のように左右対称のものと非対称型がある。全国学力調査の場合は得点が正規分布になるよう仮定して調査問題が作成されているが、教科によっては正規分布とはならずに非対称型の分布となる場合がある。分布の主だった型を示すと次のようなものがある。

第1図

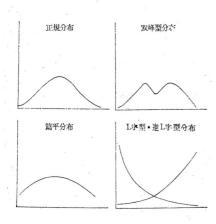

L字型，逆L字型の分布はそれぞれ得点の低いもの，得点の高いものが最も多い分布と考えられる。この場合，学力の高低や調査問題の難易度の両面から検討してみる必要がある。

扁平分布はゆるやかなカーブを描いた分布で、得点の低，中，高位のものがほとんど同じくらいの割合をしめしている分布である。（学力の幅が広く、同質が高いといえる）。双峰型分布は得点の低い者と高い者がもっとも多い度数となっている分布で、上位群と下位群がはっきり分れており中位群の少ない場合に見受けられる。

下の図は、中学校2年の数学の得点分布をしめしたものである。

第2図

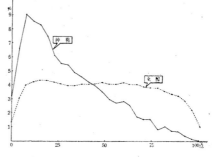

全国，全琉の両分布とも正規分布にはならずに、全国は扁平分布、沖縄は点数の低い方に片よったL字型の分布になっている。ちなみに全国平均点を上まわった生徒は、全受験者中2割しかおらず、また30点未満の者が約6割もいることが注目される。

これら6割の生徒の学力をどのように高めるかが大きな課題であるが、これには指導技術の反省，カリキュラム学習形態，学習方法，教育諸条件の整備等あらゆる角度から検討を加えていく

必要があろう。

現在沖縄では中学校卒業生の約6割が高等学校へ進学しているが，学力調査の数学の成績でみると100点満点で約20点台の生徒までも高等学校へ進学していることになる。これら高校進学者中，20点～40点程度の成績の生徒が果して高等学校の教科を履修できるかどうか，また高等学校における数学科学習指導上にもいろいろと問題がでてくることが予想される。

3. 標準偏差

児童生徒の学力の特性は，前に述べた得点分布でも一応傾向はつかめるが分布の度合をあらわす数値として標準偏差が利用できる。

基準の標準偏差と比較して，それより大きければ生徒間の学力差の大きいことを示し，小さければ学力差の小さいことを示す。たとえばA，B二学級の学力調査の平均点が同じ50点であっても，両学級の学力は同じだとはいえない。平均点のまわりの得点のばらつきの度合によって違ってくる。今かりにA，B両学級の標準偏差をそれぞれ10と15だとするとA学級がB学級よりちらばりは小さい。いいかえるとA学級の方がB学級よりでき具合はそろっているといえる。

次の表は全国学力調査結果の標準偏差を全国のそれと対比したものである。

第5表　標準偏差

	国語		社会		数学		理科		英語	
	2年	3年	2年	3年	2年	3年	2年	3年	2年	3年
全国	18.8	21.9	18.1	20.4	27.3	27.9	16.9	16.3	26.0	23.1
沖縄	18.0	19.8	14.0	15.7	21.9	21.4	13.2	12.9	20.4	15.6

これによると，各教科とも全国の生徒の個人間の学力差が沖縄の生徒より大きく，また教科別についてみると数学がもっとも個人間の学力差の大きいことをしめしている。

▲変異係数の活用

標準偏差は前に述べたとおり学力のちらばりの度合や学級間の学力差，教科間の学力差の大小もみることができるが，この場合，科目によって平均点が異なるし，また満点が異なる場合などは標準偏差で比較することは不合理の場合がある。このようなときは，標準偏差と平均点の百分率（標準偏差÷平均点×100）を求めて比較する。これを変異係数といい，これが大きいければ大きいほどちらばりの程度は大とみなされる。

II 問題点発見のための分析とその活用

前節では，平均点の見方，活用のし

方と得点分布による学力の分布特性につて述べてきたが，これは学力の現況を全国や全琉等の集団と比較して自校の学力の実態をは握することはできるが，この段階のみでは，学力調査本来のねらいである学習指導改善の方策はでてこない。ここでは学習指導の改善に資するためにどのような資料をとりそろえまたこれを如何に分析していくかについて述べることにする。

1．正答率

正答率は問題や領域別の学力の長所短所を分析し，指導のための診断をする手がかりになる。

この場合，領域別，大問別，小問別正答率を算出しておけば，これらの成績の陥没の状態がわかる。

また自校の正答率を全国，全琉の基準の正答率と比較することによって自校の学力の長短がうきぼりにされてくる。ある問題が特に不振の場合，それは自校独得のものであるか，あるいは全国や全琉に共通的なものであるかなども理解されよう。

次の表は，中学校2年数学の領域別大問別正答率プロフィールをしめしたものである。

第6表　大問別・領域別正答率

分野領域等		大問番号	平均正答率				領域別プロフィール % 10 20 30 40 50 60 70
			本土	沖縄	本土	沖縄	
数	計　算（正・負）	①	65.4	50.2	53.6	41.0	
	正の数・負の数	②	45.5	28.7			
	正の数・負の数	⑤	29.2	22.8			
	計　算　尺	⑩	39.1	34.3			
式	式の値・等式	③	55.9	36.8	58.1	37.7	
	文字を用いた式	④	59.5	38.2			
数量関係	比　例　の　関　係	⑦	37.0	18.3	32.5	14.7	
	比例・反比例の関係	⑪	25.7	11.0			
図形	平行四辺形	⑥	50.1	27.7	41.9	19.8	
	平行線と二等辺三角形の角	⑧	43.3	17.4			
	正多角形	⑨	44.0	17.7			
	線対称・点対称・回転	⑫	38.4	20.4			

このプロフィールを見る場合の視点として次のことが考えられる。

（イ）沖縄あるいは自校の領域別成

績のよしあしの判断。

この場合，各領域間の出題数や難易度なども異なるから，出題された問題の難易度やねらいをよく検討して正答率を解釈すること。

（ロ）　大問別の成績の長短を判断する。

領域別正答率で領域間の成績のバランスをは握することはできるが，どのような問題が特に不振であるかはこれでは分らない。このような場合，大問別正答率に着目すればよい。

この場合も，正答率の高低のみで，成績の良しあしを判断することは妥当ではない。学力調査の問題は，やさしい程度の問題，普通程度の問題，むつかしい程度の問題から構成されているから，出題された問題の難易度や，ねらいを十分検討して，正答率を解釈すべきであろう。

（ハ）　基準との比較

自校あるいは，学級の正答率を全国全琉等の正答率と同一プロフィールに書き，これら基準と比較して自校の状態を知ることができる。

第6表によって，全琉と全国を比較すると，各領域とも正答率で16％～20％程度，全国より低い成績となっている。特に式の領域の成績の差が大きい式の領域の中でも一元一次方程式や連立二元一次方程式を用いて文章題を解く問題で大きな差がついていることがわかる。

上記のプロフィールでは，全琉と全国がほぼ相似な形をしている。すなわち全国の子ども達に抵抗のある問題は全琉の子どもにも抵抗がある。

ところが，学校や学級によっては，基準とは逆の現象を呈する場合もあるすなち学級独得の問題を持つ学級もあり得る。

たとえば，さほど数学的な思考を要しない計算問題はよいが，思考力をみるような問題についてのできが悪いという場合などがあり得る。その原因はいろいろあろうが，教師の指導法などにその一因を求めることもできるであろう。

（ニ）　小問別正答率

小問別正答率を算出しておけば，領域や大問別正答率では見ることができない，個々の小問のできふできを，いっそう具体的にとらえることができる。

以上正答率の見方について，述べてきたが，ここで留意しなければならないことは，各問題のねらいを充分おさえて正答率を解釈することである。問題自体のねらいが的確には握されておらなければ，その後の診断や指導が不可能となるので，各問題が学習指導要領の目標や内容のどの項目による

のか，教科書では何処か，指導のポイントはどこか，児童生徒の学習の準備はどこまで到達しておくとよいのか，等をおさえて正答率を解釈しなければ今後の指導との結びつきが弱くなる。

2, 応答分析
① 応答分析の意義

正答率では，問題ごとのでき，ふできの判断はできるが，何故その問題ができないか。あるいは何故そのようなつまづきをしたのか，充分には握することはできない。

児童生徒はつまづきの天才だといわれている。思いもよらぬつまづきを平気でやってのける。しかしよく考えてみると，子どもが問題を解く場合，はじめからこれはミスだと思って解答するのは少ない。教師の側からみれば，単なるミスでも子どもとしては，子どもなりの理由がある。子どものつまづきの底に，子どもをつまずかせる何かがある。これを十分究明しない限り，具体的な指導対策や，指導法の反省の資料はうまれてこない。
ここに児童生徒の誤答に着目し，応答を分析する意義がある。

② どのような問題を誤答分析するか

成績不振の全小問を誤答分析の対象とすることがのぞましいが，成績不振の問題が多すぎるし，時間的，労働的に無理である。したがって，時間的にも労力的にも可能な範囲に限定して問題を選定しなければならない。誤答分析の対象とする問題を次のように抽出する方法が考えられる。

(イ) 全小問中正答率のもっとも低いいくつかの小問を抽出する。

(ロ) 領域別にみた正答率の中でもっとも成績不振の1領域の問題を抽出する。

(ハ) 基準と比較してもっとも正答率の差の大きい問題をいくつか抽出する。

(ニ) 各領域からその領域を代表する基本的な問題を抽出する。

(ホ) 過去の学力調査のデーターを参考にし，毎年不振の問題を抽出する。

(ヘ) 学校の研究テーマに即した問題をとり上げる。

③ 誤答分析の対象（何人ぐらいの答案を抽出すればよいか）

学年あるいは，学級の全児童生徒数の答案を調べておけば，個人指導にも利用でき，また学級や学年の実態が把握できるが，時間的にみて不可能の場合があるから，いくつかの答案を抽出しなければならない。

(イ) 学年を対象とする場合

学年の児童生徒数が少ない（30人前後）の場合は，全数について分析することが望ましい。

学年の児童生徒数の多い学年では，

成績を上，中，下に分類し，各グループから無作為に20人前後を抽出して，これらの児童生徒の答案を分析すればよい。

　(ロ) 学級を対象とする場合

　学級の在籍が40人以内ならば，全児童の誤答を詳細に調べておけば，個人指導に利用できる。全数調査法が望ましいと思うが，学級の大体の傾向を見る目的ならば，成績上，中，下の三グループより無作為に抽出する層化抽出法が考えられる。

④　誤答分析の方法

　(イ) 選択肢法の問題

　出題形式が選択肢法の場合は，各々の選択肢に応答した人数を調べ，誤答分析の対象になった児童生徒に対する率（反応率）を算出すればよい。

　応答状況を調べてゆくとき，無答に着目することも大事である。無答の状況から，時間制限によるものであるか，問題の困難度によるものであるのか，未習教材であるのか等を検討する資料が得られる。

　無答率が低いのに誤答率が高いという結果がみられる場合は，教師の指導上の要点のおさえ方や，指導方法自体に問題がありうるので，誤答と無答は，はっきり区別して考える必要があろう（ややもすると正答以外は無答を含めて誤答として処理しがちであるから）

　次の問題に昭和40年度全国中学校学力調査の2年の数学の問題である。この問題を誤答分析して考察をこころみることにする。

　次のA群（表），B群（グラフ）およびC群（式）の中のアからシまでのものはいずれもともなって変わる二つの量x，yについての関係を示したものです。

　次の1，2の問いに答えなさい。

1　xとyとが比例の関係にあるものを，A群，B群およびC群の中から，それぞれ一つずつ選んで，解答用紙のその記号を○で囲め。

2　xとyとが反比例の関係にあるものを，A群，B群およびC群の中から，それぞれ一つずつ選んで，解答用紙のその記号を○で囲め。

A群（表）

ア

x	2	3	4	5	6
y	30	20	15	12	10

イ

x	5	6	7	8	9
y	7	6	5	4	3

ウ					
x	3	4	5	6	7
y	9	12	15	18	21

エ					
x	5	6	7	8	9
y	3	4	5	6	7

B群(グラフ)　　　　　　　　C群(式)

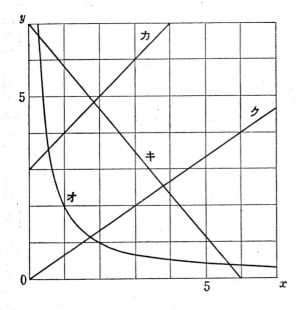

ケ　$y = \dfrac{x}{4}$

コ　$y = \dfrac{5}{x}$

サ　$x + y = 3$

シ　$x - y = 2$

　この問題は，表，グラフ，式から正比例，反比例の関係を見いだす能力をみる問題で，全国，全琉ともに成績の悪い問題の一つである。

　その原因はいろいろあろうが，表，グラフ，式の三つより正比例，反比例の特徴を同時に理解しておかなければ解けない，いわゆる完全正答を要求した問題にもよるのであろう。

　正答率のみでは，表，グラフ，式の中いずれにつまづいたのかとらえることができない。この問題を全琉から無作為に抽出した500人の生徒の答案を応答分析した結果をしめすと次表のとおりである。

第7表 応答分析表

小問	正答率		応答状況（沖縄）										
	全国	沖縄	ア	イ	ウ	エ	オ	カ	キ	ク	ケ	コ	サ	シ
1	26.0	11.0	4.4	10.0	64.9	7.8	9.8	33.1	10.2	39.6	26.7	28.4	25.6	9.8
2	25.4	10.9	38.2	34.2	9.1	12.2	48.4	9.1	23.6	11.1	21.6	38.0	14.7	18.2

これから次のことが考察される。
○ 表から比例の関係を見出すことは64.9％で比較的よいが、単に増加することは比例とは握しているもの17.8％いることがわかる。
○ グラフでは原点を通る直線が比例ということを理解せず、右上りの直線を比例とみなしたのが33％もいることが注目される。
○ 式から比例の関係を見出すことは、表、グラフにくらべもっともできが悪い。式表示されたものから正比例を弁別することについての指導法の研究がのぞまれる。
○ 表から反比例を見いだすことでは、単に一方が増加すれば他方が減少するとき、反比例と間違った考え方をしているものが34％もいる。
グラフでは右下りの直線が反比例と間違って理解しているものが23.6％もいる。
式では、$y=\frac{x}{4}$ を反比例としたのが21.6％もいるが、これを $y=\frac{a}{x}$ の反比例の式と誤って考えたものと思われる。

○ 比例、反比例の指導では、表、グラフ、式による表現を個々ばらばらのものとしてでなく、相互に深い関連をもっているものとして、総括的にまとめておくことが大切である。

⑤ 自由記述形式の問題

選択肢法の場合は、児童生徒の応答すべき範囲が限られているから、応答分析も容易にできる。自由記述形式の問題では、種々雑多な応答が予想される。自由記述形式の問題は次のようにして分析すればよい。

予想される誤答をあらかじめいくつかに類型化し、これに反応した数を調べる方法と、子どもの答案のすべての反応を応答分析表に転記し、後で類似なものをまとめていく方法の二通り考えられる。

誤答の中にはどのような思考過程で解答したのか、判断に苦しむものや、全くでたらめと思われるような反応もある。このような場合は、子どもと面接して応答した理由をきくことも考えられるが、それでも判断しかねる応答については「その他」の項に含めて集

計すればよいであろう。
　次の問題は全国中学校学力調査問題である。

> 次の計算をせよ
> ① $5-8$
> ② -3^2
> ③ $\left(-\frac{5}{6}\right)-\left(-\frac{1}{4}\right)$

　自由記述形式の問題であるために，いろいろと応答も多岐にわたっているが，整理すると次のようになる。

番号	正答率 本土	正答率 沖縄	誤答例
①	90.9	84.2	3 (6.4%) 13 (2.0%) その他 (4%)
②	43.5	32.4	9 (29.3%) −6 (14.2%) 6 (58%) その他(8.3%) 無答 (5.3%)
③	57.0	33.0	$\frac{7}{12}$ (11.8) − $1\frac{1}{12}$ (10.2) その他(31.1) 無答(10.2)

① ねらい，2つの数の減法についての計算技能をみる問題で正答率84.2％は全小問中最高をしめしているがこの程度の問題ならもっと高い正答率を要求したい。

② ねらい，数の2乗についての計算技能

▲ 誤答の考察
▲ 9と解答したのは，-3^2と$(-3)^2$を混同したものである。
▲ −6と解答したのは$(-3) \times 2$と指数をそのままかけた生徒である。
▲ この問題の指導においては-3^2と$(-3)^2$の区別をはっきり理解させる。

$(-3)^2 = (-3) \times (-3)$
$-3^2 = -1 \times 3^2$，または
$-3^2 = -(3 \times 3)$のようにその区別をはっきり理解させておく必要がある。

③ ねらい，2つの負の分数の減法についての計算技能
▲ 誤算の考察
　$-1\frac{1}{12}$と応答したのは，絶対値の和に負の符号をつけたものであり，負の符号をつけたのは，与えられた式が負号のみとなっているためかと思われる。また減法を加法にかえるとき，$\left(-\frac{5}{6}\right)-\left(-\frac{1}{4}\right) \rightarrow \left(-\frac{5}{6}\right)+\left(-\frac{1}{4}\right)$と不確実な理解や，$\left(-\frac{10}{12}\right)+\left(+\frac{3}{12}\right) \rightarrow -\left(\frac{10}{12}+\frac{3}{12}\right)$と乗除計算における符号の法則を適用しているともに考えられる。これは理解の段階が不じゅうぶんのうちに，法規化を適用したためである。

　$\frac{7}{12}$としたのは，減法だから符号どおしも引き算すると考え，$-\frac{10}{12}-\left(-\frac{3}{12}\right)$
$\rightarrow \frac{10}{12}-\frac{3}{12}=\frac{7}{12}$と，被減数の負号から減数の負号をひきさると考えたか$-\frac{10}{12}-\left(-\frac{3}{12}\right) \rightarrow +\left(\frac{10}{12}-\frac{3}{12}\right)$と乗法計算における符号の法則を適用し，乗法の場合と混同したものとも考えられる。

3, スケーログラム（得点模様）による学力の診断

(イ) スケーログラムの利用価値

分野・領域別の正答率，小問題別の正答率にもとずいて児童生徒の反応の状態を考察し，学習指導の改善に役たつ資料を得ることができる。これを基盤にして，さらに反応の分析を深める一方法にスケーログラムの利用がある。

スケーログラムは学級や個人の学力構造の診断として次のような利用価値がある。
　　(イ) 誰がどんな問題につまづいて
　　　　　いるか。◁個人指導の資料▷
　　(ロ) 学級としてどんな問題がやさ
　　　　　しく，どんな問題がまだ理解
　　　　　されていないか。◁指導方針
　　　　　の確立▷
　　(ハ) 学級として理解が安定してい
　　　　　ない小問はどれか。
　　　　　　　◁再指導の計画樹立▷
　　(ニ) 問題内容や出題形式の検討
　　(ホ) 指導法の反省
　　(ヘ) 各小問の正答率の質の検討
② スケーログラムの作成法
　　(イ) 学力調査の集計表，A表（問題別にみた個人別の正答表）を用意する。
　　(ロ) 答案（解答用紙）から問題別，個人別正誤を調べ第8表に転記する。

正答を○，誤答を×（含無答）とし次のような問題別個人別正誤表を作る。

（第8表）　問題別個人別正誤表

小問＼氏名	O・T	K・S	G・T	K・I	U・T	K・S	Y・S	N・S	N・T	T・C	正答数
1	○	○	○	○	×	×	○	○	×	×	5
2	×	○	○	○	○	○	○	○	○	○	9
3	○	○	×	×	○	×	×	○	×	○	4
4	○	○	○	○	○	×	○	×	○	×	7
5	○	○	×	○	×	○	×	○	×	×	5
6	○	○	×	○	×	○	×	×	×	○	4
正答数	4	6	3	5	3	3	2	4	1	3	34

　　(ハ) ロで作成した表をもとにして，小問ごとに，正答数の高いものから低い方へ縦に，また，得点の高い方から低い方へ横に書き次のような表を作る。（上記の表では小問別に2，4，1，5，3，6の順に縦に，生徒は K-S，U-T，N-S，O-T，G-T，K-I，K-S，T-C Y-S，N-T の順に氏名欄に左から右に並べる。）
　　(ニ) (ハ)で作成した表に各問について区切りをつけ，その区切りから左にある×の数と右にある○の数が等しくなるようにする。（左から正答数だけ数えたところに区切りがつく）区切りを結んで，階段状のグラフにする。
　　(ホ) 各小問について理想曲線から左にある×の数，右にある○の数（

同数になる）およびその合計を記録する。

（ヘ）同様に個人についての理想曲線を書き，×，○の数およびその合計を記録する。

第9表　スケーロ・グラム

-------- 線は小問についての理想曲線
———— 線は個人についての理想曲線

氏名＼小問	K・S	U・T	N・S	O・T	G・T	K・I	K・C	T・S	Y・S	N・T	正答数	×	○	計
(2)	○	○	○	×	○	○	○	○	○	○	9	1	1	2
(4)	○	○	○	○	×	○	○	×	○	×	7	1	1	2
(1)	○	×	×	○	○	○	×	×	○	×	5	2	2	4
(5)	○	○	○	×	×	○	○	×	×	×	5	2	2	4
(3)	○	○	×	○	○	×	×	×	×	×	4	1	1	2
(6)	○	○	○	○	×	×	×	×	×	×	4	0	0	0
正答数	6	5	4	4	3	3	3	2	1	34				

③　スケーロ・グラムの見方

（イ）小問別診断

理想曲線より左にある×（右にある○）の数で診断する。

　学級として小問が安定した理解がなされているかどうかを調べる。この場合次の三つに分類する。

A．理解の不安定度の大きい小問
B．理解の不安定度のやや大きい小問
C．理解が安定した小問

A，Bについては，問題を解決するのに必要な知識，技能，態度が不安定な状態つまり，おぼえかけ，忘れかけていることを物語り，その結果として成績上位の者でも誤りをおかす危険性があり，また下位の者でも正答する可能性をもつ小問であったことになる。これらの小問については再指導する必要があろう。

Cについては，

(a) 正答人数が多くて安定している小問
(b) 正答人数が半数位で安定している小問
(c) 正答人数が少なくて安定している小問に分類できる。

　(a)は望ましい状態にある小問で，下位の特定の者を除いて，大多数が確実な理解に到達したと考えられる。

　(c)は問題が極度にむつかしかったか，指導時間が不足等でほとんどの者が理解できなかったか，理解不十分で，大部分の者が忘れてしまったか，未習教材のためであったかなどの理由が考えられる。

従ってこの類型に属する小問については，その原因をよく調べ，最初からやりなおす心ぐみで，再指導の計画をたてる必要があろう。

4　スケーログラムの分析と活用事例（A中校2年1組）

第10表は全国中学校学力調査の2年

数学の結果のスケーログラムである。
▲見　方
　テスト問題がよき弁別力をもつ理想的な問題で，かつ，この学級の学力構造が正規分布曲線を描くような状態になっているとき，表の段階状の線は右上の肩から左下の隅まできれいな階段状になり，しかもその曲線の左には×がなく，右には○がないような図になるであろう。（このような意味で階段状の曲線を理想曲線と呼んでいる）
　所が実際には第10表のようになるのが普通である。
　▲診断のし方
　まず小問4についてみると，30人中正解者が15人いるから，あらゆる条件を無視すれば，正答をした者は成績上位の15名であり，得点の高い順に個人を配列してあるから，理想曲線より左は全部○，右は全部×となると考えるのが自然である。しかし実際にはこうなることは稀で，理想曲線より左に×が右に○が入ってくるのが普通である。すなわち○をとってよいと期待される者が×で，○をとることは困難と予想される者が○になる。このような者がどれくらいいたかを表わすのが，理想曲線の左にある×と右にある○の数の合計数であり，この合計数が大きくなるほど，その小問についての学習が未定着な状態にあり，理解が不安定であることを示めやすとする。

　理解の不安定，安定度の分類については前頁で述べたが，第10表についてみると次のようになる。
A．理解の不安定の大きい小問
　　2，23，14
B．理解の不安定のやや大きい小問
　　22，15
C．理解が安定した小問
　▲正答人数が多くて安定している小問　1，9，12
　▲正答人数が半数位で安定している小問　17，4，11，6，8，19，26
　▲正答人数が少なくて安定している小問（上記以外の小問）

　正答人数が多くて安定している小問がもっとも望ましい状態で，このような小問については学級全体として再指導の必要はない。しかし，正答人数が半数位のものや，あるいは，正答人数が少なくて安定している小問については学級全体として再指導の必要があろう。
　また，正答人数が少なくて安定している小問については，
　イ．問題が極度にむつかしかった。
　ロ．指導時間の不足等の理由でほとんどの者が理解できなかった。
　ハ．理解が中途はんぱのため，ほとんどの者が忘れてしまった。
　ニ．未習教材であった。
等の理由で大多数の者が手をつけら

れなかった小問群と考えられる。したがってこれに属する小問についてはその原因をよく究明し，再指導の計画をたてることが望ましい。

以上スケーログラムによる分析のし方は岐阜県教育研究所の紀要を参考にしたが，安定，不安定の問題の抽出については，理想曲線より左にある×や右にある○の数で判断しているが，この数は一応の目安であって，必ずしも数位にこだわる必要はないと思う。たしかに，×の数や○の数が多いということは，その問題が学級全体として十分安定していないという事をあらわしているが，この数値をいくらにするかは別にきまっていない。一応ここでは，×の数（○の数でもよい）が4以上を不安定の問題とした。

次にスケーログラムの別の利用のしかたとして正答率の質の検討や，出題形式の検討，教師の指導法の反省に資する場合についてのべる。

まず，小問23についてみると，正答率37％で27小問中13番目に成績のよい小問である。ところが，この問題の正答者を上位，中位，下位にわけて正答者をみると，上位2人，中位5人下位4人となり，上位のグループより中・下位のグループの成績がよい。

まずこの問題の出題形式をみると，4つの選択肢から正答一つを選別する問題である。選択肢法の問題であるから問題を理解せずに，偶然による解答が多かったと思う。

出題形式にも問題があろう。また出題形式が選択肢法の場合は正答率についても十分検討して解釈すべきであろう。見かけの正答率は37％もあるが真の正答率はこれ以下になりうる場合もある。

次に小問2についてみると上位，下位の正解者は，それぞれ，5人，4人3人で大きな差異はない。-3^2の値を求める簡単な問題であるが学級全員に対して再指導する必要があろう。

また小問，13や18は30人中5人しか正答しておらず，このように極端に正答数の少ない小問については，教師の指導法を反省してみる必要があろう。

なお，小問1以外の他の26小問については，下位群の10名にはほとんど理解されていないことがわかる。この10名のグループについては，再指導する必要はもちろんですが，平常の教師の指導形態も十分検討する必要があろう。

第10表　スケーログラム　　　　　　　◁中2数学▷

------- 線は小問についての理想曲線
——— 線は個人についての理想曲線

小問＼生徒番号	上位群											中位群										下位群									正答数	正答率	×	○	計
	10	17	45	32	12	24	16	18	58	59	53	31	9	8	11	28	43	4	36	47	3	52	14	22	2	20	1	30	15	21					
1	○	○	○	○	○	○	○	○	○	○	○	○	○	○	○	○	○	○	○	○	○	○	○	○	○	○	○	×	○	×	27	90	1	1	2
9	○	○	○	○	○	○	○	○	○	○	○	○	○	×	○	○	○	○	○	○	○	○	○	○	×	○	×	○	×	×	24	80	2	2	4
12	○	○	○	○	○	×	○	○	○	○	×	○	○	○	×	○	○	○	×	○	×	×	×	×	○	×	×	×	×	×	17	56	3	3	6
17	○	○	○	○	○	○	○	○	○	×	○	○	○	○	×	○	×	×	○	×	○	×	×	×	○	×	×	×	×	×	16	53	2	2	4
4	○	○	○	○	○	○	○	○	○	○	×	×	○	○	○	×	×	○	×	○	×	×	×	×	×	○	×	×	×	×	15	50	2	2	4
11	○	○	○	○	○	○	○	○	○	×	○	○	×	×	○	○	×	×	×	×	×	×	×	×	○	×	×	×	×	×	15	50	2	2	4
6	○	○	○	○	○	×	○	○	○	○	○	○	○	×	×	×	×	×	×	×	○	×	×	×	×	×	×	×	×	×	14	46	1	1	2
8	○	○	○	○	○	○	×	○	○	○	○	×	×	○	×	○	×	×	×	×	×	×	×	×	×	×	×	×	×	×	14	46	2	2	4
19	○	○	○	○	○	○	○	○	○	○	○	×	×	○	×	×	×	×	×	×	×	×	×	×	×	×	×	×	×	×	14	46	2	2	4
26	○	○	○	○	○	○	○	○	×	○	○	×	×	×	×	○	×	×	×	×	×	×	×	×	×	×	×	×	×	×	14	46	2	2	4
2	○	×	○	×	×	×	○	○	×	○	×	○	×	×	○	○	○	×	○	×	○	×	○	×	×	×	×	×	×	○	12	40	7	7	14
21	○	○	○	○	○	○	○	×	○	○	×	○	×	×	×	×	×	×	×	×	×	×	×	×	×	×	×	×	×	×	12	40	2	2	4
23	×	×	×	×	○	×	○	×	○	×	○	×	○	○	×	×	○	×	×	×	○	×	×	○	×	○	×	○	×	×	11	36	8	8	16
14	○	○	×	×	○	○	○	×	×	○	×	×	○	○	×	○	×	×	×	×	×	×	×	×	×	×	×	○	×	×	11	36	5	5	10
7	○	○	○	○	○	×	○	○	○	×	×	×	○	×	×	×	×	×	×	×	×	×	×	×	×	×	×	×	×	×	11	36	2	2	4
5	○	○	×	○	○	○	×	○	×	○	×	×	×	×	×	○	○	×	×	×	×	×	×	×	×	×	×	×	×	×	10	33	3	3	6
10	○	○	×	×	×	×	○	×	○	×	×	○	×	×	×	○	×	×	×	×	×	×	×	×	×	×	×	×	×	×	10	33	2	2	4
27	○	○	○	×	○	×	○	○	×	×	×	×	×	×	×	×	×	×	×	×	×	×	×	×	×	×	×	×	×	×	10	33	2	2	4
22	○	○	○	○	×	×	×	×	×	×	×	×	×	×	×	×	×	×	×	×	×	×	×	×	×	×	×	×	×	×	9	30	4	4	8
3	○	×	○	×	○	○	×	×	×	×	○	×	×	×	×	×	×	×	×	×	×	×	×	×	×	×	×	×	×	×	7	23	3	3	6
15	○	×	○	×	×	○	×	×	○	×	×	×	○	×	×	○	×	×	×	×	×	×	○	×	×	○	×	×	×	×	7	23	4	4	8
16	○	○	○	○	×	×	×	×	○	×	×	×	×	×	×	×	○	×	×	×	×	×	×	×	×	×	×	×	×	×	7	23	3	3	6
20	○	×	○	×	○	×	×	×	○	×	×	×	×	×	○	×	×	×	×	×	×	○	×	×	×	×	×	×	×	×	7	23	3	3	6
24	○	○	×	×	×	○	×	×	×	×	×	×	×	×	×	×	×	×	×	×	×	×	×	×	×	×	×	×	×	×	6	20	3	3	6
25	○	×	○	○	×	×	○	×	×	×	×	×	×	×	×	×	×	×	×	×	×	×	×	×	×	×	×	×	×	×	6	20	3	3	6
13	×	○	×	○	○	×	×	×	×	×	×	×	×	×	×	×	×	×	×	×	×	×	×	×	×	×	×	×	×	×	5	16	2	2	4
18	○	○	○	×	×	○	×	×	×	×	×	×	×	×	×	×	×	×	×	×	×	×	×	×	×	×	×	×	×	×	5	16	2	2	4
得点	25	22	22	20	19	18	17	16	16	15	14	13	12	11	10	9	8	7	6	6	5	5	4	4	3	3	2	2	1	1					
×	1	3	4	3	4	4	3	4	4	3	4	2	4	3	6	4	3	4	2	2	3	3	2	2	1	2	2	0	1	1					
○	1	3	4	3	4	4	3	4	4	3	4	2	4	3	6	4	3	4	2	2	3	3	2	2	1	2	2	0	1	1					
計	2	6	8	6	8	8	6	8	8	6	8	4	8	6	12	8	6	8	4	4	6	6	4	4	2	4	4	0	2	2					

次に生徒個人についても同じような方法で理解の安定，理解の不安定を考察することができる。

例えば，45番の生徒の得点は22点である。これについて，すべての条件を無視すれば，正答を得たものは問題が易から難へ上から下へ配列されているから上から22個の小問を考えるのが自然であろう。しかし実際には，そういう生徒もいるだろうが，多くは易しい問題に誤答し，むつかしい問題に正答している。むつかしい問題に正答をしたのであるから，当然それより平易な問題には正答できるはずである。実際にできなかったのは，かなりすぐれた能力を持っているにかかわらず，

イ　軽卒な判断をしたり処理が粗雑である。
ロ　練習不足で確実な力として定着していない。
ハ　中途はんぱな理解に終っている。
ニ　努力，怠惰の起状がはげしく，理解にムラが多い。

などの傾向性をもっていたからと思われる。このような生徒に対してはそれぞれの不安定要因を的確には握し，それを除去改善することにつとめるべきであろう。

5　追跡調査の実施

誤答分析によっても，誤答原因や指導法の反省の資料が得られない場合，追跡調査をすることによって，これらのことが明らかにされる。

追跡調査を実施することによって，子どもの誤答原因や，思考過程がいっそう明らかにされるし，各学校で是非とり上げてもらいたい。

追跡調査については，昭和40年度の全国学力調査報告書（5月発行予定）を参考されたい。

上記までの考察は，おもに学力調査結果を学校や学級における分析と活用のし方についてのべてきたが，学力調査結果を児童生徒への個人指導に利用していくことも大事である。学力調査結果と知能や平素の学業成績との相関，個々の小問の誤答に着目して児童生徒の持つ問題性を究明し，指導の手をうつべきであろう。

むすび

学力調査結果の分析と活用のし方についてのべてきたが，分析や活用の方法は，上記以外にもいろいろ考えられる。たとえば，

指導目標の良否，学習内容の軽重，教科書の内容の軽重とその取扱い，教材研究の深浅，学習展開の適否，学習形態のあり方，指導技術の良否等や学校の教育計画の再検討といったことも考えられようが，各学校においては手軽にできるところからとりくんでみるのもよい。

従来ややもすると学力調査結果の平

均点のみに着目し，基準との比較に終る，いわゆる表層的解釈の段階でとどまる傾向にあった。

　調査結果を表層的解釈で終った場合は，いたずらに競争心やテストムードをあおり，学力調査対策が生まれ，一夜ずけの〝テスト学力〟を形成する結果にもなりかねない。

　私どもは，いま一度学力調査本来のねらいを再確認し，結果の活用に対して積極的に対処する必要があろう。

　従来ともすると，学力調査を調査対象学年のみの問題として，それ以外の学年は，どちらかというと傍観的な態度でのぞんでいたきらいがあった。学力水準の低いのも単に調査対象学年の担任に責任があるのではなく，前学年までの学習の到達度を測定しているのであるから，責任の度合からすればむしろ逆であろう。

　学力調査は，ペーパーテスト，客観テストという制約がある以上，学力のすべてにわたり得ないことは前にのべたとおりであるが，学力の大事な一面の測定は可能であるし，また全国的な規模で行なうということにも意義があろう。

　このような意味で学力調査の趣旨を再確認し，調査結果を学校全体の問題として受けとめる姿勢を確立したいものである。

　最後に沖縄の場合はほとんど全教科の学力が不振であるから，特定の教科の特に不振の問題をとりあげていく対症療法的な指導では，学力水準の向上の抜本的な解決にはならない。学力調査の特定の教科を足場として，何故その教科が不振であるかを，教育目標，カリキュラム，授業形態，指導技術，学習展開のし方等学校全体の教育態勢の検討や，家庭，地域社会環境などには問題はないかというところから，堀り下げて検討しなければ，真の学力向上は望めないし，また抜本的な解決策にはならない。とにかく学力向上ということは短時日に達成できるものではなく，各関係者の地道な努力によって達成されるものである。

◁活用事例▷

私は学力調査結果をこのように利用した

若狭小学校　　教諭　宮良翠子

　昭和40年度の新学年度を迎え，新しい気持ちで本校の年間計画に目を通すと，今年もまた6月に恒例の全国学力調査があげられていた。

毎年学力調査が行なわれ，集計され全国の統計が数字で比較されているがわたしたち教師は一体，この調査をどのように活用しているのだろうか。統計に示された数字をみて，〝今回もまた，わが県は最下位か〟となげき，〝うちのクラス，どうやら全国平均並みか〟……この程度の収穫しか得られないならば，何も一日をつぶして調査をする必要はないと思う。調査結果の報告が済むと，もうそれで肩の荷をおろしてしまっては，何のための学力調査かわからない。全国的に調査を行ない，その結果が示されるからには，わたしたち教師はもっと積極的にその結果を活用しなければならない。

　結果の活用とは，児童のひとりびとりに指導の成果が期待されることにある。そのためには，個々の児童のつまづきをみつけることが先決である。

　そこで，40年6月16日に行なわれた調査を少しでも生かすために，どの領域がよく，どの領域につまずきがあるかを調べてみた。それを問題別に整理したのが次頁の表である。（紙面のつごうで社会科のみ掲示）

　はじめに，小問別に自分の学級を全国平均と比べてみると，25問中全国平均を上回ったものが12問，全国平均に達しないものが11問である。特に低いのは⑳の「商業のしくみの中における出荷組合のはたらきについての理解」で全国平均より19％も低く，この問題だけは沖縄平均をも割る成績である。このことは，校区に沖縄一の問屋街をもっているだけにショックであった。しかし，小問をよく調べてみると，農村における農作物が消費者の手にわたるまでのしくみや，はたらきがおもなものであった。それでホッとしたと同時に，この問題も，出荷組合とは，仲買人とは，という形で出題されたならば解けたであろうなと思うと，今までの指導法が反省させられた。学習指導は机上で，定義的にいくらやっても効果はあがらないものであることに気がついた。

　折りよく，林間学校の買い出し係をいいつかったのでこのチャンスを生かすために，特に，⑲，⑳，㉑につまずきのあった子を引きつれて，農連市場へ行った。子どもたちは，楽しみながら学習したことになる。その結果，学力調査のとき36％であった小問7の4の平均正答率が半年後の再調査の結果では，88％まで高められることになった。出荷組合とは，仲買人とは，という定義的なものでなく，実際に，その人たちの勢のいいやりとりに接して，組合のしくみや，仲買人のはたらきを児童が実感としてつかんでくれたことがうれしい。

　㉒の成果が，47％という，同じ領域の他の，どの小問よりも高いのは，児

小問別・大問別正答率表　（第6学年社会科）

大番問号	内容	小番問号	小問のねらい	正答率 学級	正答率 沖縄	正答率 全国	平均正答率 学級	平均正答率 沖縄	平均正答率 全国
1	農業生産の現状と特色	①	分布図から二毛作田の分布状況を読み取る能力	81	68	82	67	48	65
		②		59	40	60			
		③	単作地帯の特色についての理解	59	35	53			
2	各種の産業や交通の発達	④	農地改革と品種改良についての理解	59	48	64	55	35	51
		⑤		69	34	57			
		⑥	富岡製糸場と八幡製鉄所を設立した明治政府の産業政策についての理解	45	26	36			
		⑦		41	28	37			
		⑧	開国，豊田織機の発明，丹那トンネル開通の時間的前後関係についての理解	63	38	62			
3	国内各地の産業と人々のくらし	⑨	中京工業地帯の特色についての理解	35	32	46	49	37	52
		⑩	十勝平野を中心とした農業や人々の生活の特色についての理解	65	57	77			
		⑪	岡山平野を中心にして農業・工業などの特色についての理解	47	24	35			
4	わが国における石油資源の現状	⑫	原油の産出の多い県についての知識	67	50	73	56	39	59
		⑬	原油の輸入状況を示したグラフについて判断する能力	45	27	45			
5	日本の工業の特色	⑭	日本の工業の一般的特色，とくに加工業という特色や重化学工業の発展についての理解	62	43	59	61	42	56
		⑮		59	41	53			
6	交通運輸の現状についての理解とグラフを読む能力	⑯	グラフを利用して輸送機関としての鉄道・トラック・船の特徴を判断する能力	78	60	70	56	42	57
		⑰	トラック輸送の改善についての理解	49	33	52			
		⑱		41	34	49			

7	商業のしくみとはたらき	⑲	商業のしくみの中における小売商のはたらきについての理解	31	25	43	31	26	39
		⑳	商業のしくみの中における出荷組合のはたらきについての理解	12	20	31			
		㉑	商業のしくみの中における市場の仲買人のはたらきについての理観	33	22	43			
		㉒	銀行，広告業，倉庫業などのはたらきについての理解	47	37	39			
8	地図の読み方	㉓	地図記号，等高線等などについての知識を活用して地図を読み，地域の特徴を判断する能力	76	67	82	81	62	78
		㉔		86	65	81			
		㉕	地図記号，方位，縮尺，等高線などについての知識を活用して地図を読む能力	82	55	72			
総 平 均							56	40	56

童の住んでいる地域に那覇港と泊港があり，先にのべた沖縄一の問屋街や，フリーゾーンをひかえていることなども影響しているものと考えられる。

それからもう一例として，個人的に呼び出して，⑰，⑱について，誤答した問題を〝もう一度ゆっくり読み直してやってごらん〟と指示したら，48％の者しかできなかった問題が，そばで教師が，かるい読みの手伝いをしただけで，誤答者のうち16名が正答して80％の正答率をあげるようになった。

これからして，文章の読みの浅さや，読解不足が考えられる。教師がほんの一言，二言，口添えしただけで〝なーんだ，そうか〟と簡単にわかってしまう。読解力というものは，過去の積み重ねでできるものなので，一挙に補なうことはできないが，教師が常にその子の欠点を頭においておれば，国語科との関連づけが生まれてくるから，1年間では何人かの子どもが教えるものと思う。

以上のような，粗末な例によってあげたように，児童は教師の軽い一押しで，著しい反応を示してくれるものである。よりよい効果をあげるために，学校として，あるいは学年として，サークルを作って学力調査の分析と活用に力を入れてみる必要があると思う。調査前になって前年度の結果をめくって，その場限りの対症療法をするのでなく，じみちに個々の児童の診断治療をしなければ真の学力のレベルアップは期待できない。日々の授業に追われながらも，個々の児童の成果がいくらでもよくなることであれば，わたしたち教師は，すすんでどの方法をも研究すべきであると思う。

青年の家建設

社会教育課主事　当山　正男

　本土では昭和30年頃から行政施策としてあちら、こちらに青年の家が誕生し青少年の健全育成に大きな役割りを果しつゝありますが、ここ沖縄でも4〜5年前から政府としても青年の家の建設の構想がねられていましたし、又青年団体をはじめ社会教育関係団体からも、その建設の要請が度々なされていた。1966年度に本土政府の援助（80％）で名護町字名護岳の後に二階建の延300坪の青年の家がさった2月13日に着工され今年の10月に竣工する運びに至ったことは皆さんと共に慶びに堪えません。そこで青年の家について皆さんのご理解とご協力を得るために青年の家のことについて少し書いてみます。

① 青年の家とは

　青少年や青少年の指導にあたる人々が宿泊をして共同生活をしながら教養を高めたり、研究討議をしたり、またいろいろな技術の習得や体育、レクリエーション活動などをするところである。そしてこれらの活動を通じて社会性や友愛心、規律、協同、奉仕の精神をはぐくみ、積極的、創造的な活動力を高めて健全な青少年、よい社会人となることを期待している所謂青少年の社会教育施設であって、特に生活訓練を重視している。

　1．青少年団体や青少年指導者などの交歓や研修施設として
　2．青年学級生の宿泊共同学習の施設として
　3．その他社会教育関係団体などの研修施設として
　4．以上の団体や指導者の会合の場所として
　5．青少年のいこいの施設として
　　△　利用のできる人は
　次の各項に該当する人で原則として24時間以上滞在して研修する5人以上の団体である。
　　(1)　青年団体員，青年学級生および企業内の勤労青年
　　(2)　学生および生徒
　　(3)　社会教育に関する青少年教育を研修内容とする成人

② 青年の家の源流について

　1）欧米に源流を求められるもの
　青年の家の設置は野外活動の奨励にその端を発しているとみてよい、青少年の野外活動を促すことによって大自然の中で浩然の気を養い共同生活を通

じて健全な心身の発達を図ることは青少年教育上きわめて大きな意義があると考えられてこの野外活動の拠点としての施設々置が望まれるようになった。

① ユースホステル

ドイツのワンダーフォーゲル運動に影響を受けた事が明らかである。ワンダーフォーゲルのセンターとしてのユースホステルが早くからドイツをはじめ欧米各国に数多く建てられた。ユースホステルの目的については，国際ユースホステル連盟規約の第7条に「ユースホステルは万人とくに青少年が旅行する際にホステルその他簡便な施設を供与することによって彼らが田園山野に対する理解を深め，これを愛惜するように導く事を根本の目的とするものである」と規定されている。青年の家は青少年の野外活動の拠点としての性格が強かった。青年の家の源流をたずねる場合ユースホステルは何としても逸してはならぬものの一つである。

② キャンプ

次に青年の家に影響を与えているものにキャンプがある。

キャンプの目的は何か，これを列挙すると凡そつぎのとおりになる。

1．自然生活に適応する能力を養成することによって生活技術を養う。

2．健康な体力を養いそれを通して健康な明るい人格をつくりあげていく。

3．単純な生活のなかから生活することの工夫をうみだし創造力を高めていく。

4．集団生活の経験を通して民主的な考え方と生活態度また社会に対する責任感を養っていく。

5．余暇を健康的な健全なものとして楽しく利用していく。

つまり，キャンプのねらいは大自然の中で単純な共同生活を行なうことによって協同の精神や責任感を養い，また社会生活上必要な能力，生活技術を体得させ，青少年の健全な心身の発達を図る点にあるといえよう。しかもキャンプで最も大切なことは共同生活を営むことである。共同宿泊の生活に大きな教育的意義を見出してこれを標榜する青年の家にとってこれらキャンプの考え方が相当の影響を及ぼしていることは否めない事実であるといえる。

2）わが国に源流を求められるものA

ユースホステルやキャンプが青年の家の源流となっていることは上述の通りであるが，青年の家に影響を与えているのはこれら欧米からの外来のものだけではない。わが国の伝統に根ざすものがあったことを忘れてはならない。むしろこの伝統的素地の上にユースホステルやキャンプの考え方が根を下したと見る方が正しいともいえよ

う。
　紙面の制限の都合上箇条書に列挙してみると
1) 漢学塾
　その特色
　　1．自由な経営
　　2．個別教育
　　3．一般教養の重視
　　4．協同社会性の教育（同門の契が堅い，師弟同行）
2) 塾風教育
　第1次世界大戦後の農村不況対策としてその指導的中堅人物の養成，学校教育に対する批判
　　1．勤労をさける傾向がある。
　　2．一斉教授による知識のつめこみ
　　3．教師と生徒との間の人格的接触がうすい
　　4．宗教的教育の欠如
　その特色
　　1．師弟間の人格的接触
　　2．精神訓練の重視
　　3．勤労による教化訓練
　　4．寄宿舎での集団生活
3) 日本国民高等学校
　デンマークの国民高等学校の影響を受け，高等教育にめぐまれない国民，主として地方農村の青年に教育の機会を与えようとする成人教育の施設
　1914年（大正3年）山形県立自治講習所（加藤完治）
　1926年（大正15年日本国民高等学校）（加藤完治）
4) 農民道場
　1934年（昭和9年）
　農村の自力更生の担い手としての中堅人物の養成，職員生徒一体の実習訓練をして勤労精神の涵養に努める。
5) 経営伝習農場
　農業技術の高度化おびよ農業経営の規模拡大やその企業化に応ずるための農業生産人の養成（一般教養，職業訓練）
　わが国に源流を求められるもの B
1) 若衆組
　若衆宿は土地によって若者宿，寝宿，泊り宿，若屋，若い者部屋，小屋または単に「やど」等と呼ばれ江戸時代の青年団体であった若衆組の集合所であった。ここでは部落の一員たるにふさわしい基礎的性格の形成と村落生活に必要な技術の習得が目指された。つまり村の青年の訓練の場所であるとともに，一面楽しい仲間づきあいの場所でもあったのである。
2) 日本青年館
　この若衆宿の流れを受けたものとして最も注目すべきものは，田沢義舗等の努力で作られた日本青年館であろう。日本青年館が完備した宿泊施設を持って共同宿泊交歓の場として

の実を挙げながら，さらに研修，研究の機能も果しているのは，若衆宿を近代化しこれを全国的な規模で壮大なものにしたものともいえる。青年の家に影響を与えていることはいうまでもない。

3) 青年団講習所

いま一つ特異な存在として，下村湖人の青年団講習所を挙げることができる。湖人は昭和初頭の人間性を無視した強圧的な鍛錬主義の教育に反対して良心を持った自主的人間の育成をめざした。そのために横の関係を緊密にする修練に重点をおき，温かな雰囲気の中で日常生活を深め高めることに努力したのである。湖人の作である次郎物語第5部に書かれている友愛塾の記録はこの青年団講習所の実践記録であるといわれている。この講習所は時局の緊迫化に伴って極めて短時間で閉鎖せざるを得なかったのであるが，戦後この教育実践が高く評価されて青年の家に強い刺戟を与えたということができよう。青年の家の源流を探ると，以上概観したように外来の流れと伝統的な流れの2つの流れを認めることができる。そして，この双方がお互いに交錯して青年を対象とする共同宿泊訓練の歴史が築かれたと見てもよい。青年の家は，この歴史の流れの中で時代の要求に応えて近代的な構想の下に設置された青年のための社会教育機関である。青年の家の今後の発展のためには，その源流を探究することによって青年の家に影響力を持つと思われる各種教育の長短を吟味し，その短所を捨て，長所を取入れる態度が望まれる。

※青年の源流

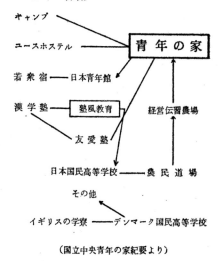

（国立中央青年の家紀要より）

③ 本土における青年の家の現況

1) 青年の家設置数（昭和40年3月31日現在）

県立	64ヶ所
市立	32
町立	7
組合立	12
国立	2
計	117

2) 運営の状況

主催事業施設70設の中　2ヶ所　2.7%
主催事業と施提供設　52ヶ所　71.3%

施設提供のみ　7ヶ所　8.6%
その他　　　12　　16.4%
3) 青年の家の事業内容（調査対象61ヶ所）

研修　　　　36ヶ所　58.3%
職業　　　　1　　　1.7%
野外活動，レク　8　　13.3%
各種事業　　16　　26.7%

事業内容別に分類すると
(1) 講習，会議型
(2) 職業教育型
(3) 体育レク，野外活動型
(4) 施設提供型
(5) ①～④総合型

4) 青年の家における生活指導のねらい。
① 自主協同の精神を養う
② 勤労と責任を重んずる態度を養う
③ 健全な余暇利用の習慣を身につけさせる
④ 規律ある生活態度を養う
⑤ 教養，技能を高める
⑥ 心身共に健康な青年を育成する
⑦ 真理と正義を愛する心を培う
⑧ 互いの人格を尊重しあう態度を養う

④　沖縄の青年の家

青年の家の敷地は1965年8月25日の中央教育委員会議案15号によって名護町字名護岳の後5,511番地に決定された。同敷地は1万坪で名護町が整地して政府に無償で貸与することになっている。同敷地は城川ダムと渓谷に狭まれた標高120米の高台地で北から西側にかけて北部の連山に包まれ一望緑の林に囲まれた幽すいの地であり，近くの名護岳のふもとにキャンプ地，植物園等があり，南側は東支那海に臨み名護町や北部の村落が一眺の中にパノラマのように開け，風光明眉で実に恵まれた環境である。

青年の家の設計は那覇市与儀の現代建築設計事務所が1965年11月30日までに行ない，1966年2月8日に南洋土建会社と建設工事の契約が結ばれ同年2月13日着工され現在急ピッチで工事が進められ今年の10月に竣工の予定である。

施設の内部の主なものは講堂，宿泊室（和室，洋室）図書室，食堂，事務室，入浴室，炊事室等が設計されていて収容人員は100人となっている。

運営については目下検討中であるが青年団体代表や各社会教育関係団体の代表や学識経験者をもって運営委員を組織して民主的に運営されなければならないと思う。1966年度の青年の家の予算をご参考までに列挙すると，

建設費総額　　　　$96,250
　内　訳
　事業用備品費　　14,083
　施設費　　　　　79,167
　測量設計費　　　 3,000

予算総額96,250ドルの内74,600ドルは本土政府の援助となっている。青年の家は沖縄ではじめての勤労青少年の教育施設であり，竣工された暁には環境整備を行ない運営面に工夫と研究をこらし，青少年に魅力ある施設たらしめる必要があります。そのためには今後関係機関団体の皆様よりのご批判とご指導，ご協力をお願い致します。

少年科学の日について

高校教育課主事
城間正勝

"少年科学の日"は、アメリカの科学者トーマス・アルバ・エジソンの誕生を祝って行なわれる行事で、国際的にはニューヨーク市のトーマス・アルバ・エジソン財団の後援になり、地元では米軍技術者協会沖縄支部、琉球電力公社、沖縄配電協会および琉球工業連合会の後援で行なわれています。

この行事は、"国際エジソン誕生祭"とも、或いは単に"エジソンデー"とも呼ばれ、アメリカでは全国的な行事になっているようです。

沖縄では、1962年から行なわれ、今年は第5回になります。毎年、先島、久米島を含む全琉の高等学校生徒約200人が参加して行なわれ、米軍施設

や沖縄の民間工場を見学して、科学についての新しい知識を吸収するとともに、沖縄の産業について認識を新たにしています。

今年も2月10日，11日の2日間，全琉の政府立，私立の高等学校から231人の生徒教師が参加して，次のような場所を見学しました。

なお，2日間とも昼食は後援者側から提供され，ゲストスピーカーから科学についての講演や，激励の言葉がありました。

2月10日（木）
1　嘉手納空軍基地
　　a．飛行場
　　b．計算器室
　　c．電話交換室
　　d．航空実地訓練部
2．金武発電所
3．タイベース浄水場
4．アメリカン・パイプ工場
　昼食（嘉手納空軍兵クラブ）
　紹介の言葉
　　米軍技術者協会
　　少年科学の日実行委員長
　　　ワルター・F・ピンカート氏
　来賓あいさつ
　　第313空軍師団長
　　　ジェイ・T・ロービンス少将
2月11日（金）
1．沖縄ガス会社
2．沖縄製粉会社
3．沖縄テレビ局
4．具志堅醬油工場
5．国場ベニヤ工場
6．拓南製鉄工場
　昼食（沖縄配電ホール）
　紹介の言葉
　　　ワルター・F・ピンカート氏
　来賓あいさつ
　　琉球政府行政主席
　　　松　岡　政　保　氏
　　米国民政府公益事業局長
　　　ハーリントン・W・カークラン大佐

※米軍技術者協会奨学金

この行事の一環として，米軍技術者協会では，今春，琉球大学の理工学関係の学科に入学する生徒を対象に科学論文コンテストを行ない，最優秀作品一編を選んで奨学金を贈ることになっています。

※青銅メダル付きエジソン財団賞状

科学論文コンテストで入賞した学生には，エジソン財団賞状とトーマス・アルバ・エジソン百年祭メダルが贈られます。

金武発電所

電力の経済的発電
および配電所への
送電方法について
説明がなされた

アメリカン・パイプ会社

島内で得られる材料（セメント、砂利）を利用して高圧コンクリート・パイプをつくる

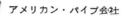

金武発電所内部で
説明を聞く

沖縄ガス会社

この工場では，重質燃料油をガス化する化学および物理的工程の実地説明が行なわれた

製粉過程・ビタミン添加の方法について実地説明があった

沖縄製粉会社

インゴット（鋳塊）を生産する
くず鉄の電気熔融についての実
地教示があった

拓南製鉄所の
　製鋼工場

計算器室および収容能力な
らびに産業面えの応用など
の実地説明

IBMの説明

エアメンズクラブ（昼食）

ベニヤ板の生産工程の実地教示があり、又ベニヤ板の保護のためにつかわれる種々の殺虫、殺菌剤についても説明があった。

国場ベニヤ工場

具志堅醬油工場

醬油製造元の化学物理的工程について実地説明があった。

教育区の予算編成について

調査計画課主事　賀数　徳一郎

プロローグ　予算編成の時期になりました。来年度は地方財政の規模がこれまでにない画期的な拡大が予想されます。本土政府による義務教育諸学校の教職員給与半額国庫負担をはじめ教育費援助の増大によって、教育水準の本土並引上げが叫ばれるようになり、一方では父兄負担教育費の軽減が課題になっています。
昨年の立法院議会で教育委員会法の一部改正が行なわれて、教育税が廃止されて市町村税へ一本化され、市町村交付税の算出に教育費需要分を含めることになりました。この措置によって住民の負担が均衡化され、さらに教育区間の財政力のアンバランスは是正されることになりますので、地方における教育財政は大幅に改善される見とおしであります。しかるに今回の改正に伴なって従来教育区で独自に編成していた教育予算は、市町村議会の議決を経ることになりその編成の過程が複雑になっております。
ここに登場する会計係のAさんは、新しい制度に大きな期待と不安のご様子で、局のBと予算編成手続について話し合っています。

対話－1－
（**A**）昨年7月会計係になったばかりで、この頃どうにか教育関係の事情や会計事務の内容がわかりだしたところです。しかも来年度から予算編成方法がガラッと変ると聞いて……
（**B**）初めての試みですので、よく検討していくといろいろと疑問な点が生じてくるかと思います。その点についてはずっと会計係をやってこられた方や、市町村の財務担当者の場合も同様に感じておられるのではないでしょうか。
　なお政府においては、今回の教育委員会法一部改正の趣旨にそうように、総務局と文教局とがよく話し合い、地方の教育行政が円滑に運営されるように助言を行なう方針であります。
（**A**）教育委員会の会計指導はどの課が所管していますか。
（**B**）地方教育委員会の会計事務指導と財務監査は経理課の所管です。市町村交付税法に基づく教育費の計画と地方教育委員会の予算決算指導は、調査計画課が担当しています。なお全

般的なこと，地方教育委員会の行政上の連絡，助言の主管課は義務教育課であります。

（A）ところで，教育区の予算編成の過程を順を追うて説明してください。

（B）では，まとめて説明しましょう。

教育予算編成の順序

1．予算見積りの調製

（1）予算資料の収集　委員会事務局においては，予算の編成にとりかかるとき，前もって学校長へ資料の提供を求める。なお政府の予算編成方針，その動向に注意し，市町村に関する資料を入手する。

（2）教育長の助言に基づき予算編成方針の決定　教育の専門家である教育長の指導助言に基づき，区委員会の予算編成方針を決定する。

（3）予算見積り原案の作成　まず予算編成方針に基づき，予算資料を分析検討して教育費需要を正確には握する。法令の定めるところに従い，合理的な基準によってその経費を算定し，予算に計上するように努める。見積書の様式は中央教育委員会の助言した様式（99号の解説参照）による。

なお，見積りの作成にあたっては，市町村の一般行政と教育行政が均衡を保つようにお互い相手の立場を正しく理解し合うことが，地方の教育行政の向上にとって最も大切なことです。予算編成を円滑に進めるには事務段階で市町村教育費負担金の見通等財源の検討が必要であろう。

（4）予算見積りの調製　事務局で作成した見積りを検討し，これを区委員会で議決する。

2．予算の見積りを市町村長へ送付

区委員会で調製した教育予算の見積りに，明細書及びその他の説明書を添付して市町村長へ送付する。なお，財産表については統一様式が示されていないので，市町村の場合に準じて作成する。

3．教育予算の調製と議会への提出

市町村長は区委員会の作成した見積りの送付を受けると，それに基づいて予算を調製し，議会へ提出する。（52条1項）市町村長と議会との関係については，教育委員会法に別段の規定がないものは教育委員会法の立法趣旨に反しないかぎり市町村自治法の規定に準じて運営すべきである。

4．教育予算の議決

教育予算は議会の議決によって成立する。

対話 ― 2 ―

（A）予算編成の経過は一応理解できました，それに関連して疑問な点がありますが……

（B）どうぞ…文教時報の「教育費講座」（99号の81頁）に教育予算編成の手続の図解がありますので参考にして

ください。
（A）学校長が作成する資料のフォームというか，所定の様式がありますか。
（B）一定のフォームはありません。学校数の少ない教育区はともかく，多い教育区の場合には，事務局で様式を示した方がその後の資料の検討または査定に都合がよいと思います。連合区で統一した様式を用いるのも一つの方法でしょう。
（A）予算編成まえに研修会を予定しておりますか。
（B）局としては，5月に予算編成上留意すべき事項ならびに財政資料の提供を考えています。前後して教育長から編成方針の助言および連合区内の統一事項など具体的な指導があると思います。
（A）よろしくお願いしますよ。
（B）こちらこそ，皆様のご協力をお願いします。会計係は忙しくなりますね。これからは学校の校長先生方も予算に関しては，今まで以上に関心をもち勉強されるでしょうし，負けないように研究していただかないと…
（A）基準財政需要額や市町村交付税のしくみの勉強もあるし，それに市町村当局との交渉もありますからこれからが大変です。
（B）たしかに，従来よりは市町村当局との関係が密接になりますから，教育行政だけではなく，市町村の一般行政についての勉強も必要になってくるのではないでしょうか。なお市町村当局と議会の方々にも学校教育および社会教育の内容を正しく理解していただくこと，いわゆるPRが大切だと思います。なお予算編成をスムーズに行なうためには，事務段階での調整が重要になってきます。
（A）議会では市町村負担金の部分だけが審議の対象になるのでは…
（B）いいえ，それは違います。
教育予算は全面的に議会の審議対象になります。もちろん審議の主眼は市町村負担金におかれるべきであり，特定財源即ち政府補助などのヒモ付の財源について修正を加えることは，意味のないことだと解しています。
（A）私のところでは心配ありませんが，かりに事務的な話し合いがつかないままに，委員会で決定して送付した予算の見積りを市町村長が減額した場合は，どうなりますか。
（B）かりにそういう事態が生じた場合の措置が教委法第51条の規定です。市町村長は減額しようとするときは，区委員会に対して文書で意見を求めてきますから，文書の内容を検討して同意できれば，それで問題が解決しますが，不一致の場合には，市町村長は減額した教育予算案とその外に区委員会から送付された予算の見積りを区委員

会の意見書に添付して議会に提出することになります。最後の決定権は議会にありますので，市町村長の案を是とするか区委員会の要求を認めるかは議会が決めるわけです。

（A）教育委員会法の一部改正は1966年4月1日から施行されるが，現年度の決算も議会の議決を必要としてますか。

（B）現年度すなわち1966年度の予算，出納および決算については，附則の経過措置で従前の例によることになっておりますので，必要ありません。

（A）教育区の予算様式については前号の解説でよくわかりましたが，予算科目は別表第1に示されている科目以外に，新たに設けても差しつかえないですか。

（B）歳入および歳出の款項目の区分に関しては，次の点に注意していただきたい。

①款は歳入が7款，歳出が5款から成りたっており，新たに款を設置したり，削除することはできません。頭書の番号は固定番号で，その順に予算に計上します。

②項についても款と同様ですが，款の場合にはある科目の金額のあるなしにかかわらず予算書に予算科目を記載しますが，項の場合には該当する科目がないときは記載を省略してもさしつかえありません。予算科目名の頭書の番号を繰上げることはできません。

③目については，その教育区の規模，特殊性などにより独自の目を新設し，または該当しない目は削除してもよいわけです。したがって頭書の番号は単に順序を示しているにすぎません。しかし勝手に目の新設をしますと，科目を統一した趣旨に反し，他の教育区との比較に困りますので，新設のときにはあらかじめ申し出ていただきたいと考えてます。

（A）財産表の様式はどうなりますか。

（B）作製は市町村に準じてなさったらどうでしょうか。本土の決算附属資料の一つである「財産に関する調書」（地方自治法施行規則の様式）が参考になります。

（A）財産表はいつ現在で作製しますか，決算の場合には会計年度末日現在にすればよいわけだが…

（B）予算審議との関係もあり，学年度末の3月31日現在がよいでしょう。財産は教育委員会所有の公有財産，おもなる物品，債権および基金について作成すればよく，教材教具の目録まで含める必要はありません。

（A）歳出予算の節は市町村が43節にたいして，教育区では28節に区分されていますが，どこに大きな差異がありますか。

（B）ご承知のとおり本土では財務会

計制度の改正が行なわれ，節について
も43の節が28にまとめられた。総務
局地方課と話し合い，28節の方を採用
することにしました。現在市町村の財
務会計制度は改正前の方法によってお
（第1表）

り，1968年度から改正の意向とか聞い
ておりますし，この点は一歩先んじた
ことになるわけです。市町村の現行の
節との比較を示しますと第1表のとお
りです。（1966年3月）

市町村現行の節との比較対照表

教　育　区	市　町　村	教　育　区	市　町　村
1　報　　酬	1　報　　酬	13　委　託　料	22　委　託　料
2　給　　料	2　吏　員　給	14　使用料及び賃借料	20　借料および損料
	3　給　　料		
3　職員手当	5　職員手当	15　工事請負費	24　工事請負費
4　共　済　費	32　負担金，補助及び交付金の一部	16　原材料費	26　原材料費
	33　保険料の一部	17　公有財産購入費	28　施　設　費
5　災害補償費	6　災害補償費	18　備品購入費	25　備　品　費
6　退職年金	7　退職年金および退職一時金	19　負担金，補助金および交付金	32　負担金，補助及び交付金
7　賃　　金	9　賃　　金		
8　報　償　費	8　報　償　費	20　扶　助　費	39　扶　助　費
	27　買　上　金	21　貸　付　金	35　貸　付　金
9　旅　　費	4　旅　　費	22　補償，補塡および賠償金	29　賠償および違約金
10　交　際　費	10　交　際　費		31　補償金および補塡金
11　需　用　費	11　消耗品費		42　繰上充用金
	12　燃　料　費	23　償還金，利子および割引料	29　賠償および違約金
	13　食　糧　費		30　利子および割引料
	14　印刷製本費	24　投資および出資金	36　投資および出資金
	15　光熱水費	25　積　立　金	37　積　立　金
	23　修　繕　料	26　寄　附　金	40　寄　附　金
12　役　務　費	16　通信運搬費	27　公　課　費	41　公　課　費
	17　保　管　料	28　繰　出　金	34　他会計へ出繰
	18　広　告　料	（注）38　繰替金と43予備費は廃止。	
	19　手　数　料		
	21　筆耕翻訳料		
	33　保険料の一部		

理科を中心にみた
台湾の学校教育視察

民政府教育局

石 島　英

　以下は1966年3月10日から3月31日の3週間，理科センター指導主事松田正精，吉田一晴の両氏とともに，台湾の理科教育視察を行なったときの私の記録および感想である。

台湾の学校教育の概観

　理科教育の問題を云々する前に，台湾の学校教育の実態を簡単に説明する手もとにある資料（1963～64学年度）によると，

	幼稚園	小学校	中学校	職業学校
校数	588	2,067	361	114
生徒数	75,413	2,148,652	423,865	96,921

	師範学校	大学
校数	8	35
生徒数	4,548	51,707

　義務教育課程は小学校（台湾では国民学校と称す）だけに限られ，それ以上の高度の教育を志すものには，各自の能力および適性にしたがって，中・高等学校（台湾では初級・高級中学）職業学校，師範学校への道が与えられ更に大学教育へ進むことが出来るようになっている。私どもの直接関係する中学校，高等学校教育は総称して中等教育と呼ばれ初級中学校，高級中学校で行なわれている。一般的特徴として，学校規模が大きく5000以上の在席数の学校は珍しくない。

　中国台湾のことについては〃二つの中国〃などと言われるゆえんもあってその内情を正しく理解している方は案外少いと思う。然し端的にいって，中国大陸も含めた全中国の代表機関であるべき中国中央政府なるものが大陸と比べるならば余りにも小さい台湾省（Province）にあり，そのわけといえば，やや誤解を招くかも知れないが，中国の中心首都といわれる場所が，様々な政治情勢の悪化に伴い，北京から南京，南京から台湾へと南下し，台湾に中国の中央政府が維持されているという具合に説明すれば理解出来よう。故に現在台湾に中央政府（Central Government）と省政府（Provincial Government）がある。

　義務教育の小学校は全部省立で省政

府の教育庁の直接の管轄にある中，高等学校は国立，省立，県市立など，様々である。大学には国立か省立かのちがいがある。私立の学校も小，中，高校も各教育レベルに見られるが勿論私学，公学いずれを問わず，すべての学校機関は中央政府の教育部（文部省に相当）の政策下にある。

台湾の学校規模が，前記したように大きいせいか，教職員の職務が明確に区分され，大抵の学校が，校長の下に教務部，総務部，訓導部を設け，各部に主任を任命し，各分野の事務を能率的に進めている。教務部主任は実質的に，沖縄の学校の教頭に当ると思われるが，訓導，総務主任との間に職務の分担が行なわれているので，仕事量の過重，事務の混乱などの問題がないように思う。

軍訓（軍事教練）はいかなる学校にも必須教科として課されているが，規律正しさ，整理，整とんの学生の気風は大いにこの影響であろう。カソリック教団の資金による私立の東海大学すらこの軍訓は必修ということである。私どもが参観した国語実験小学校の授業終了の集会は先ず，吹奏楽団の拍子とともに国旗が掲揚され，次いで校長先生のあいさつ，国歌斉唱，次いで勇ましく木棒を腕にかかえた週番の指揮官が，下校の際の混雑，不秩序をさけるために小連隊を編成して誘導して帰宅させるといったものものしさで私共に20数年前の戦時中の頃を思い起させた。

台湾省立師範大学と中・高等教育

台湾の学校教育のあらましはだいたい上述した通りであるが，次に師範大学が政府の教育部および省政府の教育庁のもとにいかに中学校，高等学校の理科教育に新しい動きをとり入れるべく努力しているかを見よう。

科学が日々急速に進歩発展していく今日の社会に於いて，中高等学校課程の理科教育が十分その効果をあげていないことが先ず米国で反省され，科学者，教育者，教育行政家などの集まりであるPSSC（物理），BSCS（生物），CHEMS（化学）ESCP（地学）などの委員会が従来の高等学校の教科内容および指導方法の審議検討を行ない，その結果生まれたPSSC物理教科書，BSCS生物教科書，CHEMS化学教科書があることは周知の通りである。

台湾も既に5，6年前から米国の反省を自国の反省となし，中，高等学校の科学教育に対する独自の積極的な方針を打ち出しPSSC，BSCS，CHEMSの新しい概念を取入れるべく受け入れ準備をすすめてきている。先ず物理の場合台湾中央政府の教育部から動き出し，教育家，科学者，行政官，一般人（非専門家）等の30余名を召集

し，台湾の高等学校の物理の教科内容及び指導方法の審議委員会を形成した。この委員会には師範大学の物理教授職員が7名も参与しており，これらの師範大学の諸先生が次のような点で高等学校の物理教育のざん新に貢献している。
1) 台湾の地域性を考慮したPSSC物理教科書の再編さん。
2) 備品の製作及びその充足普及。
3) 新しい教科内容の導入のための現職教員の再教育。

教科書の中国語への直訳は教育部の依頼により出版会社のスタッフが行ったようであるが，それは単に生徒の自学自習を助ける参考書として市販されている。実際，学校が採用するようになった教科書は，PSSCの原著を上に紹介した研究委員会が台湾の地域性を生かして再編さんしたものであり，物理の教科書は師範大学物理教授の王成春及び趙金祁両氏の編さんとなっている。教師中心の教科書から生徒中心の教科書を産み出すことがとりもなおさず，PSSCのモットーであり，常に生徒が実験を通して学習できるように考慮され，同時に生徒は実験器材にいやが応にも親しむことができるようになっていることがポイントであろう。

1964年には二つの普及班が省政府の教育庁の援助のもとに出来上がり，1組は新しい実験備品キットの展示や演示に当たり，他組は地方の教員に教科内容及び指導方法についての技術的指導を与えている。また中央政府の教育部は台北，新竹，嘉義，高雄の4箇所に実験学校を設け，まずそれらの実験学校を深化することによって台湾全島に散在する大小の中・高等学校にできるだけ効果的にこの新しい科学教育が浸透できるような機構を作り出している。

新しい教育方法の導入と同時に生じてくる現職教員の再教育の問題はどうなっているか

師範大学の某物理教授の説明によると，台湾の中・高校の物理の教員の総数はおよそ500名であるが，その中で僅か150名が純粋に物理教員としての有資格者であり，200名が応用物理または工学系統の出身者であり，残った150名は全く物理とは縁故のないつまり傍系の教員ということである。
師範大学は同校の科学現職教員訓練センターで，第一種の物理有資格教員150名に2週間，第二種工学系出身の200名に5週間，第三種の全然傍系の教員150名に6ヵ月の再教育訓練を実施している。

以上は台湾中央政府及び省政府の政策のもとに師範大学が従来の高等学校物理の欠点を改めるべく，新しい諸国

で定評を博しつつあるＰＳＳＣの物理教科書をどのように導入してきたか，話を物理に集中してみてきたが，化学や生物の場合もだいたい同様な方法で従来の教科書をＣＨＥＭＳやＢＳＣＳの教科書に改めている。

師範大学の生物学教授才定邦氏が私どもに懇切にＢＳＣＳの出版した三種の黄，青，緑表紙の教科書の特徴について説明してくれた。ドイツ及び米国で教育を受けられた同教授は歯切れのよい英語でとうとうＢＳＣＳの歴史とその教科書が諸外国でいかに広く普及されているかを講義され，まるでＢＳＣＳ以外の教科書は役に立たぬといった調子であったが，ただ台湾に実際この種の教科書を取り入れる際に台湾の学校の諸事情を慎重に考慮しなかった事実については，やや批判的であった。同氏の説明によると黄，青，緑のどの教科書もその75％は同内容を織り込んであるが，黄色版は細胞，遺伝，進化を重点的に記述し，青色版は生化学，生態学等に，緑色版は発生，分類等に夫々特徴が表われている。どの教科書も生徒の学習効果をあげることを第一に考慮し，従来の記憶本位の生物の学習方法を改善すべく沢山の実験による学習単元が設けられている。

化学については，同じく師範大学の化学科の副教授張保寿氏の指導，説明を聞いた。同先生はＣＨＥＭＳとＣＢＡの相違点を指摘し，ＣＨＥＭＳが化学全般を平易な言葉でどちらにもかたよらず取り扱っているが，ＣＢＡは特に化学結合の問題を高校レベルは不必要と考えられる程度に理論的に扱っていると語った。またＣＨＥＭＳの方が台湾の高校教育の制度上からいってもちょうど適当と考えられるので，それを教科書として採用したという説明であった。一般的にいって，ＰＳＳＣの物理教育の導入については用意周到に準備態勢がとられたようであるが，化学，生物はちょっと等閑りにされた印象を受けた。

補足しておくが，どこの高等学校でも１年次には生物，２年次には化学，３年次には物理を課し，３教課制で，地学教育は全然かえり見られていない点は少し意外であった。また新しい教科書への切り換えは，今のところ高校課程の理科において行なわれており，中学校課程の教科内容の検討は逐次に将来実施していくということである。

理科実験学校の使命

台北，新竹，嘉義，高雄に設けられた４個所の実験学校のうち，新竹を除く学校を参観した。先ず驚異に値することは，どの実験学校も科学館と称する特別教室，準備室の建物を独立にもつことである。とりわけ嘉義中学校は理化学館及び生物館と独立に二つの

建物を有する。

　以下しばらく嘉義中学校の事について紹介しよう。私どもは先ず理化学館で行なわれた2年次のCHEMS教科書による化学の定性分析の実験、3年次のPSSC教科書による遠心力及び弾性率の測定実験及び講義を参観し、次に生物館とおける1年次の生物実験、食物に含まれる栄養素の指示薬による判定を参観した。一般に学級サイズは大きく50～55人は珍しくなかったが、実験の場合は特別教室に設置された大型の9，10個の実験用テーブルに5，6人ずつ割り当てるので、まあまあといった感じがした。理科の講義は円弧を描いた階段式テーブルがあり、また視聴覚設備を効果的にとりつけた特別教室において行なわれている。嘉義中学校で発案したと言われる視聴覚の装置は、授業中に教室を暗くすることなく、直ちに黒板の上部のスクリーンにフイルムを映写する事ができる便利なものである。特別教室に隣接する準備室でプロジェクターおよびフイルムの操作を行ない、反射面鏡の特別なしくみによって像が隣りの特別教室のスクリーンの上に結ぶようになっている。また、生物実験の始まる前に準備室をのぞいたら、次の実験に必要な備品、材料がきちんと、参加するグループ別に準備されていたのは授業前の教師の心構えの良さを物語ていると思った。嘉義中学校に限らずどこの学校でも理科の正教員の他に実験助手および教室の清掃、備品の整理・管理に当る用務員が割当てられているが、この人達が、実験前の準備の際などには大いに力を貸していることと思う。

　校長、教務主任（教頭に相当），物理，化学，生物の担当の教諭と座談会をもったとき，教務主任から実験学校として嘉義中学校が果してきた役割について説明があった

　1．嘉義中学校を1つの自営体として出来るだけ，理科教育に必要な備品器材を学校自体で製作する。

　2．嘉義中学校の所轄区域内に散在する全ての学校教員に新しい理科教育のあり方を指導する。

　3．嘉義中学校の優秀教員を台北の師範大学または米国の大学に研修のため派遣する。

　実際嘉義中学校で製作した一般科学備品が16校へ，PSSCに使用される専用の備品が80校に供給されている。また修理を要する備品は当校に回収され，修理，修繕するサービスもしている。1963～64年には80校から集まった400人の無資格の理科の教員を対象に研修会を開いている。研修以外は，参加した教員の勤務する学校を訪れて，以前に行った研修が効果をあげているかどうかをみると同時に現場の教師の

問題解決，および指導に当っている。嘉義中学校の先生方は，口をそろえて，これらの諸任務を難なく果すことが出来るのは，1つに教職員の異動が極少であること，2つに中央政府の教育部および省政府の教育庁の特別な配慮と財政的支援があることをあげた。

参観したその他の実験学校に台北1女中学，高雄中学があるが，嘉義中学校と次のような点で共通する性格をもっている。

1．独自の科学館があること。特別教室の数は生徒の在席数に比べると必ずしも十分でないが，特別教室利用時間割表を作成して，十分に活用している。

2．理科担当教師には助手の割当てがあること。また科学館の清掃，整理，管理する用務員がいること。

3．実験器具備品の自作。

4．視聴覚技術の導入および図書の整理，充実。

5．現職教員の研修

6．教員の異動が極少

通常学校（実験学校でない）の例，

これまで，実験学校の特色について述べたが，次に少し，実験学校に指定されていない普通一般の学校の実態を紹介したい。台北の成功中学，新竹の楊梅中学，台南の台南女中学を視察したが，ここでは楊梅中学の事だけをとり上げよう。日本人か中国人か判断がつきかねる張芳杰校長先生は，日本語中国語をどちらも母国語のごとく，流調にしゃべられた。戦前は日本教育にたずさわっていられた同氏は終戦後設立したこの学校に校長として18年も勤続しておられる。頭が殆んどはげた退職に近い（本人は73歳と紹介した）校長先生は育才宏教というモットーを校長室に勇ましくかかげ，生徒数1,700人，学級数33，教員数66人の学校経営管理にエネルギッシュな活動振りを見せていられる。楊梅中学は中学部と高校部の併置校で，中学部24学級，高校部9学級。中学部の方は1学級56人，高校の方は45人という意外にも大きなクラス編成である。教室数がいかに不足しているかがうかがえる。反対に教職員の数は1学級2人の勘定で66人（中高校併せて33学級）事務職員19人，給仕用務員5人といった人事。従って教員の担当時間数は軽減され，中学の場合で1週20時間，高校で17〜18時間程度。

この学校にも実験学校と同様に科学館を独立に保有し，その中に理化学講義室，実験室，準備室，視聴覚電影室兼音楽室等があった。技術，家庭科の教室は，その絶対数に足らない上に，狭少で廊下を使用している生徒もいる状態であるけれども整理整頓が行きとどき，不自由な中にも知恵をはたらか

し合っている様子がうかがえた。愛惜金銭，更要愛惜時間，人生以服務為目的等の学生訓とでもいうか人生訓とでもいうか教師訓とでもいうか，精神のささえとなる文句が給食準備室の壁に大きく輝いていた。

私共の参観した中学2年の授業では水の表面張力，毛細管現象の単元が指導されたが，初めの30分4，5人のグループ編成になった生徒が教師の指示に従った実験を行ない，次いで10分間TVプロジェクターを使用してその教材に関するフイルムを映写して生徒各自による実験の反省に供し残った15分を質問，応答形式がこの単元で習得されるべき諸点に関する理解の程度を評価するという式の授業であった。

国立教育資料会館の活用

この報告の最後に，台北市の中央部にある国立教育資料会館や科学館の内容をちょっと紹介したい。

その一区画にはその他芸術館，図書館，博物館等もあり，さながら台湾の文化教育の中心街といった感じがしたが，特に国立教育資料会館と科学館の存在は少し珍しい。国立教育資料会館には，様々な教育に関する統計資料が集録掲示され，誰にでも1目して，台湾の教育の現状がわかる。諸国家で使用されている教科書を一室に集め，特に小，中，高等学校のカリキュラムの研究を進めている。はじめて設けられた教育テレビ番組作製および放送もこの会館で行なわれ，台北市内の全域に教育電波を流している。視聴覚の教材の製作研究もここで行なわれ，またこの会館から各地方の学校への貸出しも行ない，視聴覚教育の普及につとめている。

科学館について先ずあげたいことは1年1回大規模な科学展覧会(Science Fair)を行ない科学に対する学生および教師の研究意欲をそそることである。（去った3月31日に2人の沖縄の高等学校生徒とその引率教官の具志清治先生が，今年度の科学展覧会に参加された。）Science Clubの事務局もやっぱりこの科学館内にあり，現場の理科教員の会員から訴えてくる科学教育上の問題解決に専門的助言を与える役割を果している。私共の目をひいたものにドイツ製のプラネタリウムがあった。暗堂の中に夜天を眺めて単なるロマンチックなムードを味わう一般の博物館にあるプラネタリウムと違って，見学する生徒が天文宇宙の構造についての学習が同時に出来るような教育効果を狙っている。

資料会館にしろ，科学館にしろ，全般的に言えることは，台湾の人々が出来るだけ子供たちの為に教育の便宜を取計って良い教育の場を作ろうと努力していることである。

むすび

以上見たままを簡単に台湾の理科教育視察の報告をさせていただきましたが，これは別に台湾の教育実態を批判することを意図したものではなく，唯単に，沖縄の人々に台湾の重点政策である中高学校の理科教育の振興がどのように実施されているかを知る1つの資料として供する積りで書かれたものである。最後の余白を利用して，私どもの視察期間中の日程を有意義に計画され，又各訪問学校，教育機関との行政的諸連絡をとっていただいた台湾中央政府，教育部，新科学教育教材編集官，干済昌氏に深謝したい。

嘉義中学の理科教育と施設

科学館特別物理教室における物理の講義

科学館特別化学教室における化学実験

生物館

生物館特別教室における生物の講義

体育館内部

講　堂

教師との座談会

省立台湾師範大学
視聴覚館前にて

すべての青少年に組織的な教育の機会を
◇「後期中等教育のあり方について」◇ 中間報告発表

　中央教育審議会はさる4月28日総会を開き，第20特別委（主査…平塚益徳氏）が「後期中等教育のあり方について」の中間報告を行なった。この中間報告の基本的な考え方は「15歳から18歳までのすべての青少年に対し義務教育修了後3カ年にわたって学校，教育，社会教育その他の教育訓練を通じて組織的な教育の機会を提供する」ということで教育の内容，形態として各個人の適性，能力，進路，環境や社会的要請を考慮して多様化を図ることにしている。次にその全文を紹介する。

第一　世界の教育情勢とわが国の教育の根本問題
1．世界の教育改革の動向

　現代世界の一大特色は，教育の制度を改革し，教育の水準を高めるために，すべての国が最大の努力を傾けていることである。また，個々の国ばかりでなく，そのための国際的な協力体制も画期的に強化されつつある。たとえば，総数70カ国をこえる開発途上にある国家群は，ラテンアメリカ，アジア，アラブ，アフリカの4大地域において，ユネスコを背景とした国際的な協力体制をしき，教育水準の引き上げのために注目すべき努力を積み重ねている。また，先進国家群，ユネスコ，経済協力開発機構（OECD）その他の国際的な協力組織を通じて，それぞれの国の経済的・社会的発展のため，長期の教育計画立案について真剣な共同研究を進めつつある。

　とくに，フランス，西ドイツ，ソビエト連邦，イギリス，アメリカ合衆国などの先進国では，それぞれ画期的な教育改革案がつぎつぎに提出され，実行に移されている。これらの改革案に見られる共通点は，新しい時代の発展に備えて，教育の機会均等の徹底強化を期するとともに，国民各個人の能力を最高度に発揮させるため，とくに，つぎのような点が重視されている。

① 義務教育の徹底を期し，その年限を後期中等教育の段階にまで延長すること。
② 前期と後期の中等教育の連携を緊密にすること。
③ とくに，前期中等教育の段階において，個人の適性・能力を長期的に観察し，その結果にもとづく指導を組織的に行なうこと。
④ 後期中等教育を拡充し再編成すること。
⑤ 高等教育を量的に拡充するとともに，質的に強化すること。
⑥ 社会の急激な進展に対応し，新技術の開発の結果を導入して，教育の内容・方法を改善すること。
⑦ 学校外における諸教育活動を強化すること。
⑧ 基礎的・実験的な長期研究の組織を確立すること。
⑨ 以上のことを実現するための財政措置を強化すること。

これらの国々は，その教育制度の伝統においても，その財政事情や労働力の需給状態でも，それぞれ異なっているが，しかも各国の教育改革案においても中等教育の改革が共通に重視されていることはこれが今日におけるもっとも重要な国家的課題の一つであることを示すものといえよう。

2. わが国の教育の問題点

現在わが国は、その文化・科学・技術の水準の高さや経済成長の速さなどの面において、世界の多くの国々から注目されている。このことについて明治以来のわが国の教育が果たしてきた役割りはきわめて大きい。今日、学校教育の普及は世界の最高水準に達しており、教育への関心は、特別の階層だけでなく、国民一般の中にきわめて高い。

しかしながら、変革のいちじるしい現在および将来において、世界の進運に遅れることなくわが国の発展を維持し、人類社会により大きく貢献するためには、その基礎として国民ひとりひとりの持っている可能性の発現に、いっそう多くの期待をかけなければならない。また、これまでの教育においては、豊かな人間性の育成に対する配慮がなおじゅうぶんでなかった面も指摘されており、さらに、今後の教育においては、創造性のより豊かな人材の育成が強く要請されている。

したがってこの際、これまでのわが国の教育とその社会的環境に関するつぎのような問題点に徹底的な反省を加え、教育のあるべき姿を見定める必要がある。

① 学校中心の教育観と学歴偏重

わが国の教育について反省すべきことの第1の点は、根強い学校中心の教育観である。人間育成の基本的な場としては、まず家庭があり、とくに乳幼児期における家庭教育の重要性は、最近における関係諸科学の明示するところであり、各国でも再確認されている。また先進諸国では、学校教育を基礎的なものと考え、その継続発展として、社会の諸領域において一生を通じて教育を受けられる体制がしだいに整えられつつある。わが国でも、このような家庭教育や社会教育が無視されてきたわけではないが、行政面でも社会通念にしても、学校教育の比重があまりに大きく、ややもすると、それだけを教育と考える傾きがある。

このような学校中心の教育観は、極端な学歴偏重の傾向を生み出した。その結果、どんな能力を身につけるかということよりも、どんな学校に入学するかが問題となり、さらに特定の学校への志願者の集中にまで発展して、世界に類をみないわいゆ入学試験地獄を現出している。

② かたよった能力観と職業に対する偏見

わが国では、人間の能力を単に知的な側面だけでとらえ、同じく重要な意味を持つ技術的・技能的・芸術的・身体的な能力や複雑な人間関係と組織の中における社会的能力およびそれらの能力を正しく活用する道徳的な基盤については、的確な評価を怠りがちである。

このことは、わが国における職業に対する偏見と深く結びついている。職業の身分とが対応して古い時代の観念にとらわれて、各種の職業の社会的な役割りを正しく認識せず、技能的な職業に従事することを低く見る風習が根強く残っている。

そのために、学校教育でも、知的訓練に重きをおくものが重視され職業または実際生活に必要な教育はその本流ではないと見なされ、中等教育の段階における職業関係の諸学校は、傍系的な地位を与えられがちであった。

このような能力観を是正し、現代社会にふさわしい職業観を確立する必要がある。そのためにも個人の適性・能力などを的確にはあくする方法を開拓するとともに、それらに即応した多様な教育を施すことのできる体制を整備しなければならない。

③ 学校教育の形式的平等と画一化

戦後、教育の民主化をめざして学校体系の改革が行なわれた。それは、それぞれの学校段階における教育の完成をめざすとともに、つねに能力ある者に対してより高い教育の機会を

保障しようとするものであった。ところが実際には，多くの場合，個人の適性・能力にかかわらず，同質の教育を与えようとすることに急で，またとくに上級学校への進学をめざす教育を重視するあまり，それぞれの可能性を最高度に発揮させるという教育本来の目的の達成を困難にする結果となった。このような現状は，能力に応じた教育を保障しようとする民主主義の理念に反するばかりでなく，現実には，そのことが1つの大きな原因となって，多くの児童・生徒の中に教育内容の不消化という現象が発生して，教育界はその解決を迫られているのである。

第二　後期中等教育に対する各種の要請

1. 義務教育修了者の現状

中学校卒業後3ヵ年におけるわが国の青少年は，どのような状態におかれているであろうか。昭和37年3月から昭和39年3月までの間に公立中学校を卒業した者について文部省が調査した資料（昭和39年9月15日現在）によれば，それはつぎのように要約することができる。

①中学校卒業者の約80％は，卒業後に高等学校（高等専門学校を含む）に進学したいと望んでいたが，その希望者の17％はいろいろな理由で進学を断念している。その理由の過半数は家庭の事情によるものである。

②中学校卒業後3年以内の後期中等教育対象者（660万人）のうち，全日制高等学校に在籍しているのは約60％であって，残りの者の約半分（120万人）はその他の教育訓練機関に在籍した経験を持っているが，他の半分（133万人）は全然その経験を持っていない。

③全日制高等学校在籍者の約85％は，中学校の学習成績の平均点が3.0以上であるが，中学校卒業後いかなる教育訓練機関にも在籍した経験のない者（以上「在籍未経験者」という）の中にも，そのような成績の者が30％いる。

④全日制高等学校へ進学しなかった者のうち92％は勤労に従事している。その3分の1は総従業員数30人未満の企業に属し，そこでは拘束時間が1日9時間以上の者が25～45％，毎日夜間従業の者が10～20％，毎週には休日のない者が30～50％いる。企業が大規模となるほど，そのような者は少ない。

⑤全日制高等学校以外の教育訓練機関としては，各種学校にも在籍した経験を持つ者がもっとも多く，定時制高等学校，各種職業訓練機関，青年学級などがこれに次いでいる。この場合の学習内容は，男子では機械，自動車整縦修理，国語・社会・数学・理科などが，女子では和・洋裁，理容・美容，看護などが多い。

⑥在籍未経験者について学習希望の有無を調べてみると，その約80％は希望を持っており，希望する学習内容は前項と同様である。しかし，希望者の半分に学習を妨げる要因があるといい，その要因の半分は勤務時間のつごうである。

⑦中学校卒業後0.5年，1.5年，2.5年を経過した者を比較しても，それぞれの中における在籍未経験者の割合は約20％に一定しており，また在籍未経験者の中で今後も学習を希望していない者の割合も，つねにその20％程度である。

2. 後期中等教育に対する個人的・社会的要請

すでに述べた世界の教育改革の動向とわが国の義務教育修了者の現状とにかんがみ，わが国においても，後期中等教育の改革が当面の重要な課題の1つとなっていることは明らかである。この場合，基本的な考え方としては，これまでのわが国の教育に関する上述のような

問題点を解決することをねらいとするとともに、さらに、つぎのような個人的・社会的要請にこたえることを考慮すべきである。

①義務教育修了者のうち、なんらかの教育訓練機関に在籍した者とまだ在籍したことはないが学習したいと思っている者とを合わせると約96％になる。このことは、ほとんどすべての者が、社会生活の高度化・複雑化に伴って、義務教育修了後もなんらかの組織的な教育訓練を必要としていることを示している。

②旧制の中等学校の進学者は、義務教育修了者の20％にみたなかったのに対し、現在の高等学校は、すでに義務教育修了者の70％以上を受け入れる基幹的な後期中等教育機関となっているが、現状ではその教育課程が生徒にとって負担過重であるばかりでなく、さまざまな生徒の能力と将来の進路に応じた教育が施されているとはいいがたい。その結果、教育課程をじゅうぶんに消化できなかったり、ほとんど職業的準備もなく就職したりする多くの生徒が生じている。

③わが国の高等学校教育を著しくゆがめている最大の要因は、現行の大学入学者選抜制度である。このために、高等学校における本来の教育と学生々活の正常な展開が阻害され、この重要な時期における人間形成に深刻な問題が生じている。

④技術革新は伴って、高等学校の生徒についても専門的な技術教育が要求されているが、他方では一定の熟練度を身につけさせる技能教育の必要性が強調されている。このことは、高等学校教育の立場からも、さまざまな能力を持つ生徒たちにその能力をじゅうぶん発揮させるために必要であるといわれている。

⑤女子の高等学校進学率の上昇に伴い、女子の特性に応じた教養または職業教育のあり方について再検討が要求されている。

⑥知的・芸術的に高度な素質を持っている者に対しては、教育制度や教育方法の弾力的運用によってその才能がじゅうぶん発揮できるよう検討する必要がある。他方、特殊教育を必要とする者に対しても、その教育訓練と保護の措置を強化する必要がある。

⑦高等学校の夜間定時制は、生徒の健康上からもその勤労条件からみても無理が多く、その入学者の3分の1以上が中途で脱落していく状態にあるため、勤労青少年の生活実態に即してその修学条件と教育内容を改善することが望まれている。また、通信制の課程も、その内容・方法の改善をはからなければ発展を期しがたいといわれている。

⑧高等学校以外の教育訓練機関における学習内容が、高等学校の科目に相当するときは、それを高等学校の単位として認定し、学校制度の中で正しく評価できるようにすることが強く要請されている。

⑨さらに高等学校教育の一部として、青少年が短期間に就職前の職業教育を受け、または就職後の技能・教養に関する教育を受けることができるようになることが要請されている。

⑩各種学校は後期中等教育の段階においても重要な役割りを果たしているにもかかわらず、学校制度の中で適切な位置を与えられているとはいえないので、その制度的な改善をはかる必要がある。

⑪既存の学校や教育訓練機関を拡充しても、なおじゅうぶんな教育の機会に恵まれない者およびみずから学習しようとする意欲に乏しい者に対しては、それらの者の実情に適した方法によって教育の機会を提供する必要がある。

第三　後期中等教育の拡充整備

1. 基本方針

①15歳から18歳までのすべての青少年に対し義務教育修了後3カ年にわたって，学校教育，社会教育その他の教育訓練を通じて，組織的な教育の機会を提供する。なお，将来において，18歳までなんらかの教育機関に就学する義務を課することの可能性について検討する。②教育の内容および形態は，各個人の適性・能力・進路・環境に適合するとともに，社会的要請を考慮して多様化をはかる。この場合，いかなる教育訓練も，人間形成上必要な普通教育を尊重するものとする。

2. 具体的方策

① 高等学校教育の改善

ア　普通教育を主とする学科および専門教育を主とする学科を通じ，学科等のあり方について教育内容・方法の両面から再検討を加え，生徒の適性・能力・進路に対応するとともに，職種の専門的分化と新しい分野の人材需要とに即応するよう改善し，教育内容の多様化をはかる。

イ　職業または実際生活に必要な技能または教養を，高等学校教育の一部として短期に修得できる制度を考慮する。

ウ　勤労青少年の修学を容易にするとともに教育効果を高めるため定時制と通信制の併修形態を拡大する。また，定時制と通信制の課程を併置する勤労青少年のための独立の高等学校の設置を計画的に推進するとともに，各課程ごとの学校についても，その整備充実をはかり必要に応じて独立校とする。とくに農山村等に定着する勤労青少年のための定時制の課程については，積極的に整備をはかる。

② 各種学校制度の整備

ア　各種学校の健全な発展とこれに対する指導育成の基礎を固めるため，その目的・性格を明らかにする。

イ　各種学校のうち後期中等教育段階の青少年を対象とする課程については，必要な基準を整備し，各種学校としての特色を生かしながら全般的な水準の維持向上をはかる。この場合，その卒業者ができるかぎり各種の職業上その他の資格を取得できるよう配慮する。

ウ　前項課程において充実した教育が行なわれるよう必要な奨励措置を講ずる。

③ 勤労青少年に対する教育の機会の保障

ア　15歳から18歳までの青少年であって，現にいずれの教育訓練機関（文部省所管以外の職業訓練施設等を含む）にも在籍していないすべての者に対して，後期中等教育の機会を保障するため，別種の恒常的な教育機関を設置する。

この場合における設置は，地方公共団体の任務とし，国はそれに対して必要な助成措置を講ずるものとする。なお，地方公共団体以外の者がこの教育機関を設置することを妨げない。

イ　この教育機関は，青年学級制度を改善して，主として勤労青少年に対し，その適性・能力に応じて職業，家事等に関する知識・技能を修得させるとともに，その教養を向上させることを目的とする。

④ 特殊教育機関の拡充

盲学校・ろう学校・養護学校についても，中央教育審議会の「特殊教育の振興について」の答申の趣旨にそって全般的充実をすみやかに実現するとともに，高等部の拡充を促進する。

⑤ 普通教育の徹底

後期中等教育の段階にある青少年は，心身の発達においてきわめて重要な時期にあるので，これに対するすべての教育訓練機関においては，普通教育のための教科の指導その他の教育訓練を通じて豊かな人間性を育成するための教育指導を行なうものとする。

⑥ 女子に対する教育的配慮

後期中等教育機関の拡充にあたっては女子に対する教育の機会は，男子と均等に確保されなければならないが，その教育の内容については，女子の特性に応じた教育的配慮も必要である。

そのため，高等学校においては，普通科目についても，女子が将来多くの場合家庭生活において独特の役割りをになう事を考え，その特性を生かすような履修の方法を考慮する。また，今後における女子の社会的な役割りの重要性にかんがみ，その社会性を高めるための教育指導を行なうとともに，女子の特性に応じた職業分野に相応する専門教育の充実をはかる。

⑦ 社会教育活動の充実

上記のような各種の後期中等教育機関の拡充によって，この年齢層のすべての青少年をいずれかの教育訓練機関において教育すると同時に，それらの青少年の自主性を尊重して，有意義な集団活動を通じて心身を鍛練し，協同の精神と社会的能力を高める機会を提供する必要がある。

そのため，青年の家その他青少年活動の拠点となる施設を整備し，青少年のための各種の研修事業を拡充し，青少年の団体活動を助長するなどの方法によって，これらの青少年を対象とする社会教育活動の充実をはかる。

⑧ 高等学校の単位の認定

後期中等教育機関の拡充に伴い，各種の教育訓練機関における学習の成果を一定の条件のもとに高等学校の単位として認定する道を開くことは，とくに複雑な事情のもとに学習しなければならない勤労青少年の向学心を高め，その学習の成果を学校教育制度の上で正当に評価できる効果がある。

そのため，現在の高等学校と技能教育施設との連携制度の趣旨を拡大して各種学校や③で述べた勤労青少年のための教育機関にまでその対象を広げるとともに，認定できる科目の範囲を拡大する。

⑨ 就学奨励

後期中等教育機関を拡充するとともに，これらへの就学を容易にするため，つぎのような措置を講ずる。

ア 高等学校およびその他の後期中等教育機関に在籍する者に対し，奨学制度の拡充その他の就学奨励の措置を講ずる。

イ 勤労青少年が，週1日程度昼間に就学できるよう適切な措置をとることを検討する。なお現状においても，それらの者が，夜間の授業に定時に出席できるよう措置を講ずる。

ウ 雇用主の理解と協力のもとに，勤労青少年が一定の期間ごとに勤労と就学とを交互に行なうことができる方途を積極的に拡大する。

第四 関連する諸問題

1．中学校における観察指導の強化

後期中等教育の多様化に伴い生徒の適性・能力・環境に応じて適切な進路を選択させるこ

とがますます重要となる。そのため，中学校において生徒の適性・能力を的確にはあくする方法を開拓するとともに綿密な観察を行ない，その結果にもとづいて適切な指導を行なう体制を整備する必要がある。

2. 入学者選抜制度の改善

高等学校における入学者の選抜制度は，中学校における観察指導の結果を尊重するとともに，それぞれの分野にふさわしい適性・能力等を有する者を弁別できるよう改善する必要がある。

大学における入学者の選抜制度は，高等学校教育のあり方に重大な影響を与えるので，中央教育審議会の「大学教育の改善について」の答申の中に述べられた大学入学者選抜制度の改善方策によって，すみやかにその実効をあげる必要がある。さらに，高等学校の学習成績が大学入学後における能力の発展と密接な関連のある事実にかんがみ，高等学校の内申書を入学者選抜の際に活用する方法について積極的に検討する必要がある。

また，高等学校の職業教育を主とする学科の卒業者が進学するのにふさわしい大学の学部学科においては，それらの高等学校の履修科目をいっそう考慮して入学試験科目を定める必要がある。

3. 小学校，中学校，高等学校の教育の関連性

小学校，中学校および高等学校の教育課程は，児童・生徒の発達段階に応じて編成され相互に密接な関連をもつべきものであるにもかかわらず，その点において多くの問題が認められる。

現在の小学校教育では，基礎的教育において徹底を欠くうらみがあり，中学校教育では，画一的教育に流れ，しかも教育課程は生徒にとって負担過重の傾向がある。

これらの点については，高等学校における教育の内容，方法との相互関連を考慮して検討する必要がある。

なお，中等教育を一貫して行なうため，6年制の中等教育機関の設置についても，検討する必要がある。

4. 特別教育に対する制度的考慮

知的・芸術的その他の面で高度の素質を有する者に対しては特別教育を効果的に行なう必要がある。そのためには，教育制度の弾力的な運用とその特別な教育方法について検討する必要がある。

5. 教員養成に対する要請

初等中等教育に従事する教員の養成については，教科に関する指導能力のみならず児童・生徒の人間形成の指導者としての資質をさらに向上させる必要がある。また，とくに中学校の教員については，生徒の適性・能力に応じた教育指導を行なうための観察指導の知識・技術をいっそう修得させることを配慮するとともに，高等学校に関しては，後期中等教育の多

様化に伴い必要となる教員の養成確保および現職教員の再教育について検討する必要がある。

6. 学習成果の社会的公認

個人の努力によって身につけた能力を社会的に正しく評価することは，青少年の向上心を高め，自信と誇りを与えるとともに社会的要請である人材の開発を促進する道である。このためには，一定の知識・技能の水準を保持していることを公的に検定し証明する制度を拡大することについて検討する必要がある。

7. 青少年に対する社会環境の浄化

心身の発達期にある青少年に対するマス・コミュニケーション（映画，放送，新聞，雑誌等）の影響はきわめて大きい。

映画，放送番組などについては，優秀で教育上有益なものの制作を積極的に奨励するとともに，その鑑賞や利用の方法の指導について適切な措置を講ずる必要がある。

また，マス・コミュニケーションその他の社会環境のうちには，青少年に有害な影響を与えるものが少なくないことが指摘されているので，各業界の自主的規制を強化し，地域社会における対策を推進することなどによって，社会環境の浄化をはかる必要がある。

8. 継続教育としての社会教育の充実

後期中等教育の拡大整備を推進するとともに，その成果をさらに継続発展させることができる教育的な環境条件を整備することは，一生を通じての教育という観点からきわめて重要である。

そのためには，青年および成人を対象とする各種の社会教育の講座，社会教育施設，職場における研修などの充実をはかる必要がある。

9. 教育に関する基礎的研究の拡充

後期中等教育に関する各種の施策を効果的に推進するためには，教育に関する基礎的・実験的な研究を必要とするものが少なくないので，すみやかにこれらに関する研究体制を整備する必要がある。

【審議に参画した第20特別委員会特別委員名簿】

▽岩下宮蔵（前東京都立日比谷高等学校長）▽河原春作（前文化財保護委員会委員長）▽木下一雄（東京学芸大学名誉教授）▽久留島秀三郎（同和鉱業株式会社相談役）▽沢畑泰二（前港区立愛宕中学校長）▽高橋雄財（読売新聞社顧問）▽平塚益徳（国立教育研究所長）▽藤井丙午（八幡製鉄株式会社副社長）▽村山伊之助（前千代田区立富士見小学校長）▽森戸辰男（日本育英会々長）▽石田壮吉（前東京都立第三商業高等学校長）▽小林茂（港区立愛宕中学校長）▽成田喜英（東京都立新宿高等学校長）▽田中義男（東京都教育委員会委員長）▽波多野勤子（著述家） 　　　　　　（1966年5月13日）文部広報より

教育職員免許法施行規則、教育職員免許法施行法施行規則及び教育職員免許に関する細則の一部改正について

義務教育課主事　安　村　昌　享

　昨年第28回立法院定例議会において，教育職員免許法および教育職員免許法施行法の改正がなされたことについては，すでに文教時報第95号（65年6月）において解説を致しましたが，これらの改正立法の施行のために，65年12年2日の立法の施行と同時に，みだしの3つの規則の一部を改正する規則が施行されました。改正の主な内容は，教科専門科目，教職専門科目の単位の修得方法について改正しているほか，教職経験年数による必要単位数のてい減について改正がなされています。以下要点について説明しましょう。

1．教科に関する専門科目の単位の修得方法の改正について

（1）中学校教諭免許状を受けようとする場合の教科専門科目の単位修得方法の改正について

　免許法施行規則第三条の表は，中学校の教諭免許状を受けようとする場合の教科専門科目の修得方法について定めているが，その表中，職業の免許状の項の「農業，工業，商業，水産」については，従来「　」の中の一以上の教科について修得すればよいことになっていたのであるが，今回の改正により二以上の教科について単位を修得しなければならない。

（2）高等学校教諭一級普通免許状を受けようとする場合の教科専門科目の修得方法の改正について

　免許法施行規則第四条の表は，高等学校の教諭免許状を受けようとする場合の教科専門科目の修得方法について定めているが，この第四条に新たに一項が加えられ，高等学校教諭一級普通免許状を受けようとする場合の単位の修得については，大学院の課程，大学の専攻科の課程又はこれに相当する課程で修得した単位でなければ認められない事になる。なおこの事については，同改正規則附則第9項によって，沖縄には，まだ大学

院が設置されていない実情等を考慮して,当分の間は,中央教育委員会が主催する認定講習で高等学校教諭一級普通免許状を取得するために使用できると指定する科目または大学の開設する認定講習で事前に中央教育委員会の許可を得た科目,その他大学の通信教育等で事前に許可を得て受講したものについては認められる事になる。この改正規定は,本土法に準じて整備されたものであるが高等学校教諭一級普通免許状を取得する場合,相当課程における単位修得だけを認めることによって,高等学校教諭一級普通免許状所有者の資格を高めようとするものである。1965年12月2日以降は,高等学校一級普通免許状については,従来より取得し難くなると考えられるが,該免許状が原則として大学院を修了することにより授与されるものであることから当然な措置と考えなければならない。

(3) 幼稚園教諭免許状を受けようとする場合の教科専門科目の修得方法の改正について。

　幼稚園教諭免許状を受けようとする場合の教科専門科目の修得方法については,免許法施行規則第五条の規定により従来小学校教諭免許状を受けようとする場合の教科専門科目の修得方法と同様な方法で修得すればよいようになっていたが,幼稚園の教育内容に沿うよう特に,音楽,図画工作および体育に関する専門科目については,一級普通免許状を受けようとする場合は,それぞれ4単位以上を,二級普通免許状を受けようとする場合は,それぞれ2単位以上を必修するように改正されました。したがって小学校の8教科について必修する必要はなくなりました。なお1967年3月31日までは,従来の単位の修得方法でもよいように改正附則第10項で規定されています。

2. 教職に関する専門科目の単位の修得方法の改正について

(1) 小学校,中学校,高等学校および幼稚園の教諭免許状を受けようとする場合の教職に関する専門科目の単位の修得方法については,第六条に規定されているが,従来,必修科目としての「方法および指導」と「評価および測定」は別々に必修単位が定められていて,これらの科目の講習等の開設が少ないため単位修得に困難があったので,この二つの科目を「方法および指導,評価および測定」と,一の「　」の中に入れること

によって単位修得が容易になるように改正がなされた。なお、この教職専門科目には、第六条第一項の表に定める必修科目と第二項に定める選択科目があるので、必修科目を全部修得してなお、単位修得が必要な場合は選択科目の中から修得すればよい。必修科目を残して選択科目の修得をしても、この選択科目の単位は上級免許状取得のための必要な単位としては認められないので、注意していただきたい。

(2) 免許法別表八（現職教育による場合）により、校長、教育長、指導主事及び社会教育主事の免許状を取得しようとする場合の教職専門科目の単位の修得方法については、免許法施行規則第二十二条に定められているが、この条に定める教職専門科目についても第六条に規定する教諭免許状を取得する場合の教職専門科目と同様に、必修科目と選択科目に分けられており、必修科目を修得せずに選択科目を修得しても、使用が認められないのは同じである。第二十二条の改正点は、教諭免許状の場合と同様に「方法および指導」と「評価および測定」を一つの「　」の中に入れて、いずれの科目を修得してもよいようにされたこと。

社会教育主事免許状を取得する場合の「教育社会学」と「社会教育」をいずれをとってもよいようにし、また、校長、教育長および指導主事免許状取得のため必要な「教育行政学」、「教育法規」「教育財政」についても、一つの「　」の中に入れたのと同様に改めた。さらに「教育哲学」と「教育史」についても同様にわくをはずし、3単位科目を2単位科目に改め選択単位に増すことによって、これら行政職免許状の取得を容易にするよう措置された。

3．高校卒の高校臨時免許状からの上級免許状の取得について

高等学校卒業を基礎資格とする高等学校助教諭の臨時免許状を受けた者が、高等学校教諭二級普通免許状を取得するためには、10年で90単位を修得すればよいように昨年の改正立法の附則第八項で規定されているが、その内容については今度の規則改正により定められている。すなわち、一般教育科目30単位、教科専門科目50単位、教職専門科目10単位以上修得すればよいことになる。なお、10年をこえる勤務年数がある場合は、そのこえる年数一年につき5単位づつてい減し、20単位までは年数に

よりてい減していくことになります。

4．旧仮免許状に係る所要資格証明書について

旧仮免許状に係る所要資格証明（仮資格証明と略称す。）を必要とする者は，1965年12月2日以降1967年3月31日（高等学校教諭で別表四適用の場合は，1969年3月31日）までに，廃止前の仮免許状を取得できる資格に達した者について仮資格証明を交付し，これらの者については，1965年12月2日現在において有効な仮免許状を有していた者と同様な取り扱いをしようとするものである。1965年12月2日現在，有効な仮免許状を有している者については，1970年3月31日（高等学校教諭の場合は1973年3月31日）まで，そのままで，教諭の職に在ることができるように措置されております。仮免許状が廃止されたので，その代りとして仮資格証明が必要とするのではありせん。

5．在職年数による単位のてい減について

現職教員が教職経験年数を基礎に単位を修得することによって上級の免許状を取得しようとする場合，従来，最低在職年数をこえる3年までは認められ，単位数では30単位まではてい減することができた。1965年12月2日以降は改正立法の施行により，これが20単位まではてい減が認められるようになりました。したがって在職年数も最低在職年数をこえる年数は5年までは単位に振り替えられるようになりました。この改正により，現職教員の上級免許状の取得は従来よりは容易になったものと考えます。さらに，単位数のてい減については，本土と同様にするため，今度の立法院定例議会に立法の一部改正を勧告していますので，下限は15単位までは下げられるよう努力しております。

なお，単位数のてい減による一般教育科目（G），教科専門科目（S），教職専門科目（P）の在職年数別の必要単位数については，後頁に教育職員免許に関する細則の一部と改正する規則の全文を登載しましたのでご検討願います。

以上，三つの改正規則について，要点の説明をいたしましたが，次に今度の規則改正とは直接の関係はないが，免許法上重要なことについて説明し，教職員の皆さんのご協力を得たい。

6. 若し，免許状を持たないで教員になったなら，どうなるか

　免許状第三条第一項に「教育職員は，この立法により授与する各相当の免許状を有する者でなければならない。」と規定し，免許状主義を宣言しています。すなわち，教員は，その勤務する学校の種類に応じ，幼稚園，小学校，中学校または高等学校の教諭か，助教諭の免許状を有していなければなりません。さらに，中学校または高等学校の場合は，教科担任制であり，免許状は免許法第四条第五項に規定するように教科ごとに与えられるので，授業を担任しようとする教科についての免許状を有していなければなりません。「各相当」とは，学校種別から教科別までを含むもので，幼，小の場合は全教科を担任するたてまえですから，教科の問題はありませんが，中，高校の場合は，当該学校の担任するすべての教科について一級，二級または臨時のいずれかの免許状を有していなければなりません。もしこれに違反した場合は，免許法第21条の「第三条の規定に違反して，相当の免許状を有しないのにかかわらず，これを教育職員に任命し，若しくは雇用し，または教育職員になった者は，35ドル以下の罰金に処する。」の罰則もあることを銘記すべきだと思います。

7. 臨時免許状について

　臨時免許状は文字通り臨時的性質のものであり，その所有者を助教諭に任命することは，任命する者も任命される者も，その任命が臨時的なものであることを一応了解しているはずであり，したがって有効期間満了と同時に退職となると考えられます。免許法第三条は免許状主義を宣言しており，免許状の有効期間のきれた無資格教員を，一日たりとも教員としておくことが許されないという趣旨だと解されます。そこで，助教諭として引き続いて採用しようとし，本人もまた助教諭として継続して勤務したい場合は，臨時免許状の有効期間のきれないうちに，新しい臨時免許状の授与願を提出し，免許法第六条により，人物，学力，実務，身体について検定をうけ，合格して新しい臨時免許状を受けなければなりません。新しい臨時免許状の授与願を提出しなかったり，または，新しい免許状が取得できなかった場合にはその有効期間満了後は当然退職というこ

8. 免許教科以外の教科の教授担任許可について

免許法第三条に「教育教員は，この立法により授与する各担当の免許状を有する者でなければならない。」とあります。この場合「各相当」とは，学校種別から教科別までを含みますので，理科の中一，高二の免許状だけでは数学の授業を担任することはできません。数学の授業を担任するには，免許法附則第二項および免許法施行規則附則第七項の規定により「免許教科以外の教科の教授担任許可申請書」を中央教育委員会に提出して「無免許教科の教授担任許可書」の交付を受けることによって，その教科について一年間は授業を担任することができます。

教育職員免許法施行規則の一部を改正する規則
(1965年11月30日中央教育委員会規則第25号)

教育職員免許法施行規則（1959年中央教育委員会規則第10号）の一部を次のように改正する。

第1条の表以外の部分中「または仮免許状」を削り，同条の表中備考以外の部分を次のように改める。

免許状の種類 一般教育科目の区分	小学校，中学校または幼稚園の教諭の1級普通免許状，高等学校教諭の普通免許状 最低修得単位数	小学校，中学校または幼稚園の教諭の2級普通免許状 最低修得単位数
人文科学に関する科目（音楽，美術等情操教育に役立つ科目を含む。）	12	6
自然科学に関する科目	12	6
社会科学に関する科目	12	6
計	36	18

第2条を次のように改める。

第2条 免許法第5条別表第1に規定する小学校教諭免許状の授与を受ける場合の教科に関

する専門科目の単位の修得方法は，1級普通免許状の授与を受ける場合にあっては，小学校の8教科に関する専門科目について，それぞれ2単位以上を，2級普通免許状の授与を受ける場合にあっては，小学校の教科のうち4以上の教科に関する専門科目（音楽，図画工作および体育に関する専門科目のうち2以上を含む。）について，それぞれ2単位以上を修得するものとする。

第3条第1項中「免許状の種類に応じ，同欄の」を削り，同条同項の表を次のように改める。

第1欄	第2欄	第3欄
免許教科	教科に関する専門科目	最低修得単位数
国 語	国語学（音声言語および文章表現に関するものを含む。） 国文学（国文学史を含む。） 「漢文学，書道（書写を中心とする。）」 計	6または4 8または6 4 16
社 会	日本史および外国史 地理学（地誌を含む。） 「法律学，政治学」 「社会学，経済学」 「哲学，倫理学，宗教学」 計	6 6 2 2 4 20
数 学	代 数 学 幾 何 学 解 析 学 計 統 計 測 量 計	4 4 4 2 2 16
理 科	物 理 学（実験を含む。） 化 学（実験を含む。） 生 物 学（実験を含む。） 地 学（実験を含む。） 計	5 5 5 5 20
音 楽	ソルフェージュ 声 楽（合唱を含む。） 器 楽（合奏を含む。） 指 揮 法 音楽理論および音楽史 計	2 6または4 6または4 2 2 16
美 術	絵 画 彫 朔 デザイン（構成を含む。） 美術理論および美術史 計	6または4 6または4 6または4 2 16
保 健	体育実技 「体育原理，体育管理」	4 4

体 育	生理学（運動生理学および解剖学を含む。） 「学校保健，衛生学」	計	4 4 16
保 健	「生理学，細菌学，栄養学」 衛生学（公衆衛生学，救急処置および看護法を含む。） 学校保健	計	6 6 4 16
技 術	設計および製図 木材加工および金属加工 農業（栽培に関する科目とし，実習を含む。） 工業（機械および電気に関する科目とし，実習を含む。）	計	4または2 8または6 2 8 20
家 庭	「食品学，栄養学」および調理実習 「被服学，衣学」および衣服実習 「家庭管理，住居学，家族関係」 「育児，家庭看護学」 家庭機械および家庭工作（設計および製図を含む。）	計	6または4 6または4 4 2 4または2 20
職 業	産業概説 職業指導 「農業，工業，商業，水産」 「農業実習，工業実習，商業実習，水産実習，商船実習」	計	2 4 10 4 20
職 業 指 導	職業指導 職業指導の技術 職業指導の運営管理	計	4 8 4 16
英 語	英 語 学 英 文 学 英会話および英作文	計	6 6 4 16
宗 教	宗 教 学 宗 教 史 「教理学，哲学」	計	6 6 4 16

備考

1. 第2欄に掲げる教科に関する専門科目は，一般的包括的な内容を含むものでなければならない。
2. 英語以外の外国語の教科に関する専門科目の単位の修得方法は，それぞれ英語の場合に準ずる。
3. 「 」内に表示された専門科目の単位の修得は，その専門科目の1以上にわたって行うものとする。（以下本規則中「 」内に示表される専門科目に関し単位を修得する場合において同様とする。）ただし，「農業，工業，商業，水産」の修得方法は，これらの科目のうち2以上の科目（商船をもって水産と替えることができる。）についてそれぞれ2単位以上を修得するものとする。

4．国語に関する専門科目の単位の修得方法は，国語学6単位以上，国文学6単位以上および「漢文学，書道」4単位以上または国語学4単位以上，国文学8単位以上および「漢文学，書道」4単位以上を修得するものとし，音楽，美術，技術または家庭に関する専門科目の単位の修得方法は，国語に関する専門科目の単位の修得方法の例にならうものとする。

2　免許法第5条別表第1に規定する中学校教諭1級普通免許状の授与を受ける場合の教科に関する専門科目の単位は，前項に規定するもののほか，免許教科の種類に応じ，大学の加える教科に関する専門科目についても修得することができる。

第4条第1項の表備考第2号中「第5号」を「第4号」に改め，同条第2項の次に次の1項を加える。

3　免許法第5条別表第1に規定する高等学校教諭1級普通免許状の授与を受ける場合の教科に関する専門科目の単位の修得方法は，社会，理科，家庭，農業，工業，商業，水産および商船の教科についての免許状の授与を受ける場合にあっては22単位以上を，国語，数学，音楽，美術，工芸，書道，保健体育，保健，職業指導，外国語および宗教の教科についての免許状の授与を受ける場合にあっては20単位以上を，同表高等学校教諭1級普通免許状の項基礎資格の欄に定める資格を取得する課程において修得するものとする。

第5条を次のように改める。

第5条　免許法第5条別表第1に規定する幼稚園教諭免許状の授与を受ける場合の教科に関する専門科目の単位の修得方法は，小学校の教科に関する専門科目について修得するものとし，この場合において小学校の教科のうち音楽，図画工作および体育に関する専門科目について，1級普通免許状の授与を受ける場合にあっては，それぞれ4単位以上を，2級普通免許状の授与を受ける場合にあってはそれぞれ2単位以上を，含めて修得しなければならない。

第6条第1項中「および仮免許状」を削り，同条同項の表備考以外の部分を次のように改める。

免許状の種類	教職に関する専門科目 最低修得単位数									
	教育原理	教育心理学	「方法および指導，評価および測定」	児童心理学	青年心理学	教材研究	教科教育法	保育内容の研究	道徳教育の研究	教育実習
小学校教諭 1級普通免許状	2	2	4	2		16			2	4
小学校教諭 2級普通免許状	2	2	2	2		12			1	4

中学校教諭	1級普通免許状	2	2	2		2	3		2	3
	2級普通免許状	2	2	2		2	3		1	3
高等学校教諭	1級普通免許状	2	2	2		2	3			3
	2級普通免許状	2	2	2		2	3			3
幼稚園教諭	1級普通免許状	2	2	2	2			12		4
	2級普通免許状	2	2	2	2			8		4

第6条第1項の表備考第1号から，第2号の2までを，次のように改める。

1. 小学校または幼稚園の教諭の普通免許状の授与を受ける場合の教育原理，教育心理学，方法および指導，評価および測定，児童心理学および教育実習は，小学校および幼稚園の教育を中心とするものとする。
2. 中学校または高等学校の教諭の普通免許状の授与を受ける場合の教育原理，教育心理学，方法および指導，評価および測定，青年心理学，教科教育法および教育実習は，中学校および高等学校の教育を中心とするものとする。

2の2. 小学校または中学校の教諭の普通免許状の授与を受ける場合の道徳教育の研究は，小学校および中学校の教育を中心とするものとする。

第6条第1項の表備考第3号中「それぞれ2単位以上を，小学校教諭仮免許状の授与を受ける場合にあっては，小学校の教科のうち3以上の教科（音楽，図画工作および体育のうち1以上を含む。）の教材研究について」を削り，同条同項同表の備考第6号および第7号中「教諭免許状」を「教諭の普通免許状」に改める。

第6条第2項中「職業指導」を「学校保健，特殊教育，職業指導」に改める。

第7条第1項各号列記以外の部分中「教諭免許状」を「教諭の普通免許状」に，「普通免許状の授与を受ける場合にあっては，それぞれ2単位（異常児教育については4単位）以上を，仮免許状を受ける場合にあっては，それぞれ1単位（異常児教育については2単位）以上」を「それぞれ2単位（異常児教育については4単位）以上」に改め，同条同項第2号中「言語指導の理論および実際」の下に「聾心理」を加える。

第9条第1項中「または仮免許状」を削る。

第15条第1項の表備考以外の部分を次のように改める。

受けようとする免許状の種類		最低修得単位数		
		一般教育科目	専門科目	
			教科に関するもの	教職に関するもの
小学校教諭	1級普通免許状	15	15	15
	2級普通免許状	10	10	25
中学校教諭	1級普通免許状	15	25	5
	2級普通免許状	10	25	10
高等学校教諭	1級普通免許状		15	
	2級普通免許状	15	25	5
幼稚園教諭	1級普通免許状	15	15	15
	2級普通免許状	10	10	25

第15条の表備考第2号中「または高等学校の教諭仮免許状」を削り、「教科に関する単位」を「教科に関する専門科目の単位」に改める。

第17条の表以外の部分中「小学校、中学校または幼稚園教諭の2級普通免許状および」を削り、「15単位若しくは30単位」を「20単位」に改め、同条の表の備考以外の部分を次のように改め、同表備考中「第1条」を「第2条」に改める。

受けようとする免許状の種類		最低修得単位数		
		一般教育科目	専門科目	
			教科に関するもの	教職に関するもの
小学校教諭	1級普通免許状	3	8	9
	2級普通免許状	2	7	11
中学校教諭	1級普通免許状	3	14	3
	2級普通免許状	2	11	7

高等学校教諭	2級普通免許状	3	14	3
幼稚園教諭	1級普通免許状	3	8	9
	2級普通免許状	2	7	11

第19条第1項の表を次のように改め，同条第3項中「（イの項に掲げる修得方法を除く。）」を削る。

受けようとする免許状の種類		最低修得単位数	
		専門科目	
		教科に関するもの	教職に関するもの
中学校において職業実習を担任する教諭	1級普通免許状	10	5
	2級普通免許状	10	10
高等学校において家庭実習，農業実習，工業実習，商業実習，水産実習または商船実習を担任する教諭	1級普通免許状	10	5
	2級普通免許状	5	5

第20条第1項の表を次のように改める。

受けようとする免許状の種類		最低修得単位数		
		一般教育科目	専門科目	
			養護に関するもの	教職に関するもの
養護教諭	1級普通免許状	4	12	4
	2級普通免許状	6	18	6

第22条第1項の表を次のように改め，同条第2項を削る。

教職に関する専門科目／受けようとする免許状の種類	最低修得単位数														
	教育課程	評価及び測定	方法及び指導	学校の管理及び指導	教育行政学	教育法規	教育財政	教育社会学	社会教育	教育哲学	教育史	実務主事および指導	指導主事および指導	社会教育職務および指導	職業指導	視聴覚教育	選択単位

校長	1級普通免許状				4						4
	2級普通免許状	2	2	2							9
教育長	1級普通免許状						4				4
	2級普通免許状	2		2	4	2					5
指導主事	1級普通免許状				2		2			2	2
	2級普通免許状	2		2				2			2
社会教育主事	1級普通免許状					2				2	2	2
	2級普通免許状	2				2			2		2

備考

　この表中，選択単位については，他の未修得科目から選択して修得するものとする。

　第35条第4号中「および」を「別」に改める。

　第66条第1項中「，仮免許状」を削り，同条第4項を削り，同条第5項を同条4項とし，同条第6項中「，第4項」を削り，同項を同条第5項とする。

　第67条を次のように改める。

第67条　盲学校特殊教科教諭免許状および聾学校特殊教科教諭免許状は，次の表の下欄に掲げる基礎資格を有する者または免許法第6条第1項の規定による教育職員検定（この章中以下「教育職員検定」という。）に合格した者に授与する。

上欄	免許状の種類	盲学校特殊教科教諭				聾学校特殊教科教諭	
		1級普通免許状		2級普通免許状		1級普通免許状	2級普通免許状
	教科の種類	理療	音楽	理療	音楽	特殊技芸	特殊技芸
下欄	基礎資格	イ　中央委員会の指定した養成機関の理療教員養成科を卒業したこと。ロ　医師免許を受けていること。	中央委員会の指定した盲学校の音楽教員養成科を卒業したこと。	中央委員会の指定する盲学校の理療科教員1年以上在学したこと。	中央委員会の指定する盲学校の音楽科教員1年以上在学したこと。	中央委員会の指定する聾学校の特殊技芸科教員養成科を卒業したこと。	中央委員会の指定する聾学校の特殊技芸科教員養成科に1年以上在学したこと。

2 前項の教育職員検定のうち，学力および実務の検定は，次の表の定めるところによる。

第1欄	受けようとする免許状の種類 所要資格	盲学校特殊教科教諭		聾学校特殊教科教諭		備考 実務の検定は第3欄により，学力の検定は第4欄によるものとする。
		1普通免許状	2普通免許状	1普通免許状	2普通免許状	
第2欄	有することを必要とする第1欄に掲げる学校の教員の免許状の種類および免許状に係る教科の種類	2普通免許状	臨時免許状	2普通免許状	臨時免許状	
		理療 | 音楽	理療 | 音楽	理療 | 特殊技芸	理療 | 特殊技芸	
第3欄	第2欄に掲げる各免許状を取得したのち第1欄に掲げる学校の教員として良好な成績で勤務した旨の所轄庁の証明を有することを必要とする最低在職年数	5 | 10	5 | 5	10 | 10	5 | 5	
第4欄	第2欄に掲げる各免許状を取得したのち，大学，中央委員会の指定または認める盲学校若しくは聾学校の教員養成機関または中央委員会の認定する講習において修得することを必要とする最低単位数	10	15 | 10		10	

3 前項の表の第4欄に掲げる単位の修得方法は，次の各号の定めるところによる。
 1 理療の教科の教授を担任する盲学校特殊教科教諭1級普通免許状の授与を受ける場合にあっては，「盲教育，盲心理，視覚生理および病理」3単位以上および理療に関する専門科目7単位以上
 2 理療の教科の教授を担任する盲学校特殊教科教諭2級普通免許状の授与を受ける場合にあっては，盲教育2単位以上，盲心理2単位以上，視覚生理および病理2単位以上および理療に関する専門科目9単位以上
 3 音楽の教科の教授を担任する盲学校特殊教科教諭2級普通免許状の授与を受ける場合にあっては，盲教育2単位以上，盲心理2単位以上，視覚生理および病理2単位以上および音楽に関する専門科目4単位以上
 4 特殊技芸を担任する聾学校特殊教科教諭2級普通免許状の授与を受する場合にあっては，聾教育2単位以上，聾心理2単位以上，聴覚音声生理および病理2単位以上および

「美術，工芸，被服」4単位以上
4　第1項の表の下欄および第2項の表の第4欄に規定する中央委員会の指定する盲学校または聾学校の教員養成機関に関しては第4章の規定を，第2項の表の第4欄に規定する中央委員会の認定する講習に関しては第五章の規定を，準用する。
第67条の次に次の1条を加える。
第67条の2　盲学校特殊教科助教諭免許状は，理療の教科にあってはあん摩師免許，はり師免許およびきゅう師免許を有する者に，音楽の教科にあっては盲学校高等部の音楽専攻科を卒業した者に，教育職員検定により授与する。
2　聾学校特殊教科助教諭免許状は，理容の教科にあっては理容師または美容師の免許を有する者で，かつ，聾学校高等部の理容科の専攻科を卒業したものまたは4年以上理容に関する実地の経験を有するものに，特殊技芸の教科にあっては，免許教科の種類に応じ，それぞれ聾学校高等部の相当課程の専攻科において2年以上の課程を修了した者または10年以上実地の経験を有する者に，教育職員検定により授与する。
第70条第1項の表第3欄中「社会局長」を「厚生局長」に改める。

附　則
この規則は，1965年12月2日から施行する。
2　この規則施行の際，現に教育職員免許法の一部を改正する立法1965年（立法第19号）（以下「改正法」という。）による改正前の免許法（以下「旧法」という。）第6条別表第4，第5，第6，第7若しくは第8，同法附則第4項または教育職員免許法施行法の一部を改正する立法（1965年立法第20号）による改正前の教育職員免許法（以下「旧施行法」という。）第5条第1項の規定により，上級免許状の授与を受けるために必要とする単位の全部または一部を修得している者については，1967年3月31日までは，なお，従前の例によることができる。
3　改正法附則第5項の規定の適用を受ける者の単位の修得方法は，次の表の定めるところによる。

受けようとする免許状の種類	最低修得単位数				備考
	一般教育科目	専門科目			こは、この表各1項の修得第10法条項から方
		教科に関するもの	教職に関するもの	特殊教育に関するもの	
小学校または幼稚園の教諭の2級普通免許状	5	5	5		
中学校教諭2級普通免許状	5	10			
高等学校教諭2級普通免許状	15	25	5		

中学校または高等学校において，職業実習または農業実習，工業実習，水産実習若しくは商船実習を担任する教諭の2級普通免許状		5	5	するまでに定める修得方法の例にならうものと
養護教諭2級普通免許状	2	6	2	
旧法の規定により盲学校，聾学校または養護学校の教諭の仮免許状を有する者が授与を受けようとする盲学校，聾学校または養護学校の教諭の2級普通免許状			6	
旧施行法の規定により盲学校または聾学校の教諭の仮免許状を有する者が授与を受けようとする盲学校または聾学校の教諭の2級普通免許状			10	

　　前項の規定により高等学校教諭2級普通免許状の授与を受けようとする者が，免許状第6条別表第4備考第6号の規定の適用を受けるものであるときは，第71条の規定を準用する。

5　改正法附則第5項の表備考第3号または第4号の規定の適用を受ける者の単位の修得方法は，教科に関する専門科目5単位以上，教職に関する専門科目5単位以上とし，教科に関する専門科目および教職に関する専門科目の単位の修得方法は，それぞそ第2条，第5条および第6条に定める修得方法の例にならうものとする。

6　改正法附則第8項の規定の適用を受ける者の単位の修得方法は，一般教育科目30単位以上，教科に関する専門科目50単位以上および教職に関する専門科目10単位以上とし，一般教育科目，教科に関する専門科目および教職に関する専門科目の単位の修得方法は，それぞれ第1条，第4条および第6条に定める修得方法の例にならうものとする。

7　改正法附則第9項または第10項若しくは第11項の規定の適用を受ける者の単位の修得方法は，それぞれ第3項または第5項に定める修得方法の例にならうものとする。

8　改正法附則第3項の規定により旧法第6条別表第4に規定する小学校，中学校若しくは幼稚園の教諭の仮免許状に係る所要資格，同条別表第6に規定する中学校若しくは高等学校において職業実習，農業実習，工業実習，商業実習，水産実習若しくは商船実習を担任する教諭の仮免許状に係る所要資格又は同条別表第7に規定する養護教諭仮免許状に係る所要資格を得た者または改正法附則第4項の規定により旧法第6条別表第4に規定する高等学校教諭仮免許状に係る所要資格を得た者で，これらの学校の教諭（講師を含む。）になろうとするものは，授与権者に願い出て所要資格を得たむねの証明を受けなければならない。

9　免許法第6条別表第4に規定する高等学校教諭1級普通免許状の授与を受ける場合の教

科に関する専門科目の単位の修得方法は,施行規則第4条第3項の規定にかかわらず当分の間,中央教育委員会の主催または認定する免許法認定講習における指定する科目若しくは,修得することを許可する大学の開設科目について修得することができる。

10 免許法第5条別表第1または免許法第6条別表第4に規定する幼稚園教諭免許状の授与を受ける場合の教科に関する専門科目の単位の修得方法は,施行規則第5条の規定にかかわらず,1967年3月31日までは,なお,改正前の修得方法によることができる。

教育職員免許法施行法施行規則の一部を改正する規則

(1965年11月30日中央教育委員会規則第26号)

教育職員免許法施行法施行規則(1959年中央教育委員会規則第11号)の一部を次のように改正する。

第1条第1項中「第6項」を「第5項」に改める。

第11条及び第12条を次のように改める。

第11条及び第12条 削除

第13条第1項中「第2項」を「第1項」に改める。

附 則

1 この規則は,1965年12月2日から施行する。

2 この規則施行の際,現に教育職員免許法施行法の一部を改正する立法(1965年立法第20号)による改正前の施行法第5条及び第6条の規定並びにこの規則による改正前の第11条の規定により,上級免許状の授与を受けるために必要とする単位の全部又は一部を修得している者については,免許法第6条別表第4,第5,及び同法附則第4項の規定にかかわらず,1967年3月31日までは,なお,改正前の施行法第5条及び第6条並びにこの規則による改正前の第11条の規定により各相当の免許状の授与を受けることができる。

3 施行法第2条第1項の規定による校長普通免許状,教育長普通免許状,指導主事普通免許状及び社会教育主事普通免許状の授与を受けようとする者の修得すべき単位については,第7条,第8条,第9条及び第10条の規定にかかわらず,当分の間,免許法施行規則第22条の表に規定するところにより,各相当の所要単位を修得することによっても,それぞれの免許状の授与を受けることができる。

教育職員免許に関する細則の一部を改正する規則

(1965年11月30日中央教育委員会規則第27号)

教育職員免許に関する細則(1959年中央教育委員会規則第12号)の一部を次のように改正する。

第6条を次のように改める。

第6条 免許法第6条第2項別表第4により免許状の授与を受けようとする者の単位の修得方法は,次の表の定めるところによる。

小学校及び幼稚園の2級普通免許状から1級普通免許状になる場合

在職年数	一般教育科目	教科専門科目	教職専門科目	計
5	15	15	15	45
6	12	14	14	40
7	10	12	13	35
8	8	10	12	30
8	6	9	10	25
10	3	8	9	20

小学校及び幼稚園の臨時免許状から2級普通免許状になる場合

在職年数	一般教育科目	教科専門科目	教職専門科目	計
6	10	10	25	45
7	9	9	22	40
8	7	9	19	35
9	5	8	17	30
10	3	8	14	25
11	2	7	11	20

中学校の2級普通免許状から1級普通免許状になる場合

在職年数	一般教育科目	教科専門科目	教職専門科目	計
5	15	25	5	45
6	12	23	5	40
7	10	21	4	35
8	8	18	4	30
9	6	15	4	25
10	3	14	3	20

中学校の臨時免許状から2級普通免許状になる場合

在職年数	一般教育科目	教科専門科目	教職専門科目	計
6	10	25	10	45
7	9	22	9	40
8	7	19	9	35
9	5	17	8	30
10	3	14	8	25
11	2	11	7	20

高等学校の臨時免許状から2級普通免許状になる場合

在職年数	一般教育科目	教科専門科目	教職専門科目	計
5	15	25	5	45
6	12	23	5	40
7	10	21	4	35
8	8	18	4	30
9	6	15	4	25
10	3	14	3	20

第6条の次に次の6条を加える。

第6条の2 免許法施行規則第16条により小学校，中学校又は幼稚園教諭の1級普通免許状若しくは高等学校教諭2級普通免許状の授与を受けようとする場合の単位の修得方法は，次の表の定めるところによる。

小学校及び幼稚園の2級普通免許状から1級普通免許状になる場合

在職年数	一般教育科目	教科専門科目	教職専門科目	計
3	5	10	10	25
4	3	8	9	20

中学校の2級普通免許状から1級普通免許状になる場合及び高等学校の臨時免許状から2級普通免許状になる場合

在職年数	一般教育科目	教科専門科目	教職専門科目	計
3	5	15	5	25
4	3	14	3	20

第6条の3　免許法第6条第2項別表第7により養護教諭の2級普通免許状の授与を受けようとする場合の単位の修得方法は，次の表の定めるところによる。

臨時免許状から2級普通免許状の場合

在職年数	一般教育科目	教科専門科目	教職専門科目	計
6	6	18	6	30
7	4	16	5	25
8	2	14	4	20

第6条の4　免許法附則（1965年立法第19号）第5項による高等学校の2級普通免許状の授与を受けようとする場合の単位の修得方法は，次の表の定めるところによる。

在職年数	一般教育科目	教科専門科目	教職専門科目	計
5	15	25	5	45
6	12	23	5	40
7	10	21	4	35
8	8	18	4	30
9	6	15	4	25
10	3	14	3	20

第6条の5　免許法附則（1965年立法第19号）第8項により，高等学校の臨時免許状から2級普通免許状の授与を受けようとする場合の単位の修得方法は，次の表の定めるところによる。

在職年数	一般教育科目	教科専門科目	教職専門科目	計
10	30	50	10	90
11	28	47	10	85
12	26	45	9	80
13	24	42	9	75
14	23	39	8	70
15	21	36	8	65
16	20	33	7	60
17	18	31	6	55
18	16	28	6	50
19	15	25	5	45
20	12	23	5	40
21	10	21	4	35
22	8	18	4	30
23	6	15	4	25
24	3	14	3	20

第6条の6　免許法第6条第2項別表第4備考第7号の適用を受ける者の単位の修得方法は，次の表の定めるところによる。

高等学校の2級普通免許状から1級普通免許状になる場合

在職年数	一般教育科目	教科専門科目	教職専門科目	計
5	15	25	5	45
6	12	23	5	40
7	10	21	4	35
8	8	18	4	30
9	6	15	4	25
10	3	14	3	20

第6条の7　第6条から前条までの規定により免許状の授与を受けようとする者が，最低在職年数をこえる在職年数を有する場合の単位の配分については，第6条から前条までの規定にかかわらず，一単位の範囲において，一般教育科目，教科専門科目，教職専門科目の各部門の間で増減することができるものとする。
2　各部門の単位の修得方法は，免許法施行規則第一章の例にならうものとする。
附　則
　　この規則は，1965年12月2日から施行する。

表紙によせて

農 連 市 場 風 景

前島小学校　　大 見 謝　　文

　ここは，人口25万の那覇市の台所をまかなう中央農連市場。夜の明けない中から何百人もの人が商いを初めている。寝静まっている市街の一角では，もう1日の活動がはじまっているのだ。品物を物色する人々の眼は真剣。売る者も些かのへつらいもごまかしもない。しかし売る者と買う者の間には善意の交流があり，売り手の間も互につり銭の融通をし合う。

　大地の体臭に取り組み，互いの善意の結びつきを信じて生きている人々の群，ここでは，不心得者，乱暴者は皆の手で忽ちにしてつまみ出され，間もなくかけつけて来るパトロールに引き渡されるのだ。1人1人の力は弱いけれども，がっちりと手を握り合い，自分達の生活を守り抜こうとする力強さがある。

　夜が白々と明けはじめ，朝日がさす頃，そこここの店のアンマーや，主婦たちが，買い物かごをさげて，新鮮な野菜を求めにやって来る姿が見受けられるようになる。

　私もいつの頃からか，日曜日毎にこの農連市場で1週間分の野菜類その他日用の品物を仕入れに行く癖がついてしまっている。

　経済的であるという面もあるが，何よりも私はこの農連市場のこんな空気が気に入っいるからである。

　庶民的でたくましい生活力。このエネルギーも一しょに私は持ち帰っているのかも知れない。私はここで画題を求め，何時かきっと描きたいとかねがね思っていた。その雰囲気を表現するためにもっと描きたいと思うことである。　　　　　（1966・3・25）

〈4〉

しつけと規則

指導課主事　徳　森　久　和

「最近，チコクをする人がふえたので，これから8時半までに学校に来るようにしよう」こんなきまりが〇〇小学校児童会でつくられたという話がある。この小学校では児童会で「チコクをする人が多いですから，9時から始業をしましょう」という決論が出されたら，どうするつもりだったのだろうか？このことは小学校の児童会の例だけではなく，中学校，高校の生徒会にもあることが予想される事例ではなかろうか？学校へ8時半までに登校せよというのは，学校で決め児童生徒に守らせるべき規則であって児童会，生徒会でつくられるきまりではないはずである。児童会，生徒会でつくるきまりは内容が児童，生徒にまかせることのできる自治的な範囲のものに限られる。

ところが，学校生活においてきまり（規則）を実施するについていろいろの問題があるといわれている，ことに全校的な生徒指導の徹底のために強力にしつけ指導を実施するとなると生徒個々の事情が見失われがちになるし，また特殊事情によってどこまで例外をみとめるかという問題も起ってくる。

先日催された生徒指導研修会での話であるが，男生徒は全員頭をボウズにせよということが職員会で決まった。髪の形など，どうでもいいではないかという意見もあった由……

さっそく実施に移されたのだが，そこで困った問題がおこった。えらく大きなハゲのある生徒がいて，その生徒と父兄が長髪を許してほしいと申し入れてきたのである。しかし学校ではこの特殊事情を例外として認めなかった。「ハゲがあるくらいのことは人間として考えれば，けっして大きなマイナスではない。それは生まれつき背が低いとか，太っているということと同じで，むしろそういう気持ちをその本人にも，また周囲にも育てることが生活をして必要ではないか……」というのがその高校の生徒指導の理由であり指導の方向であった。生徒も父兄もなっとくし，今ではそんなことを気にやんだことも忘れて元気一杯学校生活に励んでいるとのこと……を生徒指導の一事例として報告していた。

しつけと規則のあり方の一方法としてひとつの示唆をあたえる例ではないだろうか。

教育費講座 (第三回)

第二話　政府の教育予算

調査計画課主事　前田　功

第一話においては，沖縄の教育財政制度のあらましについて，これを政府地方に分けて解説してきましたが，第二話，第三話では，さらに一歩すすんで，「政府の教育予算」「地方の教育予算」という題名で，予算編成の手続きや，予算内容，予算事務などについて話をつづけてまいりましょう。

1. 政府の教育予算編成の手続き

学校に勤務していた頃，政府につとめている友人がよく話していたことがあります。「政府というところは予算に明け，予算に暮れるといってもよいくらい，年から年中，予算！，予算！で過しているだ」と。その頃，たしかに事業をするためには予算というものが必要であることは知っていながらも，このように朝から晩まで予算に関連しなければ行政ができないものかなと非常にけげんな気持でその話しを聞いていました。ところが，いざ自分がその身になって，いま，ようやくその意味がわかるようになっています。事実，予算に関する知識や予算の内容などをじゅうぶん理解し得ないでいては，全く仕事ができないと申しても極言ではないような気がします。

学校現場の先生方，特に，学校管理に直接タッチしておられる学校長，教頭先生方は，いまでも予算というもに大いに関心をもっておられる事と思いますが，今後の地方教育予算は最終的には市町村議会の議決を経ければならず，また，制度上もいままでとは相当に変ってまいりますので，ますます予算の内容をよく知り，いわゆる，予算に強くならなければ，より進んだ学校管理や，学校運営は望めないことになりそうです。本講座の開講された〝ねらい〟もここにあるのです。

このようにわたしたちは予算という言葉をよく聞きますが，「予算とは何か」と一たん開き直って聞かれると返答に困ってしまいます。むつかしい財政上の定義はいろいろありましょうが，ここでは一口に「予算とは，主と

して公共団体が，その業務を行なうため一定期間のくぎりにおける，収入および支出の見積りである。」と解釈しておきます。しかしながら，予算というものをこのように単なる収入と支出の見積りという皮相的な見方だけで片付けてしまうと，その奥にひそむ本質的な意義を見失うおそれがあります。予算に盛られている内容は，収入の面では，どのような方法でこれを生み出すか（例えば政府予算ならば，どのような租税を住民から徴収するかなど）とか，支出の面では，どのようなところにどれだけの力を入れようとしているか（政府予算ならば政府の政治や行政のうち教育とか，治安とか，産業とかにどのような政策をもち，これをどのように具現しようとしているかなど）ということを数学的に示した一種の計画書であり，この点に予算が最重要視されるゆえんがあるのです。いいかえれば予算とは，その団体が今後どのような道を歩もうとしているかを示す青写真だということになります。

さて，予算に関する前おきはこのくらいにして，政府の教育予算編成の手続きという本論に入りましょう。まえに予算とは一定期間のくぎりにおける収支の見積りと申しましたが，政府予算に限らず公共団体においてはほとんど一年をくぎりとしているのが通例です（会社，銀行などは半年くぎり，3カ月くぎりの予算も多いようですが）。1年のくぎりでも，その始期をどこにするかが問題となりますが，政府では7月1日から翌年6月30日までを一くぎりとしてこれを会計年度と呼んでいます。ただし〇〇会計年度と年号を呼ぶ場合はその会計年度中の後半の歴年号をつけて呼びます。すなわち，例えば現時点の会計年度は1965年7月1日から始まり，来る1966年6月30日で終る期間で，これを1966会計年度と呼びます。そして1966年7月1日からは1967会計年度に入ることになります。市町村や教育区等，行財政上で政府と密接な関係にある団体等の会計年度も政府に準じています。

政府の予算に関する規定は「財政法」（1954年立法第10号）によっています。この法によれば政府予算の内容は，予算総則，歳入歳出予算，継続費，繰越明許費および政府債務負担行為の5つよりなっていますが，普通わたくしたちが予算と呼んでいるのは，そのうちで歳入歳出予算ということになります。この歳入歳出予算以外の他の予算内容については，やや専門的になりますので，ここでは狭義の意味で歳入歳出予算を単に予算と呼び，このうちで特に歳出予算を中心にして話しをすすめていきます。

予算はすべて行政主席が統合調整して，立法院に立法措置を要請すること

になっています。主席が統合調整して立法院に送付した予算を参考案と呼んでいます。予算案は立法院の審議の過程で一部修正されることもあり、最終的には立法院で可決されたものが予算として成立するわけです。

さて、政府の教育予算の編成の手続きはどうなっているでしょうか。新年度予算は通常10月から11月にかけて、その概算見積書を作成します。予算の概算見積りは中央教育委員会で議決された「〇〇年度文教局予算編成方針」に沿うて作成されます。教育予算見積りは中央教育委員会の承認を得て、政府全体としての統合調整に供するため行政主席に送付されます。行政主席は、統合調整の段階において、教育予算の歳出見積りを減額しようとする場合には、あらかじめ中央教育委員会の意見を求めなければならないようになっており（教育委員会法第119条）、教育予算の歳出見積りを減額した場合には、その詳細を歳入歳出予算に付記するとともに、立法院が、教育予算の歳出額を修正する場合の必要な財源についても明記しなければならないようになっています。これは教育の中立性を保持し、教育に対して予算上で、万一にでも不当な圧力がかかってきた場合、住民の意志代表機関である立法院において、これを排除することができるようにとの法的保障を与えてあるものとみることができ、この点で教育予算は政府の他のどの部局の予算とも大いに異なるものがあると申せましょう。なお、このように予算に関する行政主席と中央教育委員会との関係は地方における新らしい財政制度下の市町村長と区教育委員会との関係に類似していることにお気付きのことと思います。

政府の教育予算編成は概算見積りの作成にはじまり、予算部局による査定内示、復活要求等の事務接渉が行なわれ、さらに上のような手続きをえて、行政主席が予算案を作成して立法院へ送付する期限が4月末までとなっていますから、新らしい予算の編成事務にたっぷり半年以上の時日をかけていることになります。また、この期間に予算に関係する立法案の作成、日米援助の確定等の予算関係の事務がなされます。日米援助の要請については、前年度の5月から資料作成がはじまり11月頃までには新年度の援助額が内定します。

以上が政府教育予算の編成の手続きのあらましでありますが、予算を要求して、これが査定される段階で最も大きな力となるのは資料の整備であります。いくら声を大にして、必要性・重要性を力説しても、それを裏付ける確実なる資料を持たなければ、予算の獲得はできません。確実なる資料とは、

その資料が正確であることはもちろんのことでありますが，と同時にその資料ができるだけ現時点の状況を反映しているものであることが必要です。従って，これらの資料を得るための行政調査が確実性，迅速性を絶対要件とする点において，調査対象となる教育現場のみなさんのご協力が要請されるわけであります。

2．文教局予算の内容

政府の教育関係予算は，その殆んどが文教局予算に組まれます。教育関係予算で他局に組まれているのは，政府機関（政府立高校など）の土地購入費借地料，用度費としての庁用備品，消耗品，印刷製本費で，これらは総務局予算に含まれています。これは各局共通事業の集中管理のためにとられている処置です。もちろん，これらの項についても，予算編成事務は各局で行ない，予算案確定の最終段階において総務局にうつしがえされ，総務局で予算を執行（各局の要求に応じて）するという仕組みになっています。このほか，技術援助（本土からの講師招へい，本土への技術研修）関係経費も一括して企画局に組まれています。さらに最も大きいものとしては交付税教育費需要分が総務局予算の地方行政費の「市町村交付税特別会計への繰入」の中に組まれています。1967年度政府参考案によると，この繰入れ額は728万5千ドルとなっていますが，これは教育費を含む全市町村行政の需要に対する不足補てん財源で，このうち教育費分はいくらだと細分することはできませんが，強いて理くつで考えるならば全需要額に対する教育費需要分の割合い（1967年度は28.8％となっている）が教育費需要項に対する不足財源補塡分といえましょう。

1967年度文教局歳出予算は次の15款より編成されています。

文教局費	13
中央教育委員会費	1
各種調査研究費	2
教育関係職員等研修費	1
政府立学校費	4
産業教育振興費	1
社会教育費	11
学校建設費	1
学校教育補助	1
教育行政補助	1
教科書無償給与費	1
育英事業費	1
文化財保護費	2
私大委員会費	1
琉大医学部設置委員会費	1
計	42

各款名の右側の数はその款を構成している項の数であります。この項までが予算（広義での）で，立法院の議決の対象となります。財政法では項以上の予算の移用・流用はできないことにな

っています。ただし，予算総則で定めた，職員俸給，非常勤職員給与，期末手当，特殊勤務手当，退職給与金，保険料，学校教育補助金の中の給料補助・期末手当補助・退職給与補助・保険料補助等の経費の金額に過不足を生じた場合には行政主席の承認の下に各局・各款・各項間の移用ができるようになっています。

予算明細書では，項はさらに事業別と性質別の2通りの方法で細分類されています。事業別は予算上は事項とよんでおり「○○○に必要な経費」と表示しています。1967年度文教局予算の中にこの事項（事業名）が実に136もあります。すなわち，文教局予算は136の事業に分類されていることになるのです。

性質的分類とは科目とよばれるもので分類されております。これは地方教育予算の節に当るもので，経費の経理上の性質により，職員俸給とか，管内旅費，通信費，雑費，○○補助金という具合に区分されます。これらの科目は一定の科目番号をもっており，政府予算全体で共通になっています。地方教育委員会や教育団体への教育補助金は一つの科目番号で表示され，経費の内容によって，給料補助，期末手当補助，備品補助等で細分しています。

なお，現年度までは琉球大学経費も教育補助の一つとして文教局予算の中に含まれていましたが，琉球大学の政府移管に伴い新年度からは一つの部（局）として文教局予算から分離独立して取り扱われる予定となっています。

ここで，1967会計年度一般会計歳出予算案について，教育部門を中心として数学的に概観してみましょう。

まず，1967年度の予算規模は現年度予算額6,589万ドルの32.4％増しの8,727万ドルとなっており，このうち事業費6,099万ドル，運営費2,628万ドルに分けられます。ここでいう運営費とは政府職員の人件費や政府の業務運営のための物件費をいい，事業費とは政府直営の事業や補助事業に要する経費をいいます。一般会計歳出予算は予備費を含めて20の部局に分けられますが，そのうち教育関係予算は文教局予算が2,802万ドル，琉球大学予算が153万ドルで両者を合せますと政府総予算の34.8％になります。文教局予算2,802万ドルを事業種類別に分類すると事業費が2,343万ドル，運営費476万ドルで，事業費のうち，84.1％にあたる1,979万ドルは教育区その他への補助事業になっています。運営費のうちでも政府直轄学校の運営費（教職員給与その他）が432万ドルで残りが教育行政・社会教育等の運営費ということになります。事業費のうち補助事業は大部分が地方教育区の学校教育への経

費であり，直営事業の中にも備品充実費等のように文教局が事業を執行し，現物を各教育区の学校へ支給するための経費もかなりあり，教育予算は窮極的には学校教育費のための支出が9割以上を占めています。すなわち，新年度の文教局予算案を分野別に分類すると次のような結果になっています。

(区分)	(金額)	(構成比)
文教局予算	2,802万ドル	100.0%
学校教育費	2,648〃	94.5
社会教育費	29〃	1.0
教育行政費	125〃	4.5

（注）育英事業費は教育行政費の中に含めてある。

3．政府の予算事務

政府の行政はつきつめていえばすべてが予算事務といえることは前にも述べたとおりでありますが，まず，予算が成立しますと，年間の事業計画を立て，資金面ではこれを4半期に分けて資金計画をつくります。直轄事業については，事業を行ない，それに伴なう支出経理を行なえばよいことになります。例えば，教育委員研修のための事業を行なう場合，主管課で研修計画をつくり，これを開催します。研修会が行なわれたら，それに要した経費，旅費，消耗品費，雑費等を経理課を通して請求して，現金の支給を受けて支払い事務をするということになります。

補助事業の場合は大部分おもむきが違ってきます。事業の主体は政府以外の団体で教育関係では地方教育区の教育委員会が主たる事業団体となります。

これらの補助事業の執行（予算の編成をも含めて）もすべて立法措置によることは申すまでもありませんが，特に補助金行政については，交付について不正な申請や使用の防止，予算執行や交付決定等の適正化をはかるため，「補助金等に係る予算の執行の適正化に関する立法」略して補助金適正化法にその執行の手順が細かく規定されています。事業団体が政府の補助を得てある事業を行なう場合，事業の計画書（詳しくは事業の目的・内容・経費のねん出方法等）を作成して，政府に申請します。政府の方では補助金の公平で且つ能率的配分が行なえるよう補助金の交付に関する規則（立法に基づく）を作成します。教育補助金についてはその種類が極めて多数にのぼっていますが，それぞれの補助金の交付について中央教育委員会で規則を定めています。地方教育区に対する政府補助金等の種類と根拠法規・交付規則の一覧を示すと下表のとおりであります。

この表に掲げてある補助金の種類は1967年度の文教局予算案に組まれているものであります。しかしながら，右欄の交付規則は1966年度現在のものでありますので，新年度からはじめて交

(表) 地方教育区への教育補助の種類と根拠立法、交付規則一覧

	補助金の名称	根拠立法	交付規則
学校教育	学校給食補助	学校給食法（1960立47号）	学校給食補助金の交付に関する規則（1962中規18号）
	実験学校研究奨励補助	教育委員会法（1960立2号）	教育振興奨励金交付規則（1963中規9号）
	学校図書館備品補助	学校図書館法（1965立5号）	学校図書館設備及び図書補助金交付に関する規則（1965中規35号）
	学校備品充実のための備品補助（理科・視聴覚・一般教科）	理科教育振興法（1960立62号）教育委員会法（1958立2号）	理科備品補助金交付に関する規則（1963中規43号）学校運営補助金の交付に関する規則（1961中規23号）
	本土派遣研究教員旅費補助	教育委員会法（1958立2号）	内地派遣研究教員の旅費補助金交付に関する規則（1965中規32号）
	特殊学校就学奨励費	盲学校・聾学校及び養護学校への就学奨励に関する立法（1966立　号）	（未制定）
	産業教育備品補助	教育委員会法（1958立2号）	産業教育備品補助金交付に関する規則（1963中規26号）
	英語教育普及備品補助	〃	（未制定）
	学校建設施設補助	〃	公立学校々舎建築補助金の交付に関する規則（1958中規8号）公立学校給水施設補助金の交付に関する規則（1962中規14号）
		へき地教育振興法（1958立63号）	へき地学校教職員住宅建築補助金交付に関する規則（1960中規第12号）
	〃　修繕補助	教育委員会法（1958立2号）	学校運営補助金の交付に関する規則（1961中規23号）
	学校教育・給料補助	〃	義務教育学校教職員の給料補助金交付に関する規則（1961中規第23号）
	〃　期末手当補助	〃	
	〃　単位給補助	〃	公立学校職員の単位手当補助金交付に関する規則（1958中規64号）
	〃　複式手当補	へき地教育振興法	公立学校単級手当並びに複式手当補助金交付に関する規則（1960中規25号）
	学校教育　宿日直手当補助	教育委員会法（1958立2号）	（未制定）

	〃 退職給与補助	〃	公立学校教育職員の退職手当補助金交付に関する規則（1958中規36号）
			公立学校教育職員の退職手当補助金交付等の特別措置に関する規則（1965中規4号）
			公立学校職員の積立年次休暇に相当する金額の補助金交付に関する規則（1959中規19号）
	〃 公務災害補償補助	〃	公立学校教育職員の公務災害補償のための補助金交付に関する規則（1958中規27号）
	〃 学校運営補助	〃	（旅費・保健衛生・実習生受入れ）学校運営補助金の交付に関する規則（1961中規23号）
			（学校統合）学校統合補助金の交付に関する規則（1964中規4号）
	〃 へき地教育振興補助	へき地教育振法（1958号63号）	へき地教育振興補助金交付に関する規則（1959中規35号）
	〃 特殊教育備品補助	教育委員会法（1958立2号）	1966年度特殊学級備品補助金交付に関する規則（1965中規36号）
	〃 保険料補助	〃	（未制定）
	〃 幼稚園振興補助		1965年度幼稚園教育振興補助金交付規則（1965中規7号）
			1965年度幼稚園教育振興補助金交付規則の一部を改正する規則（1965中規17号）
			1966年度幼稚園教育振興補助金交付規則の一部を改正する規則（1965中規31号）
社会教育	社会教育振興，燃料補助	社会教育法（1958立4号）	社会教育関係補助金の交付額の算定に関する規則（1961中規27号）
	〃 講師手当補助	〃	〃
	〃 研究奨励費		教育振興奨励金交付規則（1963中規9号）
	公民館振興 〃	〃	〃
	青年学級振興運営補助	〃	社会教育関係補助金の交付額の算定に関する規則（1961中規27号）
	青年学級振興，研究奨励費	社会教育法（1958立4号）	教育振興奨励金交付規則（1963中規9号）
	社会体育振興，体	スポーツ振興法）	スポーツ振興補助金の交付に関する

教育行政	育指導員設置補助	1963立27号)	規則（1963中規28号）
	〃 体育施設補助	〃	〃
	教育測定調査，委員手当補助	教育委員会法（1958立2号）	全国学力調査委員手当補助金の交付に関する規則（1965中規8号）
	教育行政，行政補助	〃	地方教育行政補助金の交付に関する規則（1964中規11号）

（注）根拠立法交付規則欄の（　）は立法年度，立法番号，規則制定年度，中央教育委員会規則番号を示す。

付される予定の補助金については，交付規則が未制定となっています。また，継続交付予定の補助金についても，新年度からは地方の教育財政制度がかわり，交付税による財源保障制度が実現しますので，その一部は交付額の算定方法に大きな改正が行なわれる予定になっています。

さて，さきに事業を行なう団体の政府への補助金交付申請の方法について話をしましたが，地方教育区の事業は文教局によってその内容がじゅうぶんわかっていますので，予算の交付については地方からの資料の提出をもとめて，これに基づいて中教委の定めた基準に従って補助金交付額の概算をなし，これを各教育区に割り当てる方法がとられる場合が多いのです。これを普通補助金の内示と呼んでいます。この場合は教育区は補助金の内示を受けてから，それに見合う事業を行なうよう計画し，補助金交付の申請を提出します。

主管課では申請書に示されている事業の内容を検討，査定し，必要があれば，これを修正して，補助金交付の指令書を発送します。指令を受けた後，地方教育区では事業がはじめられ，それが完了しましたら事業の実績報告書が政府に提出されます。政府では事業が計画通り正しく実施されたを書類または実地調査等によって確認できましたら，補助金の確定通知を発送します。この確定通知を得て，はじめて政府に対して補助金の請求事務が行なわれるという段どりになります。

以上が適正化法に規定された補助金交付の正規の手順でありますが，このように一つの補助金を政府からもらうのに，このような事務的にも時間的にも繁雑極まりない手続きが要るわけですが，これは，同法にもうたわれているように，これらの補助金が住民から徴収された税金その他貴重な財源でまかなわれているという理解のもとに，補助金の交付事務にたずさわる人も，補助金を受けて事業を行なう団体も公平かつ効率的に使用されるようにする

ためであります。このような趣旨から補助金の交付事務は，極めて厳正慎重でなければならないことは基よりでありますが，一方，事業の性質によっては事務能率をあげないと事業そのものに根本的なる支障を来たす場合もあります。例えば，教職員の給料などについては，月末になってから書類を作成し，実績報告を提出して補助金の交付を受けるとすれば，到底支給日である2日には間に合わないことになります。このような義務経費ないしは経常的性格の補助金については，事務段階において，これらの手続きを簡素化するような措置が講ぜられています。また，へき地教育区に対する給与については財源の前渡支出制等も措置されています。地方の学校へ参りますと，よく給料の支払いが遅延しがちだとか，備品関係の補助予算が組まれているとは聞いているが，まだ現物がこないとか，いろいろ補助金行政についての不平不満も聞かれますが，このような複雑な事務を要するということも理解していただくと共に，一方では，これらの事務に対しても学校側でも全面的な協力が望まれるところであります。例えば備品の割当内示をして期日を決めて購入計画書を提出するよう通知しても，全琉59の教育区にわたっていますので，一つの教育区でも期日までに書類の未提出があった場合，それを残して事務をすすめると二重，三重の書類を作成しなければならないし，事実上不可能な場合が極めて多いので，結果的には全部が出揃うまで事務がじゅう滞することになります。

　補助金行政の理解にもとづく，現物の全面的協力こそ，この行政の円滑な運営のかためであることを認識していただきたい。

中教委だより

第150回臨時中央教育委員会
1 期日 1966年4月13～14日
2 会議録（抄）……可決
○1966年度補正予算案についての行政主席の意見聴取に対する回答について（報告）
○「1967年度市町村交付税の算定に用いる教育区の教育費に係る測定単位及び単位費用」についての行政主席より意見聴取に関する回答（議案第4号）
○地方教育区公務員法及び教育公務員特例法の立法について（協議題）

第151回臨時中央教育委員会
1 期日 1966年5月6～11日
2 会議録（抄）……可決
○地方教育区公務員法立法案について（議案第1号）
○教育公務員特例法立法案について（議案第2号）

参考人意見聴取
{ 教職員会　教育委員協会 }
{ ＰＴＡ連合会 }

1966年5月25日印刷
1966年5月30日発行

文　教　時　報　（第101号）
非　売　品

発行所　琉球政府文教局総務部調査計画課
印刷部　琉球新報社印刷部　電話 ③ 1131番

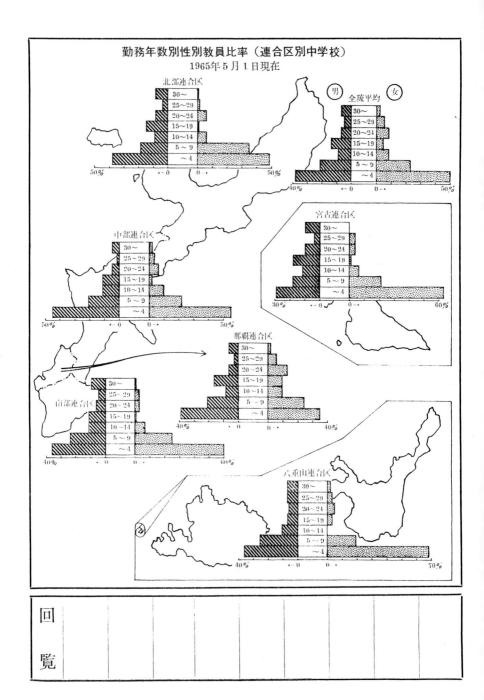

立法院文社委の本土視察要項

　　　　垣　花　恵　昌（民主党）

　　　　盛　島　明　秀（　〃　）

　　　　岸　本　利　実（社会党）

　　　　嵩　原　久　男（社大党）

1. 市町村における人事委員会又は公平委員会の設置状況とその活動状況

2. 教職員の勤務評定実施とその利用の状況

3. ＩＬＯ条約の批准に伴う国内法の改正点

4. 教育公務員特例法第２１条の３（公立学校教育公務員の政治的行為の制限）の規定によつて政治的行為の全国的制限をするに至つた理由

5. 沖縄において、教公二法を現時点において立法することは、教育権返還の推進にブレーキをかけることになるというが、それに対する文部省や沖縄問題懇談会の意見はどうか。

6. 教職員の給与及び福祉面における本土との格差

第二十二条　教育公務員は、教育に関する他の職を兼ね、又は教育に関する他の事業若しくは事務に従事することが本務の遂行に支障がないと任命権者において認める場合には、給与を受け、又は受けないで、その職を兼ね、又はその事業若しくは事務に従事することができる。

2　前項の場合においては、政府公務員たる教育公務員にあっては、政府公務員法第四十三条の規定に基づく人事委員会規則又は同法第四十六条第二項の規定により人事委員会が定める許可の基準によることを要せず、地方公務員たる教育公務員にあっては地方教育区公務員法第三十七条第二項の規定により人事委員会が定める許可の基準によるところにより、この立法の規定によるところにより、この立法の規定にかかわらず人事委員会が定めるところにより、この立法の規定によることを要しない。

(教育公務員以外の者に対するこの立法の準用)
第二十三条　政府立学校又は公立学校において教員の職務に準ずる職務を行なう者、琉球政府行政組織法(一九六一年立法第百号)第八条にかかげる文教局の附属機関の長及び職員のうちもっぱら研究又は教育に従事する者及び文教局の教育指導職及び教育管理職又は連合教育区の教育管理職にある者並びに政府立又は公立の各種学校の校長及び教員については、中央教育委員会の定めるところにより、この立法の規定を準用する。

附　　則

(施行期日)
第二十四条　この立法は、公布の日から施行する。

2　この立法中の規定が、政府公務員法又は地方教育区公務員法の規定に矛盾し、抵触すると認められるに至った場合は、政府公務員法又は地方教育区公務員法の規定が優先する。

(従前の規定による休養者の取扱い)
第二十五条　教育公務員で、この立法施行の際、現に政府立又は公立の学校の学長、校長、教員又は部局長並びに地方教育区の教育長及び専門的教育職員は、この立法若しくは部局長並びに地方教育区の教育長及び専門的教育職員は、この立法施行の際、現に結核性疾患のため休養中の者及び出産休暇中の者は、第七条及び第十六条の規定については、従前の休養期間を通算する。

(この立法施行の際における学長等の職にある者の取扱い)
第二十六条　この立法施行の際、現に政府立又は公立の学校の学長、校長、教員又は部局長並びに地方教育区の教育長及び専門的教育職員は、この立法若しくはこれに基づく中央委員会規則又は他の立法で別に定めるものを除くほか、それぞれこの立法により政府又は当該地方教育区の教育公務員に任用され、引き続き現にある職に相当する職についていたものとみなす。

(地方教育区の教育公務員の給与等)
第二十七条　地方教育区の教育公務員の給与の種類及びその額は、政府の教育公務員の給与の種類及びその額を基準として定めるものとする。

(職員団体)
第二十八条　地方教育区公務員法第五十一条第一項又は第二項の規定に基づく地方教育区の設置する学校の職員の職員団体の連合体は、当分の間、給与、勤務時間その他の勤務条件に関し、琉球政府の当局に交渉するため、政府の設置する学校の職員団体の連合体との間に連合体を結成し、又はこれに加入することができる。

2　政府公務員法第六十一条から第六十四条までの規定の適用については、前項の職員団体は、同法第六十条第二項の規定に基づく職員団体の連合体とみなす。

3　民法(明治二十九年法律第八十九号)第三十四条の規定により設立された法人のうち、この立法施行の際、現に存する教職員の組織する団体(「沖縄教職員会」という。)は、第一項の規定に準じて給与、勤務時間その他の勤務条件に関して琉球政府の当局に交渉することができる。

(大学管理機関の読替)
第二十九条　この立法中「大学管理機関」とあるのは、琉球大学にあっては、「琉球大学委員会」と読替えるものとする。

(従前の立法の廃止)
第三十条　政府立学校等の教育職員の結核性疾患による休職及び出産休暇に関する特別措置法(一九六一年立法第七十四号)は廃止する。

— 33 —

学校にあっては文教局長、大学附置以外の公立学校にあってはその校長及び教員の任命権者である教育委員会の教育長(「選考権者」という。この条及び第十六条中同じ。)が行なう。

2 選考権者は、前項の選考を行なうにあたっては、中央教育委員会規則(以下「中央委員会規則」という。)の定めるところにより選考権者協議会を設けることができる。

3 教員の採用及び昇任の選考にあたっては、校長は、選考権者に対し、意見を申しのべることができる。

(条件付任用)

第十五条 政府立学校又は公立学校の校長又は教員で政府公務員法第二十六条又は地方教育区公務員法(一九　　年立法第　　号)第二十三条第一項の規定により正式任用になっている者が、引き続き公立学校又は政府立学校の校長又は教員に任用された場合には、その任用については、同条又は同項は適用しない。

(休職及び休暇の期間及び効果)

第十六条 校長及び教員の休職の期間は、結核性疾患のため長期の休養を要する場合の休職においては、満二年とする。ただし、任命権者は、特に必要があると認めるときは、休職の期間を満三年まで延長することができる。

2 前項の規定による休職者には、その休職の期間中給与の全額を支給することができる。

3 女子教育職員の出産休暇は、産前産後を通じて十二週間とし、その期間中給与の全額を支給する。

(教育職員の補充)

第十七条 教育職員が、前条の規定による休職又は女子教育職員の出産休暇若しくは前条以外の心身の故障により長期の休養を要する場合の休暇の場合においては、中央教育委員会の定めるところにより、任命権者は、その休職又は休暇中当該学校における学校教育の正常な実施を図るため、その休職又は休暇の期間の範囲内において、学校教育の正常な実施が困難と認める期間を任用の期間として、当該学校の職員の職務を行なわせるため、臨時的に校長以外の教育職員として任用することができる。

2 前項の規定による臨時的任用については、政府公務員法第二十七条第一項

から第三項まで及びこれに基づく人事委員会規則又は地方教育区公務員法第二十三条第二項から第四項まで及びこれに基づく人事委員会規則は適用しない。

(勤務成績の評定)

第十八条 校長及び教員の勤務成績の評定については、任命権者において特に必要があると認める場合にこれを行なうことができるものとする。

2 前項の勤務成績の評定について人事委員会が計画の立案及びその勧告をしようとするときは、中央教育委員会の意見を求めるものとする。

第二節 教育長及び専門的教育職員

(採用及び昇任の方法)

第十九条 教育長の採用並びに専門的教育職員の採用及び昇任は、選考によるものとし、その選考は、教育長については当該連合教育区教育委員会、専門的教育職員については教育長が行なう。

第三章 研　修

(研　修)

第二十条 教育公務員は、その職責を遂行するために、絶えず研究と修養に努めなければならない。

2 教育公務員の任命権者は、教育公務員の研修について、それに要する施設研修を奨励するための方途その他研修に関する計画を樹立し、その実施に努めなければならない。

(研修の機会)

第二十一条 教育公務員には、研修を受ける機会が与えられなければならない。

2 教員は、授業に支障のない限り、所属長の承認を受けて、勤務場所を離れて研修を行なうことができる。

3 教育公務員は、任命権者の定めるところにより、現職のままで、長期にわたる研修を受けることができる。

第四章 雑　則

(兼職及び他の事業等の従事)

（転　任）

第五条　学長及び学部長以外の部局長については、評議会、教員及び学部長については、当該学部の教授会の議に基づき学長、学部長以外の部局長については、評議会の議に基づき学長が大学管理機関の定める基準により、行なわなければならない。

2　評議会又は学部教授会は、前項の審査を行なうに当つては、その者に対し審査の事由を記載した説明書を交付しなければならない。

3　審査を受ける者から、前項の説明書を受領した後十四日以内に請求があつたときは、評議会又は学部教授会は口頭又は書面で陳述する機会を与えなければならない。

4　評議会又は学部教授会は、第一項の審査を行なう場合において必要があると認めるときは、参考人の出頭を求め、又はその意見を徴することができる。

5　前三項に規定するもののほか、第一項の審査に関し必要な事項は、評議会又は学部教授会が定める。

（降任及び免職）

第六条　学長及び学部長以外の部局長については評議会、教員及び学部長については学部教授会の審査の結果によるのでなければ、その意に反して降任され、又は免職されることはない。教員の降任についても、また同様とする。

2　第五条第二項から第五項までの規定は、前項の審査の場合に準用する。

（休職の期間及び効果）

第七条　学長、教員及び学部長以外の部局長の休職については評議会、教員及び学部長の休職においては、個々の場合について、大学管理機関が定める。

2　前項の規定による休職の期間は、心身の故障のため長期の休養を要する場合は、満二年とする。ただし大学管理機関は、結核性疾患のため長期の休養を要する場合に特に必要があると認めるときは、休職の期間を満三年まで延長することができる。

3　第二項の規定による休職者には、その休職の期間中給与の全額を支給する。

（任期及び停年）

第八条　学長及び部局長の任期については、大学管理機関が定める。

2　教員の停年については、大学管理機関が定める。

（懲　戒）

第九条　学長及び学部長以外の部局長については学部教授会の審査の結果によるのでなければ、懲戒処分を受けることはない。

2　第五条第二項から第五項までの規定は、前項の審査の場合に準用する。

（任命権者）

第十条　学長、教員及び部局長の任用、免職、休職、復職、退職及び懲戒処分は学長については評議会、教員及び学部長については学長の申出に基づいて任命権者が行なう。

（服　務）

第十一条　学長、教員及び部局長以外の部局長の服務について、琉球政府公務員法（一九五三年立法第四号、以下「政府公務員法」という。）第三十八条から第四十六条までに定めるものを除いては、大学管理機関が定める。

（学問の自由）

第十二条　大学における学問の自由は、尊重し保障されなければならない。

（勤務成績の評定）

第十三条　学長、教員及び部局長の勤務成績の評定及び評定の結果に応じた措置は、必要に応じ大学管理機関が行なう。

2　前項の勤務成績の評定は、大学管理機関が定める基準により、学長及び学部長以外の部局長については評議会、教員及び学部長については学部教授会の議を経て行なわなければならない。

第二節　大学以外の学校の校長及び教員

（採用及び昇任の方法）

第十四条　校長の採用並びに教員の採用及び昇任は、選考によるものとし、その選考は、大学附置の学校にあってはその大学の学長、大学附置以外の政府立

教育公務員特例法案

目次

第一章　総則（第一条—第三条）
第二章　任免、分限、懲戒及び服務
　第一節　大学の学長、教員及び部局長（第四条—第十三条）
　第二節　大学以外の学校の校長及び教員（第十四条—第十八条）
　第三節　教育長及び専門的教育職員（第十九条）
第三章　研修（第二十条—第二十一条）
第四章　雑則（第二十二条—第二十三条）
附則（第二十四条—第三十条）

第一章　総則

（この立法の趣旨）

第一条　この立法は、教育を通じて住民全体に奉仕する教育公務員の職務とその責任の特殊性に基づき、教育公務員の任免、分限、懲戒、服務及び研修について規定する。

（定義）

第二条　この立法で「教育公務員」とは、学校教育法（一九五八年立法第三号）第一条に定める学校、同法第二条に定める政府立学校及び公立学校の学長（園長及び大学附属の学校の副校長を含む。以下同じ。）、校長（園長及び大学附属の学校の副校長を含む。以下同じ。）、教員及び部局長並びに地方教育委員会（教育区教育委員会及び連合区教育委員会をいう。以下同じ。）の教育長（教育次長を含む。以下同じ。）及び専門的教育職員をいう。

2　この立法で「教員」とは、前項の学校の教授、助教授、教諭、助教諭、養護教諭、養護助教諭及び講師（常時勤務の者に限る。以下同じ。）をいう。

3　この立法で「部局長」とは大学の学部長その他大学管理機関の規則で指定する部局の長をいう。

4　この立法で「専門的教育職員」とは、指導主事及び社会教育主事補を含む政府公務員、公立学校の学長、校長、教員及び部局長並びに地方教育委員会の教育長及び専門的教育職員としての身分を有する。

（身分）

第三条　政府立学校の学長、校長、教員及び部局長は政府公務員、公立学校の学長、校長、教員及び部局長並びに地方教育区公務員（以下「地方公務員」という。）としての身分を有する。

第二章　任免、分限、懲戒及び服務

第一節　大学の学長、教員及び部局長

（採用及び昇任の方法）

第四条　学長及び部局長の採用並びに教員の採用及び昇任は、選考によるものとする。

2　前項の選考は、学長については、人格が高潔で、学識がすぐれ、かつ教育

（経過規定）

3　最初に選任される人事委員会又は公平委員会の委員の任期は、第九条第十項本文の規定にかかわらず、一人は四年、一人は三年、一人は二年とする。この場合において、各委員の任期は、教育長がくじで定める。

4　職員の任免、給与、分限、懲戒、服務その他身分取扱いに関する事項については、この立法中の各相当規定がそれぞれの地方教育区に適用されるまでの間は、当該地方教育区については、なお、従前の例による。

5　第十七条第三号の懲戒免職の処分には、当該地方教育区において、地方教育区公務員に関する従前の規定によりなされた懲戒免職の処分を含むものとする。

6　地方教育区公務員若しくは懲戒処分を受けた者の休職又は懲戒手続中の者若しくは懲戒処分に関しては、なお、従前の例による。

7　第七条第三項の規定にかかわらず、その設置する人事委員会又は公平委員会は、第七条第三項の規定を、当分の間、連合区の設置する人事委員会又は公平委員会（共同して設置する公平委員会を含む。）に委託して処理させるものとする。

設置しなければならない。

2 労働基準法（一九五三年立法第四四号）第二条、第八十三条、第八十四条、第八十七条から第九十一条まで及び第九十九条の規定は、職員に関しては適用しない。ただし、労働基準法第八十三条、第八十四条及び第九十九条の規定並びにこれらの規定に基づく規則の、地方教育区の行なう労働基準法第八条第一号から第十号まで及び第十三号から第十五号までに掲げる事業に従事する職員に関しては適用する。

3 労働基準法の規定及びこれらの規定に基づく規則中前項の規定により職員に関して適用されるものと、地方教育監督機関の職権は、地方教育区公務員制度の原則に沿って運営されるように、人事委員会又はその委任を受けた人事委員会の委員（人事委員会を置かない地方教育区においては、教育委員会の教育長）が行なうものとする。

(政府の協力及び技術的助言)
第六十条 政府は、地方教育区の人事行政がこの立法によって確立される地方教育区公務員制度の原則に沿って運営されるように協力し、及び技術的助言をすることができる。

(技術的読替の規則への委任)
第六十一条 教育補助金の対象となっている教育職員に対してこの立法の規定を適用する場合における技術的読替は、政府の人事委員会規則で定める。

第五章 罰 則

(罰 則)
第六十二条 次の各号の一に該当する者は、一年以下の懲役又は八十五ドル以下の罰金に処する。
一 第十四条の規定に違反して差別をした者
二 第三十三条第一項又は第二項の規定（第九条第十二項において準用する場合を含む。）に違反して秘密を漏らした者
三 第四十九条第二項の規定による人事委員会又は公平委員会の指示に故意に従わなかった者

第六十三条 次の各号の一に該当する者は、三年以下の懲役又は二百五十ドル以下の罰金に処する。
一 第四十九条第一項に規定する権限の行使に関し、第八条第五項の規定により人事委員会若しくは公平委員会から証人として喚問を受け、正当な理由がなくてこれに応ぜず、若しくは虚偽の陳述をした者又は同項の規定により人事委員会若しくは公平委員会から書類若しくはその写の提出を求められ、正当な理由がなくてこれに応ぜず、若しくは虚偽の事項を記載した書類若しくはその写を提出した者
二 第十六条の規定に違反して任用した者
三 第二十条第一項後段の規定に違反して受験を阻害し、又は情報を提供した者
四 何人たるを問わず、第三十六条第一項前段に規定する行為の遂行を共謀し、そそのかし、若しくはあおり、又はこれらの行為を企てた者
五 第四十五条の規定による勤務条件に関する措置の要求の申出を故意に妨げた者

第六十四条 第六十二条第二号又は前条第一号から第三号まで若しくは第五号に掲げる行為を企て、命じ、故意にこれを容認し、そそのかし、又はその幇助をした者は、それぞれ各本条の刑に処する。

附 則

(施行期日)
1 この立法の規定中、第十六条及び第十八条から第二十四条までの規定並びに第六十三条第二号及び第三号の罰則並びに第六十四条中第六十三条第二号及び第三号に関する部分は、この立法公布の日から起算して一年を経過した日から施行し、第二十六条から第二十八条まで及び第五十条までの規定並びに第六十四条中第六十二条第三号、第六十三条第一号から第五号に関する部分は、この立法公布の日から起算して八月を経過した日から施行し、その他の規定は、この立法公布の日から起算して二月を経過した日から施行する。

(人事委員会又は公平委員会の設置期限)
2 人事委員会又は公平委員会は、この立法公布の日から起算して八月以内に

— 29 —

の規定に適合しないものとなったときは、政府の人事委員会は、政府の人事委員会規則で定めるところにより、あらかじめ口頭審理を行なった後、その登録を取り消すことができる。口頭審理は、当該職員団体から請求があったときは、公開して行なわなければならない。

5 登録を受けた職員団体は、その規約を変更したときは、政府の人事委員会規則で定めるところにより、政府の人事委員会にその旨を届け出なければならない。この場合においては、第一項後段の規定を準用する。

6 登録を受けた職員団体は、解散したときは、政府の人事委員会規則で定めるところにより、政府の人事委員会にその旨を届け出なければならない。

(法人たる職員団体に関する特例)
第五十三条 職員団体は、法人とすることができる。民法(明治二十九年法律第八十九号)及び非訟事件手続法(明治三十一年法律第十四号)中民法第三十四条に規定する法人に関する規定は、本項の法人について準用する。ただしこれらの規定中「主務官庁」とあるのは「政府の人事委員会」と読み替えるものとする。

2 法人となろうとする職員団体が前条第一項の規定により登録されたときは、前項において準用する民法第三十四条の許可を得たものとみなす。

3 法人である職員団体の登録が前条第四項の規定により取り消しがあったときは第一項において準用する民法第七十一条の許可の取り消しがあったものとみなす。

4 定款の変更が前条第五項後段の規定により登録されたときは、第一項において準用する民法第三十八条第二項の認可を得たものとみなす。

(交 渉)
第五十四条 登録を受けた職員団体は、教育委員会規則で定める条件の下において、職員の給与、勤務時間その他の勤務条件に関し、当該地方教育区の当局と交渉することができる。なお、これに附帯して社交的又は厚生的活動を含む適法な目的のため交渉することを妨げない。ただし、これらの交渉は、当該地方教育区の当局と団体協約を締結する権利を含まないものとする。

2 前項の場合において、職員団体は、法令、教育委員会規則及び地方教育区

の機関の定める規定に低触しない限りにおいて、当該地方教育区の当局と書面による協定を結ぶことができる。

3 前項の協定は、当該地方教育区の当局及び職員団体の双方において、誠意と責任をもって履行しなければならない。

4 職員が給与、勤務時間その他の勤務条件に関し、又は社交的若しくは厚生的活動を含む適法な目的のため、地方教育区の当局に対し、不満を表明し、又は意見を申し出る自由は、その者が職員団体に属していないという理由で否定されることはない。

(不利益取扱いの禁止)
第五十五条 職員は、職員団体の構成員であること、職員団体を結成しようとしたこと、若しくはこれに加入しようとしたこと又は職員団体のために正当な行為をしたことの故をもって不利益な取扱いを受けることはない。

第四章 補 則

(特 例)
第五十六条 職員のうち、公立学校(学校教育法(一九六八年立法第三号)に規定する公立学校をいう。)の教育職員、単純な労務に雇用される者その他その職務と責任の特殊性に基づいてこの立法に対する特例を必要とするものについては、別に立法で定める。ただし、その特例は、第一条の精神に反するものであってはならない。

(休 日)
第五十七条 琉球政府職員の休日に関する立法(一九六一年立法第八十六号)は地方教育区の職員の休日に関して準用する。

(休 暇)
第五十八条 職員の休暇については、立法に特別の規定のあるものを除き、政府公務員の休暇に関する規定を準用する。

(他の立法の適用を除外)
第五十九条 労働組合法(一九五三年立法第四十二号)及び労働関係調整法(一九五三年立法第四十三号)並びにこれらに基づく規則の規定は、職員に関して適用しない。

第五十二条　職員団体は、政府の人事委員会規則で定めるところにより、規約（法人に係る場合においては、その定款とする。以下この条中同じ。）を添えて政府の人事委員会に登録を申請することができる。この場合において、政府の人事委員会は、登録を申請した職員団体がこの立法及びこれに基づく政府の人事委員会規則の規定に適合するものである場合においては、規約とともにこれを登録し、当該職員団体にその旨を通知しなければならない。

2　前項に規定する職員団体の規約には、少なくとも次に掲げる事項を記載するものとする。

一　名　　称
二　業　　務
三　主たる事務所の所在地
四　構成員の範囲及びその資格の得喪に関する規定
五　理事、代表者その他の役員の選挙その他これらに準ずる重要な行為が、その構成員たるすべての職員が平等に参加する機会を有する直接かつ秘密の投票による多数決によって決定される旨の手続に関する規定
六　第三項に規定する事項を含む業務執行、会議及び投票に関する規定
七　経費及び会計に関する規定
八　他の職員団体との連合に関する規定
九　規約の変更に関する規定
十　解散に関する規定

3　職員団体が登録される資格を有し、及び引き続き登録されているためには、規約の作成又は変更、役員の選挙その他これらに準ずる重要な行為が、その構成員たるすべての職員が平等に参加する機会を有する直接かつ秘密の投票による多数決によって決定される旨の手続を定め、かつ、現実に、その手続によりこれらの重要な行為が決定されることを必要とする。ただし、単位職員団体の連合体にあっては、その構成団体たるすべての職員団体がその構成員の直接かつ秘密の投票による多数決によって決定した代議員が平等に参加する機会を有する直接かつ秘密の投票によるその全員の多数決によって決定される旨の手続を定め、かつ、現実に、この手続により登録を受けた職員団体がこの立法及びこれに基づく政府の人事委員会規

ない。口頭審理は、その職員から請求があったときは公開して行なわなければならない。

2　人事委員会又は公平委員会は、前項に規定する審査の結果に基いて、その処分を承認し、修正し、又は取り消し、及び必要がある場合においては、任命権者にその職員の受けるべきであった給与その他の給付を回復するため必要でかつ適切な措置をさせる等その職員がその処分によって受けた不当な取扱いを是正するための指示をしなければならない。

（請求及び審査の手続等）

第五十条　前二条の規定による請求及び審査の結果執るべき措置に関し必要な事項は、人事委員会規則又は公平委員会規則で定めなければならない。

第九節　職　員　団　体

（職員団体の組織）

第五十一条　職員は、給与、勤務時間その他の勤務条件に関し当該地方公共団体の当局と交渉するための団体（以下本節中「単位職員団体」という。）を結成し、若しくは結成せず、又はこれに加入し、若しくは加入しないことができる。

2　単位職員団体は、当該地方教育区の他の単位職員団体と連合体を結成し、又は当該地方教育区の他の単位職員団体が結成する単位職員団体の連合体に加入することができる。また、単位職員団体の連合体は、当該地方教育区の他の単位職員団体の連合体と連合体を結成し又は他の地方教育区の単位職員団体の連合体に加入することができる。

3　前項の規定は、単位職員団体又は単位職員団体の連合体（以下本節中「職員団体」と総称する。）が他の地方教育区の職員団体その他の公務員の団体との連合組織を事実上結成し、又は他の地方教育区の職員団体その他の公務員の団体が結成する連合組織に事実上加入することを妨げるものではない。

4　職員は、地方教育区から給与を受けながら、職員団体のためその事務を行ない、又は活動してはならない。

（職員団体の登録）

その者又はその者の遺族に対する退職年金又は退職一時金の制度は、すみやかに実施されなければならない。

2 公務による負傷若しくは疾病により死亡し、退職した職員又はこれらの者の遺族に対しても、退職年金又は退職一時金の制度が実施されなければならない。

3 前項の規定による退職年金又は退職一時金の制度の実施に当っては第四十四条の規定による公務災害補償との間に適当な調整が図られなければならない。

4 第一項及び第二項の退職年金及び退職一時金の制度を定めるに当っては、政府及び他の地方教育区との間に権衡を失しないように適当な考慮が払われなければならない。

5 前条第三項の規定は、第一項及び第二項の退職年金及び退職一時金の制度について準用する。

(公務災害補償)
第二款 公務災害補償

第四十四条 職員が公務により死亡し、負傷し、若しくは疾病にかかり、又は公務による負傷若しくは疾病により死亡し、若しくは廃疾となった場合においてその者の遺族若しくは被扶養者がこれらの原因によって受ける損害は、補償されなければならない。

2 公務上の災害の認定、療養の方法、補償金額の決定その他補償の実施に関して異議のある者は、中央教育委員会に対し、審査の請求をすることができる。

3 前項の請求があったときは、中央教育委員会は、直ちにこれを審査して裁定を行ない、これを本人及び当該教育委員会に通知しなければならない。

4 第二項の規定による審査の請求は、時効の中断に関しては、裁判上の請求とみなす。

第三款 勤務条件に関する措置の要求
(勤務条件に関する措置の要求)
第四十五条 職員は、給与、勤務時間その他の勤務条件に関し、人事委員会又は公平委員会に対して、地方教育区の当局により適当な措置が執られるべきこ

とを要求することができる。

(審査及び審査の結果執るべき措置)
第四十六条 前条に規定する要求があったときは、人事委員会又は公平委員会は事案について口頭審理その他の方法による審査を行ない、事案を判定し、その結果に基づいて、その権限に属する事項については、自らこれを実行し、その他の事項については、当該事項に関し権限を有する地方教育区の機関に対し、必要な勧告をしなければならない。

(要求及び審査、判定の手続等)
第四十七条 前二条の規定による要求及び審査、判定の手続並びに審査、判定の結果執るべき措置に関し、必要な事項は、人事委員会規則又は公平委員会規則で定めなければならない。

第四款 不利益処分に関する審査の請求
(不利益処分に関する説明書の交付及び審査の請求)
第四十八条 任命権者は、職員に対し、懲戒その他その意に反すると認める不利益な処分を行なう場合においては、その際、その処分の事由を記載した不利益な処分の説明書を交付しなければならない。

2 職員は、その意に反して不利益な処分を受けたと思うときは、その処分を受けた日から十五日以内に、任命権者に対し処分の事由を記載した説明書の交付を請求することができる。

3 前項の規定による請求を受けた任命権者は、その日から十五日以内に、同項の規定による説明書を交付しなければならない。

4 第一項及び第三項の説明書の交付を受けなかった職員は、その日から三十日以内に、前項の期間内に説明書の交付を受けた職員は、その期間経過後三十日以内に、それぞれ人事委員会又は公平委員会に対し、当該処分の審査を請求することができる。

5 前項の規定は、第二十七条第四項各号に掲げる職員には適用しない。

(審査及び審査の結果執るべき措置)
第四十九条 人事委員会又は公平委員会は、前条第四項の規定する請求を受理したときは、直ちにその事案を審査しなければならない。この場合において、処分を受けた職員から請求があったときは、口頭審理を行なわなければなら

せ、その他地方教育区の学校、庁舎、施設、資材又は資金を利用し、又は利用させること。

3 何人も前二項に規定する政治的行為を行なうよう職員をそそのかし、若しくはあおってはならず、又は職員が前二項に規定する政治的行為をなし、若しくはなさないことに対する代償若しくは報復として、任用、職務、給与その他職員の地位に関してなんらかの利益若しくは不利益を与えようと企て、若しくは約束してはならない。

4 職員は、前項に規定する違法な行為をもって不利益な取扱いを受けることはない。

5 本条の規定は、職員の政治的中立性を保障することにより、地方教育区の行政の公正な運営を確保するとともに職員の利益を保護することを目的とするものであるという趣旨において解釈され、及び運用されなければならない。

（争議行為等の禁止）

第三十六条 職員は、地方教育区の機関が代表する使用者としての住民に対して同盟罷業、怠業その他の争議行為をし、又は地方教育区の機関の活動能率を低下させる怠業的行為をしてはならない。また、何人も、このような違法な行為を企て、又はその遂行を共謀し、そそのかし、若しくはあおってはならない。

2 職員で前項の規定に違反する行為をしたものは、その行為の開始とともに地方教育区に対し、法令又は教育委員会規則若しくは地方教育区の機関の定める規定に基づいて保有する任命上又は雇用上の権利をもって対抗することができなくなるものとする。

（営利企業等の従事制限）

第三十七条 職員は、任命権者の許可を受けなければ、営利を目的とする私企業を営むことを目的とする会社その他の団体の役員その他人事委員会規則で定める地位を兼ね、若しくは自ら営利を目的とする私企業を営み、又は報酬を得ていかなる事業若しくは事務にも従事してはならない。

2 人事委員会は、人事委員会規則により前項の場合における任命権者の許可の基準を定めることができる。

第七節 研修及び勤務成績の評定

（研修）

第三十八条 職員には、その勤務能率の発揮及び増進のために、研修を受ける機会が与えられなければならない。

2 前項の研修は、任命権者が行なうものとする。

3 人事委員会は、研修に関する計画の立案その他研修の方法について任命権者に勧告することができる。

（勤務成績の評定）

第三十九条 任命権者は、職員の執務について定期的に勤務成績の評定を行ないその評定の結果に応じた措置を講じなければならない。

2 人事委員会は、勤務成績の評定に関する計画の立案その他勤務成績の評定に関し必要な事項について任命権者に勧告することができる。

第八節 福祉及び利益の保護

（福祉及び利益の保護の根本基準）

第四十条 職員の福祉及び利益の保護は、適切であり、かつ、公正でなければならない。

第一款 厚生福利制度

（厚生制度）

第四十一条 教育委員会は、職員の保健、元気回復その他厚生に関する事項について計画を樹立し、これを実施しなければならない。

（共済制度）

第四十二条 職員の公務によらない死亡、廃疾、負傷及び疾病並びに災厄その他の事故並びにその被扶養者のこれらの事故に関する共済制度は、すみやかに実施されなければならない。

2 前項の共済制度を定めるに当たっては、政府及び他の地方教育区との間に権衡を失しないように適当な考慮が払われなければならない。

3 第一項の共済制度は、健全な保険数理を基礎として定められなければならない。

（退職年金及び退職一時金の制度）

第四十三条 職員が相当年限忠実に勤務して退職し、又は死亡した場合における

3 職員の意に反する降任、免職、休職及び降給の手続及び効果は、立法に特別の定めがある場合を除くほか、人事委員会規則で定めなければならない。

4 前条第二項及び第一項から前項までの規定は、次に掲げる職員には適用しない。
 一 条件付採用期間中の職員
 二 臨時的に任用された職員

5 前項各号に掲げる職員の分限については、人事委員会規則で必要な事項を定めることができる。

6 職員は、第十七条各号（第三号を除く）の一に該当するに至ったときは、人事委員会規則に特別の定めがある場合を除くほか、その職を失う。

（懲戒）
第二十八条 職員が、次の各号の一に該当する場合においては、これに対して懲戒処分として戒告、減給、停職又は免職の処分をすることができる。
 一 この立法若しくは第五十六条に規定する特例を定めた立法又はこれに基づく人事委員会の定める規定に違反した場合
 二 職務上の義務に違反し、又は職務を怠った場合
 三 全体の奉仕者たるにふさわしくない非行のあった場合

2 職員の懲戒の手続及び効果は、立法に特別の定めがある場合を除くほか、人事委員会規則で定めなければならない。

第六節 服務

（服務の根本基準）
第二十九条 すべて職員は、全体の奉仕者として公共の利益のために勤務し、かつ、職務の遂行に当っては、全力を挙げてこれに専念しなければならない。

（服務の宣誓）
第三十条 職員は、教育委員会規則の定めるところにより、服務の宣誓をしなければならない。

（法令等及び上司の職務上の命令に従う義務）
第三十一条 職員は、その職務を遂行するに当って、法令、教育委員会規則及び地方教育区の機関の定める規程に従い、かつ、上司の職務上の命令に忠実に従わなければならない。

（信用失墜行為の禁止）
第三十二条 職員は、その職の信用を傷つけ、又は職員の職全体の不名誉となるような行為をしてはならない。

（秘密を守る義務）
第三十三条 職員は、職務上知り得た秘密を漏らしてはならない。その職を退いた後も、また、同様とする。

2 法令による証人、鑑定人等となり、職務上の秘密に属する事項を発表する場合においては、任命権者（退職者については、その退職した職又はこれに相当する職に係る任命権者）の許可を受けなければならない。

3 前項の許可は、立法に特別の定めがある場合を除くほか、拒むことができない。

（職務に専念する義務）
第三十四条 職員は、法令又は教育委員会規則に特別の定めがある場合を除くほか、その勤務時間及び職務上の注意力のすべてをその職責遂行のために用い当該地方教育区がなすべき責を有する職務にのみ従事しなければならない。

（政治的行為の制限）
第三十五条 職員は、政党その他の政治的団体の結成に関与し、若しくはこれらの団体の役員となってはならず、又はこれらの団体の構成員となるように、若しくはならないように勧誘運動をしてはならない。

2 職員は、特定の政党その他の政治的団体又は特定の内閣若しくは地方教育区の執行機関を支持し、又はこれに反対する目的をもって、あるいは公の選挙又は投票において特定の人又は事件を支持し、又はこれに反対する目的をもって、次に掲げる政治的行為をしてはならない。ただし、その属する当該地方教育区の区域外において、第一号から第三号までに掲げる政治的行為をすることができる。
 一 公の選挙又は投票において投票をするように、又はしないように勧誘運動をすること。
 二 署名運動を企画し、又は主宰する等これに積極的に関与すること。
 三 寄附金その他の金品の募集に関与すること。
 四 文書又は図画を地方教育区の学校、庁舎、施設等に掲示し、又は掲示さ

なうことができる。この場合において、任命権者は、その任命を六月をこえない期間で更新することができるが、再度更新することはできない。

6 臨時的任用は、正式任用に際して、いかなる優先権をも与えるものではない。

7 前五項に定めるもののほか、臨時的に任用された者に対しては、この立法を適用する。

第三節　職階制

（職階制の根本基準）

第二十四条　人事委員会を置く地方教育区は、職階制を採用するものとする。

2 職階制に関する計画は、教育委員会規則で定める。

3 職階制に関する計画の実施に関し必要な事項は、前項の規則に基づき人事委員会規則で定める。

4 人事委員会は、職員の職を職務の種類及び複雑と責任の度に応じて分類整理しなければならない。

5 職階制においては、同一の内容の雇用条件を有する同一の職級に属する職については、同一の資格要件を必要とするとともに、当該職についている者に対しては、同一の幅の給料が支給されるように、職員の職の分類整理がなされなければならない。

6 職階制に関する計画を実施するに当っては、人事委員会は、職員のすべての職をいずれかの職級に格付しなければならない。

7 人事委員会は、随時、職員の職の格付を審査し、必要と認めるときは、これを改訂しなければならない。

8 職階制を採用する地方教育区においては、職員の職について、職階制によらない分類をすることができない。ただし、この分類は、行政組織の運営その他公の便宜のために、組織上の名称又はその他公の名称を用いることを妨げるものではない。

9 職階制に関する計画を定め、実施するに当っては、政府及び他の地方教育区の職階制に照応するように適当な考慮が払われなければならない。

第四節　給与、勤務時間その他の勤務条件

（給与、勤務時間その他の勤務条件）

第二十五条　教育補助金の対象となっている教育職員の給与については、政府公務員に適用される一般職の職員の給与に関する立法（一九五四年立法第五十三号）及びこれに基づく人事委員会の定める規則及び基準を準用する。

2 前項の職員以外の職員の給与については、琉球政府公務員法第三十条に規定する政府公務員に適用される根本基準（琉球政府公務員法第三十条に規定する政府公務員に適用される根本基準をいう。）に基づき教育委員会規則で定める。

3 職員の勤務時間その他の勤務条件は、立法に特別の定めのあるもののほか中央教育委員会が政府公務員の勤務時間その他の勤務条件に準じて定める基準に従い、かつ、地方の特殊性を勘案して、教育委員会規則で定める。

第五節　分限及び懲戒

（分限及び懲戒の基準）

第二十六条　すべて職員の分限及び懲戒については、公正でなければならない。

2 職員は、この立法で定める事由による場合でなければ、その意に反して、降任され、若しくは免職されず、又はこの立法又は人事委員会規則で定める事由による場合でなければ、その意に反して休職されず又は降給されることがない。

3 職員は、この立法で定める事由による場合でなければ、懲戒処分を受けることがない。

（分　限）

第二十七条　職員が、次の各号の一に該当する場合においては、その意に反してこれを降任し、又は免職することができる。

一 勤務実績がよくない場合
二 心身の故障のため、職務の遂行に支障があり、又はこれに堪えない場合
三 前二号に規定する場合のほか、その職に必要な適格性を欠く場合
四 職制若しくは定数の改廃又は予算の減少により廃職又は過員を生じた場合

2 職員が、次の各号の一に該当する場合においては、その意に反してこれを休職することができる。

一 心身の故障のため、長期の休養を要する場合
二 刑事事件に関し起訴された場合

し必要な事項を定めることができる。

（競争試験及び選考）

第十九条　競争試験又は選考は、人事委員会が行なうものとする。ただし、人事委員会は、他の地方教育区若しくは市町村の機関との協定によりこれと共同して、又は政府若しくは他の地方教育区若しくは市町村の機関に委託して、競争試験又は選考を行なうことができる。

2　人事委員会は、その定める職員の職について第二十二条第一項に規定する任用候補者名簿がなく、かつ、人事行政の運営上必要であると認める場合においては、その職の競争試験又は選考に相当する政府又は他の地方教育区若しくは市町村の競争試験又は選考に合格した者を、その職の選考に合格した者とみなすことができる。

（受験資格）

第二十条　競争試験は、人事委員会の定める受験の資格を有する琉球のすべての住民に対して平等の条件で公開されなければならない。試験機関に属する者その他職員は、受験の妨害し、又は受験に不当な影響を与える目的をもって特別若しくは秘密の情報を提供してはならない。

2　人事委員会は、受験者に必要な資格として職務の遂行上必要な最少かつ適当な限度の客観的かつ画一的要件を定めるものとする。

3　昇任試験を受けることができる者の範囲は、人事委員会の指定する職に正式に任用された職員に制限されるものとする。

（競争試験の目的及び方法）

第二十一条　競争試験は、職務遂行の能力を有するかどうかを正確に判定することをもってその目的とする。競争試験は、筆記試験により、若しくは口頭試問及び身体検査並びに人物性行、教育程度、経歴、適性、知能、技能、一般的知識、専門的知識及び適応性の判定の方法により又は、これらの方法をあわせ用いることにより行なうものとする。

（任用候補者名簿の作成及びこれによる任用の方法）

第二十二条　人事委員会は、試験ごとに任用候補者名簿（採用候補者名簿又は昇任候補者名簿）を作成するものとする。

2　採用候補者名簿又は昇任候補者名簿には採用試験又は昇任試験において合格点以上を得た者の氏名及び得点をその得点順に記載するものとする。

3　採用候補者名簿又は昇任候補者名簿による職員の採用又は昇任は、当該名簿に記載された者について、採用し、又は昇任すべき職員一人につき人事委員会の提示する採用試験又は昇任試験における高点順の志望者五人のうちから行なうものとする。

4　採用候補者名簿又は昇任候補者名簿に記載された者の数が人事委員会の提示すべき志望者の数よりも少ないときは、人事委員会は、他の最も適当な採用候補者名簿又は昇任候補者名簿に記載された者を加えて提示することを妨げない。

5　前四項に定めるものを除くほか、任用候補者名簿の作成及びこれによる任用の方法に関し必要な事項は、人事委員会規則で定めなければならない。

（条件付採用及び臨時的任用）

第二十三条　臨時的任用又は非常勤職員の任用の場合を除き、職員の採用は、すべて条件付のものとし、その職員がその職において六月を勤務し、その間その職務を良好な成績で遂行したときに正式採用になるものとする。この場合において、人事委員会は条件付採用の期間を一年に至るまで延長することができる。

2　人事委員会を置く地方教育区においては、任命権者は、人事委員会規則で定めるところにより、緊急の場合、臨時の職に関する場合又は任用候補者名簿がない場合においては、人事委員会の承認を得て、臨時的任用を行なうことができる。この場合において、人事委員会の承認を得て、六月をこえない期間で更新することができる。ただし、その任用は、六月をこえない期間で、人事委員会の承認を得て、再度更新することはできない。

3　前項の場合において、人事委員会は条件付採用の期間を一年に至るまで延長することができる。

4　人事委員会は、前二項の規定に違反する臨時的任用を取消すことができる。

5　人事委員会を置かない地方教育区においては、任命権者は、緊急の場合又は臨時の職に関する場合においては、六月を越えない期間で臨時的任用を行

兼ねさせることができる。

4　事務局長は、人事委員会の指揮監督を受け、事務局の局務を掌理する。

5　事務局を置かない人事委員会及び公平委員会に、事務局長を置く。

6　第二項及び前項の事務職員は、人事委員会又は公平委員会がそれぞれ任免する。

7　第一項の事務局の組織は、人事委員会が定める。

8　第二項及び第五項の事務職員の定数は、教育委員会規則で定める。

9　教育委員会法第四十二条及び第四十三条の規定は、第二項及び第五項の事務職員に準用する。

(政府の人事委員会の権限)

第十三条　政府の人事委員会(琉球政府公務員法(一九五三年立法第四号)第二章に規定する人事委員会をいう。)は、第八条第一項の規定にかかわらず、教育補助金の対象となっている教育職員(教育委員会法(一九五八年立法第二号)第百三十六条並びに第百三十六条の二に規定する教育職員をいう。以下同じ。)に関する第八条第一項に掲げる事務を処理する。

第三章　職員に適用される基準

第一節　通則

(平等取扱いの原則)

第十四条　すべて住民は、この立法の適用について、平等に取り扱われなければならず、人種、信条、性別、社会的身分若しくは門地によって、又は第十七条第五項に規定する場合を除くほか、政治的意見若しくは政治的所属関係によって差別されてはならない。

(情勢適応の原則)

第十五条　教育委員会は、この立法に基づいて定められた給与、勤務時間その他の勤務条件が社会一般の情勢に適応するように、随時、適当な措置を講じなければならない。

第二節　任用

(任用の根本基準)

第十六条　職員の任用は、この立法及び人事委員会規則の定めるところにより、

受験成績、勤務成績、その他の能力の実証に基づいて行なわれなければならない。

(欠格条項)

第十七条　次の各号の一に該当する者は、立法又は人事委員会規則で定める場合を除くほか、職員となり、又は競争試験若しくは選考を受けることができない。

一　禁治産者及び準禁治産者

二　禁錮以上の刑に処せられ、その執行を終るまで又はその執行を受けることがなくなるまでの者

三　当該地方教育区において懲戒免職の処分を受け、当該処分の日から二年を経過しない者

四　人事委員会又は公平委員会の委員の職にあって、第五章に規定する罪を犯し刑に処せられた者

五　政府を暴力で破壊することを主張する政党その他の団体を結成し、又はこれに加入した者

(任命の方法)

第十八条　職員の職に欠員を生じた場合においては、任命権者は、採用、昇任、降任又は転任のいずれか一つの方法により、職員を任命することができる。

2　人事委員会をおく地方教育区においては、人事委員会は、前項の任命の方法のうちいずれによるべきかについての一般的基準を定めることができる。

3　人事委員会をおく地方教育区においては、職員の採用及び昇任は、競争試験によるものとする。ただし、人事委員会の定める職について人事委員会の承認があった場合は、選考によることを妨げない。

4　人事委員会を置かない地方教育区においては、職員の採用及び昇任は、競争試験又は選考によるものとする。

5　人事委員会(人事委員会を置かない地方教育区においては、任命権者とする。以下第十九条、第二十条及び第二十三条第一項において同じ。)は、正式任用になってある職についていた職員が、職制若しくは定数の改廃又は予算の減少に基づく廃職又は過員によりその職を離れた後において、再びその職に復する場合における資格要件、任用手続及び任用の際における身分に関

定を含む。）及び処分は、人事委員会規則又は公平委員会規則で定める手続きにより、人事委員会又は公平委員会によってのみ審査される。

8 前項の規定は、法律問題につき裁判所に出訴する権利に影響を及ぼすものではない。

（人事委員会又は公平委員会の委員）

第九条 人事委員会又は公平委員会は、三人の委員をもって組織する。

2 委員は、人格が高潔で、教育の本旨及び民主的で能率的な事務の処理に理解があり、かつ、人事行政に関し識見を有する者のうちから、教育委員会が選任する。

3 第十七条各号（第四号を除く。）の一に該当する者又は第五章に規定する罪を犯し刑に処せられた者は、委員となることができない。

4 委員の選任については、そのうちの二人が、同一の政党に属する者となることとなってはならない。

5 委員のうち二人以上が同一の政党に属することとなった場合においては、これらの者のうち一人を除く他の者は、教育委員会が罷免するものとする。ただし、政党所属関係について異動のなかった者を罷免することはできない。

6 教育委員会は、委員が心身の故障のため職務の遂行に堪えないと認めるとき、又は委員に職務上の義務違反その他委員たるに適しない非行があると認めるときは、これを罷免することができる。この場合においては、公聴会を開かなければならない。

7 委員は、前二項の規定による場合を除くほか、その意に反して罷免されることがない。

8 委員は、第十七条各号（第三号を除く。）の一に該当するに至ったときはその職を失う。

9 委員は、教育委員、市町村の長及び議会議員並びに公平委員会に当該地方教育区及び市町村の公務員（第七条第三項の規定により公平委員会の事務の処理の委託を受けた地方教育区の人事委員会の委員については、他の地方教育区に公平委員会の事務の処理を委託した地方教育区の公務員及び市町村の公務員を含む。）の職を兼ねることができない。

10 委員の任期は、四年とする。ただし、補欠委員の任期は、前任者の残任期間とする。

11 人事委員会の委員は、常勤又は非常勤とし、公平委員会の委員は、非常勤とする。

12 第二十九条から第三十七条までの規定は、常勤の人事委員会の委員の服務に、第二十九条及び第三十三条から第三十五条及び第三十六条の規定は、非常勤の人事委員会の委員及び公平委員会の委員の服務に準用する。

13 教育委員会法（一九五八年法律第二号）第四十二条及び第四十三条の規定は、常勤の人事委員会の委員に、同法第四十一条の規定は、非常勤の人事委員会の委員及び公平委員会の委員に準用する。

（人事委員会又は公平委員会の委員長）

第十条 人事委員会又は公平委員会は、委員のうちから委員長を選挙しなければならない。

2 委員長は、委員会に関する事務を処理し、委員会を代表する。

3 委員長に事故があるとき、又は委員長が欠けたときは、委員長の指定する委員が、その職務を代理する。

（人事委員会又は公平委員会の議事）

第十一条 人事委員会又は公平委員会は、委員全員が出席しなければ会議を開くことができない。

2 人事委員会又は公平委員会の議事は、出席委員の過半数で決する。

3 人事委員会又は公平委員会の議事は、議事録として記録して置かなければならない。

4 前三項に定めるものを除くほか、人事委員会又は公平委員会の議事に関し必要な事項は、人事委員会又は公平委員会が定める。

（人事委員会の事務局及び事務局職員並びに公平委員会の事務職員）

第十二条 第七条第一項の規定により人事委員会を置く地方教育区には、人事委員会に専らの事務局を置くことができる。

2 事務局には事務局長その他事務職員を置く。

3 人事委員会は、第九条第九項の規定にかかわらず、委員に事務局長の職を

第二章 人事機関

（任命権者）

第六条 教育委員会又は人事委員会及び公平委員会は、立法に特別の定めがある場合を除くほか、この立法並びにこれに基づく教育委員会規則の定める規定に従い、それぞれ職員の任命、休職、免職及び懲戒等を行なう権限を有するものとする。

2 前項の任命権者は、同項に規定する権限の一部をその補助機関たる上級の職員に委任することができる。

（人事委員会又は公平委員会の設置）

第七条 人口十万以上の地方教育区は、教育委員会規則で人事委員会又は公平委員会を置くものとする。

2 人口十万未満の地方教育区は、教育委員会規則で公平委員会を置くものとする。

3 公平委員会を置く地方教育区は、教育委員会の議決を経て定める規約により、公平委員会を置く他の地方教育区と共同して公平委員会を置き、又は他の地方教育区の人事委員会に委託して第八条第二項に規定する公平委員会の事務を処理させることができる。

（人事委員会又は公平委員会の権限）

第八条 人事委員会は、次に掲げる事務を処理する。

一 人事行政に関する事項について調査し、人事記録に関することを管理し、及びその他人事に関する統計報告を作成すること。

二 給与、勤務時間その他の勤務条件、厚生福利制度、公務災害補償その他職員に関する制度について絶えず研究を行ない、その成果を教育委員会に提出すること。

三 人事機関及び職員に関する教育委員会規則の制定又は改廃に関し、教育委員会に意見を申し出ること。

四 人事行政の運営に関し、教育委員会に勧告すること。

五 職員の競争試験及び選考試験並びにこれらに関する事務を行なうこと。

六 職階制に関する計画を立案し、及び実施すること。

七 職員の給与がこの立法及びこれに基づく教育委員会規則に適合して行なわれることを確保するために必要な範囲において、職員に対する給与の支払を監理する。

八 職員の研修及び勤務成績の評定に関する総合的企画を行なうこと。

九 職員の給与、勤務時間その他の勤務条件に関する措置の要求を審査し、判定し、及び必要な措置を執ること。

十 職員に対する不利益な処分を審査し、及び必要な措置を執ること。

十一 前各号に掲げるものを除くほか、立法又は教育委員会規則に基づきその権限に属せしめられた事務

2 公平委員会は、次に掲げる事務を処理する。

一 職員の給与、勤務時間その他の勤務条件に関する措置の要求を審査し、判定し、及び必要な措置を執ること。

二 職員に対する不利益な処分を審査し、及び必要な措置を執ること。

3 人事委員会は、第一項第九号及び第十号並びに第四項に掲げるものを除きこの立法に基づく権限で人事委員会規則で定めるものを当該地方教育区の他の機関又は人事委員会の事務局長に委任することができる。

4 人事委員会又は公平委員会は、立法又は教育委員会規則に基づきその他の立法に基づく権限で人事委員会規則又は公平委員会規則で定めるものをその他の機関に属せしめられた事項に関し、人事委員会規則又は公平委員会規則を制定することができる。

5 人事委員会又は公平委員会は、立法又は教育委員会規則に基づくその権限の行使に関し必要があるときは、証人を喚問し、又は書類若しくはその写の提出を求めることができる。

6 人事委員会又は公平委員会は、人事行政に関する技術的及び専門的な知識資料その他の便宜の授受のため、政府又は他の地方教育区並びに市町村の機関との間に協定を結ぶことができる。

7 第一項第九号及び第十号又は第二項各号の規定により人事委員会又は公平委員会に属せしめられた権限に基づく人事委員会又は公平委員会の決定（判

地方教育区公務員法案

目次

第一章 総則（第一条—第五条）
第二章 人事機関（第六条—第十三条）
第三章 職員に適用される基準
　第一節 通則（第十四条—第十五条）
　第二節 任用（第十六条—第二十三条）
　第三節 職階制（第二十四条）
　第四節 給与、勤務時間その他の勤務条件（第二十五条）
　第五節 分限及び懲戒（第二十六条—第二十八条）
　第六節 服務（第二十九条—第三十七条）
　第七節 研修及び勤務成績の評定（第三十八条—第三十九条）
　第八節 福祉及び利益の保護（第四十条—第五十条）
　　第一款 厚生福利制度（第四十一条—第四十三条）
　　第二款 公務災害補償（第四十四条）
　　第三款 勤務条件に関する措置の要求（第四十五条—第四十七条）
　　第四款 不利益処分に関する審査の請求（第四十八条—第五十条）
第四章 職員団体（第五十一条—第五十五条）
第五章 補則（第五十六条—第六十一条）
第六章 罰則（第六十二条—第六十四条）
附則

第一章 総則

（この立法の目的）

第一条　この立法は、教育区及び連合教育区（以下「地方教育区」という。）の人事機関並びに地方教育区公務員の任用、職階制、給与、勤務時間その他の勤務条件、分限及び懲戒、服務、研修及び勤務成績の評定、福祉及び利益の保護並びに団体等人事行政に関する根本基準を確立することにより、地方教育の行政の民主的かつ能率的な運営を保障し、もって教育の進展に資することを目的とする。

（この立法の効力）

第二条　地方教育区の公務員に関する従前の法令又は地方教育区教育委員会（以下「教育委員会」という。）の規則の規定が、この立法の規定に抵触する場合には、この立法の規定が優先する。

（一般職に属する地方教育区公務員及び特別職に属する地方教育区公務員）

第三条　地方教育区公務員の職は、一般職と特別職とに分ける。

2　特別職は、次に掲げる職とする。

一　就任について公選によることを必要とする職

二　法令又は教育委員会の規則の定める規定により設けられた委員及び委員会（審議会その他これに準ずるものを含む。）の構成員の職で臨時又は非常勤のもの

三　臨時又は非常勤の顧問、参与、調査員、嘱託員及びこれらの者に準ずる者の職

3　一般職は、特別職に属する職以外の一切の職とする。

（この立法の適用を受ける地方教育区公務員）

第四条　この立法の規定は、一般職に属するすべての地方教育区公務員（以下「職員」という。）に適用する。

2　この立法の規定は、立法に特別の定めがある場合を除くほか、特別職に属する地方教育区公務員には適用しない。

（人事委員会及び公平委員会並びに職員に関する規則の制定）

第五条　地方教育区は、立法に特別の定めがある場合を除くほか、この立法に定める根本基準に従い、教育委員会規則で、人事委員会又は公平委員会の設置、職員に適用される基準の実施その他職員に関する事項について必要な規定を定めるものとする。ただし、その教育委員会規則は、この立法の精神に反するものであってはならない。

2　第七条第一項又は第二項の規定により人事委員会を置く地方教育区におい

の取扱いをいつまでも放置する訳にはいかないので今の時点において、立法勧告をしたい訳であります。

中教委のこれまでの審議でありますが、一月初旬には今会期立法について個々に委員の意見を打診したところ賛成の方が殆んどでしたし、一月二五日の中教委定例会には正式にあらゆる協議題として教公二法を提案審議していただきましたし、それから開かれたあらゆる臨時会、定例会の場合も協議題の形で何らかの審議或いは意見交換をしていただいたわけであります。また数ケ月前に六三年度教公二法案文を含むかなり整理された部厚な資料を各委員に差上げて検討の便に供したわけであります。

どうか短期日の審議でいろいろ困難もございましょうが、教公二法については終始熱心など審議を、しかも公開の会議でお願いしたいと思います。平常の立法案の場合は職員からの提案説明があった訳ですが、教公二法の重要性を考えて、私からしかも、かなり長時間説明申上げた訳であります。

実主義を排し、能力主義をとり公務の遂行の能率を挙げることからも、これを全面的に否定することはできないのであります。

このようなことから、教職員会の要望する三点についての意見は、これを取り入れることができなかったわけで、この点是非、教職員会の理解を得たいところであります。

以上が、本勧告案が六三年度案を基本線とした理由であります。

次にこの点については、六三年案と変らないのでありますが、問題となることが予想される四つ～五つの重要点について勧告案を説明申し上げます。

第一に政治行為の制限であります。（三五条）教育公務員の政治的中立性は是非必要であります。公務員の地位が政権交替毎に変動するようでは中立性と云われる所以であります。従って政治的団体の役員になることを禁止したり、選挙で投票を勧誘するような行為を禁止する規定をおいています。本土の市町村立の学校は、その市町村の区域内ばかりでなく、全国的に選挙運動を禁ぜられています。（教育公務員特例法で、禁止される行為の数も人事委規則で十七号ある。）沖縄では、政府公務員は全沖縄で禁じられていますが、区域外の活動は許されています。禁止行為の地方教育区の区域内だけの禁止で、区域外の広さで禁じられています。禁止行為の地方教育区の区域内与と第二項の四つの行為です。

沖縄の特殊情勢を考慮したものです。市町村公務員法案より少し緩い点もあります。各種団体との意見交換で、特に指摘されましたのは「沖縄における祖国復帰運動は政治活動ではないか、祖国復帰協議会は政治的団体とみなされるおそれはないか。」ということですが、この点について私は、はっきりした見解を持っております。

それは「祖国復帰運動は、住民の悲願であって政治的活動でなく、復帰協は、一九五四年二月三日の人事委員会回答にみられるように、ここにいう政治的団体には該当しない。」ということであります。

次は争議行為の制限についてであります。（三六条）争議行為は公務員は全体の奉仕者としての公務員一般について禁ぜられるべきものと思います。公務員の使用者は

言わば住民でありますので争議はできず、また、身分、給与、勤労条件も議会の立法や予算で保障、決定されているからであります。（労調法三九条にあるような抜打ストの禁止規定をおくにとどめては。」ということですが、やはり予告制であってもストは行える訳ですから、ストによって直接被害を受ける児童生徒を考えるとストは認めるべきでないと思います。

（五四条）これは、議会が立法予算で勤労条件を定めている関係で、充分これで保障せられるべきであり、また、協約の拘束力が生ずると議会権限をおびやかすことになるためでこれも一般の公務員法の通例となっているものであり認めるべきものであります。団体交渉はでき、書面協定もできるわけです。

次は勤務評定についてであります。法案では地方教育区公務員法三九条で「地方教育区公務員は定期的に任命権者が勤評を実施する。」となっています。しかし、教育公務員特例法十七条では、とくに教育職員は職務の独立性が強いこと、児童生徒との対人関係が深いことを考慮して「校長、教員は必要な時だけ任命権者が実施することができる。」という風に緩和しているわけであります。この点も教職員会案の「勤評は実施しない。」という点と相違するわけですが、人事院制度の根幹をなすものであり、これを全面的に否定するわけにはいかないのであります。せいぜい「必要なときにできる。」と弾力性を持たせるのがせい一杯の緩和策であります。これも本土法では見られない緩和であります。

次に交渉の主体としての交渉団体であります。これも地方教育区公務員法案中では第二七条第三項で現存する琉球教職員会の交渉権を明文で認めているわけであります。

次はＩＬＯ条約の批准に伴なう本土公務員法の改正の動きを見極めてからにしては、どうかと云うことについての意見であります。確かに本土ではＩＬＯ条約により公務員法改正を行なっていますが、それはほとんど職員団体に関する改正であります。すなわち、管理職の同一組合への加入の禁止、公務員の専従職員の廃止、代表者役員を公務員外から選任する自由、当局の交渉応諾の義務であって、直接今日の教公二法の内容に関係するものではありません。本土ではもう一度としての公務員二法の内容に関係するものではありません。本土ではもう一度としての公務員法改正があるように聞いていますが、地方教育区公務員の身分

者会見で、記者の間に答えて「今のところ勧告しようとは思っていない」と述べました。そして二ケ月後の一月十日には、再び記者会見の場で「教公二法を今会期の立法院に勧告するよう一月の中教委定例会に附議する」と公約するにいたりました。このことについて、文教局長の態度が変ったのは、外部からの圧力に屈したのではないか、と取沙汰されました。教公二法早期制定の要望を特に保守系議員から聞かされたのは事実でありますが圧力に屈したのではなく、また決して圧力に屈した訳ではありません。私自身その後局内で勉強して見た結果、やっぱり教公二法案は必要であるとの結論に到達し勧告の線を自主的に決定したのであります。先の事務報告の際に申し述べましたように、「時期的に見ても日米両国の教育援助が大幅に拡大され、今までにない教育の振興の必要性が呼ばれているとき、その教育振興の中核となり、推進力となる地方教育区公務員の身分取扱いについて明確な法的根拠が確立されていないことは、まことに不幸なことであり、遺憾なことであります。」勧告理由で読上げましたように「中央、地方を通じて住民全体への奉仕者としての教育公務員の身分と地位を保障し近代的公務員制度の理念に基づく民主的能率的な行政の基礎を定めることは、」目下喫緊の要務でありまず。確かに教公二法は政治的行為の基礎を定めこれは、全体の奉仕者としての公務員としての立場からくる必要最少限の規制であります。反面教公二法は福祉面についても当局を義務づけています。年金制度、公務災害補償、共済制度等の実施、結休、産休、長期病休とその教員補充の義務づけにより、教職員の福祉増進の大きなよりどころになると思われます。私は今後、中教委、主席と相協力してその具体的実現に邁進する決意であります。また教員の給与につきましては、本土との格差が基本給において、十弗、手当において二十弗あるように承知しております。これも今、部内で資料を集め、義務教育課仲本課長補佐を本土に派遣した実情を調査させてありますので、これと先の四月十五日教職員の給与改善絡けっ起大会の決議要請も充分検討させまして、早急に結論を出し粘り強い折衝を始めたいと考えています。私は先に一九六三年案が当時現場教職員の強い反対に合ったことを聞いております。従いまして、私は、教公二法の勧告の強い反対に合ったことを聞いております。従いまして、私は、教公二法の勧告を決意すると共に、またこの勧告によって教育界に大混乱を生じ、文教行政が完全にストップすることのあり得ることを懸念し、これを避けるために、教育関

係諸団体との意見交換にこの四ケ月間、努めて来た訳であります。その教育関係団体は、沖縄教職員会、PTA連合会の八つであります。各団体平均して二回程は懇談の機会を持ったように覚えています。非常に熱心など協力をいただいた訳であります。大体の結論を申し上げますと沖縄教職員会は、「民主的な教公二法の早期制定は賛成する。非民主的なものには反対する。とくに内容面について、政治的行為の制限、争議行為の禁止、勤評制度は、六三年案の線で早期立法の必要性がある。ただし、細心の注意を払う」ということであります。他の諸団体は大体のところ「六三年案の線より緩和せよ」ということであります。

先程申し上げましたように、今度の勧告案は六三年案の基本線をとっておりまず。従いまして、私は沖縄教職員会とその背後にある現場教職員が、教公二法の必要性と内容についてのご理解と、大乗的、大局的見地に立っての寛容の態度を示されることを切願するものでありますが。次に今回の勧告案の基本を六三年度案においたという理由を申し上げます。

六三年案は、当時の文教局及び中教委が長年月をかけて慎重審議した結果産出されたものであるということであります。また当時、米国民政府の承認も取り付け、当時の行政主席も立法院向け正式勧告したものであります。今回保守党の一部の議員から本土法並に切り換えて行くべきだという強い意見を聞かされました。本土との法制上の一体化というわけであります。しかしながら、本土法で行けば六三年案よりずっと強い規制（とくに政治行為の規制）があります。特に施政権が日本から切り離されて米国に擁られているという特殊情勢下にあるということは、特別に考慮すべき事情であります。このことは沖縄教職員会も指摘しております。従ってそう云う点を考慮して、規制の強い本土法並の線をとらず、規制の比較的弱い六三年度案の線をとったものであります。

沖縄教職員会からは、政治的行為の制限、争議行為の禁止、勤評制度の三点について、六三年度案を緩和せよということでありましたが、いずれも全体の奉仕者としての公務員の地位と相容れないものであり、政治的行為も、争議行為も、授業の放棄になることを考えれば、法的であれ、これを許容するわけに行かず、勤評制度も人事が情

法律との本質的な相違があるのである。ここに、道徳的規範としての良識と法律には、感情などの介入を許さない。

「教員に争議権が認められても、すぐにこれを行使するものではない。」ということは、「すぐに」ではないが、「場合によって」行使するということになる。法案からこの条項の削除を要求することは、結局は行使するという前提に立つものであり、削除することによって争議権が認められる以上、行使することは何ら差支えないのである。

また、「教員の争議行為は、社会が許さない」というけれども、この「社会」とは、「住民」のことであるし、法律によって認められるならば、すでに住民が認めていることになるのであるから、社会が許さないということはあり得ないのである。住民の意志による法律で護られる教育が、仮りに危殆に頻するような重大な事態に遭遇するとすれば、これは、ひとり教育者のみの問題でなく全住民の問題である。これの解決には、この法案における争議権の問題以外の方法によらざるを得ないであろう。なぜならば、この法案における争議行為は、「住民」と、「地方教育区の執行機関」を対象にしているものであって、それ以外の対象に対しては、この法案以外の問題であるからである。

次に教員が社会の良識者をもって自ら任ずるとはいっても、すべてが良識によって律せられていたとはいえない幾多の事例もある。しかしながら、これに対して「それは、一部分であって、全部ではない。一部の行き過ぎの故に、法をもって大部分を規制する必要はない」とする意見もある。そうだとすれば、大部分のためには、一部はどうでもよいということになる。法律は、部分を対象にするものではない。したがって犠牲も出さないということを前提にして立法されるべきである。法は、すべての者に平等でなければならない。

八 おわりに

文教局長は、地方教育区公務員法案及び教育公務員特例法案を一九六六年五月六日第百五十一回臨時中央教育委員会の会議に付議するに当り、長時間にわたり異例の提案理由の説明を行っている。この説明は、法案の内容については勿論の

ことながら、法の理念及びこの二法案の問題点についても詳細に説明すると同時に、教育行政の責任者としての決意も述べているので、この提案理由説明の記録の全文を、次に掲載してむすびとします。

◇　◇　◇

提案理由の説明を申し上げます。お手許に地方教育区公務員法案及び教育公務員特例法案の勧告理由が配布されております。それぞれ僅か一枚ばかりでありますので、私の方から一枚朗読させていただきます。（プリント朗読）

次に今回提出いたしました両法案と、すでに数ヶ月前皆様に資料として提出いたしました「両法案との差異」異なった点を申し上げます。基本的には六三年案と全く同様であります。ただ特例法で実質的に異なった点は、四点でございます。

第一点は第二条教育公務員の定義の中に、政府立学校の学長、部局長、教授、助教授を加えることであります。

第二点は、「任免、分限、懲戒及び服務」と題する第二章の六三年案での一節二節をそれぞれ一節三節にくり下げ、新たに「第一節」を挿入したことであります。第一点、第二点の改正及び挿入の要望があったからであります。

第三点は、第十五条の三項の「女子教育職員の出産休暇は、産前産後を通じて十二週間とし、その期間中給与の全額を支給する。」点であります。六三年案の八週間を、今回は改めて十二週間に、延長し、また六三年案にはなかった同期間中の給与全額支給の規定を今回は新たに加えたことであります。

第四点は、第十六条ですが、教育職員の補充について、六三年案は結核病休出産休暇の場合しか認められなかった規定を新たに、「それ以外の長期病休」についても今回案では認めようとする規定に打替えた訳であります。

以上要するに、基本的には六三年案をそのまま採用し、琉大の政府立移管という機構改革に基づき当然改正すべき点と、産休規定の改正、その他長期病休規定の新設による改善措置がはかられている点が若干の変更と云えるわけであります。次に本発言は、文教局が独自の立場から自主的に作ったものであるということを申し述べておきたいと思います。確かに私は昨年就任直後の十一月四日の記

— 14 —

教育公務員の争議権と教育を受ける権利　教職員の争議権を禁止しても、なお他の方法により教職員の適正な勤務条件が確保されているならば、教職員の争議行為を禁止して、民主主義の必要的要件である生存権の文化的内容をなす教育の平等を制度的に保障し、憲法を貫く法のもとの平等の思想の教育面における発言である国民の教育を受ける権利を保障することが国民全体の利益に合致する。

（昭三七、四、一八、東京地裁）

公務員の勤務、労働関係と公共の福祉

公共の福祉のため公務員の基本権に対する制限ないし禁止（国公法、地公法、人事院規則等）を行うことも止むを得ないし、公務員の勤務関係を特別権力関係として把握することも公共の福祉にそうものである。公務員の労働関係では、国又は地方公共団体は、労働者の争議手段に対抗する作業所閉鎖、又は廃業等の措置がみとめられてないこと。また公務員の労働条件は、その公共的性質から、重要事項の大部分が法律、条令で定められているから、享実上の争議行為を行うことは、議会民主制を否認し、参政権平等の原則にも違反する。

六　「教員なるが故に」ということについて

基本的人権は、憲法によってすべての人に犯すことのできないものとして保障されているにもかかわらず「教員なるが故に」はく奪又は否定されることは違法である。

基本的人権をもたない教員が、生徒に完全に基本的人権を教えることは不合理だ、とする意見がある。

この意見に従えば、基本的人権に対応する人でなければ、基本的人権を教える資格がないということになる。

このことは、司法官についてもいえる。司法官は、最も直接的に基本的人権に関する仕事を掌るのであるが、憲法や法律に拘束されている。

警察や消防の職員、公共企業体の職員あるいは船員等も、特別の基本権が制限ないし禁止されている。

教員が、基本権の一部制限されるということは、「教員なるが故に」というより

は、全体に奉仕する公務員としての特殊性によるものである。しかしながら、公務員だからといって、基本権が、はく奪あるいは全面的に否定されているのではなく、その行使についての部分的な制限であるということが理解されなければならない。

教員が、一般の労働者と同じようなすべての基本権の行使が認められようとするならば、公務員としてもつところの特別な待遇や、さらには教育公務員特例法などによって認められる種々な特別の取扱いは特権的な取扱いというそしりを免れないであろう。一般労働者と同じ権利を行使しながら同時に教師の職責の特殊性を主張して一般労働者に認められない特別な待遇を要求することは甚しい矛盾といわなければならない。

七　「教員には良識があるから……」ということについて

「教員の政治的行為や争議行為が認められても、教員には良識があり、また社会が許さないから、すぐれを行使するものではない。だから、法によって規制する必要はない。」という意見がある。

たしかに教員の良識は一般に高く評価されているし、じゅうぶん認められているところである。

ところで、良識とは何か。良識は、倫理的思惟に基づく一つの概念であり、主観的なものである。それには万人共通の尺度とか限界とかはない。ある人には良識があり人には必ずしもそうでないことがあり得る。従って、この主観的な概念でもって物事が判断されるならば、時に恣意となり専断となり得るのである。人間社会が、その客観的諸条件を良識によって整備、確保されるならば、面倒な手続きを要する法律などは必要はないであろうが、「社会のあるところ法あり」といわれるように、社会が近代化し、複雑になり、もはや常識である。それに対応する条件の法律が立法されてゆくのは、精神的専業たる教育においても、さきに述べた如く法律主義が採用されているゆえんでもここにある。法律は、社会的規範として一定の限界があり、共通の尺度があり、客観的である。

第三項

この協定は、誠意と責任をもって履行しなければならない。

第四項

職員は個人としてでも、不満を表明し、意見を申し出る自由は、団体に加入している、いないによって否定されない。

●本条に、職員団体の団体交渉権は認めているが、それには団体協約の締結権を含まないとしているのは、公務員の給与は主としてその使用者たる住民の意志として議会における立法によって決定されるものである。であるから行政当局と書面による協定はできるが最終的な決定は議会においてなされるのである。

先ほど行なわれた官公労による期末手当三十割支給の団交における行政府当局との協定—すなわち、次議会における給与法の一部改正によって支給するとの協定—などは、事例の一つである。職員団体の団交権は、労働組合法によるが如き団体協約ではないが、協定が成立した場合は、誠意と責任をもって実行しなければならないものとされているのであるから、能う限りの努力を持ってこれの実現を期しなければならないのである。

五 「判例にみる」公務員の政治的行為の制限及び争議行為等の禁止の合憲性について

公務員の政治的中立の趣旨について、判例は次のような見解を示している。

およそ公務員はすべて全体の奉仕者であって、一部の奉仕者でないことは、憲法一五条の規定するところであり、また行政の運営は政治にかかわりなく、法規の下において民主的かつ能率的に行なわるべきであるところ、国家公務員法の適用を受ける一般職に属する公務員は、国の行政の運営を担任することを職務とする公務員であるから、その職務の遂行にあたっては厳に政治的に中立の立場を堅持し、いやしくも一部の階級若しくは一派の政党又は政治的団体に偏することを許されないものであって、かくしてはじめて、一般職に属する公務員が憲法一五条にいう「全体の奉仕者」である所以も全うせられ、また政治にかかわりなく法規の下において民主的かつ能率的に運営せらるべき行政の継続性と安定性も確保されうるものといわなければならない。これが即ち国家公務員法一〇二条が一般職に属する公務員について、とくに一党一派に偏するおそれのある政治活動を制限することとした理由であって、この点において、一般国民と差別して処遇されるからといって、もとより合理的根拠にもとづくものであり、公共の福祉の要請に適合するものであって、これをもって所論のように憲法に違反するとすべきではない。

（最高裁大法廷昭三三、三、一二昭三一年（あ）第六三五号）

公務員の勤労基本権については、一般の勤労者と異なり大幅な制限が加えられている。職員には争議権が全く否認されていることについて、判例は次のようにその根拠を「公共の福祉」に求めている。

国民の権利はすべて公共の福祉に反しない限りにおいて立法その他の国政の上で最大の尊重を必要とするのであるから、憲法二八条が保障する勤労者の団結する権利及び団体行動をする権利も公共の福祉のために制約を受けることを已むを得ないところである。殊に国家公務員は、国民全体の奉仕者として公共の利益のために勤務し、かつ職務の遂行に当っては全力を挙げてこれに専念しなければならない性質のものであるから、団結権、団体交渉権等についても、一般の勤労者とは違って特別の取扱を受けることがあるのは当然である。従来の労働関係調整法において非現業官吏等が争議行為を禁止され、又警察官等が労働組合結成等を認められなかったのはこの故である。同じ理由により、本件政令第二百一号が公務員の争議を禁止したからとて、これをもって憲法二八条に違反するとすることはできない。

（最高裁昭二八、四、八、昭二四年（れ）第六八五号）

教育公務員の一斉休暇は争議行為である。勤務評定の反対斗争の目的を貫徹するため組合の統制力を利用して一斉に休暇請求権を行使することは争議行為とみなす。また、地公法三七条一項、六一条四号は、憲法二八条に違反しない。

（昭三四、二、一三、大阪地裁）

（昭三七、四、一八、東京地裁）
ほぼ同旨

（昭三七、八、二七、佐賀地裁）

（昭三七、一二、二一、福岡地裁）

（昭三八、一〇、二五、和歌山地裁）

る。

「争議行為」とは、同盟罷業、怠業その他労働関係の当事者がその主張を貫徹することを目的として行なう行為及びこれに対抗する行為であって、業務の正常な運営を阻害するものをいう。

第二項

職員で、前項の規定に違反する行為をした者は、その行為の開始とともに、地方教育区に対し—法令又は教育委員会規則、地方教育区の機関の定める規定に基づいて保有する任命上又は雇用上の権利をもって対抗することができなくなるものとする。

本項は、争議行為をした者が不利益な取扱いを受けても、これに対して任命上又は雇用上の権利を主張することができないということであって、その職員に関する処分を行なうことができないということではない。任命権者はその職員に対する法令上必要とされる手続きをとらなければならない。

それでは、なぜこのような争議行為が禁じられているか。

労働三権は憲法第二八条に勤労者の基本的人権として認められているところである。ところが、公務員には、立法によって団結権、団体交渉権は認められていながら団体行動権のうちの争議権が認められていない。その根拠はどこにあるか。これは、憲法第十五条における「公務員が全体の奉仕者である。」というところにある。さきにも、ふれたように、主権が国民にある国家社会にあって「全体」とは、国民であり、住民である。その住民に奉仕する公務員は、住民に対して争議行為はできないからである。公務員と住民との関係は、一般私企業の労働者と資本家又は企業経営者との間における労資対等の関係でなくもっぱら信託奉仕の関係にあるのであって、公務員の勤務条件は住民の意志としての議会において決定されるものである。

これに対して争議行為をもって対することは、住民に対する反抗である。いうまでもなく、基本的人権といっても絶対無制限の行使が許されるべきでなく、その性質上当然に公共の福祉によって限界づけられる。水木惣太郎（法学博士）は、その著「基本的人権」の中に、「無制限な効力を有する権利は現実に

は存在せず、逆にいえば現実に有効な権利は必ず一定の限界を有する。」としその限界を公共の福祉としてあげている。そこで、公共の福祉は、基本的人権の行使として、これに内在し、これを基礎づけているものである。これは憲法の理念として、その理念に内在する公共の福祉に反することはできない。従って基本的人権の行使は、その理念である公共の福祉に反することはできない。これは憲法に反する公務員なるが故に、基本的人権が剥奪又は否定されてはならない。これは憲法に反する。」という論もあるが、同じく公務員であるところの警察職員、消防職員、監獄職員等は、労働三権すべてが否定されているし、現業の公共企業体の職員は争議権が否定されている。かように職務の性格によって制限の限界が附せられているのであって、これをもって直ちに憲法違反とするには当たらないのである。公務員の争議禁止が合憲か、違憲かの論争に対して、昭和二八年の東京高等裁判は、合憲を認めた裁判を下しているし、多くの法律学者もその合憲性を認めている。

●本条に関連して附言したいことは、大衆運動として行なわれている「デモ行為」は、本条第一項にていしょくするだろうか、ということである。

これについては、本条第一項の条文や、同盟罷業、怠業等の争議行為としてでない一つの大衆運動としてのデモ行為は本条の関するところではない。現行の琉球政府公務員法第四十五条にも同じような規定があるが、デモが若し争議行為だとすれば、政府公務員たる官公労のやっているデモはすべてていしょくすることになる筈である。デモは意志表示の示威行為であって、法令に定める争議行為ではないのである。

団体交渉権

第五十三条（交渉）の骨子は、次のとおりである。

第一項

登録団体は、……給与、勤務時間、勤務条件に関し、当該地方教育区の当局と一交渉することができる。ただし、団体協約を締結する権利を含まないものとする。

第二項

書面による協定を結ぶことができる。

● この項は、第三項を受けたものであり、たとえばその命令に従わなかった理由として懲戒処分とかの不利益な取扱いをされない。若しこれによって不利益処分の審査請求をすることができる場合は、第四十八条によって不利益処分の審査請求をすることができる。

第五項　本条の規定は、

教育行政の公正な運営の確保
職員の利益の保護

を目的とする趣旨で解釈し、運用されなければならない。

すなわち、本法案における職員のすべての政治的行為の制限の目的を明示したものでなく、教育基本法における全体の奉仕者として勤務すべき公務員の政治的中立性を保障することによって、公務の円滑な運営をはかるためのものである。であるから、本条の規定は、そのような趣旨において保護しようとするための政治教育その他政治的活動を対象としての制限規定であると解しなければならないのである。

教育基本法第八条第二項と本条の関係

教育基本法第八条二項は「法令に定める学校は、特定の政党を支持し、又はこれに反対するための政治教育その他政治的活動をしてはならない」と規定している。

元来、学校において教育を受けている年令の者とくに未成年者は、その知識及び経験において未発達の段階にある者である。従って、政治に関する一般的基礎的な常識や教養をじゅうぶん備えていないので、如何なる党派を選ぶべきかというような実際的の問題についての判断を下すことはできない。学校は、これら未発達段階にある未成年者に対して将来公民として正当な判断がなし得るような政治的教養を育てる場所である。この意味において学校は、具体的な政策の実現を目的とする政党政派の上に超然たる地位と使命を有する。若し、学校が特定の党

派の支持又は反対の政治教育や政治的活動をするならば生徒や学生に不当な影響を与え、良心の自由を束縛する結果を来たすおそれなしとしない。この意味において教育基本法は、教育が政党に利用されず政治的に中立を維持するように要求しているのである。

そこで、「学校」は、元来教育の協同体であるから、各教員は当然その構成分子をなすものであり、であるから、その職員が学校の教員としての身分で学校の内外を問わず、その学校の教育活動の一環としてなす政治的行為は、この基本法の精神に反するものであると考えられる。

ところで「教育の中立性」とは、一応概念としては区別できるが、教員が教育というものと切りはなして考えることは困難である。ここで教公法の本条で、あのような規定がなされているのである。基本法は学校教育活動として協同体の立場から、教公法は教員たる公務員としての立場からという関係になるのである。

第三十五条（争議行為の禁止）

争議行為の禁止

第一項　職員は、「地方教育区の機関が代表するもの使用者としての住民に対して同盟罷業、怠業その他の争議行為」、「市町村、地方教育区の機関の活動能率を低下させる怠業的行為」をしてはならない。何人も、このような違法な行為を共謀し、そそのかし、あおってはならない。

● この項、職員の争議行為の対象は、地方教育区（教育委員会や学校など）とし、それに対して争議行為をしてはならないことを規定し、更に後段は、第三者に対して争議団、共謀、示唆、煽動を禁止している。

● 「同盟罷業」とは、労働組合あるいは争議団が、労務の提供を停止させること、自己の主張を貫徹するため、その団体所属の労働者に、労務の提供を停止させること、自己の主張を貫徹するストライキである。ストライキには、ハンスト、坐り込みスト等の種類がある。いわゆるストライキである。

● 「怠業」とは、労働組合が自己の主張を貫徹するため、その団体所属の労働者に、形式的に生産を継続しながら故意に能率を集団的に低下せしめることで

の規約や綱領等を立案し、結成準備のための会合を招集したりして推進的役割を果すことをいう。

● 「勧誘運動」とは、不特定又は多数の者を対象として組織的、計画的に構成員となる決意、又はならない決意をさせるようにうながす行為をいう。たとえば党員倍加運動などのように計画的になす行為はこれに含まれるが、たまたま友人間等において入党をすすめることなどはこれには含まれない。

● 本項は、職員が、政党や政治団体の結成に積極的に参画したり自ら企画や発起人などになること、又その役員になること、党勢拡張などのために勧誘運動などすることがいけないのであって、政党や政治団体の構成員となること、つまり政治的所属関係によって差別されないの原則に明示されているところで、政治的意見や政治的所属関係によって何ら差支えないことであり、これは、第十四条の平等取扱いの原則に明示されているところで、政治的意見や政治的所属関係によって何ら差支えないことであり、これは

第二項 職員は、特定の「政党、政治団体、政府、市町村や地方教育機関」を支持し、反対の目的で、（特定の人・事件）を支持し、反対の目的で、選挙又は投票における

右のような政治的行為をしてはならない。こととなっている。

一、「特定の人」とは、当該選挙において立候補の制度がとられている場合においては、法令の規定に基づき正式に認められた裁判官の国民審査の投票とか、議会の解散請求などであって、選挙とか投票とかを伴わない事件などは本項にいう事件とはいえない。

二、「事件」とは、公の選挙や投票を必要とする事件であって、例えば法令の規定に基づき正式に認められた裁判官の国民審査の投票とか、議会の解散請求などであって、選挙とか投票とかを伴わない事件などは本項にいう事件とはいえない。

三、勧誘運動、署名運動の企画、主宰の積極的関与 寄付金、金品の募集の関与

四、学校の施設への文書の掲示、資材、資金の利用

本項を要約すると、特定の政治団体又は候補者を支持することは自由であるが自ら進んで勧誘運動をしたり、署名運動を自ら企画したり主宰したり、又は選挙の運動資金などのような寄付金品の募集を自ら進んで企画したり発起人となったりすること、学校の校舎や施設などに政党や候補者のポスターなどを掲示したり、学校の資材や資金を利用したりしてはならないということである。ただし、第一号から第三号までの規定は、その職員の任命権者の管轄内での制限であって、他の地域においては制限されない。（本土の場合公立学校職員は全国的に制限されている。）

● 第二項における「事件」が、いろいろに憶測されている向きがある。たとえば祖国復帰の運動が、ここにいう「事件」とみなされないか、という点がある。

祖国復帰は、沖縄住民の悲願であり、その運動は民族運動であって、これは選挙とか投票を伴わない大衆運動である。

従って、この法案における「事件」は、さきに述べたとおり法令の規定に基づく公の「選挙」や「投票」を伴う事件に限られるものである。

現に、政府公務員法の下で公務員たる教職員会やその他とともに復帰運動を行なっている。

この法案は、現行の政府公務員法より相当緩和されたものであるので、これが成立したからといってこの運動がこの立法によって影響されるとは考えられない。

● 第一項及び第二項が、直接職員に対する規定であるが、次の第三項は第三者に対する規定である。

第三項 何人も―職員に対して―前二項の政治的行為をするように、求め、そそのかし、あおってはならない。

このような政治的行為をなさないことに対する代償、損害としてー任用、職務、給与、地位に関して何らかの利益、不利益を与えようとー企て、約束してはならない。

● この第三項は、説明するまでもなく、職員を政治的に利用しようとする第三者からこれを護ろうとする規定であり、ここにも保護法としての性格の一端がうかがえるのである。

第四項 職員は、前項（第三項）に規定する違法な行為に応じなかったことの故

教育公務員特例法の内容

一般公務員に対する特例について説明しますと、

(1) 一般公務員の任用は、さきに述べたように一般法で競争試験を原則とするが教育職員の場合は、採用および昇任の方法を、競争試験を排し、選考によって行うこととしました。

(2) 教育職員がその職務を行うためには、研修は欠くことのできない重要な事項であります。したがって、研修の機会が与えられるよう規定するとともに、職員に対しても研修の義務を負わせています。

(3) 大学の自治を尊重し、特に、学問の自由が尊重され保障されるよう規定しています。

(4) 一般公務員よりも期間を長くして満三年まではできるものとし、被教育者と教育者の保健の促進がはかられるよう規定されました。

(5) 女子教員の出産休暇については、現行八週間を十二週間に延長するようにしています。

(6) 結核、産休以外の長期の病休職員が、安心して療養ができるよう、特に規定を設け、その職員の補充教員が採用できるように規定しました。

(7) 校長、教員等が、本務以外の教育に関する他の職務に従事することができるように規定されました。

(8) この立法が成立することによって、教育公務員の給与に関する立法が、現行の一般公務員の給与法とは別に、立法される根拠を得ることができます。

(9) この立法の成立によって、校長及び職員の勤務成績の評定について、緩和措置を講ずることができます。

(10) 教員の採用及び昇任の選考にあたっての、校長の意見具申権を認めました。

(11) この立法成立により、政府立学校職員と公立学校職員との完全な団体交渉が正式にできるようになります。

以上、地方教育区公務員法案及び教育公務員特例法案の性格、内容等について述べましたがこの立法における政治的行為の制限、争議行為等の禁止、団体協約、勤務成績の評定等をとり上げて、自団体の主張が容認されなかった故をもって、この立法案全体が、いかにも教職員を一方的に規制する「悪法」かの如き印象を広く与え、その組織の強大な統制力をもって、この立法案の成立を真向うから阻止しようとしていることは、まことに遺憾なことであります。それではここでこれらの問題となっている事項について、その趣旨や内容を詳しく説明し、見解を述べることにします。

四 教職員会の反対は果して妥当か
―問題点の解明―

政治的行為の制限

公務員の政治的行為が、ある程度制限される理由については、さきに述べた公務員制度の根本理念のところでふれたとおりであるが、法案の第三十五条及び教育基本法第八条との関係等について説明しましょう。

まず、法案の第三十五条を少く分析しながら説明してみよう。

第一項「職員は、政党その他の政治団体の結成に関与し、若しくはこれらの団体の役員となってはならず、又はこれらの団体の構成員となり、若しくはならないように勧誘運動をしてはならない。」となっています。

● 「政党」とは、政治上の主義若しくは施策を推進し、又は公職の候補者を推薦し、支持し、若しくは、これに反対することを本来の目的とする団体をいう。

● 「政治的団体」とは、政党以外の団体で、政治上の主義若しくは施策を推進し、支持し、若しくはこれに反対し、又は公職の候補者を推薦し、支持し、若しくはこれに反対する目的を有する団体をいう。

● 「関与」とは、たとえば、発起人(企画者)となり、その結成企画に係る団体

— 8 —

(七) 研修及び勤務成績の評定

職員の研修に関しては、本法案第三十八条において、任命権者は職員の研修を行わなければならず、研修には、研修を受ける機会が与えられなければならないことを規定するとともに、研修に関する人事委員会の勧告について規定しています。これらの規定に対し、教育公務員特例法案第十九条においては、職員に研修を義務づける規定が定められています。

職員の勤務成績の評定に関しては、本法案第三十九条において、任命権者は、勤務成績の評定を定期的に行ない、その結果に応じた措置を講じなければならないことを規定するとともに、勤務成績の評定に関する人事委員会の勧告について規定している。これに対し、教育公務員特例法案第十三条においては、大学の学長、教員及び部局長の勤務成績の評定に関する特例を定め、同法案第十八条においては、大学以外の学校の校長及び教員の勤務成績の評定については、任命権者において特に必要があると認める場合に、勤務成績の評定ができるよう緩和する規定がなされています。

(八) 共済制度

職員の共済制度については、本法案第四十二条において基本的な事項が規定されています。また、第四十三条においては、職員が相当年限忠実に勤務して退職し、又は死亡した場合の退職年金又は退職一時金の制度について規定しています。

(九) 公務災害補償

職員の公務災害補償に関しては、本法案第四十四条において、公務災害補償を受ける権利及び公務災害補償に関する異議の裁定について規定していますが、補償の具体的内容については規定していません。従って、その内容については、労働基準法の規定するところによって災害補償が行なわれることになります。

(十) 勤務条件に関する措置の要求

勤務条件に関する措置の要求に関しては、本法案第四十五条から第四十七条まででにおいて、措置要求の権利、人事委員会又は公平委員会の審査及び審査の結果執るべき措置、措置要求及び審査、判定の手続等について規定しています。

(十一) 不利益処分に関する不服申立

職員の不利益処分に関する不服申立てについては、本法案第四十八条から第五十条までにおいて、不利益処分に関する説明書の交付、不服申立て、不服申立て期間、審査及び審査の結果執るべき措置、不服申立ての手続等について規定しています。

(十二) 職員団体の組織

職員の労働関係に関しては、本法案第五十一条から第五十五条までにおいて、職員の団結権、職員団体の組織、職員団体の登録、法人である職員団体に関する特例、職員団体の交渉、不利益取扱の禁止について規定しています。これらの規定に対し、教育公務員特例法案附則第二十八条は、職員団体の組織、職員団体の交渉等特例を定めています。

(十三) 教育公務員特例法案の性格

この立法の趣旨は、第一条に示しているように「教育を通じて住民全体に奉仕する教育公務員の職務とその責任の特殊性に基づき、教育公務員及び地方教育区公務員の任免、分限、懲戒、服務及び研修について規定する」ものであります。すなわち、公務員法が一般勤労者に対する身分法としての特別法であるのに対して、更にこの立法は一般公務員に対して教育公務員としての特例法であります。即ち、教育職員のみを対象にした特例法であります。

そこで教育公務員特例法は、普通その基本となる一般法がなければつくることは困難であります。特例法は、琉球政府公務員法及び地方教育区公務員法が母法となるわけであります。

教育公務員特例法は、いわば救済的あるいは特典的な立法でありますが、公立学校の教育職員に対しては、現在でも特例法の立法はできますが、公立学校の教育職員を含めた特例法は、地方教育区公務員法が制定されない限り立法化は困難であります。これに対して、公立学校の教育職員の場合は、現在中央教育委員

このことは、公務員の地位の安定性に関する重要なことがらであり、任命権者の恣意や独断から職員を護ろうとする趣旨によるものであります。

現在、政府公務員は、現行の琉球政府公務員法によって、任命権者が勝手に不利益な処分を行なうことができないように、その地位の安定が保障されていますが、地方教育区の職員についての不利益処分に対してはこれを救済する法的根拠がないし不利益処分を訴える道がありません。

以上、公務員法の保護法としての性格について概括的に述べましたが、この立法案の内容について要点を概説すると次のようになります。

地方教育区公務員法の内容

(一) 人事機関

地方教育区教育委員会の人事機関は、任命権者と人事委員会及び公平委員会である。任命権者は地方教育委員会における職員の人事行政ないしは人事管理についての権限と責任を有する機関であり、人事委員会は人事行政ないしは人事管理の科学性、能率性及び公平性を保障する権限と責任を有する機関であり、公平委員会は人事行政ないし人事管理の公平性を保障する権限と責任を有する機関であります。

(二) 任　用

任用制度に関しては、本法案第十六条から第二十三条までにおいて、任用の根本基準、欠格条項、任命の方法、競争試験及び選考、受験資格、競争試験の目的及び方法、任用候補者名簿の作成及びこれによる任用の方法、条件付採用及び臨時的任用について規定していますが、これらの規定に対しては、教育公務員特例法(案)において教育委員会の職務と責任の特殊性から特例規定が設けられています。

(三) 職階制

職階制に関しては、本法案第二十四条の規定において職階制の根本基準について定めています。職階制の具体的な内容については、同条第二項の規定により、職階制に関する計画は教育委員会規則で定めるものとし、同条第三項の規定によりその計画の実施に関し必要な事項は、前記の教育委員会規則に基づき人事委員会規則で定めるものとしています。

(四) 給与、勤務時間その他の勤務条件

職員の給与については、本法案第二十五条の規定により、教育委員会法第百三十六条から第百三十六条の二までの規定に基づいて教育補助金に基づいて取扱われるように定められている教職員については、政府立学校の教育職員に準じて教育補助金の対象となっている教職員については、本法案第二十五条第二項の規定により、教育補助金の対象外の職員については、本法案第二十五条第二項の規定により政府公務員に適用される根本基準に基づき教育委員会規則で定めるようになっています。職員の勤務時間その他の勤務条件については、同条第三項の規定により立法に特別の定めのあるもののほか、教育委員会規則で定めるようになっています。

なお、教育公務員特例法(案)第二十七条は、地方教育区の教育公務員の給与の種類及びその額は、政府の教育公務員の給与の種類及びその額を基準として定めるものとすることを規定しています。

(五) 分限及び懲戒

本法案は、職員の分限及び懲戒について、第二十六条から第二十八条までにおいて、公正の原則、分限及び懲戒事由の法定主義、降任または免職の事由、休職の事由、懲戒の種類及び事由、分限及び懲戒の手続き並びに効果、条件付採用期間中の職員及び臨時的任用職員の分限、失職に関しして規定しています。なお、これらの規定に対しては、教育公務員特例法案第九条ほか特例規定が設けられています。

(六) 服務

本法案は、職員の服務について、第二十九条から第三十七条までにおいて、服務の根本基準、服務の宣誓、法令及び上司の職務上の命令に従う義務、職務に専念する義務、政治的行為の制限、争議行為等の禁止、営利企業等の従事制限について規定しています。これらの規定に対しては、教育公務員特例法案に、第十一条、第十二条等の特例規定があります。

条項が実に十四ケ条項にも及んでおり、職員の側に立って保護することを主たる任務とするこの機関の重要性がうかがえると思います。

(2) 公務員の差別取扱いの排除

次に、平等取扱いの原則を強く打ち出していることであります。すなわち、「人種、信条、性別、社会的身分又は門地等によって差別されてはならない。」ということであります。この考へ方は、憲法の第十四条の「すべて国民は、法の下に平等であって、人種、信条、性別、社会的身分又は門地により、政治的、経済的又は社会的関係において、差別されない。」（十四条）を受けたものであります。

この平等の原則は、今や近代民主国家においては一般の通念となっていますが戦前のわが国では、男女の性別等によって相当の差別取扱いがなされていたのは周知のとおりであります。たとえば、男教員と女教員の初任給の相違や、昇給、昇任の場合の差別扱いがなされたが、このことは不思議でもなくむしろ当然の如く思われた程でありました。

公務員法は、過去のこのような不平等の取扱いを完全に改善しようとするものであり、任命権者はもちろん何人といえども公務員を差別取扱いをしてはならないこととしているのみならず、差別取扱いをした者に対しては、この立法によって罰則を適用している程であります。

(3) 公務員の給与改善の問題

次に、情勢適応の原則をうたっていることであります。すなわち、任命権者は公務員の給与や勤務時間、勤務条件等が社会一般の情勢に適応するように、随時適当な措置を講じなければならない（第十五条）と義務づけています。給与については、民間の賃金水準や国民所得の増大、生活水準の向上等社会一般の情勢に絶えず研究と調査を行ない、それに適応するように公務員の給与の改善をはからなければならないとも規定しています。特に給与の改善についての、専門的研究と定期的な勧告の義務とは人事委員会の職能の大きな部門であります。任命権者は、その人事委員会勧告を立法に基いて履行する責任を有するものであるとされています。

(4) 公務員に必要な研修の機会

次に、公務員はその職務の能率を増進させるためには、研修の機会が与えられなければならないこととして、特に人事委員会は研修に関する計画の立案や方法等について任命権者に勧告することになっています（第三十八条）。

(5) 公務員の福祉と保護、とくに地方公務員の場合

次に、特に職員の福祉及び利益の保護については、十一ケ条にわたる多くの規定が設けられていることであります。すなわち、福祉及び利益保護の根本基準を示し（第四十条）、職員の保健、元気回復その他厚生制度を実施すること（第四十一条）、職員の公務によらない死亡、はい疾、負傷や疾病、分娩、災厄、葬祭並びにその被扶養者のこれらの事故等に関する共済制度がすみやかに実施されなければならないこと（第四十二条）、又、職員の公務による死亡、負傷、疾病、はい疾に対する補償並びにその被扶養者や遺族に対するないわゆる公務員災害補償がなされるべきこと（第四十四条）。更にまた、職員は、給与や勤務時間その他の勤務条件に関して適当でないと思われる場合には、適当な措置を執るように要求することができる（第四十五条）、この要求があった場合には人事委員会や公平委員会はこれを審査し、判定し、適当な措置を講ずるよう任命権者に勧告することになっています。若し、この措置の要求の申出を故意に妨げた者があれば、これに対しては罰則を適用することにしています（第四十五条及び第六十三条第五号）。

職員はこの立法で定める事由による場合でなければ、その意に反して、降任、免職、休職されないし、懲戒処分を受けることはない（第二十六条）のであるから、若し任命権者から意に反する不利益な処分を受けたと思う場合には、審査の請求をすることができるようになっています（第四十八条）。

このような請求があった場合、人事委員会又は公平委員会は、これを審査し、その結果に基いて任命権者に対し、その処分によって受けた不当な取扱いを是正するよう指示することになっています。若し、この指示に故意に従わなかった場合は罰則を適用することになります（第四十九条及び第六十二条第三号）。

第二の意義としては、教育行政に関する一般国民の関心の高揚であります。従来のように教育法規が一般国民とは無関係のうちに制定されるならば、これに対する国民の関心も薄くならざるをえないのであって、教育法規が「法律」として立法議会において制定されるということは、立法を通じて一般国民が教育行政に参与するという意義をもつことであり、一般国民の教育に対する関心はこのようなことから十分高められ得るわけであります。

以上は、教育法規が「法律主義」を採用している意義を述べたのでありますがそれでは、地方教育区公務員法案及び教育公務員特例法案は、どのような性格の法律（立法）であるのか。次に、その大要を述べることにしましょう。

地方教育区公務員法案の性格

この教公二法案を含めて、まず「公務員法」全般について考察してみよう。公務員法の性格としては、次のことがあげられます。第一は、改革法であること。第二は、基準法であること。第三は、保護法であること。第四は、身分法であること。

第一の改革法であることについては、戦前の旧憲法下の官吏制度を民主主義の理念に基づいて根本的に改革し、全く新しい公務員制度を樹立しようとするものであること。

第二の基準法であることについては、公務員たる職員について適用すべき根本基準を確立し、更にこの法律に反する従来の法令に対して優先するものであること。

第三の保護法であることについては、職員の福祉及び利益を保護すること。

第四の身分法であることについては、他の法律との比較の上からのことではあるが、新憲法における公務員という身分を確立することによって全体の奉仕者らしめようとすること。

以上は、公務員法全般に対するごく概括的にその性格を述べたのでありますがその特色の一つとして第三にあげた保護法としての性格に関して地方教育区公務員法案について以下条文に即して説明しましょう。

一 ― 地方教育区公務員法は保護法である ―

(1) 人事委員会の設置の必要とその性格

まず、どの公務員法でも同じでありますが、その法律の根本基準に従い、その法律の完全な実施をはかるために、人事委員会又は公平委員会を置くことであります。

人事委員会は、職員の任命権者たる教育委員会に独立した機関で、単的にいって職員を任命権者から擁護する機関であるといえます。

それでは、人事委員会はどのような職務、権限を有するか、その主なものには次のようなものがあげられます。

一、職員の給与や勤務時間、勤務条件はもちろん、厚生福利制度、公務員災害補償やその他職員に関する制度について絶えず研究し、これらの制度の実施、確立を促進する。

二、給与の改善や、人事行政の運営の仕方について、任命権者に勧告する。

三、競争試験や選考の事務を行なう。

四、職階制に関する計画を立案し、実施する。

五、職員の給与が適切に支払われているかを管理する。

六、職員の給与、勤務時間や勤務条件に関する措置要求があった場合これを審査し、判定し、更に必要な措置を執る。

七、職員に対する不利益な処分が任命権者においてなされた場合、例えば、任免の際や給与、懲戒、分限等の場合における不利益な処分等に対して審査しその結果必要に応じて任命権者の処分に修正、その他必要な措置をなさしめる。

公平委員会は、主として前掲の六、七のことがらについての職務を行ないます。人事委員会や公平委員会が行なう以上のような職務を公務員法において特に設けているのは、一般私企業において、たとえば給与の改善や不利益処分等の場合争議行為に訴えるのに対して公務員の場合は、立法によって権限を与えられた、しかも専門的機関によって適当な措置がとられることが、住民全体の福祉をはかる全体の奉仕者としての職務の上から適当であるとの趣旨からであります。人事委員会に関する

りまず。

それでは、全体の奉仕者とはどのようなことか。民間企業における勤労者は、その会社の利益のために働けばよいのであって、会社の利益のためにということはその会社の資本家や株主の利益のためにということになります。もちろん、今日の社会において、私企業のもつ公共性、社会性を否定するものではないのですが、そうかといって社会公共のための目的に活動しているものとは考えられないのであります。

ところが、公務員の場合には、政府や地方公共団体に勤務しているといっても雇用主はだれであるか。行政主席であるのか、市町村長か、教育委員会であるのか、決してそうではないのです。つきつめていけば公務員の雇用主は住民全体であります。国民主権主義の国においては、すべて国民が自らを統治するという考え方に立っているからであります。

このように、公務員の終局の任命権者は、国民主権主義のたてまえをとるかぎり国民全体であるということが理念としていえることであります。従って、公務員は雇用主たる国民全体への奉仕者であるということになるのであります。また、近代的な公務員制度は、民主的かつ能率的であるということでありまず。民主的であることについては、公務の任用がすべての人に平等に公開されていること、すなわち公務員の平等公開の原則に立っているということであり、試験あるいは選考によって選任し、能力に応じて採用、昇任させるいわゆる能力実証主義の原則をうち出しているのであります。このことは、憲法第十四条における「すべて国民は、法の下に平等であって、……差別されない。」という精神をうけたもので、公務員制度における平等取扱いの原則を具現するものであります。

次に、公務員制度における重要な要件として公務員の身分、地位の保障ということであります。

代議制をとっている国民主権主義の近代国家においては、すべて住民の意思、選挙の結果によっては当然政権の交替ということが生ずることになります。政治にたずさわっている特別職は政権の交替ということによって、つまり住民の意志によってその地位のかわることもあるのですが、一般職にある公務員は政権の交替に関係なくその身分の安定が保障されなければなりません。政権の交替によって公務員の地位が左右されることになると、公務の安定性あるいは継続性がそこなわれる

の結果、迷惑をこうむるのは一般住民であります。かりに政治に介入しているとすれば、政権の交替に際しては、当然にその身分を失うことにもならざるを得ないからであります。このような意味において一般職の公務員に一定の政治的行為が制限されているのであって、すなわち、公務員に政治的中立性の保障が要求されるゆえんであります。

三 地方教育区公務員法及び教育公務員特例法は、どういう性格の法律か

かつて教育が家庭においてあるいは親族間において私事として行なわれていた時代には、教育行政という観念は生じてこなかったのであります。近代国家がその民主的自覚の中に教育をとりいれ、教育をもって国家に対する関心を増大させ、いずれもその権能の中に教育をとりいれて国家の最も重要な任務の一つとして考えるようになりました。このように国家が特定の教育政策を樹立し、それに基づいて教育制度を定め、それを維持し、管理するようになって、はじめて教育行政ということが考えられ、従って教育法規というものも出現したのであります。

このようにしてできた教育法規の最も一般的な形式は法律であります。これは教育行政における法律主義の当然の帰結であって、教育行政においても法律主義を採用しているということは、種々の観点からみて極めて重大な意義を有するものであります。その第一の意義は、教育行政が強力な民主主義的行政にきりかえられたことであります。終戦前の教育行政は「勅令」や官僚が意のままに制定する「命令」による行政、すなわち官僚行政であって、そこには民意の反映は殆んどなかったのであります。現在では、国民の意志を代表する立法機関即ち議会において制定される法律（立法）によって教育行政が行なわれており、教育基本法第十条の教育行政に関する規定において、「教育は……国民（住民）全体に対し直接に責任を負って行なわれるべきである。」とあり、これは教育の目的、制度、教育方針等が国民の代表者で構成されている立法議会において決定されるべきであるということ、つまり教育行政の法律主義の原則を宣明したものと考えられます。

町村の行政区域を区域とする法人としての教育区を設定し、そこに、それぞれ教育委員会が設置され、制度的にも機能的にも一般行政から独立し、教育の中立性を堅持し、公正な民意に即する自主的な行政機関として、運営されてきております。このように市町村の一般行政から独立した法人格を有する教育区の職員については、自ら、一般行政職員とは異った人事行政が行なわれるべきであり、ここに市町村公務員法とは別個に地方教育区公務員法の立法が要請される理由があるのであります。

公務員は、憲法や教育基本法に規定されている如く、「全体の奉仕者」であり公務員の地位は最終的には住民の意志に根拠をもつものであるので、住民に信託された公務の民主的かつ能率的な運営を保障する義務を有することは理の当然といわなければなりません。そのためには、公務員の身分が安定されることが必要であります。

ここに、組織法とともにその組織の中にあって行政の執行に当る最も重要な人間の身分法が必要欠くことのできないものとして整備されなければならない大きな理由があり、行政組織法とその組織の運営に当る公務員の身分法が一体化することによって、公務の信託を受けた国民父は住民に対してその安定性と継続性を保障することができるのであります。

国家行政組織法に対する――国家公務員法
地方自治法に対する――地方公務員法
琉球政府行政組織法に対する――琉球政府公務員法（本土）
市町村自治法に対する――市町村公務員法
教育委員会法に対する――地方教育区公務員法（案）（沖縄）
琉球政府行政組織法に対する――琉球政府公務員法（案）（沖縄）

これらの組織法と身分法がそれぞれ一体となって国及び地方の行政が円滑に行なわれ、国民及び住民の信託に答えていけるものであります。

② **教育公務員特例法案について**

政府立学校の教育職員は、琉球政府公務員法によって政府公務員としての身分がすでに確立しており、公立学校及び地方教育区の教育職員は、目下立法勧告している地方教育区公務員法によって、地方教育区公務員としての身分を確立しようとしているところであります。ところで、公務員中、政府立学校及び公立学校

並びに地方教育区の教育職員については、教育を通じて全体に奉仕しなければならない者として、その職務と責任には、一般公務員とは異なる特殊性を有するものと考えられておりますので、その職務と責任には、前記の二つの立法をもってしては、必ずしも適切ではなく、かつ、不十分と思われる点もあり、その人事行政において必ずしも適切ではなく、かつ、不十分と思われる点もあり、このことにつきましては、この二つの立法自体においても、このようなものについては特例を設得べき規定が定められています。

そこで、前記琉球政府公務員法並びに地方教育区公務員法（案）の二つの立法に規定する政府立学校及び公立学校の教育職員を、教育公務員として一括し、これらの教育公務員の任免、分限、服務、研修及び福祉等に関して、その特殊性に応ずるよう特別の措置を講じようとするものであります。

二 **公務員制度の根本理念はなにか**

主権在民の原理に立つ日本国憲法第十五条は「公務員を選定し、及びこれを罷免することは、国民固有の権利である。すべて公務員は、全体の奉仕者であって一部の奉仕者ではない。………」と宣言しています。従って公務員の地位は直接に国民の意思に基づいて、国民全体のために奉仕すべき使命を負う者であるということを憲法は明示しているのであります。また、琉球政府章典第十五条は「琉球政府は、公務員法を定めて公務員の任命、昇進及び退職に関する責任を規制しなければならない。」と規定して、公務員法の制定によって公務員の地位及び待遇の保障をはかることを要求しています。

更に、教育基本法第六条は「法令に定める学校の教員は、全体の奉仕者であって、自己の使命を自覚し、その職責の遂行に努めなければならない。このためには、教員の身分は、尊重され、その待遇の適正が期せられなければならない。」とうたわれています。すなわち、教員が全体の奉仕者であるという使命をもっていること、そのためには身分が尊重され、適正な待遇が得られるべきであるということであります。身分の尊重ということは単に精神的のものでなく実質的に地位や生活の安定とが伴わなければならないのは当然であり、この実質的な安定は国民の意志に基づいた立法によるのでなければ真の安定とはなり得ないのであります。

憲法や基本法における「全体の奉仕者」ということが、公務員の根本理念であ

文教時報

号外11

== 号　外 ==
第 11 号
1966年7月10日
編集兼発行
琉球政府文教局
　印　刷　所
サン印刷所

教公二法の立法はなぜ必要か

――この立法の正しい理解のために――

もくじ

一、教公二法案の勧告理由 ………… 1
二、公務員制度の根本的理念
　　とは何か ……………………… 2
三、教公二法はどういう性格
　　のものか ……………………… 3
四、教職員会の「反対」は
　　果して妥当か ………………… 8
五、「判例にみる」公務員の
　　政治的行いの制限 …………… 12
六、「教員なるが故に」とい
　　うことについて ……………… 13
七、「教員には良識があるか
　　ら」ということについて …… 13
八、おわりに …………………… 14

はじめに

政府は、今回十余年来の懸案事項であった地方教育区公務員法と教育公務員特例法を開会中の立法院議会に対して、五月二十八日づけで立法勧告をいたしました。以下、これら教育区公務員法案及び教育公務員特例法案（以下、「教公二法案」と略称す。）について、これらの基本的な事項について概説し、全住民、特に、教育職員諸氏のこの教公二法案に対する「正しい理解」のための一助としたい。

一　教公二法案の勧告理由

① 地方教育区公務員法案について

長い伝統の上に立って築きあげられてきた戦前の官吏制度は、戦後、民主的、近代的な公務員法の制定により根本的な変革が行なわれてきました。わが沖縄においては、一九五三年琉球政府公務員法が制定され、これによって政府公務員

ついては、民主的、能率的な人事行政がおこなえるようその制度が確立されました。

しかるに、同じ公務に従事する地方教育区に勤務する教職員については、その身分取扱いについて明確な法的根拠が確立されないままに今日に至っており、政府公務員と異る労働法上の取扱いを受けていることは、極めて不合理であります。とりわけ、政府公務員である政府立学校の教職員と公立学校に勤務する教職員は、教育を通じて住民全体に奉仕するという職務の同一性を有しながら、身分の取扱いについては、別々の取扱いをしなければならないということは、極めて不自然であり、片手落であるといわなければなりません。

このようなことから、政府は、中央、地方を通じて住民全体の奉仕者としての教育公務員の地位と身分を確立し、近代的公務員制度の理念に基づく民主的、能率的な人事行政制度の基礎を定めることは、現下、最も喫緊な要務の一つであると考え、前記教公二法案の立法勧告を行ないました。

さらに、教育行政については、一九五二年教育委員会制度の定立によって、市

— 1 —

復刻版	文教時報（第13巻～第16巻）　第5回配本

編・解説者　藤澤健一・近藤健一郎

発行者　小林淳子

発行所　不二出版
東京都文京区水道2−10−10
TEL 03(5981)6704

印刷所　栄光

製本所　青木製本

2019年9月25日　第1刷発行

揃定価（本体72,000円＋税）

乱丁・落丁はお取り替えいたします。

第14巻　ISBN978-4-8350-8083-3
第5回配本（全4冊 分売不可 セットISBN978-4-8350-8081-9）